ISTITUTO VENETO DI SCIENZE, LETTERE ED ARTI

STUDI DI ARTE VENETA

COLLANA DIRETTA
DA FRANCESCO VALCANOVER
E GIUSEPPE PAVANELLO

INDICE

Nasce, con questo volume, una nuova collana dell'Istituto Veneto, dedicata alla storia dell'arte, e sono particolarmente lieto che ad inaugurare la nuova impresa siano proprio gli atti del Seminario promosso, con la collaborazione dell'Istituto Veneto, dall'Ecole du Louvre sull'opera di Antonio Canova, che dell'Istituto è uno dei numi tutelari.

Sono passati ormai tre anni da quel settembre 1997, quando per la prima volta abbiamo incontrato i giovani allievi dell'Ecole du Louvre, accompagnati dai loro docenti, impegnati a ripercorrere le tappe di un itinerario canoviano che, iniziato a Parigi, aveva in Venezia, e nel nostro Istituto – di cui Canova è stato tra i primi membri –, una delle tappe, assieme a Possagno, Bassano e Roma.

Fu un incontro del quale tutti noi conserviamo un ricordo vivissimo: si creò infatti subito un clima di tale cordialità, che immediato nacque il desiderio, condiviso da tutti gli organizzatori, di non lasciar cadere la collaborazione iniziata, ma anzi di intensificarla e di accrescerla. Si delineò quindi un primo progetto, che venne poi perfezionato nei mesi successivi grazie all'impegno profuso dai soci dell'Istituto Veneto Francesco Valcanover e Giuseppe Pavanello, dal direttore dell'Ecole du Louvre Dominique Ponnau e dai docenti dell'Ecole, Marie Clarté O'Neill e Gennaro Toscano, assieme al cancelliere dell'Istituto Sandro Franchini.

Si è giunti così a definire i contorni di una collaborazione tra l'Ecole du Louvre e l'Istituto Veneto tesa all'approfondimento degli studi di storia dell'arte attraverso cicli di seminari internazionali sulla storia dell'arte veneta, da tenersi in parte a Parigi, in parte a Venezia e in altre città europee, dove fossero particolarmente significative le testimonianze artistiche di volta in volta oggetto dei corsi. Oltre a ciò, si è fissato l'impegno che ogni anno potesse essere organizzato congiuntamente un convegno o una giornata di studio su temi individuati di volta in volta. Infine, si auspicava che i testi delle lezioni e i saggi, frutto dei seminari e degli incontri di studio promossi, potessero trovare adeguata pubblicazione.

L'uscita di questo volume ci consente di vedere avviato il progetto in tutte le sue tre componenti. A partire da quel settembre 1997 si è infatti dato avvio alle annuali "Settimane di Storia dell'arte veneta", dedicate nel 1998 alla Pittura a Venezia al tempo di Giovanni Bellini, *nel 1999 al tema* Venezia 1540-1560. Le arti tra Rinascimento e "Maniera", *nel 2000 a* Il tempo di Giorgione *(i volumi degli atti usciranno nel prossimo anno a cura di Francesco Valcanover e di Gennaro Toscano, i quali, assieme a Giuseppe Pavanello, compongono il comitato scientifico dell'iniziativa). A seguire i corsi tenuti da docenti provenienti da vari paesi europei, anno per anno sono ammessi una trentina di giovani selezionati in base ai titoli di studio presentati e comunque tutti già dotati di una laurea o frequentanti il terzo ciclo di studi dell'Ecole du Louvre. In questi anni abbiamo visto la partecipazione di giovani francesi, italiani, spagnoli, tedeschi, inglesi e americani.*

Nel novembre prossimo si terrà, a Parigi, la prima giornata di studio promossa congiuntamente dall'Istituto Veneto e dall'Ecole, che avrà per oggetto lo studio dei problemi, e quindi il confronto delle soluzioni individuate da studiosi e da tecnici italiani e francesi, posti dal restauro e dall'utilizzo di edifici storici sede di istituzioni culturali.

Settimane internazionali di studio, convegni e seminari, pubblicazioni: ecco i tre fondamenti di una collaborazione scientifica particolarmente cordiale che è resa possibile – e questo va sottolineato – grazie al comune, profondo desiderio di promuovere solide occasioni di studio, dove giovani particolarmente preparati e volenterosi possano cercare di cogliere nell'intimo lo spirito e l'anima dell'arte e della cultura di Venezia, vista come una delle espressioni più felici dell'arte e della cultura europea.

Ringrazio quindi sentitamente il comitato scientifico e organizzativo, che ha fin dall'inizio con entusiasmo reso possibile la realizzazione di questo progetto.

Un ringraziamento tutto particolare va all'Ecole du Louvre, con la quale l'Istituto Veneto, pur così diverso per storia, struttura organizzativa e natura giuridica, ha potuto costruire un fecondo, solidale, vivace rapporto di lavoro e di amicizia; un ringraziamento al suo direttore, Dominique Ponnau, ai dirigenti, ai docenti e al personale amministrativo e ai tecnici; visitando la bella ed efficiente sede del Pavillon de Flore abbiamo avuto immediata la consapevolezza di trovarci in un luogo privilegiato di lavoro e di studio.

Concludo formulando il voto che questa collaborazione continui, ancora per molti anni, con lo stesso spirito e con lo stesso impegno, nella consapevolezza che è anche su esperienze come la nostra che si costruisce l'Europa del futuro.

Venezia, 15 agosto 2000

Bruno Zanettin
Presidente dell'Istituto Veneto
di Scienze, Lettere ed Arti

Voici le premier ouvrage témoin de la merveilleuse rencontre entre l'Istituto Veneto di Scienze, Lettere ed Arti et l'Ecole du Louvre. La saveur des échanges, leur parfum si j'ose ainsi dire, se confie à l'écriture. Il demeure ici quelque chose de ce "je ne sais quoi" auquel nos classiques aspiraient, lumière indiscernable, indéfinissable, éclairant sa recherche même, depuis le premier pas du pèlerin. Les silences entre les paroles sont l'âme de leur musique. De même, ici peut-être les interstices entre les mots. Il est un mot pourtant que je voudrais écrire en lequel se rejoignent ma conviction et mon sentiment: gratitude. Certes, les deux institutions se sont accordées: celle qui voit passer la Seine et celle qui voisine avec le Grand Canal. Mais celle-là doit à celle-ci davantage. La générosité de l'Istituto Veneto envers l'Ecole du Louvre convie notre maison à l'exigence la plus haute: au travail de l'intelligence, assurément, mais à son élégance aussi, à sa gratuité, à sa grâce. J'aime beaucoup la langue française, mais c'est en italien que je préfère l'expression d'un merci. Grazie, donc.

Venezia, 15 agosto 2000

Dominique Ponnau
Conservateur général du patrimoine
Directeur de l'Ecole du Louvre

INTRODUZIONE

"Uomo Europeo"
(L. Cicognara, 1822)

Venezia, Roma e Parigi sono le città qui prese in considerazione in rapporto alla figura e all'arte di Antonio Canova. Ben più numerosi sono gli ambienti ch'egli frequentò lasciandovi un'impronta fortissima: basti pensare a Londra e a Vienna, a Napoli, Milano e Firenze, cui vanno aggiunte le città dove inviò sue opere, come Pietroburgo. Anche da questo semplice elenco risalta il ruolo cruciale dello scultore nell'intera Europa, sicché si può ben a ragione definire Canova il primo artista davvero europeo: più di David, certamente, per citare un collega di quegli anni, più di Tiepolo, per nominare un pittore che prima di lui era stato caro ai paesi tedeschi, come a Milano e alla Spagna; o, per risalire ancora nel tempo, più di Bernini, invitato a Parigi per la nuova reggia di Luigi XIV. Solo nel nome di Canova, per la prima volta, e forse anche per l'ultima, l'Europa si era riconosciuta unita negli ideali dell'arte.

Non si poteva fare scelta più appropriata – ne siamo convinti – per il primo Seminario di Specializzazione in Storia dell'arte organizzato dall'Istituto Veneto e dall'Ecole du Louvre, svoltosi appunto tra Parigi, Venezia (con puntate a Possagno e a Bassano del Grappa) e Roma. Gli atti che vedono ora la luce danno testimonianza della molteplicità e della qualità degli apporti degli studiosi invitati. Non tutti, purtroppo, hanno trovato il tempo d'inviare i loro testi per la stampa, e vorrei ricordare qui i loro nomi per dar conto di altre importanti presenze alle nostre giornate: Nicole Barbier, Bernard Chevalier, Pierre Arizzoli-Clémentel, Alba Costamagna, Anne Dion, Adriano Drigo, Jean-René Gaborit, Sergio

Guarino, Sylvain Lavessière, Amaury Lefébure, Paolo Liverani, Giorgio Marini, Paolo Mariuz, Fernando Mazzocca, Régis Michel, Antonio Pinelli, Sandra Pinto, Orietta Rossi, Giandomenico Romanelli.

Nel volume si è voluto dare un giusto risalto anche all'apparato illustrativo, e non sono pochi, crediamo, gli spunti che potranno interessare o incuriosire pure chi ha toccato solo marginalmente gli studi canoviani. I contributi qui pubblicati si segnalano per varietà di tematiche e di accostamenti a un argomento così vasto come quello su cui abbiamo voluto soffermarci. Ma proprio la personalità e l'opera di Canova si prestano in modo singolare ad essere analizzati da angolazioni diverse. Si sono deliberatamente lasciati da parte gli approfondimenti filologici sul catalogo dell'artista, per far emergere la diramata e complessa rete di rapporti e di situazioni che, nel nome di Canova, si può tessere ora o che è stata imbastita in passato. Il grande scultore ne esce come una figura sempre più determinante per le vicende artistiche d'Europa in età neoclassica: l'Età di Canova, appunto, secondo la nota definizione che Leopoldo Cicognara volle nel frontespizio della sua *Storia della Scultura*.

All'iniziativa ha dato un contributo fondamentale Gennaro Toscano, fedele compagno di viaggio in questo itinerario europeo.

Giuseppe Pavanello

SEZIONE I

CANOVA E VENEZIA

Adriano Mariuz

ATELIERS VENEZIANI
DEL SETTECENTO

Le dichiarazioni che i pittori veneziani hanno rilasciato sull'arte e sul valore che attribuivano alla loro professione sono piuttosto scarse e scarne; né fanno eccezione quelli operanti nel Settecento, che pure è stato un secolo in cui si è ampiamente dibattuto intorno a tali questioni. Ma se i pittori sono reticenti, parlano, al riguardo, le loro opere, solo che si sappia interrogarle. Mi riferisco specificamente a dipinti e disegni che mettono in scena il pittore stesso intento al suo lavoro, alla presenza del modello: un soggetto, come noto, rappresentato di frequente nel Seicento in ambito europeo (come non ricordare *Las Meninas* di Velázquez o *Il pittore e la modella* di Vermeer?), ma che a Venezia ha suscitato un significativo interesse solo nel corso del Settecento, visualizzandosi in una considerevole quantità e varietà di interpretazioni[1].

Il fatto è già di per sè indicativo dell'insorgenza di una disposizione critica o, comunque, riflessiva nei confronti della propria attività; ma ciò che più conta è che talune di quelle opere assumono la rilevanza di un manifesto artistico, equivalgono cioè all'enunciazione in termini puramente visivi della poetica dei loro autori: chiamati in causa dal soggetto, essi sono indotti a mettersi in luce, a manifestare, più o meno consapevolmente, le loro aspirazioni e i loro convincimenti più profondi, riguardo sia alle scelte stilistiche, sia al mestiere che professano. Le diverse interpretazioni del tema, da un pittore all'altro, consentono pertanto di cogliere in atto, con singolare immediatezza, la varietà di tendenze presen-

---

[1] Sull'affascinante tema del pittore al lavoro si veda almeno M. Levey, *The Painter depicted. Painters as a subject in Painting*, London 1981 (con bibliografia essenziale).

ti nella civiltà pittorica veneziana del Settecento e di seguirne per snodi
e punti salienti lo svolgimento nell'arco di un secolo.

Si può prendere l'avvio da un dipinto di Sebastiano Ricci (1659-
1734), il pittore che all'apertura del secolo, recuperando in chiave moderna la lezione dei grandi maestri del Cinquecento, da Veronese ad Annibale Carracci, innova la pittura veneziana e la rilancia su un piano europeo. La tela, che si data proprio agli inizi del Settecento, raffigura
1 *Apelle che ritrae Campaspe alla presenza di Alessandro Magno* (Parma,
Pinacoteca Nazionale). Un soggetto tutt'altro che inconsueto, ma che
godrà di una particolare fortuna nel corso del secolo, pure fra i pittori
veneziani, come vedremo, e non solo per la sua componente erotica: esso implica anche un riconoscimento del ruolo eminente dell'artista in
ambito cortigiano e al tempo stesso postula un rapporto di maggior fa-
miliarità, quasi di amichevole intesa, con i mecenati. Secondo il racconto di Plinio, il condottiero macedone, colpito dal talento del suo pittore
prediletto, gli fece dono della sua amante, di cui Apelle si era innamorato mentre ne eseguiva il ritratto: in tal modo egli riconosceva che un artista creatore può vantare sulla bellezza più diritti di colui che materialmente la possiede[2].

Nell'interpretazione di Ricci, centro significante della composizione
è la mano del pittore che regge il matitatoio, pronta a schizzare sulla tela
l'immagine captata dall'occhio innamorato. Da quel gesto, simile a quello di un direttore d'orchestra, trae origine ciò che apparirà sulla tela appena iniziata; ma su di esso s'impernia, come ne fosse il fulcro motore,
anche lo spettacolo che già si offre al nostro sguardo.

Attraverso il suo *alter ego*, Apelle, Sebastiano si dichiara senz'altro
un pittore a servizio dei potenti: «accoutumé à travailler pour les Princes»,
annoterà Dézailler d'Argenville, Ricci «n'envisageoit point de bonheur
plus grand que celui d'être attaché à quelque Monarque»[3]. Ma il fine principale della sua arte non è di glorificare i suoi mecenati, di magnificarne
le virtù vere o presunte, come era stato per i grandi pittori barocchi, quali
Pietro da Cortona e Luca Giordano, la cui influenza era stata peraltro de-
cisiva per la formazione del suo linguaggio: analogamente ad Apelle, egli
mira piuttosto a dar forma a un genere particolare di bellezza: una bellez-

---

[2] PLINIO IL VECCHIO, *Historia Naturalis*, XXXV, 86-87. Nel racconto di Plinio l'amante di
Alessandro porta il nome di Pancaspe. L'episodio è raccontato anche da ELIANO, *Varia Historia*, XII, 34. Per un elenco degli artisti che hanno trattato il soggetto, cfr. A. PIGLER, *Ba-
rockthemen...*, II, Budapest 1956, pp. 351-353. Per il suo significato, cfr. P. GEORGEL-A.M. LE-
COQ, *La peinture dans la peinture*, catalogo della mostra (Dijon, Musée des Beaux-Arts, 18 dicembre 1982-28 febbraio 1983), Dijon 1982, pp. 53-56.

[3] A. DÉZAILLER D'ARGENVILLE, *Abrégé de la vie des plus fameux peintres*, Paris 1762,
p. 306.

za soffusa di grazia, contraddistinta cioè da una qualità che sfugge al canone e che può essere intesa e valutata solo dalla sensibilità.

In sintonia con l'estetica dell'Arcadia, che stava pervadendo la cultura italiana, Ricci avrebbe potuto sottoscrivere la seguente definizione di un protagonista di quel movimento innovatore: «Per bello noi comunemente intendiamo quello, che veduto, o ascoltato, o inteso ci diletta, ci piace e ci rapisce, cagionando dentro di noi dolce sensazione e amore»[4]. Proprio operando in questa direzione, egli è pervenuto agli esiti più persuasivi e maggiormente apprezzati dalla committenza e dal pubblico di gusto più moderno: basti pensare ai suoi dipinti di soggetto mitologico-erotico, che offrono il duplice piacere di contemplare le belle forme femminili e di gustare la bella pittura.

La concezione della pittura adombrata nell'episodio di Apelle e Campaspe è per l'appunto quella di un'arte che comunica desideri e fantasie d'amore. Così è per Sebastiano, che tuttavia rifugge dalla "lascivia" barocca, quale un Pietro Liberi, ad esempio, aveva esibito nella sua pittura opulenta. Campaspe, piuttosto che ignuda secondo l'iconografia consueta, posa sontuosamente abbigliata. *Grazia*, dunque, ma anche *nobiltà*, cioè elevatezza d'invenzione: in sostanza, proprio le qualità che i conoscitori settecenteschi apprezzavano in Paolo Veronese, che è il maestro ideale di Ricci. È evidente, infatti, che il nostro dipinto, il cui tema di fondo è l'arte della pittura, è stato concepito come un omaggio al maestro cinquecentesco; ed anzi potremmo indicare in esso quasi il manifesto di quel *revival* veronesiano promosso dallo stesso Ricci e che costituisce uno degli aspetti qualificanti della civiltà pittorica veneziana settecentesca.

Il riferimento a Veronese è non meno esplicito, nonostante i gravi danni e le ridipinture, in un'altra versione dello stesso tema, posteriore di circa un ventennio, conservata all'Ermitage di Pietroburgo[5]: basti soffermarsi sulla figura del paggio moro alle spalle di Alessandro, il cui costume luccicante di riflessi dorati e argentei si direbbe preso direttamente dal guardaroba di Paolo. Rispetto al dipinto di Parma, l'impianto è ancor più scenografico, la composizione più spaziata; ma ciò che conta per il

---

[4] Sono parole di L.A. MURATORI, estrapolate dal saggio *Della perfetta poesia italiana*, pubblicato la prima volta a Venezia nel 1710.

[5] Il dipinto, già assegnato a Francesco Fontebasso, è stato rivendicato a Sebastiano Ricci dallo scrivente. La proposta è stata accolta da I. ARTEMIEVA, in *Capolavori nascosti dell'Ermitage. Dipinti veneti del Sei e Settecento da Pietroburgo*, catalogo della mostra a cura di I. Artemieva-G. Bergamini-G. Pavanello (Udine, Castello, 29 maggio-6 settembre 1998), Milano 1998, scheda 11, p. 98.

Una derivazione parziale da questo dipinto (o, meglio, da un'ancora sconosciuta composizione di Ricci), attribuibile ad Antonio Guardi, è passata a un'asta Christie's, New York, 19 gennaio 1982, lotto 60; quindi a un'asta Semenzato, Venezia, 9 luglio 1995, lotto 24.

nostro discorso è il ruolo da protagonista che vi assume Apelle, fastosa-
mente abbigliato da gentiluomo, in posa, si direbbe, per essere ammirato, più ancora che da Alessandro, dallo spettatore; né va trascurato che le
sue fattezze richiamano, se pure idealizzate e ingentilite, quelle di Sebastiano. Il dipinto è l'autocelebrazione di un artista che sa di meritare la
protezione dei potenti e l'applauso dei conoscitori, vero emulo di Veronese; un artista al culmine del successo, sicuro di sè, che ha saputo rin-
verdire i fasti della scuola veneziana, diffondendone il nome «per l'Europa virtuosa tutta per maggior fama»[6].

Spetta a un pittore ai suoi esordi farci conoscere un ambiente e una
situazione del tutto diversi, documentandoli in un disegno rifinito in ogni
particolare, che si direbbe preparatorio per una stampa. Non già lo studio
di un artista famoso ricreato con l'immaginazione, ma un luogo reale:
una stanza disadorna, dove si sono riuniti alcuni giovani per disegnare il
nudo dal vero. Il modello ha preso posto su una pedana e si appoggia a
un sostegno; ai suoi piedi sono sparsi in disordine gli indumenti personali accanto a una clessidra, che segna il tempo della posa. Lampade
schermate per i singoli disegnatori e una lucerna a più fiammelle che
pende dall'alto illuminano l'ambiente, determinando sul modello e sui
disegnatori un serrato intarsio di luce e di ombra. Un carattere di verità
in presa diretta contraddistingue la rappresentazione, accentuato dalla resa icastica delle singole fisionomie.

Rendendo noto il disegno, Antonio Morassi vi ha riconosciuto la mano di Giambattista Tiepolo (1696-1770): un Tiepolo ventenne, che avrebbe ritratto se stesso tra i suoi compagni alla scuola privata di nudo tenuta da Piazzetta[7]. Per George Knox si tratterebbe piuttosto della scuola di
Lazzarini, che fu maestro di Tiepolo[8]. Ma in questo disegno nulla traspare di tale discepolato, nulla dello stile diligente di Lazzarini, con il suo
blando classicismo. Esso è invece significativa testimonianza di una tendenza pittorica d'avanguardia che si viene affermando a Venezia intorno
al 1715, antitetica alla posizione di Lazzarini quanto a quella di Ricci, e
di cui è leader indiscusso Giambattista Piazzetta. A suo fondamento è lo
studio del nudo dal vero, come a dire un più diretto rapporto con la realtà
di natura, analizzata preferibilmente a lume artificiale[9]. Il nuovo indiriz-

---

[6] A.M. ZANETTI, *Descrizione di tutte le pubbliche pitture della città di Venezia*, Venezia 1733, p. 59.

[7] A. MORASSI, *A «Scuola di nudo» by Tiepolo*, in «Master Drawings», IX, 1971, pp. 43-50.

[8] G. KNOX, *Giambattista Piazzetta*, Oxford 1992, p. 211.

[9] Merita segnalare che una lucerna simile a quella del nostro disegno compare nel dipinto di Piazzetta raffigurante *Giuditta e Oloferne*, ora nella Galleria Nazionale dell'Accademia
di San Luca di Roma, databile verosimilmente in questi stessi anni.

zo punta, in sostanza, a restituire alla figura umana un perentorio risalto plastico ed espressivo, sbalzandola attraverso luce e ombra, infondendovi al contempo un vivo palpito carnale.

A titolo esemplificativo, e per rimanere nel campo della grafica, si considerino due accademie di nudo, rispettivamente di Piazzetta (Oxford, Ashmolean Museum) e di Tiepolo (collezione privata), entrambe di straordinaria perspicuità visiva, ma rilevata, e come conchiusa in una tesa guaina chiaroscurale, la prima, l'altra quasi forzata in sopra tono, addirittura aggressiva nella sua enfasi anatomica e mimica.

Se Piazzetta ha proseguito per la sua strada, mantenendosi fedele alle premesse, che lo portano ad attuare una specie di "anatomia" luministica della forma e a prediligere modelli plebei, «cercando di seguire la natura»[10], Giambattista Tiepolo, pur facendo tesoro della lezione piazzettesca come di un imprescindibile nocciolo duro, è venuto arricchendo via via, con intelligenza rapace, la sua cultura visiva, così da ampliare sempre più il raggio della sua visione. Intorno al 1720 è già considerato, almeno in ambiente veneziano, ben più di un giovane artista promettente e la consapevolezza che egli ha del suo valore corrisponde alle aspettative che si ripongono in lui.

A distanza di meno di una decina d'anni dal disegno sopra considerato, dove si era rappresentato come uno scolaro intento allo studio del vero, egli si vede addirittura nei panni di Apelle. Pur di modeste dimensioni (cm. 54 × 74), il dipinto con *Apelle che ritrae Campaspe* (Montreal, Museum of Fine Arts) è un'opera fra le più significative della sua giovinezza. Come un'insegna o un'immagine pubblicitaria, essa mostra di cosa egli sia capace, e al tempo stesso è diretta e ammiccante come una pagina autobiografica. Le due grandi tele addossate alla parete di fondo – una raffigurante *Mosè e il serpente di bronzo*, l'altra un episodio mitologico, forse *Venere che consegna le armi a Enea* – esemplificano la produzione dell'artista nel campo della tematica sacra e profana. Siamo dunque nell'*atelier* di Tiepolo, piuttosto che in quello di Apelle; al quale, del resto, Tiepolo ha conferito le sue stesse sembianze, mentre le fattezze di Campaspe, quale sono fissate nel ritratto che sta prendendo forma, sono verosimilmente quelle di sua moglie, Cecilia Guardi. Il dipinto è anche un omaggio alla bellezza di lei e alla loro amorosa intimità; non per caso il pennello indugia all'altezza del seno, proiettandovi una lancetta d'ombra, quasi a segnare, come una meridiana, l'ora del desiderio. Anche il servitore moro accanto al cavalletto e il piccolo cane che guarda verso di noi, coinvolgendoci nella rappresentazione, sembrerebbero provenire dall'ambiente domestico dell'artista.

---

[10] Cfr. G.B. ALBRIZZI, *Memorie intorno alla vita di Giambattista Piazzetta*, in *Studi di Pittura...*, Venezia 1760.

Il gruppo dei personaggi sulla pedana, in primo piano, abbigliati all'antica e che posano, in modo del tutto incongruo, alle spalle del pittore invece che di fronte a lui – e si tratta di Alessandro, del suo amico Efestione, di Campaspe – si direbbe scivolato all'interno da un altro spazio, da un altro palcoscenico, assieme al candido fondale architettonico veronesiano con la statua colossale di Ercole e i guerrieri nello sfondo. Come già ho avuto modo di scrivere, l'*atelier* del pittore, vale a dire la sua mente, si configura come il luogo in cui il passato e il presente convergono, chiamando in causa sia l'immaginazione, sia l'osservazione[11]. La storia antica e il mondo familiare trapassano l'uno nell'altro, così come l'entusiasmo, che dà ali all'immaginazione, si ibrida con una vena d'ironia, che scaturisce dal confronto del "sublime" con il quotidiano. Tiepolo-Apelle, che fa da cerniera fra i due spazi contigui, tiene ogni cosa sotto il controllo di uno sguardo circolare, volgendo il capo come fosse un periscopio, in modo da includere nel suo campo visivo sia il gruppo dei personaggi alle sue spalle, sia il ritratto a cui sta lavorando. Più che la mano, è lo sguardo del pittore il vero fulcro dell'opera, il perno in rapporto al quale la composizione si organizza, dispiegandosi in una struttura complessa, aperta, dinamica.

E che dire dell'insolito abbigliamento di Apelle, né antico, né contemporaneo? Esso non può non richiamare, anche nel dettaglio del berretto di pelliccia che proietta sugli occhi una mascherina d'ombra, i costumi indossati da Rembrandt; e a Rembrandt, a qualcuno dei suoi giovanili autoritratti all'acquaforte, che Giambattista aveva la possibilità di ammirare nelle raccolte di Anton Maria Zanetti il Vecchio, fa pensare l'intensità stessa, quasi febbrile, di quello sguardo: uno sguardo che ben lascia trasparire un temperamento «tutto spirito e foco»[12].

Così, mentre assume il ruolo del più celebre pittore dell'antichità, che aveva saputo infondere la grazia nelle sue opere e che era stato il prediletto di Alessandro Magno, mentre rende omaggio a Veronese ponendosi sulla scia di Sebastiano Ricci, Tiepolo lascia intendere anche la sua attrazione per Rembrandt, il genio moderno: di certo egli ne avrà apprezzato, oltre che la sprezzatura pittoresca, l'audacia e l'originalità delle invenzioni, traendone stimoli per quelle «bizzarrie di pensieri»[13] alle quali era incline e di cui quest'opera offre un esempio clamoroso. In so-

---

[11] A. MARIUZ, *Giambattista Tiepolo*, in *L'arte nel diciottesimo secolo. La gloria di Venezia*, edizione italiana del catalogo della mostra a cura di J. Martineau e A. Robison (Royal Academy of Arts, London, 1994 – National Gallery of Art, Washington, 1995), London 1994, p. 173.

[12] Cfr. V. DA CANAL, *Vita di Gregorio Lazzarini* (1732), edizione a cura di G. Moschini, Venezia 1809, p. XXXII.

[13] *Ibidem*.

stanza, con un'interpretazione del tema così spregiudicata, il giovane pittore in ascesa rivendica la propria autonomia creativa, la libertà della sua fantasia, nei confronti sia della tradizione artistica, sia delle richieste dei suoi committenti[14].

Circa una decina d'anni dopo Giambattista ritorna sul tema. Un dipinto, anche questo, di modeste dimensioni, in cui ricompare l'impianto scenico utilizzato in precedenza, se pure in posizione invertita: a sinistra la quinta in ombra, con le semicolonne scanalate; a destra, a far da sfondo al pittore, il luminoso loggiato neo-veronesiano. Ma del tutto mutato è lo spirito che informa l'opera: «non più l'*humour* di una ricostruzione fantastica, modernizzata, non più la descrizione del proprio atelier»[15]. La foga improvvisatrice, la grinta guittesca di un tempo hanno ceduto a più calcolate misure: Tiepolo si avvia a trasformarsi in un "Veronese redivivo".

Siamo nell'aula di un palazzo, da cui è stato bandito ogni elemento incongruo o fuori tema. Apelle è un giovane elegante, in costume cinquecentesco; e la sua posizione in rapporto al modello è del tutto verosimile. Il solo tributo alla moda è la scelta del formato ovale per la tela sul cavalletto, come si prediligeva all'epoca per i ritratti. Osservando i personaggi, colpisce l'assenza di ogni coinvolgimento emotivo tra loro. Alessandro non sembra curarsi di ciò che sta accadendo, pago di mostrare il suo profilo, nitido come quello di una medaglia antica. La bellissima Campaspe posa con una specie di apatia, indifferente anche alla presenza della donna anziana che sembra tacitamente invitarla a rimirarsi nello specchio; né il pittore tradisce una qualche emozione sentimentale o erotica: egli è semplicemente intento al suo lavoro, tutto concentrato a studiare il modello dalla distanza più opportuna.

La qualità dell'opera non è certo quella della versione giovanile; si

7

---

[14] Viene da pensare che, una volta tanto, egli abbia eseguito questo dipinto per sé, piuttosto che su commissione, o per metterlo in vendita; il che non si potrebbe dire di un'altra versione del tema, di ubicazione ignota, databile nello stesso periodo (cfr. M. GEMIN-F. PEDROCCO, *Giambattista Tiepolo. I dipinti. Opera completa*, Venezia 1993, p. 264, n. 98). Lo scenario è pressoché identico, con le due grandi tele addossate alla parete di fondo, in penombra; gli attori sono i medesimi, e così i costumi che indossano, ma la regia è più convenzionale. Il gruppo che nell'altro dipinto sembra entrato in scena per distogliere il pittore dal suo lavoro, come per un'intrusione improvvisa, qui, in modo appropriato, si è messo in posa di fronte a lui. Campaspe ostenta compiaciuta la sua procace bellezza: è lei la protagonista; e non per caso la tela alle sue spalle raffigura Venere che addita una coppia di colombe. Ma l'estrosità di Tiepolo non manca di manifestarsi anche qui; e la si ravvisa in una certa sottolineatura grottesca, per cui Alessandro è immaginato come un rozzo capobanda, orgoglioso di esibire la sua "bella", mentre il cagnolino di razza e il servetto moro con il vassoio introducono una comica nota salottiera.

[15] A. PALLUCCHINI, *L'opera completa di Giambattista Tiepolo*, Milano 1968, p. 102, n. 114.

ha l'impressione che Tiepolo non abbia "sentito" abbastanza il soggetto, o lo abbia assunto a mero pretesto per un esercizio compositivo di tono classicistico. Evidentemente il ruolo di pittore della bellezza femminile gli sta stretto: egli mira a ben altro, aspira addirittura a dipingere tutto il mondo, come sarà di lì a qualche anno nella volta della Galleria di palazzo Clerici a Milano, o, più tardi, in quella dello scalone della Residenza di Würzburg.

Proprio nel contesto dell'affresco dello scalone di Würzburg, certo il suo capolavoro e uno dei capolavori dell'arte europea, Giambattista ha ritratto se stesso in tenuta da lavoro. L'opera immensa raffigura, come si sa, Apollo, il dio del sole, che sorge a illuminare l'universo. È una glorificazione dello spazio e della luce e, insieme, dei valori della civiltà, al cui sviluppo le arti concorrono in modo determinante; e fra le arti è la pittura che primeggia. Tiepolo l'ha personificata in una donna avvenente, che ai piedi del trono d'Europa si accinge a colorare il glo-
9, 10 bo: proprio ciò che ha fatto egli stesso. Un po' in disparte, come un regista dietro le quinte, anche Giambattista si è voluto presente; e accanto a lui il figlio Giandomenico, che gli è stato di valido aiuto nell'impresa. Mentre Giandomenico veste alla moda, in giacca azzurra e capelli incipriati, e volge lo sguardo in direzione dell'osservatore, come è nella tradizione degli autoritratti, Giambattista ha scelto di presentarsi in tutta semplicità – berretto informe sul capo, sciarpa al collo –, così da poter essere subito identificato come l'autore della grande opera. Il volto aquilino è teso, come per una profonda concentrazione: egli sembra non aver occhi che per lo spettacolo creato da lui stesso, come se fuori di quel radioso universo parallelo non esistesse nulla che meritasse la sua attenzione.

Ma lasciamo queste altezze e torniamo a seguire la metamorfosi del nostro soggetto, che sollecita la fantasia di altri pittori di successo attivi a Venezia. Francesco Fontebasso (1707-1769), che opera sulla scia di Sebastiano Ricci ma guarda anche a Tiepolo, include l'episodio di *Apelle e*
11 *Campaspe* in una sua serie d'incisioni pubblicata nel 1744. Lo ambienta all'aperto, fra quinte architettoniche all'antica, combinando la magniloquenza dell'impianto con una gustosa verve narrativa. Campaspe si atteggia in una posa sostenuta, fin troppo consapevole del suo ruolo, a imitazione, si direbbe, di quella assunta dallo stesso personaggio nel dipinto di Ricci dell'Ermitage. Apelle, il volto in ombra, è un adolescente alle prese con una tela fin troppo grande. È curioso che egli ritragga Campaspe di profilo e di spalle, quale si presenta a noi, invece che dal suo punto di vista: come a suggerire che si tratta di una messinscena, e tutto è concepito in funzione dello sguardo dello spettatore. Le luci direzionate, come provenienti da riflettori laterali, accentuano il carattere teatrale della rappresentazione.

L'episodio antico va perdendo il suo valore esemplare, diventa uno dei tanti soggetti del repertorio "storico", da inscenare a richiesta. Giambattista Crosato (c. 1696-1758), coetaneo di Tiepolo, con cui condivide l'abilità nella pittura ad affresco e la propensione per il bizzarro, lo raffigura (siamo intorno alla metà del secolo) nel contesto di una vasta decorazione, avente a protagonista Alessandro Magno, dispiegata sulle pareti di una villa di terraferma. E v'infonde un umore estroso, lievemente faceto, compiacendosi di sfumature sentimentali e coloristiche, di acconciature ricercate, di stoffe a righe, di un'attrezzeria eclettica che ben rivela la sua consuetudine, in qualità di applaudito scenografo, con il mondo del teatro: ecco la colonna tortile di finto marmo, il tendaggio di damasco con il fiocco in vista, e, a insaporire la rappresentazione con un tocco imprevisto di esotismo, il grande vaso cinese con capricciose guarnizioni in bronzo dorato. Come un piccolo *deus ex machina* Cupido entra in scena pronto a scoccare la freccia, mentre il cane par tutto preso, non meno del pittore, dalla bellezza di Campaspe. Si avverte nell'insieme un che di domestico, come lo spettacolo fosse allestito in casa (lo sfondo è quello di un interno dell'epoca, con la ringhiera della scala in ferro battuto), facendo recitare alla padrona, dama galante e di spirito, la parte di Campaspe. [12]

Un'interpretazione anche più singolare è offerta da un pittore della generazione precedente a quella di Tiepolo, Jacopo Amigoni (1682-1752), che era rimpatriato a Venezia nel 1739, dopo un'assenza di oltre un ventennio. Come altri pittori veneziani, Amigoni aveva fatto la sua fortuna all'estero, decorando regge e abbazie in Baviera, palazzi e residenze di campagna in Inghilterra. Pur avendo praticato la pittura decorativa monumentale ed essersi distinto anche nel ritratto, egli trova la sua più congeniale fonte d'ispirazione nell'idillio mitologico. Generalmente i protagonisti son giovani dai corpi lattei; lo scenario, una radura di bosco o un'alcova arborea, dischiusa su lontananze verdazzurre; e tutt'intorno giochi di putti, a reintegrare la visione del piacere in una dimensione cui è estraneo ogni senso di colpa. Anche nelle opere di vasto impianto Amigoni tende al diminutivo, al grazioso. Attraverso tutta la sua pittura sciamano i putti, volteggiano perfino nei ritratti, come egli avesse inteso alla lettera l'invito di Luigi XIV a diffondere «de l'enfance partout», assunto a slogan del rococò. Non stupisce che egli abbia trasposto nel mondo dell'infanzia perfino il tema di *Apelle e Campaspe*. Sono bambini che giocano a imitare le storie dei grandi; e il risultato è un accordo perfetto di innocenza e grazia maliziosa, di naturalezza e di artificio. [13]

Una variazione sullo stesso tema ci è nota da un'incisione di Joseph Wagner, un calcografo tedesco che in società con Amigoni aveva aperto a Londra una bottega di stampe e in compagnia del quale si era trasferito a Venezia. Non c'è dubbio che Wagner avesse portato con sé un gran [14] numero di incisioni, fra le quali potevano ben esserci le *Carriere* di Hogarth e riproduzioni di disegni e dipinti di Watteau e di altri pittori francesi, acquisite a Parigi, dove l'incisore si era recato in gioventù per specializzarsi nell'arte dell'intaglio. Forse anche osservando quelle stampe, magari nella bottega dello stesso Wagner, Pietro Longhi (1701-1785) può aver trovato stimoli e spunti per imboccare una strada sua propria, mai prima percorsa a Venezia: quella di pittore del costume contemporaneo, che gli darà straordinaria rinomanza.

La tela raffigurante *Il pittore nello studio* (Venezia, Ca' Rezzonico), che si data nei primi anni quaranta, è il manifesto di questa sua «nuova... maniera di dipingere»[16], come lo era stato per Tiepolo la prima versione di *Apelle che ritrae Campaspe*. I personaggi son quelli dell'episodio antico: un pittore all'opera, una bella giovane in posa e l'amoroso che le sta accanto. Ma Longhi ha trasferito il tema nella contemporaneità: non più eroi ed eroine di un'età remota; i protagonisti sono ora i nostri simili. La composizione, tutta calata nella penombra di un interno piuttosto disadorno, è impaginata in modo da consentire un confronto tra il modello e il ritratto. La stessa ripresa da tergo della figura del pittore presuppone uno sguardo spersonalizzato, oggettivo, che rifletta la scena dal di fuori, come uno specchio, in modo da restituirne un'immagine ferma e precisa.

Il particolare del cavaliere che si è scostato dal volto la maschera, palesando la propria identità, assume una rilevanza addirittura emblematica. Il pittore toglie la maschera, per così dire, anche della finzione letteraria per mettere in luce la verità contingente: un'operazione che ha il suo esito più preciso nella messa a fuoco di una fisionomia, appuntata nel campo angusto di un volto. Non c'è dipinto che visualizzi al pari di questo, in modo più sommesso e affascinante, una poetica dell'*osservazione*, empiristica e laica, che viene affiancandosi a una poetica tardobarocca dell'*immaginazione*, sostenuta dal prestigio di Giambattista Tiepolo.

Poco oltre la metà del secolo si viene affermando ancora un'altra tendenza nell'ambiente artistico veneziano, favorita, in particolare, dall'Accademia che, istituita come scuola nel 1750, diviene operante nel 1756, con il suo statuto, come organismo efficiente nelle direttive di gusto. Soprattutto a partire dai tardi anni sessanta, a Venezia, come nel resto d'Europa, la cultura d'élite si orienta verso una concezione razionalistica dell'arte, che riconosce i propri modelli nella statuaria antica, greca in primo luogo, nel presupposto che l'arte greca si sia accostata più di ogni altra alla "bella natura".

15, 16

---

[16] P. GUARIENTI, in P. ORLANDI, *Abecedario pittorico*, Venezia 1753, p. 427.

È un orientamento che influisce anche nel giudizio che Anton Maria Zanetti il Giovane, peraltro acutissimo quando si appunta sulle singole personalità, formula dei pittori della sua epoca allorché li valuta in uno sguardo d'insieme. Nell'introduzione al quinto libro della sua celebre opera *Della pittura veneziana e delle opere pubbliche dei veneziani maestri*, pubblicata nel 1771, tracciando un consuntivo della pittura del suo secolo, così scrive: «Gran danno fecero a sé stesse le belle arti, o piuttosto gli artefici a loro medesimi, nell'accostumare il senso di soverchia vaghezza, e ridurlo al punto d'aver bisogno sempre di alterati sapori, nuovi e piccanti molto, per averne diletto e trasporto! Si è perduto perciò l'ottimo e vero gusto della bellezza semplice, e della grazia nativa, grandi amiche della perfetta natura e della buona ragione; quelle che sole vincer possono l'intelletto insieme ed il cuore»[17]. E, a conclusione, auspicando una rinascita dell'arte veneziana, egli invita la gioventù allo studio assiduo delle statue greche, «finché non si giunga a imitarne fedelmente la simmetria, la grazia dei contorni, le forme delle teste e delle altre estremità»[18]. Ma già Francesco Algarotti, peraltro amico e grande estimatore di Giambattista Tiepolo, nel suo saggio *Sopra la pittura* aveva dato consigli di questo tenore: «Assai più conforme alla ragione e più profittevole sarebbe non mettersi a disegnare il nudo all'Accademia se non tardi; cioè dopo che, ben studiato l'antico, altri potrà aiutar le cose che ritrae dal vivo»[19].

Lo studio dell'antico, dunque, deve essere alla base del tirocinio artistico. È la pratica che un'incisione tratta da un dipinto di Francesco Maggiotto (1738-1805) illustra puntualmente. Un confronto con il disegno di Giambattista Tiepolo raffigurante *La scuola del nudo* è quanto mai rivelatore del mutamento sopravvenuto nella didattica artistica. Il modello che i giovani allievi, controllati dal maestro, sono intenti a disegnare non è una persona in carne e ossa, bensì la riproduzione, verosimilmente in gesso, di una scultura antica: l'*Ercole in riposo* di Lisippo, considerato un esempio di perfezione del canone applicato al corpo umano. Altre sculture antiche, o ispirate all'antico, sono disseminate nell'ambiente, assieme ai libri.

Possiamo immaginare nell'attitudine di questi allievi il giovanissimo Canova (1757-1822), mentre si esercita nella copia dei calchi delle statue classiche che Filippo Farsetti aveva raccolto nella galleria del suo palazzo veneziano, aperta agli aspiranti artisti fin dal 1755. Un esempio di ta-

17

---

[17] A.M. Zanetti, *Della pittura veneziana e delle opere pubbliche dei veneziani maestri*, Venezia 1771, p. 398.
[18] *Idem*, p. 488.
[19] F. Algarotti, *Saggio sopra la pittura*, Livorno 1763, p. 35.

le tirocinio è la copia del gruppo dei *Lottatori* con cui si segnalò all'Ac-
18 cademia veneziana nel 1775. Non più la pittura, ma la scultura è considerata ormai l'arte d'avanguardia: per l'appunto Antonio Canova sarà
l'erede del successo e della fama internazionale di cui aveva goduto
Giambattista Tiepolo.

Fra i docenti dell'Accademia veneziana, negli anni in cui la frequen-
tava il giovane di Possagno, si segnala Pier Antonio Novelli (1729-
1804), che educatosi sui maestri bolognesi, poi allievo di Amigoni, aggiorna il suo linguaggio pittorico in senso classicistico. Significativamente egli verrà prescelto dall'architetto Antonio Selva, amico di Canova, per decorare gli interni degli edifici da lui progettati. È di sua mano
19 un disegno che c'introduce ancora una volta nello studio di Apelle: un
ambiente arredato con rada mobilia, tra il rococò e il Luigi XVI. Ma l'e-
vento che vi si svolge non è quello cui avevamo assistito finora. La didascalia in calce al foglio esplicita il soggetto: «Stando Alessandro a veder dipingere Apelle e discorrendo poco a proposito di Pittura, fu da
Apelle consigliato a tacere additandogli i suoi macinatori che ridevano».
La fonte è sempre Plinio il Vecchio, di cui è riportato pure il testo originale in latino[20].

Ecco: non sono più «i signori nobili, e ricchi», come Tiepolo aveva
qualificato i suoi committenti, a orientare il gusto[21]; non vengono più ad
essi riconosciute l'autorità e la competenza per discettare e giudicare sul-
l'arte. Solo i «professori intendenti», gli esperti e i filosofi sono ora au-
torizzati a farlo, visto che il fine ultimo dell'arte è di comunicare all'intelletto e al cuore piuttosto che di «ammaliare i sensi»[22]. L'artista stesso

---

[20] PLINIO IL VECCHIO, *Historia Naturalis*, XXXV, 85-86. Diversamente dal tema di *Apelle che ritrae Campaspe* quello di *Alessandro deriso dai garzoni di Apelle* ha avuto scarsa fortuna; ma si veda almeno l'incisione di un artista intellettuale come Salvator Rosa (Bartsch 1803-1843, XX (1820), pp. 265 sgg., n. 4). Il disegno è stato reso noto da A. Bettagno, *Le dessin vénitien au XVIIIᵉ siècle*, catalogo della mostra (Parigi, Galerie Heim, dicembre 1971 - gennaio 1972), Vicenza 1971, p. 79, n. 165. Un disegno di Pier Antonio Novelli simile a quello che si riproduce, delle stesse misure ma più rifinito, è passato per un'asta Christie's, Londra, 2 luglio 1996, lotto 170. Esso è in pendant con un disegno, dello stesso Novelli, raffigurante *L'impera-*
20 *tore Carlo V che raccoglie il pennello di Tiziano*, apparso alla medesima asta, lotto 171: un interessante incunabolo di quella tematica storica incentrata su prestigiose figure d'artisti che tanta fortuna avrà nel corso dell'Ottocento. Entrambi i fogli si direbbero preparatori per incisioni, forse in relazione a una serie dedicata a celebri pittori antichi e moderni.
[21] Si veda la sua ben nota dichiarazione riportata dalla «Nuova Veneta Gazzetta» del 20 marzo 1762, su cui per primo ha richiamato l'attenzione F. HASKELL (*Patrons and Painters...*, London 1963; ed. it. *Mecenati e pittori...*, Firenze 1966, p. 389).
[22] Francesco Algarotti, nel citato *Saggio sopra la pittura*, Livorno 1763, p. 124, rilevava con una punta di biasimo che i pittori veneziani avevano inteso «piuttosto ad ammaliare i sensi, che a prendere l'intelletto».

ambisce al ruolo di intellettuale, come lo era, ad esempio, Anton Raphael Mengs, l'ammiratissimo pittore filosofo, con cui Giambattista Tiepolo, negli anni estremi trascorsi a Madrid, aveva dovuto confrontarsi. Non è da escludere che anche a Venezia qualcuno abbia letto il giudizio che Winckelmann aveva formulato sui due pittori: «Tiepolo fa più in un giorno, che Mengs in una settimana, ma quegli appena veduto è dimenticato, mentre questi rimane immortale»[23].

Nel crepuscolo della Serenissima l'aspirazione dei pittori "istorici" a qualificarsi come seguaci del nuovo indirizzo rimase tuttavia incerta, sia per la modestia delle personalità, sia perché la committenza continuava a richiedere lavori nello stile tradizionale, inamidato quel tanto da conferirgli una patina di modernità in senso accademico-classicistico. Anche le commissioni di qualche prestigio si facevano rade; e un caso emblematico, in tal senso, è quello di Giandomenico Tiepolo (1727-1804), che era stato il più diligente collaboratore del padre: le sue ultime opere pubbliche sono composizioni ad affresco nelle chiese dei villaggi di terraferma, in cui ripropone, come d'altronde gli si richiede, schemi e motivi ricalcati sulla produzione paterna.

«La fin de Venise – ha scritto Jean Starobinski – trouve en Giandomenico Tiepolo son historien fabuleux – son mytographe. Ses dessins et ses fresques déploient la liberté presque infinie d'un art qui fait face à sa propre fin. On y discerne la rencontre étrange d'un appauvrissement et d'un échevèllement»[24]. Ma per esprimersi con la libertà che gli si riconosce egli deve pagare lo scotto di farsi committente di se stesso. Infatti è sulle pareti di casa propria, a Zianigo, quella modesta villa che Giambattista aveva acquistato per la famiglia nel lontano 1757, che Giandomenico dipinge gli straordinari affreschi a tutti noti, trasferiti in seguito a Ca' Rezzonico.

Fra l'artista e il suo pubblico si è creato, dunque, un divario incolmabile. O, meglio, il divario è con i committenti di gusto ritardatario, da un lato, e con i «professori intendenti», dall'altro. In realtà, Giandomenico, un po' per gioco e un po' per non morire, ha individuato un pubblico nuovo: i ragazzi. Il pittore che al seguito del padre aveva lavorato per monarchi, grandi aristocratici, ricchi ordini religiosi, e che era sopravvissuto al crollo del suo mondo, dedica la sua ultima opera originale, il suo capolavoro, per l'appunto ai ragazzi, come essi soltanto fossero in grado di capirlo e di apprezzarlo.

---

[23] J.J. WINCKELMANN, *Abhandlung von der Fähigkeit der Empfindung des Schönen in der Kunst, und der Unterricht in derselben*, (1763); citato da *Opere di G.G. Winckelmann. Prima edizione italiana completa*, tomo VI, Prato 1831, p. 556.

[24] J. STAROBINSKI, *1789. Les emblèmes de la raison*, Paris 1989, p. 19.

Divertimento per li regazzi, carte no. 104, recita, infatti, il frontespizio della raccolta di disegni, eseguiti nei suoi ultimi anni, alla fine del Settecento, che hanno a protagonista Pulcinella – l'antieroe – moltiplicato in un popolo. Fra i mestieri diversi che Pulcinella esercita via via, data la sua natura proteiforme e la sua adattabilità alle circostanze più diverse, c'è anche quello di pittore di ritratti. Assistiamo qui alla metamorfosi estrema, in ambiente veneziano, del tema di *Apelle che ritrae Campaspe alla presenza di Alessandro*: una metamorfosi che si evidenzia di primo acchito nel confronto con un altro disegno dello stesso Giandomenico, eseguito circa cinquant'anni prima e che raffigura il nostro soggetto secondo i canoni dello stile storico[25]. La composizione del *Divertimento* ricalca addirittura quella del disegno giovanile; ma tutti i personaggi, con l'esclusione delle donne, si sono trasformati in Pulcinella, dai garzoni, al pittore, allo stesso Alessandro.

21, 22

Non è il solo disegno della serie ambientato in uno studio di pittore. In un altro foglio, in cui Giandomenico recupera l'impianto di un suo schizzo giovanile, Pulcinella è intento a dipingere una grande tela: un *Sacrificio d'Ifigenia*, che richiama due celebri composizioni paterne dello stesso soggetto[26]. Pulcinella pittore di "storia" è una reincarnazione buffonesca dello stesso Giambattista: la scena va intesa come un omaggio alla memoria del padre e, al tempo stesso, come una parodia del suo stile elevato, da cui Giandomenico ha preso definitivamente le distanze.

23, 24

Per gli eruditi dell'epoca il *Sacrificio d'Ifigenia* richiamava alla memoria il pittore greco Timante, la cui fama era legata a un dipinto di quel soggetto, ammirato soprattutto per la trovata di raffigurare Agamennone nell'atto di coprirsi il volto con il mantello, lasciando in tal modo all'osservatore di immaginare il dolore dell'eroe. Giambattista aveva fatta propria quella trovata, qualificandosi come un Timante della sua epoca. Ma non va tralasciato che il frontespizio della prima edizione del saggio che aveva imposto Winckelmann all'attenzione europea, i *Gedanken über die Nachahmung der Griechischen Werke in der Malerey und Bildhauerkunst*, apparso a Dresda nel 1755, esibisce una vignetta raffigurante il pittore greco mentre dipinge l'opera per cui sarebbe diventato celebre.

25

---

[25] L'esistenza di un disegno analogo, opera di Francesco Lorenzi, conservato nel Museo di Castelvecchio di Verona – per cui si veda A. TOMEZZOLI, in *Museo di Castelvecchio. Disegni*, catalogo della mostra (Verona, Museo di Castelvecchio, 22 maggio-22 agosto 1999), a cura di S. Marinelli e G. Marini, Milano 1999, p. 17, n. 74 – induce a ipotizzare che derivino entrambi da un disegno di Giambattista.
[26] Il riferimento è con l'affresco in villa Cornaro a Merlengo, di cui rimane una traccia e un modelletto, e con quello in villa Valmarana ai Nani, presso Vicenza (cfr. M. GEMIN-F. PEDROCCO, *Giambattista Tiepolo...*, cit., p. 415, n. 402, 402b e p. 438, n. 432).

Ignoriamo se Giandomenico abbia mai avuto tra le mani il volume; ma il confronto del suo disegno con i dipinti paterni, da un lato, e con l'incisione che fregia il testo teorico basilare del neoclassicismo, dall'altro, è quanto mai significativo. Se ne evidenzia il suo rifiuto radicale di ogni forma d'arte di carattere "sublime": un rifiuto che implica la consapevolezza del ruolo marginale, addirittura risibile, che viene assegnato alla figura del pittore in una Venezia ormai affossata dalla storia. Da Apelle e da Timante si è passati a Pulcinella. Giandomenico si vede come un artista buffone, buono tutt'al più a divertire i fanciulli; ma in quanto tale, e con l'alibi della maschera, si sente libero di mettere in scena l'esistenza, mostrandone tutta la comica assurdità e l'intima malinconia. È il suo ultimo messaggio, e l'ultimo della civiltà figurativa veneziana del Settecento: quasi una sfida, nel segno del gioco, ai tempi nuovi, che si annunciavano incerti, marziali, ostentatamente seriosi.

1. Sebastiano Ricci, *Apelle ritrae Campaspe alla presenza di Alessandro Magno*. Parma, Pinacoteca Nazionale.

2. Sebastiano Ricci, *Apelle ritrae Campaspe alla presenza di Alessandro Magno*. Pietroburgo, Ermitage.

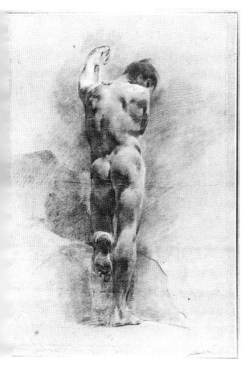

3. Giambattista Tiepolo, *La scuola del nudo*. Collezione privata.
4. Giambattista Piazzetta, *Giovane ignudo*. Oxford, Ashmolean Museum.
5. Giambattista Tiepolo, *Giovane ignudo*. Collezione privata.

6. Giambattista Tiepolo, *Apelle ritrae Campaspe alla presenza di Alessandro Magno*. Montreal, Museum of Fine Arts.

7. Giambattista Tiepolo, *Apelle ritrae Campaspe alla presenza di Alessandro Magno*. Los Angeles, The J. Paul Getty Museum.

8. Giambattista Tiepolo, *Apelle ritrae Campaspe alla presenza di Alessandro Magno*, particolare. Montreal, Museum of Fine Arts.

9. Giambattista Tiepolo, *Autoritratto con il figlio Giandomenico*. Würzburg, Residenz.

10. Giambattista Tiepolo, *Allegoria della Pittura*. Würzburg, Residenz.

11. Francesco Fontebasso, *Apelle ritrae Campaspe alla presenza di Alessandro Magno*, incisione.
12. Giambattista Crosato, *Apelle ritrae Campaspe alla presenza di Alessandro Magno*. Levada (Padova), villa Maruzzi-Marcello.

13. Jacopo Amigoni, *Allegoria della Pittura*. Collezione privata.
14. Jacopo Amigoni-Joseph Wagner, *Allegoria della Pittura*, incisione.

27

15. Pietro Longhi, *Il pittore nello studio*. Venezia, Ca' Rezzonico.
16. Pietro Longhi, *Gentiluomo in "bauta" e pittore*. Venezia, Museo Correr.

Le Maitre de la Peinture que apprend le Dessein a ses Ecoliers

17. Francesco Maggiotto-Pellegrino de Col, *La scuola del disegno*, incisione.
18. Antonio Canova, *Due lottatori*. Venezia, Gallerie dell'Accademia.

19. Pier Antonio Novelli, *Alessandro nello studio di Apelle*. Collezione privata.
20. Pier Antonio Novelli, *L'imperatore Carlo V raccoglie il pennello di Tiziano*. Collezione privata.

21. Giandomenico Tiepolo, *Apelle ritrae Campaspe alla presenza di Alessandro*. Collezione privata.
22. Giandomenico Tiepolo, *Pulcinella pittore di ritratti*. New York, collezione Kaplan.

31

23. Giandomenico Tiepolo, *Pittore al lavoro*. Pietroburgo, Ermitage.
24. Giandomenico Tiepolo, *Pulcinella dipinge il Sacrificio di Ifigenia*. Ubicazione ignota.

Gedanken
über die
Nachahmung der Griechischen Werke
in der
Malerey und Bildhauerkunst.

Zweyte vermehrte Auflage.

25. Johann Joachim Winckelmann, *Gedanken über die Nachahmung der Griechischen Werke in der Malerey und Bildhauerkunst*, Dresden 1755, frontespizio con l'incisione di Friedrich Oeser raffigurante *Timante dipinge il "Sacrificio d'Ifigenia"*.

Massimo De Grassi

L'ANTICO NELLA SCULTURA VENEZIANA
DEL SETTECENTO

«Hor queste statue veggonsi accomodate in tanti nicchi con divisamenti, et appartamenti di cornici, in così bello, et ben inteso ordine, che arrecano una bella vista. Il nome di tutte è difficile ad esplicarlo: poichè per il gran numero loro attedierebbe il Lettore: basta ricordare esser tutte delle più belle, et più pregiate, che si trovino in qualunque luogo, così dentro, come fuori della città, et per tutta la nostra Italia, per non dir per tutta l'Europa»[1]. Con questa orgogliosa rivendicazione, non priva di obiettività, Giovanni Stringa, annotando la guida di Venezia redatta da Francesco Sansovino, concludeva la sua breve descrizione dello Statuario Pubblico, allestito soltanto pochi anni prima nell'Antisala della Libreria di San Marco[2].

Lo Statuario, di fatto uno dei primi musei di antichità interamente e costantemente aperto ai visitatori in Europa, raccoglieva i pezzi migliori delle collezioni Grimani, donate alla Serenissima prima, nel 1523, dal cardinale Domenico e quindi, quasi settant'anni più tardi, dal Patriarca di Aquileia Giovanni, che il 3 febbraio 1587 offrì la sua raccolta al Senato,

---

[1] F. Sansovino, *Venetia città nobilissima, et singolare; descritta già in XIIII. Libri da M. Francesco Sansovino et hora con molta diligenza corretta, emendata e più d'un terzo di cose nuove ampliata da M. R. D. Giovanni Stringa ...*, Venezia 1604, p. 209.

[2] Per le vicende relative alla sistemazione dello Statuario Pubblico si vedano soprattutto: M. Perry, *The Statuario Publico of the Venetian Repubblic*, in "Saggi e memorie di storia dell'arte", 8, 1972, pp. 75-150, 221-253; I. Favaretto, *Arte antica e cultura antiquaria nelle collezioni venete al tempo della Serenissima*, Roma 1990, pp. 84-94; *Lo Statuario Pubblico della Serenissima. Due secoli di collezionismo di antichità 1596-1797*, catalogo della mostra di Venezia a cura di I. Favaretto-G.L. Ravagnan, Cittadella 1997.

con la sola preghiera che venisse collocata in «un luogo proportionato a
tale effetto accioché li forastieri dopo haver veduto et l'arsenale et l'altre
cose meravigliose della città potessero anco per cosa notabile veder queste antiquità ridotte in luogo pubblico»[3]: una dichiarazione da dove tra-
spariva per intero l'orgoglio, ben giustificato, del collezionista. Il luogo
individuato, come si è detto l'Antisala della Libreria Marciana, allora destinata alle lezioni della Scuola Umanistica, diventerà molto presto meta
privilegiata degli artisti veneziani, come già la "Sala delle Teste" in Palazzo Ducale, che aveva ospitato per mezzo secolo i diciotto importanti
marmi della raccolta del cardinal Domenico Grimani[4].

Il rapporto del tessuto culturale e artistico veneziano con la tradizione classica, strettissimo sin dalle origini, aveva prodotto a partire dal Trecento la formazione di una serie di cospicue collezioni antiquarie, che
troveranno modo di alimentarsi nel corso dei secoli grazie all'osmosi con
l'Oriente mediterraneo, fonte continua di approvvigionamenti e occasione per proficui scambi tra i molti collezionisti della Serenissima[5].

Il legame con l'antico, spesso identificato con un programmatico
"romanismo", assumerà durante il Cinquecento un carattere politicamente assai rilevante, identificandosi con quella corrente innovatrice imper-
sonata *in primis* dal doge Andrea Gritti, che sfocerà in un articolato programma di *Renovatio Urbis*, alimentato anche dal genio architettonico di
Jacopo Sansovino, progettista delle più importanti fabbriche nei siti ur-
banisticamente più qualificati di Venezia[6].

Anche durante il secolo successivo, pur dominato dalla teatralità a
tratti cupa del barocco, il filo sottile della tradizione classica continuerà
a tessere la sua trama nel continuo farsi e disfarsi delle collezioni antiquarie veneziane, fonte inesauribile di ispirazione per gli artisti locali. Lo
Statuario Pubblico seguiterà ad affascinare, più o meno velatamente, artisti che, in apparenza, come si vedrà, niente sembrerebbero avere a che
fare con quelle esperienze figurative.

La scultura dell'epoca mostra peraltro di non poter prescindere dalla
lezione della statuaria antica, e se per la corrente classicista tale rapporto

---

[3] Dall'atto di donazione della raccolta Grimani, presentato al senato il 20 febbraio 1586:
Archivio di Stato di Venezia, (d'ora in poi A. S. V.), *Procuratori de Supra*, busta 68, proc. 151,
fasc. 3, I, cc. 1-1v. Trascritto in:. M. PERRY, *The Statuario Publico ...*, cit., p. 80.

[4] Sull'argomento, oltre alla bibliografia ricordata in precedenza, si veda: I. FAVARETTO, *Per
la memoria delle cose antiche ..., La nascita delle collezioni e la formazione dello Statuario
Pubblico*, in *Lo Statuario Pubblico della Serenissima ...*, cit., pp. 38-44.

[5] Sulle origini del collezionismo d'antichità a Venezia e nel Veneto: I. FAVARETTO, *Arte antica e cultura antiquaria ...*, cit., pp. 31-60.

[6] Su questo argomento, in particolare: M. TAFURI, *Venezia e il Rinascimento. Religione,
scienza, architettura*, Torino 1985, pp. 3-24, 155-211.

rientra nei confini dell'ovvietà storiografica, più sfumati diventano i rimandi per quanto riguarda il polo di diffusione della cultura più propriamente barocca. Anche il più autorevole dei suoi esponenti, Gianlorenzo Bernini, «cominciava avendo, nel fondo della sua mente, una figura classica», come lo stesso artista dichiarerà in un discorso tenuto a Parigi di fronte agli allievi dell'Académie: «nella mia prima gioventù molto ho tratto dalle figure classiche, e quando mi trovavo in difficoltà con la mia prima statua, mi volgevo all'*Antinoo* come ad un oracolo»[7].

La diffusa prassi di integrare le sculture antiche, spesso stravolgendone iconografia e significato, rientra tra le attività canoniche dei maggiori scultori del periodo, animati da un medesimo approccio ideologico all'ideale della classicità: semmai «le divergenze si profilano sul modo di interpretare l'antico, nella scelta del periodo storico dell'arte antica più consonante alla sensibilità di ciascuno»; in questo senso non è certo «casuale il fatto che Bernini si dedichi al restauro solo di sculture ellenistiche», mentre un esponente della cultura classicista come Alessandro Algardi, «sembra abbia esercitato prevalentemente la sua attività di restauratore su sculture greche o piuttosto copie di sculture greche del V secolo»[8].

A Venezia, lo stesso Giusto Le Court, certo personaggio chiave per l'aggiornamento della statuaria veneta ai canoni barocchi, mostra di avere spesso in mente sculture classiche in sede di progettazione delle proprie opere. Oltre alla generica ispirazione algardiana ravvisabile negli *Angeli cerofori* della chiesa veneziana dei Tolentini[9] suo primo intervento lagunare, la prova più significativa in tal senso va senz'altro rintracciata nell'*Onore*, approntato per il *Monumento Cavazza* alla Madonna dell'Orto[10].

---

[7] Cfr. P. FRÉART DE CHANTELOU, *Journal du voyage du Cav. Bernini en France*, Paris 1885, (ed. italiana, *Viaggio del Cavalier Bernini in Francia*, Palermo 1988, p. 139). Citato in: R. WITTKOWER, *Sculpture. Process and principles*, London 1977, (ed. italiana *La scultura raccontata da Rudolf Wittkower. Dall'antichità al Novecento*, Torino 1985, p. 232).

[8] I. FALDI, *Il mito della classicità e il restauro delle sculture antiche nel XVII secolo a Roma*, in *Barocco tra Italia e Polonia*, Warszawa 1977, pp. 57-69. Ripubblicato con aggiornamenti e integrazioni all'apparato iconografico in *La collezione Boncompagni Ludovisi. Algardi, Bernini e la fortuna dell'antico*, catalogo della mostra di Roma a cura di A. Giuliano, Venezia 1992, pp. 208, 211.

[9] Per gli *Angeli* dei Tolentini si veda: N. IVANOFF, *Monsù Giusto e altri collaboratori del Longhena*, in "Arte Veneta", II, 1948, p. 117; T. TEMANZA, *Zibaldon*, edizione a cura di N. Ivanoff, Venezia-Roma 1963, p. 49; C. SEMENZATO, *La scultura veneta del Seicento e del Settecento*, Venezia 1966, p. 87.

[10] Sul *Monumento Cavazza* si veda in particolare: E. LACCHIN, *Essai sur Juste le Court sculpteur flamand*, in "Revue Belge d'Archeologie et Historie de l'Art", III, 1933, p. 7; N. IVANOFF, *Monsù Giusto ed altri collaboratori del Longhena*, in "Arte Veneta", II, 1948, pp. 116-117; P. ROSSI, *Il monumento a Girolamo Cavazza*, in *La chiesa del Tintoretto. Madonna dell'Orto*, Venezia 1994, pp. 38-40.

Un primo, immediato, referente figurativo può senz'altro essere identificato nelle statue loricate di Imperatori romani, il cui esemplare più noto è certamente l'*Augusto di Prima Porta* dei Musei Vaticani, a loro volta debitrici della tipologia lisippea dell'*Alessandro con la lancia*[11]. Altro possibile referente per la scultura veneziana, ancora più vicino nell'atteggiarsi delle membra, è il tipo cui fanno capo la cosiddetta *Hera Borghese*, oggi alla Gliptoteca Ny Carlsberg di Copenaghen, e la più tarda *Hera Barberini* dei Musei Vaticani[12]. Lavori che trovavano riscontro anche in un'altra opera classica, donata da Giovanni Grimani alla Repubblica nel 1593: una statuetta di *Demetra*, oggi "liberata" dai restauri cinquecenteschi e riconosciuta come un originale greco dell'inizio del IV secolo a. C. e per questo attualmente una delle più celebri tra quelle appartenenti alle raccolte antiquarie veneziane[13].

La scultura tuttavia non era sempre stata così famosa, tanto da meritare soltanto una sommaria descrizione da parte di Anton Maria Zanetti, che, pur includendola pochi anni dopo nell'antologia *Delle antiche statue...*[14], nel suo inventario manoscritto delle collezioni dello Statuario Pubblico, datato 1736, si limitava ad annotare brevemente: «statua di donna velata con una spezie di calato sotto il velo. Credesi una sacerdotessa»[15]. Di certo il modello del sovrano ellenistico era anche stato alla base di una delle descrizioni che Cesare Ripa nella sua *Iconologia* dava dell'*Onore*: «Giovane bello, vestito di Porpora, e coronato d'Alloro, con un asta nella mano destra, e nella sinistra con un Cornucopia»[16]. Lo scultore fiammingo doveva aver ben presente questo testo, guida per lui imprescindibile, basti pensare al complesso apparato figurativo del *Monumento Pesaro* ai Frari, per larghi tratti pedissequamente desunto dalle descrizioni e dalle stesse incisioni del volume[17].

---

[11] Per una compiuta analisi di questa tipologia si veda: S. ENSOLI, *Alessandro. L'immagine del principe*, in *Lisippo. L'arte e la fortuna*, catalogo della mostra di Roma a cura di P. Moreno, Milano 1995, pp. 331-337.

[12] Per queste sculture e per un efficace panorama della statuaria greca: W. FUCHS, *Die Skulptur der Griechen*, München 1980, (ed. italiana *La scultura greca*, Milano 1982, pp. 179-181).

[13] Sulla scultura e sulla sua importanza nel contesto della collezione veneziana: L. BESCHI, *Le sculture originali greche nello Statuario della Repubblica*, in *Lo Statuario Pubblico della Serenissima ...*, cit., pp. 91-93. Per un inquadramento della *Demetra* nel panorama generale della statuaria greca: W. FUCHS, *Die Skulptur der Griechen ...*, cit., p. 185.

[14] [A.M. ZANETTI-A.M. ZANETTI], *Delle antiche statue greche e romane che nell'Antisala della Libreria di San Marco, e in altri luoghi pubblici di Venezia si trovano*, Venezia 1740-43.

[15] L'inventario è stato integralmente trascritto da Marilyn Perry, al cui saggio si farà riferimento in seguito: cfr. M. PERRY, *The Statuario Publico ...*, cit., pp. 145, 249.

[16] C. RIPA, *Iconologia*, Roma 1603, p. 202.

[17] P. ROSSI, *I in "Marmi loquaci" del Monumento Pesaro ai Frari*, in "Venezia arti", 4, 1990, pp. 84-93. In particolare, per la figura dell'*Ingegno*: M. DE GRASSI, *Un modellino di Giusto Le Court per il monumento Pesaro ai Frari*, in "Arte Veneta", 53, 1998, pp. 124-127.

Tuttavia, nel caso dell'*Onore* della Madonna dell'Orto, il reale modello di riferimento, sembra essere il celebre *Antinoo in veste di Bacco* dei Musei Vaticani, riprodotto in numerose incisioni.

Un'altra citazione, sia pure parziale, da un'opera dello Statuario è ravvisabile anche nell'altra figura realizzata da Giusto Le Court per il *Monumento Cavazza*, la *Virtù*, esemplata probabilmente sull'immagine di un'*Atena* dello Statuario Pubblico, donata da Alvise Mocenigo, e su un busto della stessa divinità, appartenente invece al legato di Domenico Grimani[18].

Anche in funzione di queste considerazioni, della capacità cioè di attingere liberamente e con grande padronanza di mezzi al patrimonio figurativo della statuaria antica, andrà rivista la consuetudine, consolidata nelle letture storiografiche meno avvedute, di incasellare la produzione dello scultore fiammingo esclusivamente nella corrente barocca di stretta ascendenza berniniana, corrente alla quale mostra invece di aderire solo episodicamente, peraltro in un'accezione alquanto personale e in chiave di accentuato tenebrismo[19]. Le Court pare invece spesso privilegiare, specie agli esordi, un approccio più aderente alla lezione classicista, da Algardi a Duquesnoy, accostandosi a dinamiche compositive dai ritmi meno concitati e un più nitido senso della forma.

La citazione lecourtiana dell'*Antinoo in veste di Bacco*, tradotta in un linguaggio perfettamente aderente alla temperatura culturale di Le Court, troverà un ulteriore impiego in un'opera d'un altro scultore straniero che per molti anni anni sarà il più fedele seguace dei moduli espressivi del maestro, il tedesco Enrico Meyring, che riproporrà la medesima impostazione, con pochissime varianti, per l'*Onore* della facciata della chiesa veneziana di Santa Maria del Giglio, singolare apoteosi delle virtù di comando della famiglia Barbaro[20].

Nell'ambito dell'*entourage* lecourtiano, anche se con una posizione che assumerà caratteri del tutto personali e profondamente innovativi,

---

[18] Cfr. M. PERRY, *The Statuario Publico ...*, cit., pp. 138, 146, 234, 239. Sul busto si veda anche: F. GHEDINI, *Le sculture romane dello Statuario: copie, originali, ritratti e rilievi*, in *Lo Statuario Pubblico della Serenissima ...*, cit., pp. 103-106.

[19] Si discosta da questa tendenza l'illuminante lettura di Paola Rossi: P. ROSSI, *La scultura a Venezia nel Seicento*, in *Venezia, l'arte nei secoli*, Udine 1997, pp. 503-508.

[20] Per questa scultura si veda: P. ROSSI, *La decorazione scultorea della facciata*, in *Santa Maria del Giglio. Il restauro della facciata*, Venezia 1997, pp. 20-21; R. BREUING, *Enrico Meyring 1628-1723. Ein Bildhauer aus Westfalen in Venedig*, Rheine 1997, pp. 91-93. Sul particolare significato della facciata: F. HASKELL, *Patrons and Painters...*, London 1963 (ed. italiana, *Mecenati e pittori...*, Firenze 1966, pp. 378-383).

chi mostra di affiancarsi con maggiore continuità al dettato classico è senza dubbio la bottega marinaliana. Una testimonianza eloquente in tal senso va senz'altro individuata nel cospicuo fondo di disegni del Museo Civico di Bassano[21] dove, oltre ad un foglio con una copia puntuale dell'*Ercole Farnese*, del quale peraltro in quel periodo esisteva a Venezia anche una replica nella collezione Vendramin, oggi a Leida[22], compaiono un gran numero di spunti per lo più tratti da *exempla* presenti nello Statuario della Marciana, che poteva offrire una vasta gamma di soluzioni figurative, essendo all'epoca, come si è detto, una delle maggiori raccolte antiquarie d'Europa.

Nella vastissima produzione dei Marinali e della bottega, il ciclo che meglio esemplifica questa tendenza può essere identificato nel *parterre* di divinità olimpiche che affolla il cortile interno del cosiddetto 'castello' di Montegalda[23]. Si pensi alla figura di *Giunone*, certo ispirata al prototipo della *Venere de' Medici*, ma puntualmente ripresa da una statuetta di *Venus Pudica* semipanneggiata presente nello Statuario, proveniente dal legato di Federico Contarini del 1596 ed erroneamente associata da Anton Maria Zanetti al tipo della *Venere celeste*[24]. Alla *Giunone* si associa poi una statua di *Crono*, colto nell'atto di divorare i figli, immagine fin troppo truculenta, che tuttavia ribadisce, con minime varianti nell'atteggiarsi delle braccia, l'*Apollo citaredo* della raccolta veneziana proveniente dal legato di Domenico Grimani, a sua volta facente capo al prototipo individuato dalla maggior parte degli studiosi nella statua conservata nel Museo romano di Palazzo Altemps[25].

Oltre agli esempi appena citati, anche altre statue di questo importante ciclo mostrano di allinearsi idealmente a prototipi antichi delle col-

---

[21] C. SEMENZATO, *La scultura veneta del Seicento* ..., cit., pp. 102-103.

[22] Sulla statua di Leida: A. LATINI, *Eracle in riposo*, in *Lisippo. L'arte e la fortuna* ..., cit., p. 360. Sulla sua provenienza: I. FAVARETTO, *Arte antica e cultura antiquaria* ..., cit., p. 149.

[23] Cfr. C. SEMENZATO, *La scultura veneta del Seicento* ..., cit., p. 101.

[24] Recita infatti il catalogo del 1736, in "Statua di donna mezzoignuda: ha la sinistra mano al petto, e con la destra sostiene un drappo, che la ricopre dal mezzo in giù. E' questa una Venere che alcuni chiamano Celeste" (cfr. M. PERRY, *The Statuario Publico* ..., cit., pp. 142, 246). Sulla scultura in esame si veda la relativa scheda di Lucia Piastra Bonel in *Lo Statuario Pubblico della Serenissima* ..., cit., pp. 220-221. Sulla fortuna di questa tipologia: F. HASKELL-N. PENNY, *Taste and the Antique. The Lure of Classical Sculpture 1500-1900*, New Haven-London 1981 (ed. italiana *L'antico nella storia del gusto*, Torino 1984, pp. 483-484).

[25] Per l'*Apollo* di Venezia: cfr. M. PERRY, *The Statuario Publico* ..., cit., pp. 140, 241. Per il prototipo Romano: cfr. G. MESSINEO, *Monumenta Altempsiana. La collezione di sculture antiche*, in *Palazzo Altemps. Indagini per il restauro della fabbrica Riario, Soderini, Altemps*, Roma 1987, pp. 174-175.

lezioni dello Statuario, opere che, pur senza la puntualità di citazione che caratterizza gli esemplari più su elencati, forniscono comunque la misura di una costante capacità di confrontarsi con l'antico.

Tra gli altri scultori "foresti" operanti nel contesto veneziano sul finire del Seicento, anche il sassone Melchior Barthel, collaboratore di Giusto Le Court al *Monumento Pesaro* ai Frari[26], e protagonista di altri interventi in importanti realizzazioni collettive del terzo-quarto del Seicento come l'altar maggiore della chiesa di San Pietro di Castello o la decorazione della chiesa degli Scalzi[27], non resterà immune alla fascinazione della scultura classica: ne è prova eloquente il piccolo avorio della Gemäldegalerie di Dresda[28], riproducente alcune delle figure del celeberrimo gruppo ellenistico del *Toro Farnese*, oggi nel Museo Archeologico di Napoli.

Se questo tipo di operazione, la copia parziale, palesa forse un approccio didascalico all'antico, ben più raffinata si fa la lettura, in chiave tutta barocca, del ben noto -anche attraverso incisioni- *Mercurio* degli Uffizi[29], documentata dall'inedita *Allegoria dell'Autunno*, in legno   6 verniciato ad imitazione del marmo, della Galleria Tadini di Lovere[30], che in questa sede si rivendica allo scultore sassone in virtù di palesi concordanze con la sua produzione veneziana[31]. L'artista in questo caso non si limita a ricalcare pedissequamente l'atteggiarsi della statua fiorentina, ma la seziona idealmente in due parti, montando sulle caratteristiche gambe incrociate il torace riprodotto in controparte, secondo un procedimento tutt'altro che infrequente di mascheramento delle fonti.

Più aderente al dettato barocco il *pendant* della statua appena citata, l'*Allegoria dell'Estate*, sempre conservata alla Galleria Tadini di Lovere,   7

---

[26] P. Rossi, *I "Marmi loquaci" …,* cit., pp. 90-93.

[27] C. Semenzato, *La scultura veneta del Seicento …,* cit., p. 88; G. Vio, *L'altare di San Lorenzo Giustiniani in San Pietro di Castello,* in "Arte Veneta", XXXV, 1981, p. 211.

[28] H. Quinger, *Barthel Melchior,* in *Allgemeines Künstler-Lexikon. Die Bildenden Künstler aller Zeiten und Völker,* 7, München-Leipzig 1993, pp. 230-231.

[29] Per la fortuna di questa scultura: cfr. F. Haskell-N. Penny, *Taste and the Antique …,* cit., pp. 381-384.

[30] Un brevissimo accenno a quest'opera e al suo *pendant*, senza peraltro ipotesi sulla paternità in: G.A. Scalzi, *Guida alla Galleria Tadini,* II, *Visita alla Galleria*, Lovere 1992, p. 3.

[31] Particolarmente stringenti, aldilà delle differenze imposte dal materiale, risultano essere i confronti tra l'andamento del panneggio e i tratti somatici del volto dell'opera in esame -e del *pendant* con l'*Estate* di cui si tratterà in seguito- e quelli della *Carità* del *Monumento Dolfin* in San Lazzaro dei Mendicanti e delle coppie di figure allegoriche del *Monumento Pesaro* ai Frari (cfr. P. Rossi, *I "Marmi loquaci" …,* cit., pp. 91-93); confronti di per sè sufficienti a confermare l'autografia di Barthel anche per le due statue di Lovere.

caratterizzata dall'impetuoso agitarsi della veste e che tuttavia, nell'essenzialità della figura, sembra poter essere messa in rapporto, sia pure in controparte, con una figura dello Statuario Pubblico, oggi identificata come *Apollo*, ma che nell'Inventario manoscritto di Anton Maria Zanetti, al numero 134, era così descritta, «Statua mezzoignuda, coronata di foglie quasi perdute. Credesi un Ermafrodito, e infatti l'acconciatura donnesca, il fianco dubbioso fra l'maschio e la femmina»[32].

Un aspetto singolare della scultura veneziana intorno agli anni novanta è stato messo in luce dall'episodio narrato da Tommaso Temanza che vede gli artisti della Serenissima impegnati da un'ordinazione della casa regnante francese relativa a copie di sculture antiche: «Furono spediti per ordine di Luigi XIIII a Venezia alcuni modelli in cera delle più insigni statue di Roma, perché dagli scultori Veneziani venissero fatte Statue sugli modelli spediti per asportarle in Parigi»[33].

Allo stato attuale delle conoscenze non è purtroppo dato di sapere quali fossero stati i soggetti prescelti dal sovrano francese, anche se viene naturale immaginare che la selezione sia stata effettuata tra le opere più note e celebre e peraltro certamente già diffuse in Francia sotto altre forme. Secondo Temanza una di queste sculture, rimasta a Venezia per ritardi nell'esecuzione, è la copia dell'*Antinoo del Belvedere*, realizzata da Francesco Cabianca e oggi collocata nel cortile di Ca' Corner a San Maurizio[34], mentre con tutta probabilità è legato a questa commissione anche l'esemplar dell'*Ercole Farnese* firmato dallo scultore trevigiano Giovanni Comin, oggi visibile nel giardino delle Tuileries a Parigi[35].

Sia pure in presenza di così scarne testimonianze, la natura dell'incarico appare di estremo interesse, riallacciandosi per certi versi alla copiosa produzione antiquaria dei bronzisti padovani, fiorita a partire dal XVI secolo in ambito più strettamente collezionistico, contrapponendosi invece ad una prassi della corte francese che era solita affidare questo tipo di imprese agli allievi dell'Accademia di Francia a Roma, specie per quanto

---

[32] Cfr. M. PERRY, *The Statuario Publico ...*, cit., pp. 142, 246; L. PIASTRA BONEL, *Statuetta di Apollo*, in *Lo Statuario Pubblico della Serenissima ...*, cit., pp. 216-217.

[33] T. TEMANZA, *Zibaldon ...*, cit, p. 43.

[34] T. TEMANZA, *Zibaldon ...*, cit, p. 44; C. Semenzato, *La scultura veneta del Seicento ...*, cit., p. 109.

[35] Per questa scultura si veda: G. BRESC BAUTIER-A. PINGEOT, *Sculptures des jardins du Louvre, du Carrousel et des Tuileries*, in "Notes et documents des Musees de France", II, Paris 1986, pp. 97-98 (con bibliografia precedente). Per il collegamento con la nota di Temanza si veda: M. DE GRASSI, *Pietro Baratta per le Corti del Nord*, in "Arte Veneta", 51, 1997, pp. 51-52.

pertinente agli aspetti monumentali[36]. A questa scelta non era forse estraneo quello stesso criterio di convenienza economica che caratterizzerà la ben più vasta e documentata rete di commissioni che interesserà gli scultori veneziani a partire dal secondo decennio del Settecento, quella relativa alla decorazione del Giardino d'Estate di Pietroburgo[37].

Si tratta di un capitolo di estremo interesse e che solo di recente ha trovato una sistemazione storiografica ben definita[38]. La cospicua serie di ordinazioni si dipanerà ininterrotta per diversi anni, dal 1716 al 1722, con ulteriori propaggini, come nel caso dell'*Allegoria della Pace di Nystad* di Pietro Baratta, consegnata nella primavera del 1725[39].

Artefice principale di questi traffici sarà il diplomatico dalmata Savva Lukic Vladislavic, detto Raguzinskij, inviato della corte russa presso la Serenissima[40], dove stringerà una fitta rete di contatti, impegnando pressochè tutti i migliori scultori operanti a Venezia, non trascurando il padovano Francesco Bertos e Orazio Marinali, allora residente a Vicenza[41].

Contrariamente al precedente agente dello zar in laguna, Petr Beklemisev, incaricato dell'acquisto di opere di statuaria antica, introvabili a buon mercato, Raguzinskij preferirà rivolgersi a scultori contemporanei, da lui considerati, al contrario di Beklemisev, «maestri di eccelsa mae-

---

[36] Questi ultimi infatti erano in "obbligati a realizzare copie di statue classiche da inviare a Parigi, dove sarebbero servite come ornamento delle residenze reali o come oggetto di studio per gli artisti rimasti in patria" (J. MONTAGU, *Roman Baroque Sculpture. The Industry of Art*, New Haven-London 1989 (ed. italiana, *La scultura barocca romana. Un' industria dell'arte*, Torino 1991, p. 169).

[37] Sulla convenienza economica di tale aspetto del mercato artistico veneziano si veda: M. FRANK, *Virtù e fortuna. Il mecenatismo e le committenze artistiche della famiglia Manin tra Friuli e Venezia nel XVII e XVIII secolo*, Venezia 1996, pp. 73-74.

[38] Oltre alla copiosa bibliografia precedente, cui ci si riferirà con maggiore puntualità in seguito, va segnalato il recentissimo volume di Sergej Androsov che condensa, integra e aggiorna i contributi precedenti: S. ANDROSOV, *Pietro il Grande collezionista d'arte veneta*, Venezia 1999.

[39] Cfr. S. ANDROSOV, *Pietro il Grande collezionista ...*, cit., pp. 209-210.

[40] Cfr. S. ANDROSOV, *Raguzinskij v Venecii: priobretenie statuj dlja Letnego sada*, in "Skul'ptura v muzee", Leningrad 1984, pp. 60-83 (in russo); C. MALINOVSKI *Le relazioni artistiche fra Venezia e San Pietroburgo nel Settecento*, in "Antichità viva", XXXII, 1993, 5, pp. 46-51.

[41] Tali presenze, oltre che dalle firme apposte in molte delle sculture, sono documentate anche da album di disegni che illustrano le opere inviate in Russia, spesso corredati dal nome dell'esecutore. I disegni sono stati resi noti da Oleg Neverov: O. NEVEROV, *Nuovi materiali per una storia delle sculture decorative del Giardino d'Estate*, in "Xenia", 13 (1987), pp. 85-109; IDEM, *Skul'ptur'je tsikl'i v dekore letnego sada*, in *Stranitsy istorii zapadnoevropejoskoj skul'ptury, Sbornik navcnych statej pamjati Z.A. Matsulevic (1890-1973)*, Sankt Petersburg 1993, pp. 136-163 (in russo). Sulla presenza di Francesco Bertos: S. ANDROSOV, *Skulpturen auf dem venezianischen Kunstmarkt im fruhen 18. Jahrhundert*, in "Kunstchronik", 46, 1993, 8, pp. 380-385.

stria», caldeggiando l'acquisto di loro opere presso lo zar, interessato, come si è detto, principalmente alla scultura classica[42].

Per quanto non vi siano esplicite indicazioni in tal senso nella corrispondenza tra Ragusinskj e la corte russa, l'anomala frequenza di puntuali prestiti di opere antiche, specie tra quelle appartenenti allo Statuario Pubblico, nelle opere approntate dagli scultori veneziani per il Giardino d'Estate, sembra manifestare un preciso orientamento dettato dalla committenza. L'impossibilità, già evidenziata da Beklemisev, di acquisire un congruo numero di opere antiche a un prezzo accettabile per una corte gravata da ingentissime spese necessarie alla conduzione dell'annosa guerra con il regno svedese, poteva evidentemente aver spinto il responsabile degli acquisti veneziani a ripiegare su di una soluzione la cui economicità è più volte sottolineata nel carteggio con la casa regnante[43].

Tra i numerosi scultori coinvolti da Ragusinskj nell'impresa figura anche l'ormai anziano Meyring, che tuttavia, nell'unica statua a figura intera giunta fino a noi, la *Flora* oggi nel Giardino d'Estate, denuncia palesemente i propri debiti nei confronti della *Pomona* descritta al numero 208 del catalogo dello Statuario, redatto nel 1736 da Anton Maria Zanetti[44].

Sempre a proposito di Meyring, occorre poi ricordare altre importanti citazioni dall'antico rintracciabili nella sua produzione destinata alla decorazione di giardini: la *Flora* sulla cancellata d'accesso alla villa Zaguri di Altichiero appare come un autentico clone della statua di analogo soggetto destinata al Giardino d'Estate[45], mentre il *Mercurio* facente parte del ciclo destinato al parco della villa Barbarigo a Valsanzibio è certamente esemplato, con le gambe riprodotte in controparte, sul *Fauno con flauto* già a Roma nella collezione Borghese e passato al Louvre in età napoleonica, opera molto nota e riprodotta durante tutto il XVII e il XVIII secolo[46]. Lo scultore tedesco, del quale non è noto alcun soggiorno romano, palesa così anche una frequentazione non occasionale dei repertori a stampa relativi alla statuaria antica dell'urbe, primo tra tutti il notissimo volume di François Perrier, che già nel 1638 aveva riprodotto il *Fauno Borghese*[47].

---

[42] Cfr. S. ANDROSOV, *Pietro il Grande collezionista ...*, cit., pp. 51-55, 75.

[43] Cfr. S. ANDROSOV, *Pietro il Grande collezionista ...*, cit., pp. 79-82.

[44] Cfr. M. PERRY, *The Statuario Publico ...*, cit., pp. 146, 251. Di recente sono stati convincentemente attribuiti a Meyring altri due busti del Giardino d'Estate: la *Chiarezza* e la *Brevità della vità* (R. BREUING, *Enrico Meyring 1628-1723 ...*, cit., pp. 311-314; S. ANDROSOV, *Pietro il Grande collezionista ...*, cit., p. 240).

[45] Sulla scultura in esame si veda la scheda di Monica Pregnolato in appendice a: P. ROSSI, *La scultura veneziana del Seicento e del Settecento*, in "Venezia Arti", 4, 1990, pp. 200-201.

[46] Per la fortuna di questa scultura, cfr. F. HASKELL-N. PENNY, *Taste and the Antique ...*, cit., pp. 294-296.

[47] F. PERRIER, *Segmenta Nobilium Signorum et Statuorum quae Temporis dentem invidum evaserunt*, Roma-Parigi 1638, tav. 48.

A un repertorio non dissimile, oltre che alle frequentazioni dello Statuario Pubblico, come si vedrà, si ispireranno anche molti degli scultori impegnati da Sava Ragusinski per soddisfare le pressanti richieste della corte Russa. Tra questi, chi si mostra più aderente al dettato antiquario sembra essere Antonio Tarsia, che non a caso, negli stessi anni, era stato impiegato dai Manin anche come restauratore delle sculture antiche del loro palazzo veneziano, oltre ad aver fatto in alcune occasioni da mediatore per l'acquisto delle medesime[48].

Se la figura del *Fato*, firmata, e dal 1716 conservata nel Giardino d'Estate di Pietroburgo, è vistosamente esemplata, sia pure in controparte, sulla piccola «statua d'uomo con la barba, mezzo ignudo, con la mano destra al fianco» dello Statuario Pubblico della Libreria Marciana[49], un'altra scultura realizzata nelle stesse circostanze, parimenti firmata da Tarsia e collocata nel Giardino d'Estate, la *Nemesi*, appare come una puntuale desunzione da una statuetta di «donna quasi ignuda, che appoggia la mano destra su di una picciola colonna [...] è facile ch'in essa sia espressa una Venere»[50], facente parte della donazione di Giovanni Grimani alla Repubblica di Venezia.

Anche la piccola *Venere* del Giardino pensile dell'Ermitage appare fortemente debitrice del tipo della *Venere de' Medici*, di cui nello Statuario Pubblico esiste una replica in scala minore. L'opera di Tarsia ne differisce soltanto per il lievissimo scostamento della mano destra dal petto. A una campionatura di altri celeberrimi esempi di scultura antica, in particolare ai già citati *Fauno con flauto* Borghese e *Mercurio* degli Uffizi, risale poi la posa a gambe incrociate della *Diana* oggi all'Istorico-Chudozestvennyj Muzej di Serpuchov[51].

Allo stesso scultore va anche ricondotto un singolare espediente: alla realizzazione di una copia dell'*Antinoo del Belvedere*, oggi conser- 9 vata al Giardino d'Estate e molto meno fedele all'originale di quanto

---

[48] M. FRANK, *Per una ricostruzione del gusto dei Manin*, in *Splendori di una dinastia*, catalogo della mostra di Passariano a cura di G. Ganzer, Milano 1996, pp. 14-15; EADEM, *Virtù e fortuna. Il mecenatismo ...*, cit., pp. 368-370. I pagamenti per questo tipo di operazioni vanno dal 1713 al 1716.

[49] Cfr. M. PERRY, *The Statuario Publico ...*, cit., pp. 143, 247.

[50] Cfr. M. PERRY, *The Statuario Publico ...*, cit., pp. 139, 239.

[51] Per la *Diana* si veda: S. ANDROSOV, *Pietro il Grande collezionista ...*, cit., p. 248. Lo stesso atteggiamento degli arti inferiori, presente pure nel *Sileno ebbro* dello Statuario (cfr. M. PERRY, *The Statuario Publico ...*, cit., pp. 136, 237), si ritrova anche nella *Gloria* firmata da Alvise Tagliapietra, oggi nel portico della residenza imperiale di Zarskoje Selò, e nella statua di identico soggetto del Giardino d'Estate, siglata invece da Pietro Baratta (cfr. S. ANDROSOV, *Pietro il Grande ...*, cit., pp. 204, 244, 283, 285. Non sembra pertinente l'osservazione riguardo a una derivazione di questa posa dal *Satiro che si riposa* prassitelico, dove l'incrociarsi delle gambe è molto meno accentuato).

lo fosse quella realizzata pochi anni prima da Cabianca[52], Tarsia fa seguire una ripresa della stessa figura, stavolta in controparte, atteggian-
10 dola con gli attributi di *Perseo*[53]. Certo un bel risparmio di energie
creative.

Va nella medesima direzione un utilizzo altrettanto spregiudicato
del tipo della *Venus Pudica*, della quale, come si è già accennato, esistevano nello Statuario due esemplari, uno direttamente accostabile alla
Venere de' Medici, come già avvertiva Anton Maria Zanetti nel catalogo
del 1736[54], e l'altro, semipanneggiato, di ispirazione più libera con l'atteggiamento del corpo che riprende, rovesciato, quello del celebre prototipo.

Da queste due statue derivano altrettante opere, dalla specularità
pressochè perfetta, oggi conservate nel Giardino d'Estate, una *Nereide* di
Antonio Corradini e la *Lussuria* assegnata alla bottega dei Groppelli ma
11, 12 forse meglio attribuibile al solo Giuseppe[55]. Entrambe risultano essere
frutto di una audace operazione di montaggio: la *Nereide* mostra infatti
una posa delle gambe e il girarsi verso sinistra del capo sostanzialmente
identici a quelli della *Venere* medicea, mentre riproduce in controparte il
tronco e l'atteggiarsi delle braccia ad imitazione dell'altra *Venere* dello
Statuario. Speculare, come si è detto, è invece il contegno della *Lussuria*.
Per quest'ultimo caso, oltre a atteggiamento certo poco rispettoso dei canoni classici, si aggiunge una singolarissima inversione semantica, dove
per l'unica personificazione di un vizio presente nel Giardino d'Estate si

---

[52] L'*Antinoo* del Giardino d'Estate è stato di recente ritenuto opera della bottega di Francesco Cabianca (S. ANDROSOV, *Pietro il Grande ...*, cit., pp. 137-138). Visti i palmari contatti
stilistici e vista anche la congiuntura che si va evidenziando, sembra invece più opportuno in-
serire l'*Antinoo* a pieno titolo nel catalogo di Antonio Tarsia.

[53] La statua si conserva oggi nei giardini della residenza imperiale di Zarskoje Selò. L'autografia del *Perseo*, che pare indubitabile sotto un profilo strettamente stilistico, è stata tuttavia messa in dubbio da Androsov, che preferisce assegnarla alla bottega. Lo scultore aveva in
precedenza fatto ricorso allo stesso espediente, l'utilizzo di una stessa figura in controparte,
anche per i bassorilievi della *Pace* nel *Monumento Valier* ai Santi Giovanni e Paolo, e della
Carità per l'altare maggiore di San Stae (cfr. P. ROSSI, *Su alcune sculture settecentesche della
chiesa di San Stae*, in "Arte Veneta", XLI, 1987, pp. 204, 207).

[54] Recita infatti il catalogo manoscritto: in "Statua di Venere Anadiomene, con un delfino
dal lato sinistro, sopra il quale evvi un amorino, a cui manca il piede e 'l braccio dritto. È in
tutto simile questo marmo alla famosa Venere de'Medici, fuorchè nell'acconciatura" (cfr. M.
PERRY, *The Statuario Publico ...*, cit., pp. 141, 245).

[55] S. ANDROSOV, *Pietro il Grande ...*, cit., p. 129. Lo studioso rileva anche una generica derivazione dalla *Venere de' Medici*. Solo pochi anni prima, nella stesura di un contratto di garzonato con in "Rocco fio di Fran.co Buranello" (A. S. V., *Giustizia Vecchia*, busta 125, reg.
178, 5 maggio 1711), Giuseppe Groppelli era definito "intagiador de piere", la stessa qualifica del padre Giovanni Battista (cfr. G. VIO, *Appunti per una migliore conoscenza dei Groppelli
e dei Comin*, in "Arte Veneta", XXXVII, 1983, pp. 224-225).

sceglie un'immagine che, pur nella sua nudità, era stata a lungo additata ad esempio di pudicizia.

Tra gli altri scultori attivi per la corte russa particolarmente interessante è la presenza del misconosciuto Giuseppe Zeminiani, altrimenti noto solo per suoi interventi a Chioggia, per la villa Manin di Passariano e per la facciata della chiesa veneziana dei Gesuiti[56]. La sua *Magnificenza*, firmata, sembra essere esemplata, con modeste varianti, sulla «statua di donna mezzo ignuda […] questa effige e acconciatura non lasciano dubbio che qui sia espressa Giulia, figliuola di Tito, sotto sembianza di Venere Vincitrice», donata alla Repubblica da Giovanni Grimani[57].

13, 14

Aldilà della citazione da opere dello Statuario, come si è visto prassi consueta nelle commissioni eseguite per la corte russa, ciò che par degna di essere rilevata è la sconcertante consonanza stilistica, fin nei minimi dettagli, con le opere del Giardino d'Estate assegnate ad Antonio Corradini[58]. Evidentissimo è in particolare il contatto con i due busti di *Scribonia* e *Petronia Prima*. Ora, essendo stato più volte rilevato nei lavori appena citati un livello qualitativo largamente deficitario rispetto alla consueta produzione corradiniana[59], sorge quantomeno il sospetto che per far fronte alle ordinazioni ricevute – 18 busti e 2 statue – che andavano a sommarsi a commesse pregresse, Corradini, allora giovane ma già affermato scultore, possa essersi servito della collaborazione di Zeminiani, artista non molto quotato visto che l'unica sua opera precedente a noi nota, il pilo portabandiera di Chioggia, gli era stata commissionata soltanto nel 1712[60], e che l'anno precedente non compariva nemmeno negli elenchi della Fraglia dei tagliapietra[61]. Una congiuntura così articolata pare purtroppo difficilmente documentabile, anche a causa della dispersione delle altre opere di Corradini per il Giardino d'Estate, che potrebbero eviden-

---

[56] M. Pregnolato, *Su alcune sculture clodiensi dei secoli XVII e XVIII*, in "Chioggia", III, 1990, 4, pp. 19-38; P. Goi, *Scultura del Settecento nel Friuli-Venezia Giulia*, in *Giambattista Tiepolo. Forme e colori. La pittura del Settecento in Friuli*, catalogo della mostra di Udine a cura di G. Bergamini, Milano 1996, p. 104; P. Goi, *Sculture settecentesche nella chiesa dei Gesuiti a Venezia*, in *I Gesuiti e Venezia. Momenti e problemi di storia veneziana della Compagnia di Gesù, Atti del Convegno di Studi, Venezia, 2-5 ottobre 1990*, a cura di M. Zanardi, Venezia 1994, pp. 730-731.

[57] Cfr. M. Perry, *The Statuario Publico …*, cit., pp. 144, 249.

[58] Il riconoscimento era avvenuto grazie ai già citati disegni che illustrano le opere spedite nel 1717 (O. Neverov, *Nuovi materiali per una storia …*, cit., pp. 96-97, 103; Idem, *Skul'ptur'je tsikl'i v dekore letnego sada …*, cit., pp. 143-145).

[59] A tale proposito particolarmente decisa è la posizione di Androsov, che li assegna alla bottega (S. Androsov, *Pietro il Grande …*, cit., p. 227).

[60] M. Pregnolato, *Su alcune sculture clodiensi …*, cit., pp. 30-34, 38.

[61] Per gli elenchi della Fraglia: B. Cogo, *Antonio Corradini, scultore veneziano 1688-1752*, Este 1996, pp. 133-135.

ziare eventuali discontinuità stilistiche; non risulta tuttavia ozioso rilevare come uno dei figli di Antonio Corradini si chiamasse Geminiano, certo non un nome particolarmente comune[62].

Tra le numerose sculture approntate per il Giardino d'Estate da Pietro Baratta, "scultore di Moscovia" per la particolare predilezione dimostratagli da Sava Ragusinskij e conseguenti meriti acquisiti presso la corte dello Zar[63], non sono rintracciabili vere e proprie citazioni di opere di statuaria antica come nei casi appena citati. Sembra invece prevalere nello scultore carrarese una sensibiltà più diffusa e meno episodica verso l'antico, evidentemente mediata dalla formazione toscana, che lo porta ad elaborare creazioni di una certa originalità pur senza distaccarsi da presupposti legati alla cultura antiquaria. Esempio eloquente in tal senso è la splendida *Galatea* del Victoria and Albert Museum di recente rivendicatagli da Monica De Vincenti[64], dove tale sensibilità appare strettamente interconnessa con *exempla* cinquecenteschi, nel caso specifico i rilievi della Loggetta del campanile di San Marco, pur essi derivati dall'antico[65].

Certo vistosissimo nelle opere realizzate da Baratta per la Russia è l'ostentato esibire nudità femminili, evidentemente dettato da una spiccata predilezione in tal senso dimostrata dalla corte russa, una tendenza che del resto poteva trovare un facile parallelo nelle opere commissionate ad artisti veneti da Augusto II di Polonia per il Grosser Garten di Dresda, episodio quest'ultimo meno cospicuo sotto il profilo quantitativo ma certo superiore per la qualità elevatissima delle realizzazioni[66]. Tra gli scultori coinvolti, oltre al poco noto Filippo Catasio, vanno annotate le presenze ancora di Pietro Baratta, autore di quattro statue oggi disperse, e soprattut-

---

[62] B. Cogo, *Antonio Corradini ...,* cit., p. 111.

[63] Su questo particolare argomento: S. Androsov, *Pietro Baratta "scultore di Moscovia" e le sue opere in Russia,* in "Antichità viva", XXXI, 1992, 2, pp.32-39; M. De Grassi, *Pietro Baratta per le corti ...,* cit., pp. 51-58.

[64] Con ogni probabilità la scultura faceva parte della galleria di opere plastiche antiche e moderne del palazzo veneziano dei Manin, per la quale era stata acquistata nel giugno 1706 (M. De Vincenti, *Antonio Tarsia (1662-1739),* in "Venezia Arti, 10, 1996, pp. 52, 56). Per alcuni cenni alla galleria Manin e la relativa documentazione d'archivio: M. Frank, *Virtù e fortuna ...,* cit., pp. 63-67, 365-366). La *Galatea,* identificata come *Teti,* in precedenza era stata ritenuta erroneamente opera di Antonio Tarsia (H. Honour, *Antonio Tarsia,* in "Connoisseur", agosto 1960, pp. 28-29).

[65] Su questi rilievi si veda il recente volume di Massimiliano Rossi, che ne individua le fonti figurative: M. Rossi, *La poesia scolpita. Danese Cataneo nella Venezia del Cinquecento,* Lucca 1995, pp. 25-38.

[66] Sull'argomento si veda soprattutto: J.A. Lehninger, *Description de la ville de Dresde,* Dresde 1782, pp. 388-340; T. Hodkinson, *Two garden sculptures by Antonio Corradini,* in "Victoria and Albert Museum Bulletin", IV, 1968, 3, pp. 37-49. Per una recentissima sintesi: M. De Grassi, *Pietro Baratta per le corti ...,* cit., pp. 58-61.

to Antonio Corradini, cui spettano invece ben otto gruppi, tre monumentali vasi decorati e una figura velata della *Vestale Tuccia*[67]. Tra le opere di Baratta, ricordate da alcune incisioni di Christian Philipp Lindemann[68], si può notare come la *Gloria* sia direttamente accostabile alla statuetta di *Venus Pudica* semipanneggiata presente nello Statuario Pubblico e già ampiamente ricordata nel corso di questo saggio, a conferma di una fortuna piuttosto estesa goduta presso gli artisti operanti nella Serenissima.

Dopo le singolari parentesi appena descritte, dettate dalle specifiche della committenza russa, la frequentazione della statuaria antica da parte degli scultori veneziani tornerà a farsi episodica per almeno un decennio. Dai grandi cantieri degli anni venti, primo tra tutti quello relativo alla decorazione della chiesa dei Gesuiti, traspare infatti una linea sostanzialmente conservativa, non priva di palesi rimandi alla tradizione lecourtiana, evidentemente ritenuta ancora attuale, come nel caso dell'*Apostolo Bartolomeo*, realizzato da Francesco Bernardoni[69], scopertamente ispirato al *San Marco* del fiammingo sull'altar maggiore di Santa Maria della Salute.

In questi anni, il panorama veneziano sembra dominato dalla figura di Giuseppe Torretti, il cui classicismo, enfatizzato da interpretazioni critiche fuorvianti[70], appare, ad un'analisi più attenta, molto più legato alla tradizione cinquecentesca, filtrata dal montante gusto rococò, piuttosto che alla rilettura delle fonti antiche. Solo episodicamente, e peraltro in opere destinate alla Russia, Torretti mostra di aver presente la lezione classica, come nel caso della *Diana*, facente parte delle collezioni dell'Ermitage e oggi conservata a palazzo Mensikov, ispirata alle figure fluviali del Cortile del Belvedere[71].

---

[67] B. Cogo, *Antonio Corradini ...*, cit., pp. 55-56, 240-260. Uno di questi gruppi, *La Verità e la Scultura*, a lungo dato per disperso, è stato di recente ritrovato in un palazzo parigino: H. Grandsart, *Ferrières: découvertes*, in "Connaissance des Arts", gennaio 1997, 535, pp. 41-42.

[68] Tali incisioni erano destinate ad illustrare il catalogo delle raccolte di scultura di Augusto II di Polonia (cfr. B. Le Plat, *Recueil des marbres antiques qui se trouvent dans la Gallerie du Roy de Pologne à Dresde*, Dresde 1733).

[69] Cfr. S. Guerriero, *Francesco Bernardoni e l'altare maggiore di Vigorovea*, in "Venezia Arti", 9, 1995, pp. 54, 56. Del resto, nel caso di questa fabbrica, gli scoperti richiami 'romanisti' anche dell'intelaiatura architettonica (P. Goi, *Sculture settecentesche nella chiesa dei Gesuiti ...*, cit., pp. 728-729), potrebbero far pensare ad una espressa richiesta in tal senso della committenza.

[70] C. Semenzato, *Le premesse al neoclassicismo di Canova nella scultura veneta del Settecento*, in *Arte Neoclassica. Atti del convegno, 12-14 ottobre 1957*, Venezia-Roma 1964, pp. 241-244.

[71] S. Androsov, *Pietro il Grande ...*, cit., p.257. Per la fortuna delle sculture romane: cfr. F. Haskell-N. Penny, *Taste and the Antique ...*, cit., pp. 368-371; 392-395; 455-457. Non sembra così di poter scorgere nella torrenziale produzione dello scultore, impegnato a soddi-

Negli anni successivi, con coincidenza quasi paradossale, a una diffusione sempre più capillare di stilemi di gusto rococò, corrisponde un rafforzarsi d'un indirizzo di studi antiquari che trova nella redazione del catalogo delle sculture dello Statuario Pubblico da parte di Anton Maria Zanetti d'Alessandro un fondamentale punto d'approdo[72].

Il momento più qualificante sotto un profilo storico-artistico è tuttavia la di poco successiva edizione dei celeberrimi volumi *Delle antiche statue greche e romane che nell'Antisala della Libreria di San Marco, e in altri luoghi pubblici di Venezia si trovano*[73], dove la parte più significativa delle sculture della raccolta veneziana trovava finalmente una traduzione a stampa sistematica. Occorre poi rilevare come, nelle intenzioni degli autori, questa impresa doveva essere soltanto il primo atto di una collana che prevedeva la pubblicazione di tutte le più significative opere d'antichità allora a Venezia. Un'opera certamente dal respiro titanico, che, se portata a termine, avrebbe posto l'editoria artistica veneziana all'avanguardia in tutta Europa[74].

Accanto a questo episodio, certo tutt'altro che irrilevante per la fortuna delle opere delle collezioni pubbliche veneziane, per quanto la limitata tiratura, trecento copie, non ne favorisse certo una capillare diffusione, si registra nello stesso periodo anche un più generale interessamento a tali problematiche da parte degli intellettuali veneziani più aperti e cosmopoliti. Sintomatica in tal senso è la posizione di Francesco Algarotti, un personaggio dalla «personalità eccezionalmente ricettiva, aperta a tutte le nuove esperienze che si venivano compiendo alla ribalta europea»[75].

Teorico non certo rigoroso, Algarotti, sempre bilicato tra due poli artistici difficilmente conciliabili come Venezia e Roma, propugnava tuttavia una fede ossessiva nella statuaria antica. Queste opere, a suo avviso, «racchiudono in se stesse tutta la possibile perfezione, che a parte a parte trovasi in un'infinità d'individui dispersa, ne rimangono ancora, come un esempio non solo di giusta simmetria, ma di grandiosità nelle parti, di decoro e di contrasto nelle attitudini, di nobiltà nel carattere; ne riman-

---

sfare un numero sempre crescente di commesse, soprattutto da parte dell'entroterra friulano, quelle cifre di "profonda rielaborazione di veri e propri motivi della scultura classica" evidenziate da Semenzato (*Le premesse al neoclassicismo ...*, cit., p. 243). Lo stesso "modo di tratteggiare i panni" pare piuttosto un retaggio cinquecentesco che il frutto di meditazioni sull'antico.

[72] Sulla figura di Anton Maria Zanetti d'Alessandro e sull'omonimo cugino si vedano: F. BORRONI, *I due Anton Maria Zanetti*, Firenze 1956, pp. 7-29; F. HASKELL, *Patrons and Painters ...*, cit., 519-526.

[73] [A.M. ZANETTI-A.M. ZANETTI], *Delle antiche statue ...*, cit.

[74] Sull'editoria d'arte in Europa: F. HASKELL, *The Painful Birth of the Art Book*, London 1987, (ed. italiana, *Le metamorfosi del gusto*, Torino 1989, pp. 52, 102).

[75] F. HASKELL, *Patrons and Painters ...*, cit., 527.

gono in somma come il paragone di ogni genere, e lo specchio della bellezza» e quindi, «il giovane non potrà mai considerar le greche statue, qualunque carattere od età ne figurino, che non si scorga in lor nuova bellezza, non potrà mai disegnarle abbastanza»[76].

Non desta perciò sorpresa che nell'ordinare a Giovanni Marchiori una serie di sculture con le immagini di divinità olimpiche destinate alla propria villa di Carpenedo, abbia tenuto conto di tali precetti. Quanto ci rimane di tale commissione, databile all'ultimo scorcio degli anni quaranta[77], registra infatti un programmatico accostamento alla statuaria antica, con riferimenti sia a opere delle collezioni veneziane, prima tra tutte quella dello Statuario, sia a esempi delle più importanti raccolte fiorentine e romane, mediate dalla consultazione di repertori a stampa che certo non mancavano nella fornitissima biblioteca dell'erudito veneziano[78].

Per lo scultore agordino la frequentazione di tali esempi si riverbera in un approccio assai personale e tutt'altro che didascalico alla tradizione, anche quando la citazione sconfina fin quasi nella copia, come nel caso della *Pomona* realizzata per il Console Smith e nota attraverso due disegni e altrettanti modelletti[79]. Tale opera, specie nel poco noto bozzetto del Victoria and Albert Museum di Londra, forse eseguito *d'après*, mostra una sconcertante somiglianza, oltre che con l'*Igia*[80], anche con un'altra opera custodita nello Statuario, quella «statua con cornucopia che dicesi dell'Abbondanza» un tempo esposta in una nicchia sulla facciata della Torre dell'Orologio nel cortile di Palazzo Ducale[81].

---

[76] F. ALGAROTTI, *Saggio sopra la pittura*, Bologna 1762, pp. 134-135, 138-139.

[77] Queste statue sono oggi a noi note purtroppo quasi soltanto attraverso una serie di disegni realizzati *d'apres* in collezione privata, che documentano anche la data di esecuzione (L. MENEGAZZI, *Disegni di Giovanni Marchiori*, in "Arte Veneta", XIII-XIV, 1959-60, pp. 147-154; M. DE GRASSI, *Giovanni Marchiori, appunti per una lettura critica*, in "Saggi e memorie di storia dell'arte", 21, 1997, pp. 140, 145).

[78] Si vedano a tale proposito i due cataloghi redatti da Giannantonio Selva: [G. SELVA], *Catalogo dei Quadri, dei Disegni e dei Libri che trattano dell'arte del disegno della galleria del fu Conte Francesco Algarotti in Venezia*, Venezia [1776]; [IDEM], *Catalogue des tableaux et des livres [...] de la Gallerie du feu Comte Algarotti à Venise*, Venezia [1780].

[79] D. FEDERICI, *Memorie trevigiane sulle opere di disegno*, Venezia 1803, p. 137; F. VIVIAN, *Il Console Smith mercante a collezionista*, Vicenza 1971, pp. 40-41. Della statua in esame esistono due bozzetti in terracotta conservati rispettivamente al Museo Civico di Treviso e al Victoria and Albert Museum di Londra (W. ARSLAN, *L'attività veneziana e trevigiana del Marchiori*, in "Bollettino d'Arte", VI, 1927, p. 128; F. VIVIAN, *Il Console Smith mercante ...*, cit., p. 41), un disegno relativo al primo è conservato nel citato album di collezione privata (L. MENEGAZZI, *Disegni di Giovanni Marchiori ...*, cit., pp. 151-152).

[80] G. PAVANELLO, *Il Settecento. La scultura*, in *Storia di Venezia, temi. L'arte*, II, Roma 1995, p. 468, M. DE GRASSI, *Giovanni Marchiori, appunti ...*, cit.,, pp. 140, 145.

[81] Cfr. M. PERRY, *The Statuario Publico ...*, cit., pp. 147, 251. Lo stesso Marchiori, alcuni anni più tardi, restaurerà la statua di *Marco Aurelio Antonino*, posta in un'altra nicchia della torre (P. ROSSI, *Un restauro di Giovanni Marchiori*, in "Venezia Arti", 11, 1997, pp. 151-153).

Concordanze di tal fatta, anche se frutto di mediazioni meno evidenti, si possono riscontrare anche in numerose altre occasioni, basti pensa-
16   re alla *Vestale* in legno, datata 1743 ed «esistente nel Final di Modena»[82],
chiaramente esemplata su una «statua di donna co' capelli serpeggianti
[…] riconosciuta per una Musa», appartenente ancora una volta allo Statuario, della quale ripete il gesto di alzare il manto sopra il capo, secondo la tipica iconografia della *Venus Genetrix*[83].

Nelle statue, perdute, di Ca' Pisani a Este e in quelle per la Ca' della
Nave a Martellago, oggi a Morristown[84], prevale invece un attento esercizio di campionatura e mascheratura delle fonti comportanti ricostruzio-
ni che, pur germinate ad una temperie culturale pienamente settecentesca, non mancano di manifestare un gusto che non a caso è stato definito pre-neoclassico, aprendo per molti aspetti la strada alle soluzioni canoviane degli anni ottanta.

Emblematica, in tal senso, la *Testa Ideale* del Museum of Art della
Rhode Island School of Design, dove «si manifesta un prezioso classicismo che ricerca con eleganza settecentesca il tema antico, secondo un
'buon gusto' non privo di sommessi accenti patetici»[85]. Un tale indirizzo
19   è manifestato ancora più eloquentemente da una piccola statua di *Paride*, di recente passata sul mercato antiquario londinese con un generico
riferimento all'ambiente veneziano[86] e che in questa sede si rivendica a
Marchiori in virtù delle palesi assonanze con la sua produzione nota,
non ultime quelle che lo apparentano alla posa dell'*Apollo* «trionfatore
17   del serpente Piton» di villa Algarotti[87], oppure, limitatamente al tronco,
a uno dei bozzetti in terracotta conservati presso il Museo Civico di
Treviso[88].

---

[82] L. MENEGAZZI, *Disegni di Giovanni Marchiori ...*, cit., pp. 150-151.

[83] Cfr. M. PERRY, *The Statuario Publico ...*, cit., pp. 144, 249. Per cenni sul tipo della *Venus Genetrix*: W. FUCHS, *Die Skulptur der Griechen ...*, cit., pp. 181-182.

[84] Per le sculture di Este: L. MENEGAZZI, *Disegni di Giovanni Marchiori ...*,cit., pp. 150-
151. Per il ciclo di Morristown: G. MARIACHER, *Sculture ignote di Giovanni Marchiori*, in *Arte in Europa*, II, Milano 1966, pp. 831-832. Per la sua provenienza da Martellago: M. DE
GRASSI, *Giovanni Marchiori, appunti ...*, cit., pp. 145-147.

[85] G. PAVANELLO, *Il Settecento. La scultura ...*, cit., p. 469. Per la scultura si veda anche: D.
GRAEME KEITH, *A marble bust by Giovanni Marchiori*, in "Bulletin of Rhode Island School of
Design", novembre 1957, pp. 3-5.

[86] Catalogo della vendita londinese di Sotheby's del 6 luglio 1995, lotto 160.

[87] Cfr. L. MENEGAZZI, *Disegni di Giovanni Marchiori ...*, cit., pp. 150-151.

[88] Si tratta di un bozzetto mutilo identificato come *San Sebastiano*: cfr. W. ARSLAN, *L'attività veneziana e trevigiana...*, cit., p.128; L. MENEGAZZI, *Schede* in *Mostra Canoviana*, catalogo, a cura di L. Coletti, Treviso 1957, p. 17; L. MENEGAZZI, *Il Museo Civico di Treviso. Dipinti e sculture dal XII al XIX secolo*, Venezia 1964, pp. 141-143.

La traduzione del dettato classico assume in questo caso caratteri di assoluta originalità, ben rispondenti alla poetica di Marchiori degli anni quaranta, che trova la propria espressione più alta nella *Santa Cecilia* e nel *David* della chiesa veneziana di San Rocco[89], e nella *Pietà* di Strigno, dove il corpo di *Cristo* riprende la posa del soldato morente del gruppo ellenistico del cosiddetto *Pasquino*[90].

Ad indirizzi non dissimili si ispirava anche Antonio Gai, con un approccio se possibile ancora più sistematico, a prestar fede a Tommaso Temanza che riporta più volte la nota "sul antico" in calce alle voci del sommario catalogo delle opere dello scultore[91]. In casa Grimani si trovava infatti «una statuina colicata sul antico di marmo di Carara», mentre la "Cademia Publica" era ornata da una statua «sul antico Rapresenta Diana di marmo da Carara», tutte opere oggi non reperibili. Nè migliore sorte hanno avuto le «Diverse statuine di marmo di Carara su l'antico» segnalate poi nella casa Zanetti a Santa Maria Materdomini[92].

Quest'ultima circostanza non pare priva di significato per comprendere le radici della vocazione antiquaria di Gai. Nel palazzo risiedevano infatti i due omonimi cugini Zanetti: il più giovane, Anton Maria d'Alessandro, era stato l'estensore del catalogo dello Statuario Pubblico, mentre Anton Maria di Girolamo, oltre a essere in contatto con numerosi esponenti della più raffinata cultura europea[93], era uno dei più celebri collezionisti d'antichità allora presenti in Venezia e la sua raccolta di cammei e antiche gemme era tanto ammirata da suscitare l'invidia persino del console britannico Joseph Smith[94]. Tale congiuntura, come si avrà modo di notare in seguito, non sarà senza effetti per la fortuna dello scultore veneziano.

18

---

[89] Sull'attività di Marchiori per la Scuola Grande di San Rocco si veda soprattutto: P. Rossi, *Lavori settecenteschi per la Chiesa di San Rocco: la decorazione della sagrestia e le sculture della facciata*, in "Arte Veneta", XXXV, 1981, pp. 226-236; Eadem, *L'attività di Giovanni Marchiori per la Scuola di San Rocco,* in "Arte Veneta", XXXVI, 1982, p. 262-267.

[90] M. De Grassi, *Giovanni Marchiori, appunti ...*, cit., pp. 146-148.

[91] T. Temanza, *Zibaldon ....*, cit, pp. 30-31.

[92] T. Temanza, *Zibaldon ....*, cit, pp. 30-31.

[93] Per la rete di contatti di Anton Maria Zanetti di Girolamo, detto il vecchio, si veda soprattutto: F. Haskell, *Patrons and Painters ...*, cit., pp. 519-523.

[94] I. Favaretto, *Arte antica e cultura antiquaria ...*, cit., p. 204. Per questa collezione si veda anche: *Collezioni d'antichità a Venezia nei secoli della Repubblica*, catalogo della mostra di Venezia a cura di M. Zorzi, Roma 1988, pp. 120-123.

Se la ricostruzione del catalogo di Gai appare ancora oggi largamente deficitaria, specie per quanto riguarda la sua attività di intagliatore[95], a causa della scomparsa di molte opere e del limitato interesse sino a oggi manifestato da parte della critica, alcune recenti acquisizioni contribuiscono in maniera assai eloquente a chiarire perlomeno i termini programmatici del rapporto dello scultore con l'antico. Un primo esempio in tal senso può essere individuato nello straordinario *Meleagro*, datato 1735, passato alla metà degli anni ottanta sul mercato londinese e oggi esposto al Metropolitan Museum di New York[96], che, nella posa, sembra ricordare una *Matrona* dello Statuario, ma anche, sia pure in controparte e con una variazione nella postura del braccio destro, il ben più celebre *Antinoo Capitolino*, noto certamente attraverso le numerose traduzioni a stampa[97]. La trascrizione di tali aulici esempi viene però operata in chiave di raffinata eleganza, particolarmente avvertibile nella cesellatura della faretra e nella realistica descrizione della testa del cinghiale, tratti stilistici che troveranno poi un parallelo pressochè perfetto con i più tardi interventi di Marchiori per la chiesa di San Rocco a Venezia.

Non dissimili le caratteristiche che informano altre opere firmate da Gai. Si tratta del noto *Filosofo* del parco di palazzo Querini in contrada

20 (margin number)

---

[95] Attività che, per quanto oggi pressochè sconosciuta, doveva essere stata piuttosto copiosa, perlomeno a prestar fede ai diversi contratti di garzonato stretti dall'artista con aspiranti intagliatori. A questa attività andrà poi collegato il cospicuo album di disegni dei Musei Civici di Palazzo Madama a Torino, segnalato da Ivanoff in una imprecisa nota allo *Zibaldon* di Tommaso Temanza (T. TEMANZA, *Zibaldon ...*, cit, p. 32). Nell'album, peraltro da imputare a più mani, sono infatti pochi i vasi e completamente assenti gli studi relativi a in "statue per giardini", mentre numerose sono le cornici e i motivi ornamentali, evidentemente destinati ad una traduzione in legno. Ringrazio a tale proposito il professor Giuseppe Pavanello per avermi segnalato il materiale fotografico in suo possesso.
   Per i contratti di garzonato: A. S. V., *Giustizia Vecchia*, busta 125, reg. 180; 19 dicembre 1731, in "Marco figlio di Fran.co Zaia da Venezia d'anni 12 s'accorda per garzon con Ant.o Gai Intagiador da legno per anni 6"; 20 giugno 1735, Zuane Sanfrogno di Piero venetian d'anni 15 s'accorda per garzon con Ant. Gai intagiador per anni 6; busta 126, reg. 181, c. 25r, in "3 luglio 1737, Lissandro Berti di Nicola da Venezia d'anni 14 s'accorda per garzon con Ant.o Gai Intagiador da legno per anni 5"; c. 89r, in "5 dicembre 1740, Gio. Batta di Valerio Barcarol da Venezia d'anni 12 s'accorda per garzon con Ant.o Gai Intagiador e scultor da legno per anni 5". In quello stesso giorno anche Giovanni Gai, figlio di Antonio, stipulava un contratto: Gerolamo Ferro di Piero da Venezia d'anni 13 s'accorda per garzon con Zuane Gai Intagiador per anni 6".
   [96] Il pezzo, già a Castle Howard, è passato presso la sede londinese di Sotheby's il 22 aprile 1985. Sull'opera si veda anche: N. PENNY, *Catalogue of European Sculpture in the Ashmolean Museum,* I, Oxford 1992, p. 44 (che segnala anche la presenza di una in "much damaged statue" di Gai in un giardino di Oxford); G. PAVANELLO, *Il Settecento. La scultura ...,* cit., p. 466.
   [97] Sulla *Matrona* dello Statuario cfr. M. PERRY, *The Statuario Publico ...,* cit., pp. 144, 248. Per la fortuna dell'*Antinoo*: F. HASKELL-N. PENNY, *Taste and the Antique ...,* cit., pp. 179-182.

San Marco a Vicenza, eseguito in pietra locale intorno al 1750 e forse proveniente dal giardino del palazzo Vecchia Romanelli[98]. Vi compare, secondo Franco Barbieri, «la rigidezza un po' impettita che si contrappone, nel girar duro dei volumi e dei panni, all'impeto sonoro della maniera dei Marinali, ancora recente, a quella data del '50, nell'ambiente vicentino; e già decanta alcuni smagati purismi di indubbio timbro preneoclassico, con una secchezza puntigliosa e inconfondibile»[99]. A conferma di una tale contingenza va segnalata l'evidentissima fonte di ispirazione, ancora una volta rintracciabile in una scultura dello Statuario Pubblico, la «Statua di M. Aurelio, sopranominato il Filosofo, col pallio, abito de' greci e particolarmente de' filosofi»[100], tutt'ora esposta in una nicchia a fianco dell'orologio dell'omonima torre nel cortile di Palazzo Ducale dopo i restauri di Giovanni Marchiori. Unico accorgimento per mascherarne l'origine quello, già visto, di riprodurre in controparte la parte superiore del corpo.

A un'analoga congiuntura si può associare una figura togata di antico romano, molto vicina nell'impostazione al *Filosofo* del parco Querini, ma realizzata in marmo. Resa nota di recente con l'appellativo "jeune Romain"[101], la statua, oggi conservata nel vestibolo del castello di Ferrières, è invece da identificarsi con ogni probabilità come un *Senatore*. Se possibile, l'opera cui si è appena accennato appare ancora più direttamente debitrice dei canoni classici, dalla fitta pieghettatura del manto fino all'altrettanto canonica gamba col ginocchio bloccato, secondo i più noti registri policletei.

Il *Meleagro* e il *Senatore* testè ricordati vanno evidentemente associati alla nota del biografo Tommaso Temanza che recita: «statue di marmo sull'antico due: una Atalanta e l'altra un Meleagro e tute l'altre rapresenta varietà di Senatori antichi comisione del Ill.mo Sig. Giuseppe Snite spedita in Iniltera ed anche di pietra costosa»[102]. L'importanza del committente, da identificarsi com'è ovvio con il console britannico a Venezia Joseph Smith, celebre collezionista e mediatore d'arte veneziana[103],

---

[98] Sulla scultura in esame si veda: F. Barbieri, *Il giardino delle statue: parco di palazzo Querini a S. Marco*, in "Vicenza", IV, 1962, 1, pp. 30-32; C. Semenzato, *La scultura veneta del Seicento ...*, cit., p. 132; F. Barbieri, *Pietra di Vicenza*, Vicenza 1970, pp. 106-107.

[99] F. Barbieri, *Pietra di Vicenza ...*, cit., p. 106.

[100] Cfr. M. Perry, *The Statuario Publico ...*, cit., pp. 147, 253.

[101] H. Grandsart, *Ferrières: découvertes ...*, cit., pp. 40-41.

[102] T. Temanza, *Zibaldon ...*, cit, p. 321. Per quanto riguarda il *Meleagro*, la circostanza era già stata rilevata da Pavanello (cfr. G. Pavanello, *Il Settecento. La scultura ...*, cit., p. 466).

[103] Sulla figura del console si veda soprattutto: F. Vivian, *Il Console Smith mercante ...*, cit.. Nello specifico, per i rari acquisti di sculture, si vedano le pagine 40 e 41.

offre anche la misura della notorietà raggiunta dall'artista. In particolare, il passaggio del *Meleagro* sul mercato inglese non può che avvalorare una tale ipotesi, fornendo anche una preziosa precisazione cronologica con la data 1735 incisa sulla base. Ne consegue che pure l'esecuzione del *Senatore* possa essere collocata grossomodo intorno alla metà degli anni trenta, confermando in tal modo la precocità dell'approccio alla statuaria antica.

A questa impresa non dovevano essere stati estranei i buoni uffici di Anton Maria Zanetti il Vecchio, egli stesso committente dello scultore e spesso in contatto con l'illustre console. Certa è invece l'attività di mediatore svolta dallo stesso Zanetti per conto di Carl Gustave Tessin, inviato del Re di Svezia nella Serenissima. Scrivendo nel 1736 al sovraintendente alla costruzione del Palazzo Reale di Stoccolma Carl Halerman, Tessin afferma di aver conosciuto a Venezia «un seul sculpteur, nommè Gai, un demi-Michel Ange; mais si fort gatè par les Anglois qu'il demande et obtien 80 sequins pour la moindre petite statue»[104]. Il desiderio di possedere un'opera di tanto scultore si concretizzerà l'anno dopo, quando Tessin, in una lettera inviata a Zanetti il 12 marzo 1737, gli manifesterà l'intenzione di ordinare «une Venus sortant des Bains pour figurer avec une Bathsheba de Giovanni da Bologna qui m'appartient», quest'ultima da identificarsi con quella conservata al J. Paul Getty Museum di Malibu[105]. Della statua di Gai non rimane tuttavia alcuna traccia, ma certo, dovendosi accoppiare all'opera di Giambologna, non poteva che trattarsi ancora una volta di una desunzione dall'antico.

22   Ben rispondente al dettato antiquario è invece un altro *Meleagro*, palesemente ispirato al *Pan* già a Palazzo Altemps e ora alla Ny Carlsberg Glyptotek di Copenaghen[106]. Passata sul mercato londinese nel dicembre 1998 con l'attribuzione ad un ignoto seguace di Antonio Gai[107], la statua in esame sembra piuttosto riferibile a Gai stesso, vista l'alta qualità della realizzazione e la sostanziale uniformità che ne accomuna i

[104] O. Sirén, *Dessins et tableaux de la Reinassance Italienne dans les Collections de Suède*, Stockholm 1902, p. 109.

[105] Lettera di Tessin indirizzata da Stoccolma ad Anton Maria Zanetti il Vecchio (Biblioteca Marciana, MSS. Italiani, Cl. XI, Cod. CXVI, 7356). Il passo è citato da Francis Haskell (*Patrons and Painters ...*, cit., p. 520). La *Betsabea* di Giambologna è stata comperata dall'istituzione californiana sul mercato svedese agli inizi degli anni ottanta (cfr. C. Avery, *Giambologna, la scultura*, Firenze 1987, pp. 98-100, 254; dove non si menziona Tessin e si segnala una possibile permanenza nelle collezioni della casa regnante svedese).

[106] Cfr. G. Messineo, *Monumenta Altempsiana. La collezione ...*, cit., pp. 177-178. La Fonte di ispirazione di Gai può con ogni probabilità essere rintracciata nella pregevole stampa di Giovanni Battista de Poilly, contenuta nella celebre antologia *Raccolta di statue antiche e moderne* di De Rossi, edita a Roma nel 1704.

[107] Catalogo della vendita londinese di Sotheby's del 16 dicembre 1998, lotto 149.

tratti stilistici con quelli delle opere che valicano la metà del secolo. Tornano infatti le medesime modalità di enucleazione dei tratti somatici del volto e la modellazione quasi astrattizzante del corpo che contraddistingue, tra le altre, il *San Marco* per la chiesa veneziana della Pietà[108].

Il *Meleagro* appare comunque frutto di una profonda meditazione sulle strutture compositive della statuaria antica, rilette tuttavia non tanto in chiave di eleganza settecentesca, come nelle migliori realizzazioni di Marchiori e nel precedente *Meleagro* dello stesso Gai, quanto con spirito già neoclassico, almeno per quanto riguarda la raffinata ricerca di pulizia nel modellato.

Certo mediazione importante, se non fondamentale, per questi esiti come per la formazione dello stesso Antonio Canova deve essere stata l'apertura nel 1755 della Galleria di casa Farsetti. Quest'ultima, voluta dall'abate Filippo con precisi intenti didattici, raggruppava una delle più complete raccolte di calchi in gesso di opere della statuaria antica allora esistenti nell'intera Europa[109]. Vicino a essi trovava poi posto una lunga serie di «modelletti di terracotta dei maestri del Barocco romano o piccole riproduzioni in gesso di loro capolavori, come, per esempio, l'*Apollo e Dafne* di Bernini. Accanto a questo e quello, all'"antico" e al "moderno", il giovane Canova, aggirandosi per quelle sale, capta con prensile intelligenza una molteplicità di suggestioni»[110].

Dalla Galleria Canova ricaverà il «suo primo tributo all'antico», la terracotta riproducente il gruppo dei *Lottatori* della Tribuna degli Uffizi[111], presentata nel 1775 come saggio al concorso di copia dell'Accademia di Venezia[112]. Altri ne seguiranno, in un percorso complesso e ancora in parte da decifrare, cui non mancano riferimenti stratificati e multipolari. Emblematico il caso dell'*Apollo che si incorona*, sua prima opera 23

---

[108] Per una sintesi delle vicende bibliografiche del complesso si veda: C. Semenzato, *La scultura veneta del Seicento ...*, cit., pp. 131-132, 135, 137; D. Howard, *Pietro Foscarini e l'altar maggiore della chiesa della Pietà a Venezia,* in "Arte Veneta", XLV, 1994, pp. 63-64.

[109] Per un elenco del materiale raccolto da Filippo Farsetti, cfr. *Museo della Casa eccellentissima Farsetti*, Venezia [1788], pp. 7-18. Più in generale, per un sunto delle vicende relative alla formazione della Galleria: L. Vedovato, *Villa Farsetti nella storia, I*, Santa Maria di Sala 1994, pp. 96-140.

[110] G. Pavanello, in "*Antonio Canovae Veneto ...,*", in *Antonio Canova*, catalogo della mostra, Venezia 1992, p. 45. Per le terrecotte, in gran parte migrate all'Ermitage, si veda: *Alle origini di Canova. Le terrecotte della collezione Farsetti*, catalogo delle mostre di Roma e Venezia a cura di S. Androsov, Venezia 1991.

[111] Per la fortuna dei *Lottatori*: F. Haskell-N. Penny, *Taste and the Antique ...*, cit., pp. 351-354.

[112] Cfr. G. Pavanello, *L'opera completa del Canova*, Milano 1976, p. 89; Idem, in "*Antonio Canovae ...*, cit., pp. 45, 158.

romana, per il quale, come fonti visive, sono state via via individuate la figura di Apollo nel *Parnaso* di Mengs, l'*Apollino de' Medici* degli Uffizi, e ancora l'*Apollo* dello Statuario Pubblico veneziano inciso dagli Zanetti[113]. A queste si può aggiungere una "rimembranza" della figura di destra del gruppo con *Castore e Polluce*, emigrato in Spagna dal 1724 ma del quale era rimasto un calco presso l'Accademia di Francia a Roma[114], e, una volta di più, nella Galleria veneziana di Filippo Farsetti[115].

In sostanza, un legame con l'antico molto radicato, costruito *in primis* sulle lunghe frequentazioni della Galleria Farsetti ma, indubbiamente, anche con ricorrenti visite allo Statuario, come sembra dimostrare anche la terracotta con *Apollo* delle Gallerie dell'Accademia di Venezia, ricca di "desinenze berniniane"[116], dettategli dal gesso dell'*Apollo e Dafne* Farsetti, ma tradotte con «una certa timidità impacciata»[117]; una timidezza cui non sembra estranea la posa della *Diana* già appartenuta a Giovanni Grimani[118]. Quella stessa statua che Canova, nella nota richiestagli una ventina d'anni più tardi da Jacopo Morelli riguardo ai possibili miglioramenti da apportare alla sistemazione dello Statuario, proporrà di collocare «altrove, non avendo merito distinto», quasi a rinnegare alcuni aspetti dei propri esordi, ma con il proposito, questo sì nobile, che «ciò facendosi, avrebbe una decente collocazione questo stimabilissimo complesso di Anticaglie, degno certamente di fare migliore comparsa di quella che faccia presentemente, per mancanza di luogo»[119].

---

[113] Per questa analisi si veda soprattutto: G. PAVANELLO, *Una scheda per l'"Apollo che si incorona" di Antonio Canova*, in "Antologia di Belle Arti", 35-38, 1990, pp. 4-29.

[114] Per notizie su questo gruppo, oggi conservato al Prado: F. HASKELL-N. PENNY, *Taste and the Antique ...*, cit., pp. 220-223.

[115] *Museo della Casa ...*, cit., p. 13; L. VEDOVATO, *Villa Farsetti ...*, cit., p. 113.

[116] G. PAVANELLO, *L'opera completa ...*, cit., p. 90.

[117] A. MUÑOZ, *Il periodo veneziano di Antonio Canova e il suo primo maestro*, in "Bollettino d'Arte", IV, 1925, p. 123.

[118] Cfr. M. PERRY, *The Statuario Publico ...*, cit., pp. 147, 252.

[119] Il documento è trascritto in: M. PERRY, *The Statuario Publico ...*, cit., p. 149.

VENERE.

1. Giusto Le Court, *Onore*. Venezia, Chiesa della Madonna dell'Orto, Monumento Cavazza.
2. Giovanni Comin, *Ercole Farnese*. Parigi, Giardino delle Tuileries.
3. Angelo Marinali, *Giunone*. Montegalda, Castello Grimani Marcello.
4. Giuseppe Cattini, *Venere*, da [A.M. Zanetti-A.M. Zanetti], *Delle antiche statue* …, I, 1740, tav. XX.

5. Angelo Marinali, *Crono*. Montegalda, Castello Grimani Marcello.

6. Melchior Barthel, *Autunno*. Lovere, Galleria Tadini.
7. Melchior Barthel, *Estate*. Lovere, Galleria Tadini.

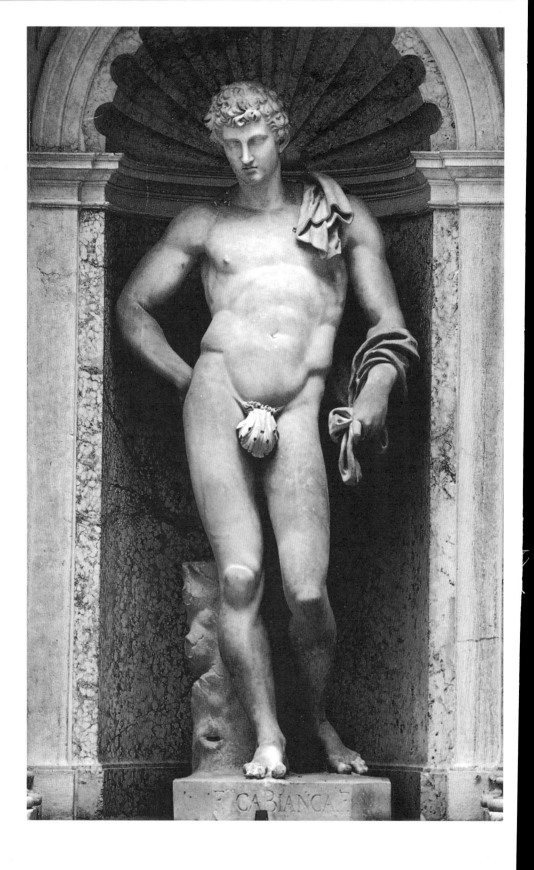

8. Francesco Cabianca, *Antinoo*. Venezia, Ca' Corner.

9. Antonio Tarsia, *Antinoo*. Pietroburgo, Giardino d'Estate.
10. Antonio Tarsia, *Perseo*. Zarskoje Selò, Parco.
11. Antonio Corradini, *Nereide*. Pietroburgo, Giardino d'Estate.
12. Giuseppe Groppelli, *Lussuria*. Pietroburgo, Giardino d'Estate.

13. Giuseppe Ziminiani, *Magnificenza*. Zarskoje Selò, Parco.
14. Carlo Orsolini-Fiorenza Marcello, *Giulia figlia di Tito*, da [A.M. Zanetti-A.M. Zanetti], *Delle antiche statue …*, I, 1740, tav. XV.
15. Pietro Baratta, *Galatea*. Londra, Victoria and Albert Museum.

16. Anonimo (da Giovanni Marchiori), *Vestale*. Collezione privata.
17. Anonimo (da Giovanni Marchiori), *Apollo*. Collezione privata.
18. Giovanni Marchiori, *Pietà*. Strigno, Parrocchiale.

19. Giovanni Marchiori, *Paride*. Già Londra, Mercato antiquario.

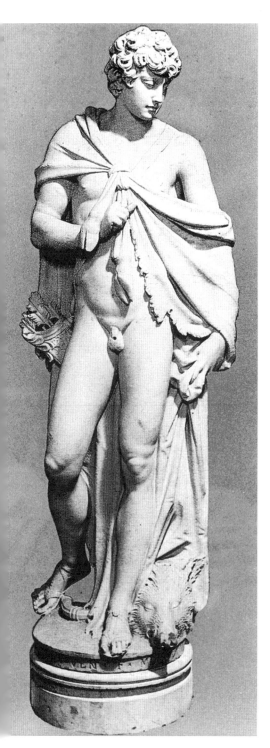

20. Antonio Gai, *Meleagro*. New York, The Metropolitan Museum of Art.
21. Antonio Gai, *Senatore*. Parigi, Fondazione de Rothschild.

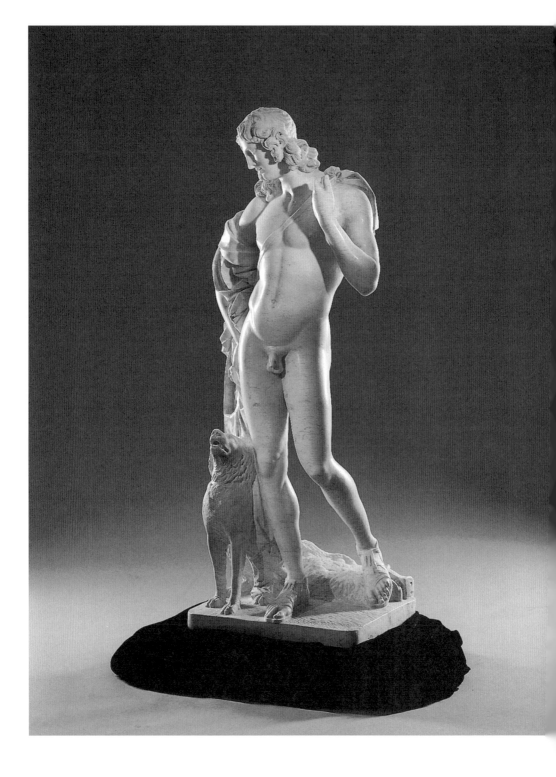

22. Antonio Gai, *Meleagro*. Già Londra, Mercato antiquario.

23. Antonio Canova, *Apollo che si incorona*. Los Angeles, The J. Paul Getty Museum.

IRENE FAVARETTO

ANTONIO CANOVA E LE COLLEZIONI ARCHEOLOGICHE
VENEZIANE NELLA SECONDA METÀ DEL SETTECENTO

Nei primi decenni del XIV secolo giunsero a Venezia da Ravenna due lastre marmoree romane di prima età imperiale che recavano ciascuna, scolpiti a rilievo, due putti reggenti le insegne del dio Saturno[1]. I rilievi suscitarono l'immediato interesse dei collezionisti locali, che ne apprezzarono la qualità e la raffinatezza di esecuzione. Abbiamo infatti notizia del loro apparire, su quello che già allora doveva essere un fiorente mercato antiquario, dalla famosa "nota" del notaio trevigiano Oliviero Forzetta, il quale nel 1335 si apprestava a recarsi a Venezia per tutta una serie di acquisti, tra i quali proprio i due marmi[2].

Il Forzetta, per ragioni che ignoriamo, non entrò peraltro in possesso delle due sculture, che vennero invece in un primo tempo infisse nel muro di una casa presso piazza San Marco, e quando tale casa venne abbattuta, furono trasportati nella chiesa di Santa Maria dei Miracoli, dove rimasero fino alla fine del Settecento.

Le vicende successive dei rilievi videro coinvolto proprio Antonio Canova, il quale, impegnato a salvare i monumenti antichi sparsi un po' dovunque a Venezia ed esposti alle intemperie o all'incuria dell'uomo, colpito dalla bellezza dei due marmi antichi, come già molti altri artisti

---

[1] L. BESCHI, *I rilievi ravennati dei "Troni"*, in "Felix Ravenna" 127-130 (1984-85), pp. 37-80; L. SPERTI, *Rilievi greci e romani del Museo Archelogico di Venezia*, Roma 1988, pp. 120-125, con bibliografia.

[2] I. FAVARETTO, *Arte antica e cultura antiquaria nelle collezioni venete al tempo della Serenissima*, Roma 1990, pp. 33-37; O. GARGAN, *Oliviero Forzetta e le origini del collezionismo veneziano*, in *Venezia e l'Archeologia. Atti del Congresso Internazionale (Venezia 25-29 maggio 1988)*, Roma 1990, pp. 13-21.

prima di lui che numerosi li copiarono, li tolse dalla inappropriata sistemazione all'interno della chiesa e li fece trasportare nello Statuario Pubblico della Serenissima, nell'Antisala della Libreria Marciana[3].

In effetti Antonio Canova ebbe molteplici contatti non già solo con le
sculture antiche da lui recuperate a Venezia, ma anche con le collezioni
di antichità che egli ebbe modo di vedere, apprezzare e considerare quale terreno fertile di studio e di ispirazione per la sua arte.

Prima di giungere a questo che costituisce il nodo principale del nostro discorso, vorrei però puntualizzare alcune peculiarità del collezionismo di antichità veneziano, evidenziando il significato che esso rivestì
nella vita culturale e artistica di Venezia. Individueremo alcuni punti su
cui soffermarci, che mi sembra possano illustrare chiaramente questo fenomeno, il quale per più di un aspetto si distinse nel quadro del collezionismo europeo.

Innanzi tutto, dobbiamo ricordare come Venezia sia stata, fin dai primi secoli del nostro millennio, il primo centro d'Europa a ricevere in modo regolare, potrei dire anche sistematico, materiale antico come statue,
rilievi, busti e ritratti, iscrizioni, monete e medaglie, da tutte le terre greche e del vicino Oriente.

Già nel XII secolo infatti giunsero il grande leone bronzeo, emblema
di San Marco, e il bel ritratto marmoreo di principe ellenistico che, mon-
tato su di un busto loricato di età romana e con l'aggiunta di braccia,
gambe e armi di fattura medioevale, divenne San Teodoro, protettore di
Venezia. Sorrette da due imponenti colonne di granito e destinate ad ac-
cogliere il viaggiatore che si avvicinava al Molo, le due statue vennero
raggiunte, qualche anno dopo, dai quattro cavalli in bronzo dorato, dai
cosiddetti Tetrarchi, dalla testa del cosiddetto Carmagnola e dai pilastri
decorati a rilievo, tutti frutto delle rapine perpetrate nel 1204 durante il
sacco di Costantinopoli, al tempo della Quarta Crociata[4].

Queste sculture di altissimo livello qualitativo vennero sistemate nel-
l'area marciana e andarono a formare una sorta di museo all'aperto, messaggio di potere e propaganda politica di uno Stato che iniziava allora un
cammino di successi. Ben presto le sculture persero la valenza politica di
trofei di guerra, per venire assorbite dal contesto della vita veneziana, rivestite di leggende di sapore popolare, ricche di poesia e di immaginazione.

Seppure di minore impatto visivo, ma con maggiore abbondanza,
materiale greco continuò a giungere a Venezia nei secoli successivi,

---

[3] Per la loro fortuna presso gli artisti, si veda anche: A. FOSCARI, *Festoni e putti nella decorazione della Libreria di San Marco*, in "Arte Veneta" XXXVIII (1984), pp. 23-30.

[4] I. FAVARETTO, *Presenze e rimembranze di arte classica nell'area della Basilica Marciana*, in *Storia dell'Arte Marciana: scultura, tesoro, arazzi. Atti del Convegno Internazionale di
Studi (Venezia, 11-14 ottobre 1994)*, a cura di R. Polacco, Venezia 1997, pp. 74-88.

quando si andavano formando le prime collezioni di antichità, i cui proprietari consideravano motivo di prestigio possedere il più alto numero di oggetti d'arte provenienti dalla Grecia, da Creta, da Rodi, da tutte le isole del Mediterraneo orientale o dalle coste dell'Asia Minore.

Nel Quattrocento il mercato d'arte era particolarmente fiorente e riforniva non solo i collezionisti locali, ma personaggi di rango, come Isabella d'Este e Lorenzo il Magnifico, che a Venezia inviavano i loro agenti per assicurarsi i pezzi migliori appena giunti dalla Grecia[5]. Spesso alcuni carichi di marmi antichi venivano subito spediti ad acquirenti d'oltralpe, favorendo così la diffusione in Europa di testimonianze di arte greca, e contribuendo a creare quel gusto per l'antico che diverrà un fenomeno molto esteso nei secoli successivi.

Il traffico commerciale di opere d'arte antica continuò nel Cinquecento anche se non più così prospero, data la perdita da parte di Venezia dei possedimenti in Levante. Tuttavia i collezionisti riuscirono ugualmente a rifornirsi di opere d'arte greca, pur pagandole a prezzi elevati, tanto che nella sola Venezia, tra Quattro e Cinquecento, si potevano contare almeno una settantina di collezioni dove venivano conservati oggetti antichi di notevole valore, tra i quali numerosissimi pezzi originali greci[6].

Per molteplici ragioni, fin dal Quattrocento legate a problemi finanziari o al disinteresse degli eredi dopo la morte dei proprietari delle raccolte e alla fine del Settecento dovute al tracollo economico di tante famiglie veneziane, di tutto l'ingente patrimonio di arte greca accumulatosi nel tempo, non restò a Venezia e nel Veneto che meno del dieci per cento.

Il maggior numero di sculture greche conservate è concentrato in quello che era lo Statuario Pubblico della Serenissima, e oggi è il Museo Archeologico Nazionale, formatosi, come sappiamo, grazie alle donazioni di Domenico e di Giovanni Grimani, alle quali nel tempo si aggiunsero quelle di Federico Contarini, di Giovanni Mocenigo e, alla fine del XVIII secolo, quella di Girolamo Zulian, mecenate del Canova e cultore dell'antico[7].

La possibilità di potere osservare, pur se in un ridotto numero di pezzi, il prodotto del collezionismo veneziano di almeno tre secoli, permet-

---

[5] FAVARETTO, *Arte antica*, cit., pp. 58-61, 65-67 e *passim*; EAD., *Sculture greche da collezioni veneziane disperse e il mercato d'arte antica a Venezia al tramonto della Serenissima*, in *Venezia e l'Archeologia*, cit., pp. 113-118.

[6] *Collezioni di antichità a Venezia nei secoli della Repubblica, dai libri e documenti della Biblioteca Marciana*, catalogo della mostra (Venezia 27 maggio-31 luglio 1988), a cura di M. Zorzi, Roma 1988; FAVARETTO, *Arte antica*, cit.

[7] *Lo Statuario Pubblico della Serenissima. 1596-1797,* catalogo della mostra (Venezia 6 settembre-2 novembre 1997), a cura di I. Favaretto e G.L. Ravagnan, Cittadella 1997, con bibliografia aggiornata.

te di fare alcune considerazioni sulle scelte compiute dai collezionisti veneziani nell'acquisto di opere d'arte greche, sulle loro preferenze quanto a soggetti e dimensioni, sul significato e il valore da essi attribuito ad ogni singolo pezzo, sui restauri operati su gran parte delle sculture, e, non ultimo, sulle sculture cosiddette "all'antica".

Le preferenze nei confronti delle statue d'arte antica, greche e romane, erano indirizzate secondo esigenze estetiche che solo raramente sembrano lasciare spazio a delle scelte programmatiche. Queste ultime riguardavano piuttosto la ritrattistica antica, per la quale a Venezia e nel Veneto vi era un interesse molto vivo, anche nel confronto di precisi protagonisti della storia greca e romana.

Quanto alle statue, dobbiamo ricordare come almeno fino alla fine del Settecento non si distinguessero gli originali greci dalle copie romane, perciò anche queste, soprattutto se provenienti dalle aree del Mediterraneo orientale, venivano considerate, con una qualche ragione che oggi possiamo condividere, autentici prodotti d'arte antica.

Le scelte dei veneziani dunque, come quelle di tutto il mercato di antichità che in Venezia aveva il suo fulcro, erano prevalentemente dirette verso statue di non grandi dimensioni: quelle greche di misura sopra la naturale o colossali non sono infatti frequenti[8].

I soggetti preferiti erano eleganti figure femminili drappeggiate, chiuse nel peplo o avvolte dai virtuosistici panneggi di chitone ed *himation*; mentre tra le divinità, prediletta era *Athena*, presenza cara ai collezionisti già nella Roma antica, e poi Dioniso e i suoi seguaci, Apollo, le Muse[9]: un popolo di statue dalle forme sinuose e raffinate, destinate ad ornare atri e saloni di palazzi.

Inconsapevolmente, dal momento che non vi era ancora alcuna nozione cronologica sullo sviluppo dell'arte greca, le scelte si dirigevano verso la produzione del primo e medio ellenismo, con qualche concessione alla severità del pieno classicismo o alle audacie innovative del tardo ellenismo[10]. Quasi tutte di ottima fattura, alcune di esse possono esse-

---

[8] Si veda la *Nike* colossale da Creta: L. Beschi, *La Nike di Hierapytna, opera di Damokates di Itanos*, in «Rendiconti dell'Accademia Nazionale dei Lincei», 40 (1985), pp. 131-143.

[9] Per le sculture dello Statuario si veda ora: L. Beschi, *Le sculture originali greche*, in *Lo Statuario Pubblico*, cit., pp. 89-96; F. Ghedini, *Le sculture romane*, in *Lo Statuario Pubblico* cit., pp. 97-106; per le sculture in altre collezioni veneziane rimando alla bibliografia in Favaretto, *Arte antica* cit., e agli aggiornamenti in I. Favaretto-G. Bodon, *Proposta per una programmazione informatica delle collezioni veneziane di antichità*, in *Collezioni di antichità nella cultura antiquaria europea. Atti del Congresso Internazionale (Varsavia-Nieborow, 17-20 giugno 1996)* Roma 1999, pp. 108-117.

[10] L. Beschi, *Le sculture originali greche nello Statuario della Repubblica*, in *Lo Statuario Pubblico*, cit., pp. 89-96.

re definite dei capolavori. Statue che quasi sempre approdavano a Venezia ridotte a busti frammentari o comunque non in perfette condizioni e che, sottoposte alle mani esperte di abili artisti, ritrovavano un loro aspetto più dignitoso, talvolta anche una nuova identità.

È infatti soprattutto il restauro, sul quale peraltro non vi sono ancora stati studi esaustivi, elemento illuminante per comprendere in quale modo a Venezia venisse accostata l'opera d'arte antica[11]. Il restauro non doveva solo ridare "dignità" alla statua offesa dal tempo, restituirle braccia e gambe, o anche teste perdute in secolari vicende, ma soprattutto doveva ritrovare per esse la identità smarrita. Non era considerato questo un compito da poco, da affidarsi alla sola capacità degli artisti, per quanto costoro fossero in genere scelti tra gli scultori più rinomati del tempo, del calibro dei Lombardo, di Tiziano Aspetti, di Alessandro Vittoria, fino a giungere, come vedremo, ad Antonio Canova e a Giovanni Volpato.

Era essenziale infatti l'intervento dell'umanista, dell'antiquario ed esperto del mondo antico, che potesse dare indicazioni precise sul tipo di restauro da applicare, una volta che si fosse individuata la iconografia della statua. Se per alcune delle statue giunte non integre il compito poteva infatti non essere difficile, perché presentavano una iconografia ben riconoscibile anche allora, come Afrodite o Apollo o Dioniso coronato di vite o Athena, se ancora conservava il *gorgoneion* sul petto, o per altre divinità dove comparivano ancora gli attributi specifici, per altre figure dalla identità meno evidente bisognava affidarsi agli esperti, cioè agli studiosi del mondo classico, i quali, basandosi su bronzetti antichi o sulle raffigurazioni incise su monete e medaglie o ancora sui vasi figurati, potevano fornire gli indispensabili suggerimenti sul completamento delle statue.

Questo verrebbe anche a spiegare come molte delle figure femminili panneggiate, nelle quali noi oggi riconosciamo le iconografie di Demetra e di Kore, assumessero nel Cinquecento la identità della Fortuna o dell'Abbondanza, dopo che, a somiglianza delle rappresentazioni sul verso di monete di età imperiale, venivano integrate, oltre che nelle parti mancanti, anche con la cornucopia, appunto, della dea dell'Abbondanza, ricolma di frutta e di fiori[12].   5

---

[11] O. ROSSI PINELLI, *Chirurgia della memoria: scultura antica e restauri storici*, in *Memoria dell'antico nell'arte italiana*, a cura di S. SETTIS, III, *Dalla Tradizione all'archeologia*, Torino 1986, pp. 208-209 e 216-217; G. NEPI SCIRÈ, *«...che non parean più quelle»: restauri e restauratori per lo Statuario*, in *Lo Statuario Pubblico*, cit., pp. 113-114. L'argomento è ora oggetto di studio di una Tesi di Dottorato.

[12] Alle statue dello Statuario è stata tolta la cornucopia di restauro rinascimentale, che vediamo ancora però nei disegni settecenteschi (si vedano ad esempio le statuette nn. 37 e 79 in

Purtroppo tutto questo cammino percorso dalla cultura antiquaria nel corso del tempo ci sarebbe oggi negato, vista la quasi totale eliminazione dei restauri cinquecenteschi negli anni trenta di questo nostro secolo, se non vi fosse la testimonianza degli straordinari disegni settecenteschi dovuti ad Anton Maria Zanetti il Giovane, che restituiscono l'aspetto delle statue con le loro integrazioni così come si presentavano nello Statuario Pubblico veneziano[13].

Ma non solo, abbiamo anche la fortuna di avere altri disegni e incisioni che tramandano l'aspetto di altre statue, già emigrate nel Seicento da Venezia, ancora corredate dei loro restauri, anch'essi comunque rimossi da non molti anni.

L'esempio in questo senso più significativo è senz'altro quello della collezione di sculture un tempo di Andrea Vendramin, dove il restauro delle statue antiche venne condotto secondo criteri di ricostruzione totale, privilegiando però il reimpiego di frammenti antichi, teste, braccia e gambe, anche se non pertinenti e anche se con tutta evidenza di stili diversi[14]. Troviamo così statue formate da torsi virili acefali completati con teste femminili, oppure statue formate da frammenti scultorei di diverse divinità femminili assemblate insieme. È evidente trattarsi qui di un concetto esasperato di restauro, meno attento e consapevole di quello operato nelle sculture confluite nello Satuario Pubblico, ma con il medesimo scopo di poter godere di un insieme esteticamente gradevole, non turbato dalla brutalità delle fratture.

Vi è ancora qualcosa da dire, a proposito delle scelte dei veneziani in merito alle opere d'arte antica e ai loro restauri. Scopriamo, del resto senza sorpresa, una particolare attenzione per il colore anche nella scultura antica. Presenza discreta operata nelle scelte: i quattro cavalli di bronzo dorato, i "Tetrarchi" e il "Carmagnola" in porfido sanguigno, ritratti ellenistici in marmo rosso e in basalto.

Più coraggioso il colore di alcuni restauri: basti ricordare il rimarchevole risultato del bel volto classico femminile di età adrianea in mar-

---

Lo Statuario Pubblico, cit., pp. 172-173 e 212-213), mentre ancora la conservano le figure femminili della torre dell'orologio nel cortile di palazzo Ducale: G. VALENTINELLI, Marmi scolpiti del Museo Archeologico della Marciana di Venezia, Prato 1866, pp. 251-256, nn. 302 e 304.

[13] M. PERRY, The Statuario Publico of the Venetian Republic, in «Saggi e Memorie di Storia dell'Arte», 8 (1972), pp. 77-253; I. FAVARETTO, «Un notabilissimo ornamento»: la vita dello Statuario tra XVII e XVIII secolo, in Lo Statuario Pubblico, pp. 53-60; G.L. RAVAGNAN, Le ultime vicende dello Statuario Pubblico dalla caduta della Repubblica di Venezia alla nascita del Museo Archeologico Nazionale, in Lo Statuario Pubblico, cit., pp. 66-73.

[14] FAVARETTO, Arte antica, cit., pp. 143-151.

mo rosso, completato nel Cinquecento da uno scenografico velo in marmo bianco; e ancora, la cosiddetta *Livia*, il cui capo venne ricoperto da un pesante drappo in marmo nero[15]. Il tema del colore ritorna anche nei gradevoli contrasti ottenuti dai marmi di diverse delicate tonalità impiegati per i piedistalli di busti e ritratti.

Certamente i risultati non erano casuali e abbiamo di recente potuto farne una verifica nella ricostruzione di due delle pareti dello Statuario Pubblico nell'Antisala della Libreria Marciana, dove, nonostante la forzata assenza di molti dei restauri cinquecenteschi e gli accorgimenti impiegati per ovviare ad alcune alterazioni strutturali della sala avvenute nel tempo, appare evidente la ricerca di armonia dell'insieme, di equilibrio tra le parti, di impatto visivo notevole nell'animare le pareti, dal pavimento al soffitto, con uno straordinario numero di statue, busti e rilievi, ciascuno collocato in un suo spazio, ma in funzione di una scenografia sapientemente controllata[16].

La Mostra dello Statuario ha messo in effetti in evidenza una delle caratteristiche peculiari del collezionismo veneziano di antichità, finalizzata in particolare modo al puro godimento della bellezza. Questa forte componente estetica che sembra potersi cogliere a Venezia fin dalla fine del Quattrocento, almeno cioè da quando è testimoniata la presenza di raccolte tuttora note o descritte in documenti, non sempre è condivisa dalle collezioni della terraferma, più orientate verso delle scelte di tipo umanistico, dove ritratti antichi o "all'antica" ne formano una parte consistente, insieme a monete e medaglie, lucerne e *instrumenta* di vario tipo[17].

Volutamente ho evitato di tracciare un quadro delle collezioni veneziane di antichità, eppure non posso esimermi, e questo costituisce il secondo punto del nostro discorso, dall'accennare a certe caratteristiche emerse lungo le loro vicende, alcune in piena sintonia con quanto avveniva nel resto d'Italia, altre assolutamente inedite e illuminanti.

La componente estetica rimane l'elemento caratterizzante principale che, con diverse espressioni, accompagnò il collezionismo veneziano nei quattro secoli che noi più conosciamo, dal Quattrocento al Settecento.

Particolarmente dedicato il Quattrocento alle raccolte di piccoli oggetti preziosi, quali monete, gemme intagliate e cammei, è però anche il secolo in cui cominciano a formarsi le collezioni di sculture del pieno Cinquecento, alle quali già si è accennato, e che a Venezia almeno in parte ancora si sono conservate, grazie al ricordato dono di Domenico e Giovanni Grimani e alla formazione dello Statuario Pubblico.

---

[15] *Lo Statuario Pubblico*, cit., pp. 142-143, n. 3 e pp. 198-199, n.68.

[16] *Lo Statuario Pubblico*, cit. Per le vicende dell'Antisala si veda: A.D. BASSO, *L'ambiente dello Statuario*, in *Lo Statuario Pubblico*, cit., pp. 61-65.

[17] FAVARETTO, *Arte antica*, cit., pp. 99-128, 164-178.

Il Seicento è un secolo in sordina per quanto riguarda il collezionismo di antichità, rivolto prevalentemente alla formazione di medaglieri, ormai ordinati per serie e completati da cataloghi illustrati. Rare sembrano essere nella prima parte del secolo le nuove collezioni di sculture antiche, anche per l'obiettiva difficoltà di ricevere materiale di un certo rilievo dalle terre greche, dove i turchi stavano scalzando le potenze occidentali[18].

Sul finire del secolo però, con la presa di Atene ad opera di Francesco Morosini, marmi greci tornarono ad affluire a Venezia, ad iniziare da una preziosa testimonianza dal frontone Ovest del Partenone, colpito e in parte distrutto nel 1687 dallo scoppio della santabarbara turca. Il segretario del Morosini, Felice Gallo, ebbe infatti la fortuna di raccogliere l'unica testa femminile rimasta dai frontoni del Tempio, la testa di *Nike*, che, dopo varie vicende, si trova ora al Louvre[19].

Accanto a questa, giunsero pregevoli statue, come l'*Afrodite Urania*, oggi a Berlino, e alcune lastre del tempio ionico presso l'Ilisso, poi divise tra i Musei di Vienna e di Berlino, ma che per almeno un secolo rimasero a Venezia, rinnovando l'interesse dei veneziani per l'arte greca e favorendone la diffusione in Europa[20].

Il Settecento si presenta in equilibrio instabile tra cultura antiquaria, e perciò studio di monete e iscrizioni, e un rinnovato senso estetico, sostenuto dalla nascente consapevolezza del valore storico dell'arte greca. A Venezia incontriamo delle notevoli raccolte che mostrano queste tendenze e che riflettono ciò che sta avvenendo sulla scena europea.

L'esempio del *Museum Veronense*, primo museo pubblico in Europa nel quale il suo creatore, Scipione Maffei, perseguì intendimenti scientifici e didattici, non poteva mancare di influenzare le raccolte private veneziane[21]. Ma la lezione del Maffei e del lapidario veronese che più fu sentita a Venezia fu quella dell'allestimento, curato secondo criteri di distribuzione tipologica del materiale, ma soprattutto secondo un gusto scenografico e una ordinata ripartizione delle pareti, nelle quali i singoli

---

[18] Per questi cenni rimando a FAVARETTO, *Arte antica*, cit. pp. 129-178.

[19] A. SACCONI, *L'avventura archeologica di Francesco Morosini ad Atene (1687-1688)*, Roma 1991; L. BESCHI, *La testa Laborde nel suo contesto partenonico: una proposta*, in «Atti della Accademia Nazionale dei Lincei. Rendiconti» s. IX, v. 6, 392 (1995), pp. 491-512.

[20] FAVARETTO, *Sculture greche*, cit.

[21] L. FRANZONI, *Origine e storia del Museo Lapidario Maffeiano*, in *Il Museo Maffeiano riaperto al pubblico*, Verona 1982, pp. 29-72; *Nuovi Studi Maffeiani. Atti del Convegno Scipione Maffei e il Museo Maffeiano (Verona, 18-19 novembre 1983)* e *Scipione Maffei nell'Europa del Settecento. Atti delle Giornate di Studio (Verona, 23-25 settembre 1996)*, a cura di G.P. Romagnani, Verona 1998.

rilievi e le singole epigrafi venivano composte in una specie di grande mosaico scandito da cornici in stucco o in legno dipinto[22].

Ancora una volta sono i molti disegni e le molte incisioni rimaste che, confermando la volontà dei collezionisti di dare alle stampe e perciò diffondere la conoscenza del materiale antico delle proprie collezioni, hanno il compito di trasmettere le immagini particolareggiate di questi musei ormai dispersi nel tempo.

È così infatti che sappiamo con precisione come era disposto il museo della famiglia Nani a San Trovaso e quale ampio spazio venisse dato, all'interno del chiaro ordine compositivo della scansione delle pareti, alle iscrizioni greche e latine, in ossequio a quei criteri imposti dal Maffei intorno alla metà del XVIII secolo[23].

Del museo Nani, nonostante la totale dispersione del materiale nei primi decenni dell'Ottocento, possiamo in effetti dire di sapere quasi tutto, grazie proprio alla preziosa testimonianza grafica che ne è rimasta e che permette oggi, individuando i singoli pezzi antichi in musei italiani e stranieri, di ricostruire almeno sulla carta quello che fu per tutto il Settecento uno dei più ammirati musei privati veneziani, per numero e pregio delle epigrafi e anche per la rarità e l'eleganza di statue e ritratti antichi che dopo la metà del secolo si aggiunsero al nucleo iniziale.

Di altri musei veneziani della seconda metà del Settecento sappiamo parecchio, anche se non in modo così completo come nel caso precedente. Disegni ed incisioni, ad esempio, rimangono anche della collezione dei Grimani di Santa Maria Formosa, dello stesso ramo di Domenico e Giovanni, i "fondatori" dello Statuario Pubblico. Ma non si tratta qui di un vero e proprio catalogo illustrato, come quello della raccolta Nani, bensì di immagini che nell'Ottocento servirono per pubblicizzare la vendita delle sculture. Le opere d'arte antica che avevano nuovamente riempito la tribuna e le altre sale del palazzo, dopo che il dono alla Serenissima di Giovanni Grimani le aveva quasi completamente spogliate dei loro tesori, non erano certo all'altezza della qualità delle statue greche o dei ritratti romani del nucleo precedente, ma in mezzo ad esse vi erano alcuni pezzi di ottimo livello, anch'essi poi andati dispersi in modo capillare nell'Ottocento[24].

---

[22] L. FRANZONI, *Il Museo Maffeiano secondo l'ordinamento di Scipione Maffei*, in *Nuovi Studi Maffeiani*, cit., pp. 207-232.

[23] I. FAVARETTO, *Raccolte di antichità a Venezia al tramonto della Serenissima: la collezione dei Nani di San Trovaso*, "Xenia", 21 (1991), pp. 77-92; EAD., *Présence grecque à Venise au XVIIIe siècle. La collection Nani de San Trovaso*, in *Silence et fureur. La femme et le mariage en Grèce. Les antiquités grecques du Musée Calvet*, Avignon 1996, pp. 27-38.

[24] I. FAVARETTO, *«Una tribuna ricca di marmi...»: appunti per una storia delle collezioni Grimani di Santa Maria Formosa*, in "Aquileia Nostra", 55 (1984), coll. 205-240.

Ricorderò per ultima una raccolta che per più versi intrecciò le proprie vicende proprio con quelle di Antonio Canova, perciò di questa come del suo proprietario, Girolamo Zulian, riparleremo più volte[25]. Si trattava di una raccolta in cui veniva privilegiata la scelta estetica, piuttosto che l'interesse antiquario, tipica degli anni di fine Settecento a cui appartenne. Pur essendo veneziano, lo Zulian, ritiratosi a riposo dalle importanti cariche che aveva ricoperto per conto del governo della Serenissima, prima come ambasciatore a Roma e poi come bailo a Costantinopoli, scelse come dimora permanente una casa a Padova, città dove contava numerosi amici presso lo Studio locale e le Accademie cittadine. Fu in questa abitazione padovana che egli allestì il proprio museo, con l'aiuto del Canova e dell'architetto Giannantonio Selva, e dove inserì sapientemente tutte le note della più raffinata cultura neoclassica, dalle sculture greche e romane, ai vasi figurati antichi, alle incisioni del Volpato dalle Stanze di Raffaello, ad alcuni modelli in gesso di opere dello stesso Canova. Ormai l'artista era uomo affermato e il suo consiglio veniva considerato prezioso dai collezionisti veneti del tempo: lo Zulian prima di tutti, ma anche personaggi scontrosi e difficili come Tommaso degli Obizzi, che al Canova si rivolse per l'allestimento del museo di antichità sistemato in un'ala del Castello del Catajo presso Monselice[26].

E proprio attraverso questo ultimo intenso momento del collezionismo veneziano di fine Settecento giungiamo al terzo punto e all'argomento principale del nostro discorso: Antonio Canova e i suoi rapporti con le raccolte veneziane di antichità.

Del resto, la lunga premessa era indispensabile per comprendere il legame con l'antico maturato dal Canova a Venezia, dal momento che siamo abituati a pensare al suo entusiastico contatto con le grandi sculture di Roma quando vi giunse per la prima volta nel 1779 o al suo apprendistato di disegno a Venezia sui calchi di sculture antiche posseduta dall'abate Farsetti. Su questo ultimo aspetto però mi sia permesso di sorvolare, perché argomento fin troppo noto, anche se fondamentale nelle vicende della formazione del Canova e della sua conoscenza della scultura antica[27].

---

[25] Per lo Zulian si veda ora: M. DE PAOLI, *Girolamo Zulian e la sua collezione di antichità al Museo Archeologico di Venezia. Una proposta di allestimento*, Tesi di Specializzazione in Archeologia, Università di Padova, a.a. 1995-96; EAD., *Il legato Zulian, 1795*, in *Lo Statuario Pubblico*, cit., pp. 282-298; EAD., *Antonio Canova e il "museo" Zulian. Vicende di una collezione veneziana della seconda metà del Settecento*, in «Ricerche di Storia dell'Arte» LXVI, 1998, pp. 19-36.

[26] FAVARETTO, *Arte antica*, cit., 243-248.

[27] *Ibid.*, pp. 225-226; S. ANDROSOV, *La collezione Farsetti*, in *Alle origini di Canova. Le terrecotte della collezione Farsetti*, catalogo della mostra (Roma, 12 dicembre 1991-29 feb-

Parleremo dunque soprattutto dell'opera compiuta da Canova a favore dello Statuario Pubblico, per il quale si adoperò in felici interventi di salvaguardia e di conservazione, del suo approccio al problema del restauro delle statue antiche, e per ultimo dei meno noti, ma altrettanto significativi contatti dell'artista con le antichità che egli ebbe modo di vedere e studiare nelle collezioni veneziane[28].

Nei suoi frequenti ritorni a Venezia, sempre più circondato da fama e ammirazione, venne interpellato in svariate occasioni dall'abate Jacopo Morelli, ultimo geloso custode dello Statuario Pubblico, il quale si stava prodigando per sottrarre all'incuria e al degrado le sculture antiche allora esposte alle intemperie in qualche angolo della città o abbandonate all'interno di qualche edificio.

Fu in una di queste occasioni che il Canova e il Morelli, avendo individuato nella Chiesa di Santa Maria dei Miracoli i due rilievi con i putti di cui parlavamo all'inizio, li fecero trasportare allo Statuario Pubblico, trovando così degna e definitiva sistemazione per queste due notevoli sculture romane giunte a Venezia quasi cinque secoli prima e che tanta attrazione avevano esercitato su intere generazioni di artisti rinascimentali[29].

1, 2

Più complessa la curiosa, e per certi versi non chiara vicenda che vide coinvolto il Canova nell'operazione di recupero della *Musa* colossale che si trovava in una nicchia dell'Ospedale della Pietà, lungo il rio omonimo, annerita dal tempo e aggredita dalla salsedine[30].

Per qualche tempo il Canova dovette trovarsi nel difficile dilemma di voler da un lato favorire un suo importante ed esigente cliente, Tommaso degli Obizzi, per il quale stava acquistando delle sculture di notevole valore e che gli aveva espressamente chiesto di andare a stimare la statua, e dall'altra di continuare la collaborazione con il Morelli, per la cui opera nutriva la massima stima. Fu forse lo stesso marchese Obizzi a trarlo d'impaccio, lasciandosi convincere a non insistere nell'acquisto,

---

braio 1992; Venezia 20 marzo-30 settembre 1992), Venezia 1991; G. Nepi Scirè, «*Le reliquie estreme del Museo Farsetti*», in *Alle origini di Canova*, cit., pp. 23-29.

[28] Per altri aspetti dell'argomento, troppi per ricordarli qui tutti seppure in breve, rinvio a: G.L. Mellini, *Presenza dell'antico nella pittura di Antonio Canova*, in *Venezia e l'Archeologia*, cit., pp. 216-220; I. Favaretto, *Riflessioni su Canova e l'antico*, in *Antonio Canova*, catalogo della mostra (Venezia 22 marzo-30 settembre 1992) Venezia 1992, pp. 61-66; A. Mariuz-G. Pavanello, *Disegni inediti di Antonio Canova da un taccuino "Canal"*, in «Saggi e Memorie di Storia dell'Arte» 19 (1994), pp. 319-354; A. Mariuz-G. Pavanello, *Antonio Canova. I disegni del Taccuino di Possagno*, Cittadella 1999.

[29] Si veda qui nota 1. La chiesa di Santa Maria dei Miracoli è stata di recente sottoposta ad un esemplare restauro, ma, come gentilmente mi comunica l'architetto Mario Piana della Soprintendenza per i Beni Ambientali ed Architettonici di Venezia, non si è potuto stabilire dove i rilievi fossero stati un tempo collocati.

[30] Perry, *The Statuario Publico*, cit., pp. 105-106.

cosicché il Canova poté adoperarsi liberamente perché la grande statua raggiungesse l'altra *Musa* di grandi proporzioni che si trovava già nello Statuario dal tempo del dono di Giovanni Grimani e che intuiva essere in relazione con la prima per innegabili somiglianze stilistiche[31].

Nel febbraio di quello stesso anno, il 1795, era morto Girolamo Zulian, lasciando erede di gran parte della sua collezione di antichità lo Statuario Pubblico, e così chiudendo splendidamente la serie dei grandi mecenati che avevano contribuito a renderlo uno dei più famosi musei europei di sculture antiche.

La nuova donazione veniva ad acuire però quei problemi di sovraffollamento di marmi di cui già si lamentava il Morelli e che impediva il giusto godimento dei singoli pezzi. Ancora una volta il Morelli ricorse al Canova e alle sue esperienze maturate in anni di studio e di attività nei musei romani, non solo, ma anche nei già ricordati allestimenti delle raccolte di Girolamo Zulian a Padova e di Tommaso Obizzi nel castello del Catajo, per il quale risolse la sistemazione delle sculture, nel lungo salone adibito a museo, con una fila di colonne e di piedistalli antichi appositamente spediti da Roma[32].

Delle nuove ipotesi per una migliore distribuzione delle statue dello Statuario Pubblico restano alcuni appunti e schizzi di mano di Jacopo Morelli, ma stesi, almeno alcuni, su indicazioni del Canova. Il progetto che scaturì dai loro colloqui, e che porta anche la firma del Canova, appare indovinato per alcune soluzioni indubbiamente interessanti che avrebbero notevolmente potuto migliorare lo Statuario, conferendogli un aspetto più soddisfacente e godibile[33].

Lo scultore giustamente suggeriva infatti di collocare in basso e in posizione più conveniente alcuni dei busti "di singolare bellezza", tra i quali il cosiddetto Vitellio, ammirato dagli artisti fin dal suo primo apparire nella raccolta di Domenico Grimani[34]. Viceversa, consigliava di porre in alto, nei posti lasciati vuoti dai busti, i vasi di marmo e quelli fittili figurati. Così, secondo il Canova, tutti i rilievi, ormai nascosti dalle tante statue che si affollavano lungo le pareti, sarebbero stati più visibili se

---

[31] Per le *Muse*: R. POLACCO-G. TRAVERSARI, *Sculture romane e avori tardo-antichi e medioevali del Museo Archeologico di Venezia, Roma 1988*, pp. 18-21. Per la *Musa* della Pietà e il Canova: VALENTINELLI, *Marmi scolpiti*, cit., pp. 29 e 31-37; L. RIZZOLI, *Alcune lettere di Antonio Canova al marchese Tomaso degli Obizzi e la Musa Melpomene del R. Museo Archeologico di Venezia*, in «Atti dell'Istituto Venento di Scienze, Lettere ed Arti» 82 (1922-23), pp. 401-412.

[32] DE PAOLI, *Antonio Canova e il "museo" Zulian* cit.; FAVARETTO, *Arte antica*, cit., pp. 243-248.

[33] PERRY, *The Statuario Publico*, cit., pp. 106-111; il documento è trascritto alle pp. 149-150.

[34] *Lo Statuario Pubblico*, cit., p. 156, n. 18, con bibliografia.

inseriti nei muri dei due pianerottoli dello scalone d'accesso, dove si sarebbero potute collocare anche tre delle statue più grandi.

Il gusto dell'epoca non poteva non fargli prediligere il grande accademico gruppo di età romana ma di tradizione ellenistica del *Dioniso sorretto da un satiro*, che egli avrebbe voluto vedere in piena luce, dinanzi alla finestra centrale della parete verso la Piazzetta[35]. Così le due 8 teste colossali di satiro e satiressa, provenienti da Palazzo Venezia, avrebbero trovato collocazione degna all'ingresso della Libreria, al posto dell'*Eros che incorda l'arco* e di una statuetta greca che evidentemente non teneva in uguale considerazione[36].

Anche per altre statuette greche egli prevede una collocazione altrove, perché da lui considerate "di mediocre forma". Evidentemente mancava ancora al Canova una più approfondita conoscenza dell'arte greca originale, che del resto, essendosi per lo più formato il gusto sulle copie romane, aveva accostato solo saltuariamente, e di cui ancora non aveva ricevuto l'impatto attraverso i marmi partenonici che vedrà a Londra solo alcuni anni più tardi. Altri due pezzi in bronzo, che noi consideriamo straordinari, i due ritratti rinascimentali "all'antica" di Adriano e Sabina, opere oggi attribuite al figlio di Antonio Lombardo, Ludovico, secondo il Canova sarebbero dovuti essere addirittura "scartati", insieme ad altre sculture in bronzo che ingombravano le mensole[37].

Purtroppo il progetto non ebbe seguito. La caduta della Repubblica, avvenuta due anni dopo, impedì al Morelli, anche per lungaggini burocratiche, di realizzare il sogno di un museo più organico e più corrispondente alle nuove esigenze. L'ordine di trasferire tutti i marmi a Palazzo Ducale, dato nel 1807 dal nuovo Governo, venne procrastinato solo di tre anni, ancora una volta grazie all'interessamento del Canova[38].

Finiva così la vicenda dello Statuario durata, nel suo mirabile complesso, più di due secoli, ma cominciava, ad opera degli studiosi, l'esame e lo studio delle singole sculture che lungo l'Ottocento e più ancora nel Novecento riconosceranno in molte di esse dei veri capolavori, confermando l'intuito dei tanti artisti che, come il Canova, le avevano ammirate[39].

---

[35] G. Traversari, *La statuaria ellenistica del Museo Archeologico di Venezia*, Roma 1986, pp. 64-69.

[36] *Ibidem*, pp. 70-77. Per l'*Eros*: Traversari, *Sculture del V e IV secolo a.C. del Museo Archeologico di Venezia*, Venezia 1973, pp. 106-109.

[37] *Lo Statuario Pubblico*, cit., p. 233.

[38] Perry, *The Statuario Publico*, cit. pp. 109-111; Ravagnan, *Le ultime vicende*, cit., pp. 66-67.

[39] *Ibid.*, pp. 67-73.

Un'osservazione del Canova a proposito di alcuni vecchi restauri "malamente" condotti su alcune delle sculture dello Statuario introduce la posizione dell'artista su questo argomento[40]. Ben noto è il suo rifiuto di intervenire in alcun modo sui marmi del Partenone, da lui espresso con convinzione quando venne chiamato nel 1815 a Londra per dare un parere sul valore delle sculture fidiache[41].

Alle spalle di questo episodio vi era ormai stata una lunga esperienza del Canova in materia di restauri, già in gran parte conosciuta, anche se vale qui la pena di aggiungere alcune annotazioni riguardanti soprattutto l'ambiente veneto[42]. Come sappiamo, le sculture da lui incontrate nei musei romani, in particolare nei Vaticani, nei Conservatori e a Villa Albani, consistevano per lo più in copie romane di originali greci, a molte delle quali, nel corso dei secoli, erano stati apportati dei restauri che avevano ancor più enfatizzato il loro aspetto levigato e la perfezione accademica dell'esecuzione.

Nei confronti dell'antico, Canova si pose sempre in ammirata competizione, rifiutando, fin dai tempi della giovinezza di esserne un pedissequo imitatore, pur continuando a studiare con costanza e competenza le forme della scultura classica, riuscendo spesso, attraverso i suoi tanti disegni, a coglierne l'essenza più profonda[43]. E proprio questo cumulo di conoscenze maturate in anni di applicazione, l'aveva portato a saper giudicare quando e come intervenire nei restauri, nelle rare occasioni in cui accettava una commissione.

Esemplari in tale senso sono le sue osservazioni sulla posizione che doveva aver avuto in antico il braccio destro del *Laocoonte*, allora considerato perduto[44]. Rifiutando le integrazioni compiute nel corso del tempo e studiando attentamente la muscolatura del torso e della spalla corrispondente, il Canova sostenne che l'arto mancante doveva essere ripiegato a toccare con la mano i riccioli del capo. Tale ipotesi verrà confermata all'inizio di questo nostro secolo dal fortuito ritrovamento del brac-

---

[40] Si veda il documento in PERRY, *The Statuario Publico*, cit., p. 149.

[41] Per la questione si veda: W. ST. CLAIR, *Lord Elgin and the marbles*, Oxford 1967; M. PAVAN, *Antonio Canova e la discussione sugli "Elgin Marbles"*, in «Rivista dell'Istituto Nazionale d'Archeologia e Storia dell'Arte», 21-22 (1974-75), pp. 219-344; O. ROSSI PINELLI, *Artisti, falsari o filologhi? Da Cavaceppi a Canova, il restauro della sculture tra arte e scienza*, in «Ricerche di Storia dell'Arte» 13-14 (1981), pp. 41-56; EAD., *Chirurgia della memoria*, cit., pp. 181-250.

[42] S. HOWARD, *Antiquity restored. Essays on the afterlife of the Antiquity*, Vienna 1990, pp. 154-161; FAVARETTO, *Riflessioni*, cit., pp. 61-66.

[43] HOWARD, *Antiquity restored*, cit., pp. 154-161.

[44] I. FAVARETTO, *La tradizione del Laocoonte nell'arte veneta*, «Atti dell'Istituto Veneto di Scienze, Lettere ed Arti», 141 (1982-83), pp. 75-92.

cio originale presso un antiquario romano, dando ragione all'intuito dell'artista e alle sue ottime conoscenze di anatomia umana.

In effetti, pochi sono i restauri sicuri compiuti dal Canova, e si tratta per lo più di lavori eseguiti per persone a cui era legato da stima e gratitudine.

Vorremmo conoscere meglio le circostanze che lo portarono a restaurare per Angelo Querini un sarcofago antico con *Teseo e il toro di Maratona*, andato purtroppo disperso insieme alla maggior parte dei pezzi della raccolta del patrizio veneziano[45]. Il lavoro dovette essere completato già prima del 1787, data in cui fu pubblicata la memoria di Giustiniana Wynne, contessa di Rosenberg, sulla collezione del Querini ad Altichiero. Il Canova era ormai famoso, ma il lavoro, giudicato encomiabile, farà aggiungere alla Wynne: «...on peut le regarder, comme le début toujours intéressant d'un grand artiste»[46].

Quando Girolamo Zulian, conscio del rapido declino della Repubblica, decise di trasportare a Venezia da Roma alcune delle sculture che si trovavano nel palazzo degli ambasciatori veneziani e che forse risalivano addirittura ai tempi di papa Paolo II Barbo, chiese al Canova di restaurare le due teste colossali di *Satiro* e *Satiressa*, opere ambedue del II secolo d.C.[47].

L'artista non si rifiutò, data anche l'eccezionalità dei due grandi marmi, ma non sappiamo esattamente in quali parti delle sculture egli intervenne: il Valentinelli parla dell'esistenza di corpi "mal conservati" che il Canova avrebbe rimosso, mentre non sarebbe da imputargli l'aver tolto i bargigli alla testa del satiro[48].

In altri casi, il Canova delegò gli amici Antonio D'Este e Giovanni Volpato ad operare dei restauri di sculture antiche sotto la sua sorveglianza. Fu il Volpato a restaurare per lo Zulian due marmi che quest'ultimo aveva acquistato ad Alessandria: un busto di *Helios* e una *Venere* o *Ninfa*, raffinate copie romane di originali ellenistici[49]. Più tardi lo Zulian

---

[45] FAVARETTO, *Arte antica*, cit., pp. 239-242.

[46] J.W.C.D.R. [J. WYNNE COMTESSE DE ROSENBERG], *Alticchiero*, Padoue 1787, con note di B. Benincasa, pp. 60-61 e tav. XXVI. Qualche tempo prima il Canova aveva forse compiuto un altro restauro per una statua di *Oratore* allora posseduta da Marco Foscarini: G.P. MARCHINI, *Un restauro canoviano per l'Oratore del Museo Archeologico di Verona*, in «Atti e Memorie dell'Accademia di Agricoltura Scienze e Lettere di Verona» 23 (1971-72, pp. 531-565.

[47] TRAVERSARI, *La statuaria ellenistica*, cit., pp. 70-77.

[48] VALENTINELLI, *Marmi scolpiti*, cit., pp. XXIII-XXV, 225-226, 249-250; DE PAOLI, *Antonio Canova e il "museo" Zulian*, cit.

[49] L. BESCHI, *L.S. Fauvel ad Alessandria*, in *Alessandria e il mondo ellenistico-romano. Studi in onore di A. Adriani*, Roma 1983, I, pp. 3-12.

si rammaricò che ad eseguire il restauro della Ninfa, nonostante lo considerasse ben riuscito, tanto da fare della statua il punto focale del suo museo patavino, non fosse stato il Canova, perché, come egli stesso scrisse in una lettera del 1790 all'artista, gli «sarebbe stata cosa assai cara il poter dire Statua antica, e bella, ristorata dal Canova...»[50].

Il Canova si occupò invece direttamente della ricomposizione di alcuni dei vasi antichi figurati, allora comunemente chiamati "etruschi", che egli aveva acquistato per lo Zulian, per i quali era riuscito a spuntare prezzi favorevoli proprio per il fatto che la maggior parte si presentava in frammenti[51].

Come abbiamo finora visto, l'artista era personalmente coinvolto in più d'una collezione veneta di antichità, come consigliere, restauratore, esperto "museografo" o "museologo", secondo le moderne accezioni dei termini. Non meraviglia dunque trovare tra i suoi disegni le immagini di sculture viste e studiate anche in altre raccolte del tempo, alle quali si è qui già accennato: la collezione dei Grimani di Santa Maria Formosa e la collezione dei Nani a San Trovaso[52].

Ma al di là di questi studi che facevano parte del suo modo di operare e della sua instancabile curiosità e desiderio di apprendere, vorrei sottolineare come nella scelta dei pezzi da disegnare vi fosse spesso un richiamo ad altre sculture a lui già note, quasi una sorta di citazioni dotte che non avevano bisogno di parole per esprimersi, ma del segno sicuro dell'artista nel tracciare la forma di un frammento scultoreo o del particolare di una statua, e che diventano per noi dei messaggi da decifrare.

Nella raccolta Grimani esisteva allora il frammento di una statua virile colossale, di cui restava solo una gamba con accanto una corazza; di esso abbiamo un disegno del Canova, il quale dovette evidentemente rimanere colpito dalla somiglianza con un particolare dei *Dioscuri* del

9

---

[50] DE PAOLI, *G. Zulian e la sua collezione*, cit., pp. 20, 30-31 e 120-122; si veda qui per gli altri restauri operati dal Volpato sotto l'attenta guida del Canova, tra l'altro anche al famoso cammeo di Giove Egioco. Si veda anche G. SENA CHIESA, «*Cammei di tanto rara e suprema bellezza...*» *La glittica nello Statuario Pubblico della Serenissima*, in *Lo Statuario Pubblico*, cit., pp. 126-129, con bibliografia; DE PAOLI, *Il legato Zulian*, cit., pp. 282-298.

[51] DE PAOLI, *G. Zulian e la sua collezione* cit., pp. 37-61.

[52] FAVARETTO, *Riflessioni*, cit., pp. 63-64, al quale posso aggiungere ora il disegno del Museo Civico di Bassano, inv. E.b.55.1066 di una statua femminile tipo *Pudicitia* allora nella raccolta Grimani e ora a Budapest: A. HEKLER, *Die Sammlung antiker Skulpturen*, Budapest 1929, p. 177, n. 175; FAVARETTO, «*Una tribuna...*», cit., coll. 224-225, fig. 10.

Quirinale, sculture ben note all'artista e sulle quali a lungo egli si era esercitato[53].

In un'ottica diversa possiamo intendere invece i disegni da lui eseguiti delle stele funerarie greche che si trovavano nelle due raccolte Grimani e Nani, quando forse iniziava a pensare a quella sua geniale e fortunata creazione che furono appunto le stele funerarie, dove la poesia struggente comunicata dai marmi antichi diventò nell'opera dell'artista espressione di un sentimento umano partecipato con commozione e rara eleganza[54].

Il coinvolgimento del Canova in molti degli aspetti del collezionismo di antichità veneto dell'epoca è implicita conferma dell'importanza del fenomeno. Purtroppo, tranne i marmi dello Statuario e poche altre sculture, tutto il resto è andato disperso. All'Ermitage di Pietroburgo si trova oggi una elegante statua femminile, copia romana di originale greco, che al tempo del Canova costituiva uno dei pezzi più notevoli della raccolta Nani e che incontrò l'ammirazione dell'artista, tanto da suggerirgli forse un'idea per la sua *Ebe*[55]. Tante altre statue, che pure dovettero significare molto per gli artisti di allora, sono invece andate perdute, e insieme ad esse un patrimonio di cultura che oggi con fatica si cerca di ricostruire almeno sulla carta.

Il Canova è stato uno degli ultimi artisti a godere della ricchezza e dello splendore del materiale antico che si poteva incontrare in palazzi e case veneziane: certamente seppe sfruttare questa miniera di conoscenza, facendone tesoro per la propria arte, ed è grazie a lui e ai tanti artisti che lo avevano preceduto, che noi oggi possiamo comprendere il valore e il significato che per Venezia e la sua cultura artistica rappresentò il collezionismo locale di antichità.

---

[53] FAVARETTO, *Riflessioni*, cit., pp. 62-63. Il disegno è al Museo Civico di Bassano, inv. E.b.52.106v (F 5327). Per il frammento Grimani andato disperso: A. NEUGEBAUER, *Die Berliner Tritonstatue*, in «Jahrbuch des Deutschen Archaeologischen Instituts» 66 (1941),1, pp. 182-183, fig. 5; per il Canova e i *Dioscuri*: F. HASKELL-N. PENNY, *Taste and the Antique*, New-Haven-London 1981, pp. 136-141 e G.L. MELLINI, *Canoviana*, in "Antichità Viva" 1 (1990), pp. 21-30.

[54] FAVARETTO, *Riflessioni*, cit., pp. 63-64.

[55] FAVARETTO, *Arte antica*, cit., p. 216.

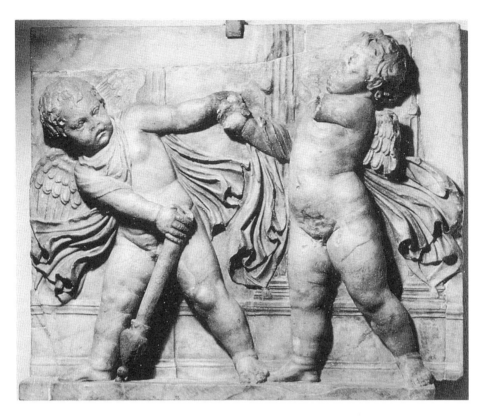

1-2. *Rilievi romani con putti*, I secolo d.C. Venezia, Museo Archeologico Nazionale. 89

1. *Porta della Libreria di S Marco.*
2. *Bassoril. rappresentante il Sagr Suovetaurilia.*
3. *Statua d. Leda pregiatissima.*
4. *Statua di Sileno.*
5. *Statua di Agrippina di Germanico.*
6. *Busto di Giulia Mamea.*
7. *Busto di Lucio Vero.*
8. *Are triangolari di Bacco.*
9. *Iscrizione greca dei giuochi Panatenaici.*
10. *Busto di Giove.*
11. *Busto di Lucilla.*
12. *Statua dell Abbondanza.*

3. *Lo Statuario Pubblico della Serenissima. Parete d'ingresso*, incisione del XVIII secolo.
4. *Statuetta di* Kore *dalla collezione Grimani*, arte greca della fine del V secolo a.C. Venezia, Museo Archeologico Nazionale.
5. Anton Maria Zanetti il Giovane, *Statuetta di* Kore *come Abbondanza*. Venezia, Biblioteca Nazionale Marciana.
6. *Busto femminile*, di età adrianea da originale greco della seconda metà del V secolo a.C. Venezia, Museo Archeologico Nazionale.
7. *Testa colossale di Satiro*, copia romana di originale ellenistico del II secolo a.C. Venezia, Museo Archeologico Nazionale.

8. *Dioniso e satiro*, copia romana di originale tardo-ellenistico. Venezia. Museo
Archeologico Nazionale.

9. *Venere o Ninfa*, copia romana del II secolo d.C. di originale tardo-ellenistico, restauro di Giovanni Volpato. Venezia, Museo Archeologico Nazionale.

RAIMONDO CALLEGARI

IL MERCATO DELL'ARTE A VENEZIA ALLA FINE DEL SETTECENTO E GIOVANNI MARIA SASSO

Dagli studi di Krzysztof Pomian appare chiaro come la stabilità sociale di Venezia, maggiore che in altre capitali europee, comporti una trasmissione generazionale delle collezioni d'arte che «per questa stessa ragione appartengono più ad una *gens* che ad un individuo». Le collezioni divengono una sorta di manifestazione visibile della posizione occupata dalla famiglia nella gerarchia sociale e quindi come qualcosa che in teoria non può essere venduto. Dunque l'offerta del mercato degli oggetti di collezione a Venezia non era così forte né così regolare come ad Amsterdam, a Londra o a Parigi, dove sin dall'inizio del Settecento le vendite all'asta pubbliche erano sempre più frequenti e spesso annunciate in anticipo dalla pubblicazione di cataloghi stampati. Qui, assieme all'incremento del mercato d'asta cresce il prestigio dell'esperto incaricato di condurre la vendita, di stimare gli oggetti e di procurarne un'attribuzione convincente.

Il mercato veneziano lungo tutto il Settecento appare, invece, legato ad un sistema di vendita più tradizionale in cui l'acquirente deve rivolgersi direttamente al venditore trattando sul prezzo che, allora, non risulta stabilito da una gara di offerte. Tuttavia, la figura dell'esperto rimane necessaria al momento della mediazione. A Venezia essa è assunta dagli artisti, così Algarotti alla ricerca di quadri per la galleria di Dresda fa appello a Tiepolo, mentre Tomaso degli Obizzi si serve dell'esperienza di Canova per acquistare a Roma marmi antichi e pezzi già di proprietà di Piranesi; anche "un nuovo ricco" come Girolamo Manfrin si servirà dei consigli di un pittore allora molto stimato, Giambattista Mengardi, nella scelta dei quadri per la sua ricca collezione, mentre lo stesso Mengardi, accanto ad Antonio Canova, sarà chiamato a controllare le pitture del catalogo di vendita della stessa collezione.

Va detto, comunque, che durante gli ultimi decenni del secolo alla latitanza delle commissioni di Stato, già scarse in tutto il Settecento, si accompagna la scomparsa dei tradizionali mecenati mentre aumentano, invece, i casi di vendite di intere collezioni private. Nel 1775, oltre all'alienazione dei quadri della raccolta Sagredo, venne dispersa quella del maresciallo Schulenburg, mentre l'anno successivo cominciò l'opera di dispersione dei quadri di proprietà dell'Algarotti. Anche le grandi famiglie patrizie ormai si preoccupavano di vendere i loro tesori alle orde di agenti che imperversavano a Venezia.

In questo contesto diviene rilevante l'importanza della Residenza inglese come punto di riferimento nell'ambiente artistico veneziano, legato soprattutto a Joseph Smith, vissuto a Venezia dai primi anni del secolo fino alla morte, avvenuta nel 1770, console, mercante e collezionista di opere antiche, oltre che grande mecenate di Sebastiano Ricci, Rosalba Carriera, Giuseppe Zais e soprattutto Canaletto. Anche gli altri diplomatici inglesi si interessarono di arte ma, differenziandosi notevolmente da Smith, smisero le vesti di mecenati protettori di artisti viventi dedicandosi maggiormente al collezionismo e alla compravendita. Come notato da Lorenzetti, la Residenza inglese doveva funzionare come «un ufficio artistico di informazioni per l'acquisto delle opere d'arte» al servizio dei visitatori che si recavano a Venezia in cerca di tesori.

Nel panorama degli ultimi decenni del secolo, fin qui sommariamente tracciato, compaiono a Venezia dei nuovi collezionisti, "petits bourgeois" come li definisce Francis Haskell nel capitolo di *Patrons and Painters* a loro dedicato: tra essi spiccano il canonico Giovanni Vianello, il ricco uomo d'affari tedesco Amadeo Svajer, collezionista di manoscritti in contatto con i Tiepolo e con Canova, e soprattutto il "nuovo-ricco" Girolamo Manfrin «l'unico che spenda in belle arti a Venezia», secondo il mercante Armani. A partire dal 1785, grazie alla sua ricchezza, potè formarsi una galleria, aperta ai visitatori, di oltre quattrocento quadri, tra cui la *Tempesta* di Giorgione, scelti allo scopo di fornire un'idea generale della storia della pittura italiana, in forza dell'abilità dei suoi consiglieri, come il citato Mengardi e Pietro Edwards, e fornitori come Giovanni Maria Sasso su cui torneremo subito.

Dunque, in questo articolato contesto fanno la loro comparsa professionisti del commercio di quadri e di curiosità naturali: abati a metà strada tra il collezionista e il mercante o pittori specializzati nel restauro delle opere d'arte. Tra i primi, l'abate Luigi Celotti utilizzava il curioso strumento dell'inserzione nelle gazzette parigine, londinesi e anche veneziane per annunciare la vendita di miniature medievali, di quadri di antichi maestri e di pittori veneziani contemporanei, che descriveva con facilità di aggettivazione.

Riveste maggiore importanza l'abate Giacomo Della Lena, in stretto contatto con Giannantonio Moschini e l'ambiente erudito tra Padova e Venezia, vice-console spagnolo a Venezia dove morì nel 1806. La sua intensa attività di mercante si svolse soprattutto in favore di clienti tedeschi, ma possedette una raccolta privata di artisti settecenteschi come Canaletto e Guardi.

Tra questi mercanti il più noto è senz'altro Giovanni Maria Sasso (1742-1803), un vero esperto con spiccate qualità di conoscitore, di cui lo stesso Della Lena elogia la «sterminata memoria [...] in materia di belle arti». Il «coltissimo signor Giovanni Maria Sasso», come lo indica Luigi Lanzi, «peritissimo conoscitore» secondo Moschini, merita una maggiore attenzione quale caso significativo nel quadro di riferimento dell'argomento in questione.

Avvicinatosi all'arte della pittura nella bottega di Giambattista Mengardi, si dedicò ben presto al restauro di dipinti, intervenendo tra l'altro sulla *Risurrezione* di Giovanni Bellini ora a Berlino, proveniente da San Michele a Murano. Non divenne mai pittore di professione, ma la sua esperienza gli valse la fiducia del Residente britannico James Wright con cui ebbe i primi contatti nel 1771. Sasso svolgeva la funzione di esperto consulente in occasione degli acquisti d'arte del console, che lo pagava 8 lire a giornata e una percentuale del 20% sugli affari conclusi con la sua mediazione. Dopo la partenza di Wright nel 1773, Sasso prestò i propri servizi per i successivi Residenti inglesi, John Strange, a Venezia tra il 1773 e il 1788, e Richard Worsley dal 1793 al 1797. Tuttavia, Sasso poteva contare anche sulla fiducia di altri clienti britannici come John Skippe, pittore e amatore di belle arti, sir William Hamilton, collezionista di arte greca e romana, Gavin Hamilton, pittore e mercante di antichità a lungo residente a Roma, e soprattutto sir Abraham Hume, collezionista di opere d'arte, pietre preziose e minerali.

Come risulta da un carteggio inedito conservato a Londra, Hume fu in affari con il mercante Armani, sempre in movimento tra Bologna e Roma, e Sasso almeno tra il 1788 e il 1790. Al mercante veneziano richiedeva opere di Giorgione, Tiziano, Tintoretto e Veronese. Dal canto suo Sasso soddisfaceva le esigenze del cliente inglese con tatto, proponendo opere scelte di cui specificava le condizioni di conservazione, la casa di provenienza ed eventualmente le citazioni letterarie, in particolare Ridolfi, aggiungendo spesso proposte di opere di Giovanni Bellini. Il 15 maggio 1788 una *Giuditta con la testa di Oloferne* attribuita a Giorgione è pagata 60 zecchini, mentre il *Ritratto di un giovane* di Tiziano dalla casa Morosini è fissato a 50 zecchini; la mediazione di Sasso per questa vendita, definita da Hume a «kind contribution», ammonta a 15 zecchini e l'intera somma viene pagata tramite il banchiere Algarotti.

Le ricerche di Sasso non si limitano allo scandaglio di case private e residenze patrizie: il mercante offre anche dipinti provenienti da altari di chiese come un *Martirio di san Lorenzo* di Tintoretto proveniente da San Francesco della Vigna valutato tra 40 e 50 zecchini, oppure due piccoli dipinti di Paolo Veronese da un angolo buio della sacrestia di San Sebastiano. Accanto ad uno *Stregozzo* di Salvator Rosa valutato 20 zecchini, un disegno di Tiziano con la *Presentazione al Tempio* ne vale 50, mentre due piccole vedute di Canaletto si fermano a 30. L'elenco potrebbe continuare a lungo inframmezzato dalle giudiziose considerazioni del mercante, che ricorda come non sia sufficiente che una pittura sia originale e ben conservata, ma debba anche essere un esempio della buona maniera del maestro, specialmente nella scuola veneziana.

Tra le offerte ad Abraham Hume spicca quella di un consistente gruppo di disegni di pregio dalla raccolta di Anton Maria Zanetti il Vecchio che Sasso dovette dividere prima dell'alienazione voluta dalla famiglia, tra cui compaiono esemplari già appartenenti alla collezione di Giorgio Vasari come una *Madonna con il Bambino* di Perin del Vaga o studi di figura di Baccio Bandinelli accanto a disegni di Pordenone, Veronese, Agostino Carracci, Battista Franco ed uno studio di Raffaello dalle Stanze vaticane: in tutto venti disegni per 60 zecchini, tutti degni di essere incorniciati per formare un *cabinet*. Tuttavia, non sembra che i disegni incontrassero un grande entusiasmo oltre Manica: il gruppo Zanetti, già rifiutato da mister Roare, altro cliente di Sasso appassionato di Canaletto, fu notevolmente sfoltito da Hume.

Dalle lettere del 1789 aggalla l'altro forte interesse collezionistico di Abraham Hume che spinge Sasso fuori Venezia fin sui colli Berici, vicino a Vicenza, dove il mercante si reca alla ricerca di opali e lumachelli, ammoniti fossili, riempendo quindi una scatola con 20 opali tra grandi e piccole «molte lavorate e molte naturali, tutte ripiene di acqua e rinchiuse in bossolo di latta con acqua dentro perché si conservi e poi stagnato [...] più un pezzo di lumachella della Stiria. Pezzo di pianta marina con accidenti naturali tratta da Montegalda nel vicentino». I collezionisti interessati a simili oggetti crescono nel Veneto solo negli ultimi decenni del Settecento parallelamente al propagarsi dell'interesse per la storia naturale. Ma tra i residenti inglesi abbiamo il notevole esempio di John Strange, che raccoglie produzioni naturali sui colli Euganei per poi donare la collezione così formata al Museo di Storia Naturale dell'Università di Padova nel 1772.

Prima di abbandonare il carteggio di Abraham Hume, che merita una trattazione ben più approfondita di quanto sia possibile ora, va notato come i prezzi delle opere emiliane procurate dall'altro mercante in corrispondenza con l'inglese, cioè l'Armani, siano decisamente più alti di quelli proposti da Sasso per i dipinti veneziani. Una *Flagellazione di Cristo* di Ludovico Carracci in casa Stella a Bologna porta il prezzo di

450 zecchini, una *Trinità* di Guercino è nel mercato bolognese a 100 zecchini.

Giovanni Maria Sasso, tuttavia, lavorò molto più a lungo per il Residente inglese John Strange. Fu al suo servizio per i dodici anni trascorsi dall'inglese a Venezia (1774-1786) ed in seguito fino al 1793 avendo Strange eletto Sasso suo procuratore in merito agli affari relativi alla sua raccolta. Dalla sua residenza di campagna di Paese, vicino a Treviso, il diplomatico impartiva a Sasso ordini minuziosi intorno ai restauri da eseguire, alle cornici e agli acquisti di opere d'arte. Così, con le parole dell'abate Della Lena, «gli riuscì di fare una raccolta singolarissima, e dirò anche unica, degli antichi Pittori Veneziani, e dello Stato. Dai primordi della Pittura essa giungeva sino ai tempi di Tiziano. Il Cav.re Strange si compiaceva oltremodo d'averla formata col mezzo dell'Intelligentissimo Sasso, e soleva dire che era la storia visibile della Pittura Veneziana».

La collezione di Strange era, infatti, particolarmente interessante per la ricchezza di opere di primitivi, ai quali il console applicò il criterio storicistico della disposizione cronologica, peraltro già utilizzato nelle importanti collezioni di Carlo Lodoli, educatore di Andrea Memmo, del padovano Jacopo Facciolati, frequentatore del palazzo del console Smith, e nella collezione Farsetti. Va detto altresì che nel 1771 Anton Maria Zanetti il Giovane ufficializzava l'applicazione del punto di vista storico alla pittura veneta nel suo libro *Della pittura veneziana e delle opere pubbliche dei veneziani maestri*. In seguito, anche Teodoro Correr e Girolamo Manfrin acquisteranno primitivi per le loro raccolte, essendo entrambi in qualche modo in contatto con Sasso.

Come ha osservato Giovanni Previtali, il gusto per i primitivi andava affermandosi in modo deciso negli ambienti colti e tra i collezionisti solo negli ultimi decenni del Settecento in forza di un'esigenza di recupero storico, di erudizione e dell'ammirazione illuministica per «la bella semplicità» (Della Lena) che andava di pari passo con la polemica neoclassica contro il barocco.

In questo contesto assume una certa importanza l'iniziativa di Sasso di dare sistemazione alle sue conoscenze sull'origine della pittura veneziana in un'opera patrocinata dallo stesso Strange, la *Venezia pittrice*, che rimase incompiuta ed inedita. L'attesa per questo lavoro è dichiarata da molti eruditi da Lanzi a De Lazara, da Della Lena a Brandolese e Moschini, e sembra confermata da Alessandro Longhi che ritrae Sasso con il manoscritto tra le mani nel dipinto del Museo Correr di Venezia.

Lo *Zibaldone*, conservato in copia manoscritta di Giovanni De Lazara nella Biblioteca Civica di Padova, si limita al probabile primo capitolo dell'ambizioso progetto, ovvero quello relativo alle origini della pittura veneziana fino ai maestri del Quattrocento. In realtà l'intero libro, iniziato intorno al 1780, doveva esporre la storia dell'arte veneziana dalle

origini ai contemporanei, attraverso il metodo delle biografie degli artisti, corredato da numerose incisioni di derivazione riproducenti le opere
commentate nel testo. Di recente Evelina Borea ha sottolineato la precocità di tale progetto con queste decise affermazioni: «Bisogna riconoscere che l'associazione tra pittura veneta gotica e di primo '400, allora sconosciuta ai più, e l'incisione a puro contorno non ancora collaudata per
la pittura, quale Sasso osò effetuare intorno al 1785-1795, ha dato uno
dei risultati più alti dell'incisione traduttiva come atto di critica d'arte»,
molti anni prima che il fenomeno assumesse le proporzioni raggiunte nei
primi decenni del secolo successivo.

Le incisioni di Giovanni Dal Pian e Francesco Novelli, che dovevano corredare uno dei primi libri illustrati sull'arte veneta, si conservano
parzialmente al Museo Correr e alla Biblioteca del Seminario di Venezia.
Lo stesso Strange volle che le illustrazioni dei dipinti fossero completate
con l'indicazione del proprietario. Forse in questo possiamo trovare il
nesso tra l'attività commerciale di Sasso e la sua aspirazione di erudito.

Senza volerlo confrontare con Pietro Monaco, che a partire dal 1743
pubblicò varie edizioni di una raccolta di stampe di dipinti e disegni allo
scopo di reclamizzarli, Sasso fa incidere per la maggior parte dipinti passati per le sue mani e venduti soprattutto a Strange o Manfrin, o in pro-
cinto di esserlo ad altri collezionisti. È il caso della *Madonna con il Bambino* di Francesco Squarcione ora a Berlino, acquistata da Giovanni De
Lazara dopo essere stata incisa con l'iscrizione «nella collezione di Gio-
2, 3   vanni Maria Sasso». L'indicazione di appartenenza diviene di estrema
importanza, poiché ci permette di correggere la convinzione, finora sostenuta dagli studiosi, che anche questo dipinto fosse in origine una commissione della nobile famiglia padovana De Lazara come il polittico di
5, 6   San Girolamo, comunque fatto incidere da Sasso, in seguito ad una serie
di lettere piene di informazioni sull'artista padovano scritte dal De Lazara al Sasso e pubblicate da Campori.

Tra i capolavori della galleria Manfrin, Sasso sceglie una *Madonna
4   con il Bambino* di Alvise Vivarini (Londra, National Gallery) e la *Madonna con il Bambino e angeli musicanti* di Marco Zoppo oggi al Lou-
7, 8   vre commissionata dalla famiglia Dardani, come ho potuto stabilire
("Arte Veneta" 49, 1996), tuttavia Sasso indica di conoscerne anche la
precedente provenienza, «dal signor Dante sta a Santa Lucia», facendoci
sospettare una sua responsabilità nella transazione e aggiungendo un dato inedito alla storia del dipinto.

Più folto il numero delle opere dalla collezione Strange, dall'intri-
11   gante trittico firmato e datato Francesco del Fiore, padre di Jacobello, di
12   cui Sasso fa incidere anche la tomba, conscio della rarità di questo artista tuttora nascosto in una piega della storia. Del figlio Jacobello, invece,
9, 10   incide una *Madonna con il Bambino*, firmata e datata 1434, del tutto sco-

nosciuta alla critica ma segnalata in una collezione privata fiorentina negli anni sessanta. La presentiamo qui per la prima volta in attesa che venga pubblicata da Andrea De Marchi, su mia segnalazione, nel numero 3
di "Nuovi Studi".

Gli acquisti di primitivi di Strange contavano un *Arcangelo Michele*
di Guariento, la *Madonna con il Bambino* di Jacopo Bellini già di pro- [13, 14]
prietà Sasso, che la acquistò a Padova, oggi alle Gallerie dell'Accademia
di Venezia, così come passò per le mani di Sasso, e probabilmente in
quelle di Strange, la *Madonna con il Bambino* di Schiavone oggi a Ber- [18, 19]
lino, una *Pietà* con firma falsa di Crivelli distrutta durante l'ultima guer- [15, 16]
ra a Berlino e una *Madonna* di Vittore Crivelli (Milano, collezione pri- [17]
vata), i due Mocetto della National Gallery di Londra, e i due disegni di
Mantegna oggi al British Museum. Di Cima da Conegliano, Strange pos- [20-23]
sedeva il *San Girolamo* della National Gallery di Londra e il trittico di
Santa Caterina, oggi diviso tra la Wallace Collection e il Musée des
Beaux Arts di Strasburgo, mentre la proprietà della *Morte della Vergine*
di Bartolomeo Vivarini dalla Certosa di Padova (New York, The Metropolitan Museum of Art) è sicuramente dovuta ad una transazione di Sasso che la acquista da Maffeo Pinelli.

Invece, non era finora noto che anche il *Sangue del Redentore* di
Giovanni Bellini della National Gallery di Londra fosse passato dalle
mani di Sasso a quelle di Strange. Lo si ricava da una lettera inedita scritta da Sasso a Giovanni De Lazara, conservata nell'archivio De Lazara diviso tra la Biblioteca Gaetano Baccari di Lendinara e il Getty Center di
Santa Monica. In questa lettera, già usata da Selvatico nel 1839 per ricostruire le vicende del *Doppio ritratto di Ludovico Gonzaga e Barbara di
Brandeburgo* di Mantegna, Sasso ricorda come «Il cavalier Strange portò
a Londra un Cristo in piedi con croce in braccio e vari angeli che raccol-
gono dalla piaga, il sangue, marcato col nome de belli de l'autore»: si
tratta probabilmente di uno dei frequenti casi di firma falsa di Mantegna
di cui oggi non resta traccia, come accadde all'*Orazione nell'orto* di Giovanni Bellini, fregiata nell'incisione di Francesco Novelli da un'iscrizione apocrifa mantegnesca.

L'interesse per Mantegna era legato soprattutto a Giovanni De Lazara «amico delle belle arti e conoscitore di esse perfettissimo», a cui
Sasso procurava stampe e disegni. Ne viene la necessità di illustrare il
capitolo sull'artista padovano con incisioni tratte dalla cappella Ovetari.
L'insoddisfazione di Sasso per l'opera di Giovanni David comporta
l'ingaggio dell'ottimo Francesco Novelli, molto amato dallo stesso De
Lazara.

Con le numerose incisioni, Sasso dà illustrazione a dipinti di sua proprietà di Nicolò di Pietro, Quirizio da Murano, dei Vivarini, ma docu-
menta anche affreschi oggi perduti, come la *Consegna della Regola al*

26 *papa* di Guariento dal coro della chiesa degli Eremitani a Padova, distrutti dalle bombe nel 1944. Vanno, invece, ascritte all'iniziativa di Daniele Francesconi, che voleva continuare l'opera di Sasso, altre incisioni come il *Martirio di un santo* di Jacopo da Montagnana nella cappella
24, 25 dell'Annunciata in Vescovado.

Francis Haskell volle vedere in questi uomini i più veri tutori della tradizione veneta e a ragione, se pensiamo che tra le mani di Sasso passò anche il libro dei disegni di Jacopo Bellini, ora al British Museum, acquistato per 30 zecchini presso Bonetto Comiani nel maggio del 1802, ma proveniente dalla famiglia Cornaro. Circa cinquant' anni più tardi l'agente del British Museum lo pagherà 400 napoleoni d'oro.

Prima di abbandonare i rapporti d'affari tra Sasso e Strange sarà utile rileggere una lettera del Residente inglese (datata 22 dicembre 1784), che rende conto della pratica di tagliare i quadri a scopo commerciale o per diletto. «Ella dirà che sono matto ma sono innamorato di quel picione che cade col stecco, in quel Quadron grande di Tiepolo; ed assolutamente voglio che Ella me lo tagli fuora col solo campo necessario ma facendolo tirare in telaretto [...]. Il buso poi del Quadron stroperà a suo tempo come che vorrà; ma intanto questo boccone, tanto parlante, di storia naturale mi lo voglio per me; ed il Quadron sarà di chi lo vorrà».

Pochi anni dopo, il 17 ottobre 1795 scrivendo al libraio padovano Pietro Brandolese, Sasso gli descrive il destino di una pala di Paolo Veronese che «essendo assai macchinosa» non trovò compratore e quindi fu tagliata, vendendo per 500 zecchini la parte superiore con *Cristo morto* al colonnello John Campbell, mentre la parte inferiore fu venduta parte a Gavin Hamilton, parte ad altro inglese per 250 zecchini. «Così fu venduta a quarti come si fa della carne da macello» è il commento amaro dell'amatore.

La passione del conoscitore fu determinante per il successo commerciale di Sasso ma anche per la fiducia accordatagli da altri eruditi come Lanzi e, quindi, da Séroux D'Agincourt che nella tavola 162 della sua *Storia dell'arte dimostrata coi monumenti* illustra la pittura veneziana attraverso le incisioni di Sasso dei dipinti della collezione Strange.

Effettivamente le sue fini qualità di conoscitore si rivelarono nell'occasione dell'attribuzione a Marco Zoppo dei disegni con studi di otto *Madonne con Bambino*, oggi al British Museum, regalati da Pietro Bini a Francesco Novelli che li incise come opere di Andrea Mantegna, assie-
27, 28 me al libro dei disegni ricevuto in dono dal conte friulano De Rubeis. Senza soffermarci oltre sulla vicenda dell'album oggi riconosciuto unanimemente a Marco Zoppo, va sottolineato che tra i sottoscrittori dell'impresa di Francesco Novelli (ripubblicata in edizione anastatica negli anni settanta) si incontra Antonio Canova, «che vide li disegni in casa mia e molto mi animò col suo compatimento», quindi frequentatore del-

la bottega dell'incisore preferito da Sasso. Di Novelli si servì lo stesso Canova nel 1799 per fare incidere un dipinto di Antonello da Messina che volle portare con sè a Roma. Si tratta forse della *Pietà* del Museo Correr, il cui disegno Canova fornì a Séroux D'Agincourt.

Possiamo chiederci se sia in questo ambiente di eruditi e di mercanti che Canova ebbe la sua iniziazione primitivistica, come la chiama Previtali, che lo porterà a copiare opere d'arte tre e quattrocentesche, come dimostrato da Ragghianti, e gli esempi di «capi d'opera dell'arti moderne eseguite per la religione» da lui menzionati il 12 ottobre 1810 nel colloquio con Napoleone.

NOTA BIBLIOGRAFICA

Il testo di questa conferenza, tenuta all'Istituto Veneto il 9 settembre 1997, è apparso, nel frattempo, nella raccolta di scritti del giovane studioso, scomparso il 5 novembre 1997, intitolata Scritti sull'arte padovana del Rinascimento *(Udine 1998, pp. 287-295). Rispetto a quell'edizione, in particolare, è stata ampliata la nota bibliografica, che l'autore non ebbe il tempo di predisporre.*

G. LORENZETTI, *Il mercato artistico a Venezia nel Settecento*; in "Fanfulla della Domenica", 1 febbraio 1914; F. MAURONER, *Collezionisti e vedutisti settecenteschi in Venezia*, in "Arte Veneta", 1, 1947, pp. 48-50; C.L. RAGGHIANTI, *Studi sul Canova*, in "Critica d'arte", 22, 1957, pp. 30-42; F. HASKELL-M. LEVEY, *Art exhibitions in 18th Century Venice*, in "Arte Veneta", XII, 1958, pp. 179-185; F. HASKELL, *Patrons and Painters. A Study in the Relations between Italian Art and Society in the Age of the Baroque*, London 1963 (trad. it. *Mecenati e pittori. Studio sui rapporti tra arte e società italiana nell'età barocca*, Firenze 1966); G. PREVITALI, *La fortuna dei primitivi. Dal Vasari ai neoclassici*, Torino 1964; F. HASKELL, *Some Collectors of Venetian Art at the End of the Eighteenth Century. Della Lena's 'Esposizione istorica dello Spoglio, che di tempo in tempo si fece di Pitture in Venezia'*, in *Studies in Renaissance & Baroque Art presented to Anthony Blunt on his 60th Birthday*, London-New York 1967, pp. 173-178; F. VIVIAN, *Il console Smith mercante e collezionista*, Vicenza 1971; A. DE NICOLÒ SALMAZO, *La catalogazione del patrimonio artistico nel XVIII secolo. 1793-1795: Giovanni De Lazara e l'elenco delle pubbliche pitture della provincia di Padova. Attualità di un sistema*, in "Bollettino del Museo Civico di Padova", LXII, 1973, pp. 29-103; P.L. FANTELLI, *Un noto corrispondente del Lanzi: Giovanni De Lazara*, in "Atti e Memorie dell'Accademia Patavina di Scienze, Lettere ed Arti", CCCLXXXIII, 1981-82, pp. 107-144; ID., *L'inventario della collezione Obizzi al Catajo*, in "Bollettino del Museo Civico di Padova", LXXI, 1982, pp. 101-238; M. ORSO, *Giovanni Maria Sasso mercante, collezionista e scrittore d'arte della fine del Settecento a Venezia*, in "Atti dell'Istituto Veneto di Scienze, Lettere ed Arti", CXLIV, 1985-86, pp. 37-55; K. POMIAN, *Collezionisti d'arte e curiosità naturali*, in *Storia della cultura veneta. Il Settecento*, 5/II, a cura di G. Arnaldi e M. Pastore Stocchi, Vicenza 1986, pp. 1-70; A. BINION, *La Galleria scomparsa del maresciallo von der Schulenburg: un mecenate nella Venezia del Settecento*, Milano 1990; A. DORIGATO, *Storie di collezionisti a Venezia: il Residente inglese John Strange*, in *Per Giuseppe Mazzariol*, (Quaderni di Venezia Arti, 1), Roma 1992, pp. 126-130; E. BOREA, *Le stampe dei primitivi e l'avvento della storiografia artistica illustrata*, in "Prospettiva", 69-70, 1993, pp. 28-40 e pp. 50-74; E. BOREA, *Per la fortuna dei primitivi: la* Istoria Pratica *di Stefano Mulinari e la* Venezia Pittrice *di Gian Maria Sasso*, in *Hommage à Michel Laclotte. Etudes sur la peinture du Moyen Age et de la Renaissance*, Milano-Parigi 1994, pp. 503-521; R. CALLEGARI, *Opere e committenze d'arte rinascimentale a Padova*, in "Arte Veneta", 49, 1996, pp. 7-29.

1. Alessandro Longhi, *Ritratto di Giovanni Maria Sasso*. Venezia, Museo Correr.

2. Francesco Squarcione, *Madonna con il Bambino*. Berlino, Staatliche Museen, Gemäldegalerie.

3. Giovanni Dal Pian (?), *Madonna con il Bambino, da Francesco Squarcione*, incisione. Venezia, Museo Correr.

4. Anonimo incisore, *Madonna con il Bambino, da Alvise Vivarini*. Venezia, Museo Correr.

5. Francesco Squarcione, *Polittico di san Girolamo*. Padova, Museo Civico.
6. Giovanni Dal Pian, su disegno di Luca Antonio Brida, *Polittico di san Girolamo, da Squarcione*, incisione. Venezia, Museo Correr.

7. Marco Zoppo, *Madonna con il Bambino e angeli musicanti*. Parigi, Musée du Louvre.
8. Giovanni Dal Pian (?), *Madonna con il Bambino e angeli musicanti, da Marco Zoppo*, incisione. Venezia, Museo Correr.
9. Jacobello del Fiore, *Madonna con il Bambino*. Già Firenze, collezione privata.
10. Giovanni Dal Pian (?), *Madonna con il Bambino, da Jacobello del Fiore*, incisione. Venezia, Museo Correr.

Dalla Pittura di Francesco Fiore Veneto
nella Raccolta di S.E il Sig.r Cav.r Gio. Strange Ministro Residente di S.M.B. appresso la Serenis.ma Repubblica di Venezia.

Sepolcro di Francesco Fiore Pittore Veneto nel Claustro di SS Gio. e Paolo in Venezia.

11. Giovanni Dal Pian (?), *Trittico, da Francesco del Fiore*, incisione. Venezia, Museo Correr.

12. Anonimo incisore, *Monumento sepolcrale a Francesco del Fiore*. Venezia, Museo Correr.

109

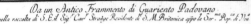

13. Anonimo incisore, *Arcangelo, da Guariento*. Venezia, Museo Correr.
14. Giovanni Dal Pian, su disegno di Luca Antonio Brida, *Madonna con il Bambino, da Jacopo Bellini*, incisione. Venezia, Museo Correr.
15. Carlo Crivelli, *Pietà con san Girolamo e santa martire*. Già Berlino, Kaiser Friedrich Museum.
16. Anonimo incisore, *Pietà, da Carlo Crivelli*. Venezia, Museo Correr.
17. Giovanni Dal Pian (?), *Madonna con il Bambino, da Vittore Crivelli*, incisione. Venezia, Museo Correr.

1

Dalla Pittura di Carlo Crivelli Veneto
posseduta dal fù Girolamo Zanetti e descrita da Antonio Maria Zanetti nella sua Pittura Veneziana pag.º 19.

Dalla Raccolta di S. E. il Sig.r Cav.r Giovanni Strange Ministro Residente di S.M.B.
appresso la Serenis.ma Repubblica di Venezia.

18. Giorgio Schiavone, *Trittico*, scomparto centrale. Berlino, Staatliche Museen, Gemäldegalerie

1

19. Anonimo incisore, *Madonna con il Bambino, da Giorgio Schiavone*. Venezia, Museo
Correr.

Dal Quadro di Girolamo Moceto

nella Raccolta di S.E. il Sig.ʳ Cav.ʳ Giovanni Strange Residente di S.M.Britanica appresso la Serenis.ᵐᵃ Repub.ᶜᵃ di Venezia

20. Anonimo incisore, *Strage degli innocenti, da Girolamo Mocetto*. Venezia, Museo Correr.

Dal Quadro di Girolamo Moceto

nella Raccolta di S.E. il Sig.r Cav.r Giovanni Strange Residente di S.M. Britanica appresso la Serenis.ma Repub.ca di Venezia.

21. Anonimo incisore, *Strage degli innocenti, da Girolamo Mocetto*. Venezia, Museo Correr.

Dal Disegno Originale di Andrea Mantegna Padovano posseduto da S. E. il Sig.r Cav.r Giovanni Strange Ministro Residente di S. M. Britanica appresso la Serenissima Repubblica di Venezia.

Dal Disegno Originale di Andrea Mantegna Padovano posseduto da S. E. il Sig. Cav. Giovanni Strange Residente di S. M. Britanica appresso la Serenissima Repubblica di Venezia.

22. Anonimo incisore, *Virtus combusta, da Andrea Mantegna*. Venezia, Museo Correr.
23. Anonimo incisore, *Marte fra Diana e Iride (?), da Andrea Mantegna*. Venezia, Museo Correr.

24. Iacopo da Montagnana, *Martirio di un apostolo*. Padova, Vescovado, cappella della Santissima Annunciata.
25. Giovanni Dal Pian, su disegno di Luca Antonio Brida (?), *Martirio di un apostolo, da Iacopo da Montagnana*, incisione. Venezia, Museo Correr.
26. Anonimo incisore, *Consegna della regola, da Guariento*. Venezia, Museo Correr.

117

27. Francesco Novelli, *Studi di Madonna con il Bambino, da Marco Zoppo*, incisione. Venezia, Museo Correr.

1

Il Disegno fu regalato all' Incisore dall' Egregio Pittore sig.r Ab.te Pietro Bini

28. Francesco Novelli, *Studi di Madonna con il Bambino, da Marco Zoppo*, incisione.
Venezia, Museo Correr.

PIERO DEL NEGRO

ANTONIO CANOVA E LA VENEZIA DEI PATRIZI

1. *La crisi degli scultori veneziani nel secondo Settecento*

Se ci si rivolge, come mi propongo di fare in questo intervento, alla Venezia che si rispecchiò più direttamente nella vicenda biografica di Antonio Canova scultore e suddito della Serenissima e di conseguenza si privilegiano i suoi rapporti con quel patriziato, che ne costituiva il principale punto di riferimento istituzionale e sociale in quanto ad un tempo esclusiva classe politica e principale *leisured class*, ci si imbatte in una situazione ricca di contraddizioni, di cui il possagnese esplorò e per un certo verso esaltò le estreme possibilità, ma di cui denunciò anche i notevoli limiti e le contraddizioni, se non il sostanziale fallimento delle sue politiche. Non è affatto un caso che, su un piano più generale, i rapporti di Canova con Venezia siano dipesi in notevole misura dalle peripezie dell'aristocrazia lagunare e che quindi abbiano conosciuto una svolta significativa dopo Marengo, in coincidenza con il drastico ridimensionamento politico ed economico dell'ex-patriziato nella Venezia austriaca e napoleonica.

Nel 1757, l'anno in cui vide la luce Canova, Francesco Tron S. Stae, uno dei presidenti del collegio della milizia da mar, il magistrato da cui a Venezia dipendevano sotto il profilo fiscale quasi tutte le corporazioni, promosse un'inchiesta in vista di una revisione delle tasse, che gravavano sulle arti. In questa occasione il magistrato raccolse, tra le altre, anche una scheda, non si sa se soltanto sottoscritta o anche compilata da Tron, ma che si basava certamente su un rapporto altrui, relativa al collegio degli scultori, una scheda che ne fotografava impietosamente la "decadenza somma". «Dall'anno 1724» (in effetti 1723) – riferiva Tron – «in cui fu quest'arte divisa dai tagliapietra e ridotta in Collegio per onorarla, vi è una gran diversità di numero in quelli che la compongono, perché allora erano cinquanta, e oggi trenta», vale a dire «otto capi maestri con studio o sia bottega aperta», «altri sei [...] senza bottega» e sedici lavoranti.

Quali erano le cause di una crisi talmente grave da quasi dimezzare nell'arco di una generazione il numero dei membri del collegio? Secondo l'estensore della scheda la scultura era precipitata in un circolo vizioso, che non consentiva di coltivare alcuna ragionevole speranza di un'inversione di tendenza: «ne vi son professori che allettino le persone a ordinazioni, ne vi possono essere perché le opere di qualche merito riescono troppo costose e le fortune de tempi presenti non permettono diletti di troppo costo». D'altra parte, «se mancano a scultori impieghi per gli ordini della Dominante, molto più mancar gli devono per altre parti, poiché i forastieri son proveduti di scalpelli migliori, la T[erra] F[erma] suddita non è scarsa di qualcheduno, ch'eguaglia l'abilità de nostri». La rassegna "de nostri" era quanto mai deprimente: «Morlaiter [senza dubbio Giammaria] è solo forse in Venezia, che merit'il nome di scultore, Bonazza [Antonio, quasi sicuramente] in Padova, e un altro in Treviso [quest'ultimo va identificato con tutta probabilità con Giovanni Marchiori]».

Il compilatore della scheda si consolava in qualche modo con l'osservazione che «Venezia non è stata mai gran scuola di scoltura, come lo fu di pittura» e comunque era convinto che "la predizione", avanzata dall'autore del rapporto preliminare, «che abbia intieramente da perdersi, forse non sarà da verificarsi, tanto più che il vaticinio è fondato sugli esempi de secoli antecedenti, dove maggior è la ricchezza della nazione»[1]. In effetti sarebbe stata la "predizione" più pessimistica a trovare una sostanziale conferma nelle vicende immediatamente successive del collegio degli scultori. Nel settembre del 1766 gli scultori presentarono al doge una petizione per ottenere anch'essi ciò che era stato concesso cinque anni prima ai pittori, "un'arte" – come avrebbero ricordato i presidenti del Collegio della milizia da mar in una scrittura presentata al senato il 3 ottobre in scoperto appoggio alla supplica – «assai meno faticosa e meno antica se non meno eccellente della scultura», vale a dire

---

[1] Cfr. la scheda sottoscritta da Francesco Tron in Archivio di Stato di Venezia (= ASV), Milizia da mar, b. 455/123 (sull'anno della redazione della scheda cfr. P. DEL NEGRO, *Dal mestiere alla professione di pittore nella Venezia di Giambattista Tiepolo: l'arte, il collegio e l'accademia*, in *Giambattista Tiepolo nel terzo centenario della nascita*, Atti del Convegno Internazionale di Studi, 1996, Padova 1998, pp. 89-90, nota 14). La crisi degli scultori non era sfuggita ad un attento osservatore quale Charles-Nicolas Cochin, che in quegli anni denunciava «la rareté des sculpteurs» nella città lagunare: cfr. G. PAVANELLO, *La scultura*, in *Storia di Venezia, temi, l'arte*, II, a cura di R. Pallucchini, Roma 1995, p. 479.

l'«assoluzione da debiti passati e da ogni aggravio di tanse e taglion per l'avvenire»[2].

Dalla petizione degli scultori e dalla scrittura del magistrato emergeva chiaramente che la crisi della «povera, ma nobil arte liberale» non solo non si era arrestata nel corso dell'ultimo decennio, ma era diventata strutturale. Nel 1723 – raccontavano i presidenti del collegio della milizia da mar – gli scultori erano ottantaquattro (una cifra che certamente comprendeva, oltre ai cinquanta matricolati indicati a quella data nel 1757, anche i figli e i nipoti degli scultori e quei tagliapietra, che gravitavano intorno alle botteghe dell'arte) «e formavano un legittimo corpo col specioso titolo, che ancor sussiste, di Collegio»[3], un titolo che – va sottolineato – eguagliava gli scultori non solo ai pittori, che si erano costituiti in collegio nel 1682, ma anche a prestigiose professioni liberali come i medici, i chirurghi, i farmacisti ecc. e che aveva istituzionalizzato lo scarto, che li divideva dalle «arti triviali e minutissime de tagliapietra, lustradori e segatti»[4], con le quali avevano convissuto in "unione indecorosa" fintantoché l'asse tra Antonio Corradini, lo scultore ufficiale della repubblica, e l'influente savio del consiglio Lorenzo Tiepolo S. Aponal aveva ottenuto la separazione[5].

Nei quarantatrè anni seguiti al 1723, «successa la morte di molti e per la scarsezza di lavori allontanatisi alcuni dalla Dominante passati essendo nella Terra Ferma o in città marittime o appo forastiere nazioni con la

---

[2] Cfr. la supplica presentata dagli scultori al doge in data anteriore al 26 settembre 1766, quando fu rimessa dai consiglieri ducali ai savi del consiglio e al collegio della milizia da mar, e la scrittura dei presidenti del collegio della milizia da mar del 3 ottobre del medesimo anno, entrambe in ASV, *Senato terra*, f. 2443.

[3] Sulle riunioni del collegio degli scultori negli anni 1750-59 e 1770-71 cfr. ASV, *Giustizia vecchia*, b. 204, filza 253.

[4] Memoriale degli scultori presentato al doge il 31 luglio 1723 e che il senato accolse con un decreto del 14 agosto successivo: cfr. ASV, *Senato terra*, f. 1606.

[5] Il ruolo di Corradini nella nascita del collegio degli scultori è noto da tempo, anzi è stato enfatizzato in maniera affatto indebita: cfr. ad esempio C. SEMENZATO, *La scultura veneta del Seicento e del Settecento*, Venezia 1966, p. 111 («istituisce presso l'Accademia» – che in effetti all'epoca non esisteva neppure sulla carta – «un Collegio di Scultori per distinguerli dagli scalpellini»: la notizia è ripresa dalla *Letteratura veneziana del secolo XVIII fino a' nostri giorni* di GIANNANTONIO MOSCHINI, Venezia 1806). Del tutto ignorato il decisivo intervento di Lorenzo Tiepolo a favore degli scultori nel 1723-24: fu infatti Tiepolo che fece approvare dal senato sia il decreto del 14 agosto 1723, che istituiva il collegio degli scultori, sia quello del 14 dicembre 1724, che incaricava i Riformatori dello Studio di Padova di varare un'accademia di scultura, pittura e architettura (cfr. a proposito di Tiepolo, dei suoi legami con i cugini Anton Maria Zanetti il Vecchio e il Giovane e della politica culturale veneziana di quegli anni P. DEL NEGRO, *Il governo veneziano e le istituzioni dei pittori tra Sei e Settecento. Da un politica fiscale a una politica culturale*, in corso di stampa in una miscellanea in onore di Maria Francesca Tiepolo).

lusinga di ritrovare più vantaggioso soggiorno»[6] (era stato quest'ultimo il
destino dello stesso Corradini, che aveva abbandonato Venezia pochi anni dopo la nascita del collegio), gli scultori si erano «ridotti come sono in
sole nove persone», «tre delle quali ottuagenarie»[7]. Anche se è assai probabile che le "nove persone" registrate nel 1766 fossero unicamente i maestri (si deve comunque constatare che nell'arco di nove anni questa cate-
goria aveva perso cinque unità), la falcidie degli scultori veneziani aveva comunque avuto importanti ripercussioni istituzionali. «Non formano
più riduzioni, non ritengono più il luogo, che serviva loro per far adu-
nanze», "luogo" collocato «sopra la volta di Rialto», «per non aver modi di mantenerlo» (la cassa del collegio era stata considerata di fatto fal-
lita nel 1759, quando erano stati venduti i mobili per pagare l'affitto ar-
retrato, dopo che cinque anni prima erano arrivati al punto di privarsi per
trentasei ducati della memoria storica dell'arte, vale a dire di sette «mezzi busti di pietra da Rovigno», che gli aspiranti maestri avevano presentato al collegio nei decenni precedenti, insieme a «un modello di creta per
una statua», per esservi ammessi), «non eleggono cariche [...] per il loro
governo», insomma «ritengono solo il nome» del «loro Collegio»[8].

Nella loro petizione gli scultori avevano anche manifestato «il desiderio di veder [...] un giorno risorgere» la loro professione «coll'assi-
stenza indefessa di alcuni professori, che aggregati all'Accademia di pittura e scoltura per somma benignità e clemenza di Vostra Serenità frut-
tuosamente eretta»[9], avevano fatto capire che, una volta sciolto di fatto il
Collegio, l'arte aveva trovato un nuovo punto di riferimento istituzionale nell'accademia ufficialmente aperta nel 1756, ma in effetti attiva fin
dal 1750 grazie anche al contributo di Giammaria Morlaiter[10]. Nel 1724

---

[6] Scrittura dei presidenti della milizia da mar cit. sopra alla nota 2.

[7] Supplica degli scultori cit. sopra alla nota 2.

[8] Scrittura dei presidenti della milizia da mar cit. sopra alla nota 2 e le parti del colleg-
gietto degli scultori del 26 marzo 1754 e del collegio del 20 maggio 1759 (la crisi della cor-
porazione risaliva almeno ad alcuni anni prima: cfr. la parte del 18 gennaio 1749 m.v., che
constatava che la cassa era vuota e imponeva una "contribuzione" straordinaria allo scopo di
raggranellare i cinquanta ducati necessari a garantire la sopravvivenza del collegio) in ASV,
Giustizia vecchia, b. 209, filza 253.

[9] Supplica degli scultori cit. sopra alla nota 2.

[10] Sulla nascita effettiva dell'Accademia e sul ruolo di Morlaiter offrono informazioni
importanti (vi accenna in maniera imprecisa E. BASSI, *La R. Accademia di Belle Arti di Venezia*, Firenze 1941, p. 26) la supplica di Francesco Zanchi, Antonio Fossali e dello stesso
Morlaiter n.d. [ma anteriore al 30 agosto 1753] e la scrittura dei Riformatori dello Studio di
Padova del 30 agosto 1753 in ASV, *Riformatori dello Studio di Padova*, filza 25, cc. 338-
340v: cfr. P. DEL NEGRO, *L'Accademia di belle arti di Venezia dall'Antico Regime alla Re-
staurazione*, in corso di stampa negli atti del convegno di Padova del 28-29 maggio 1998 su
*Istituzioni culturali, scienza, insegnamento nel Veneto dall'età delle riforme alla Restaura-
zione (1761-1818)*.

l'asse Corradini-Tiepolo aveva ottenuto dal senato che desse il via libera alla nascita di un'Accademia di scultura, pittura e architettura rimasta tuttavia sulla carta. Trentadue anni più tardi non solo l'accademia era stata chiamata di pittura e scultura, ma agli scultori era stato assegnato, salvo che in sede di redazione dei capitoli accademici, che erano stati elaborati da una commissione composta da cinque pittori e quattro scultori, tra i quali Morlaiter e Giuseppe Bernardi detto il Torretto, il maestro di Canova, una parte di secondo piano. Infatti soltanto otto dei primi trentasei accademici erano scultori, mentre ai vertici dell'istituzione la «povera, ma nobil arte liberale» era rappresentata unicamente dal consigliere Morlaiter[11].

Nonostante questa subalternità confermata nei quarant'anni successivi a tutti i livelli, dalla presidenza (concessa, a quanto risulta, soltanto eccezionalmente ad uno scultore) alla mera *membership* (alla caduta della repubblica i soci dell'accademia erano trentotto, tra i quali tre scultori, compreso Canova, che risiedeva da quasi vent'anni, come si sa, a Roma)[12], l'accademia era diventata, grazie soprattutto a quella coincidenza di fatto tra i maestri scultori – quanto meno quelli con bottega – e i soci accademici sottolineata dalla supplica del 1766, non solo l'istituto di formazione, ma anche la sede sociale dell'arte. Vi era stato, è vero, un tentativo, nel 1770-71, dopo il ritorno di Bernardi da Pagnano a Venezia, di riunire nuovamente il collegio, questa volta «nel luogo dell'Accademia». In entrambe le occasioni si erano ritrovati quattordici soci – un numero che comprendeva certamente alcuni lavoranti, ma che invita comunque ad accettare con beneficio d'inventario le "nove persone" segnalate nel 1766 – ed erano stati eletti priori lo stesso Bernardi e Francesco Gai[13]. Ma il *revival* corporativo si era ben presto spento e la scultura aveva continuato a perdere terreno non soltanto sul versante istituzionale.

Lo attestano le risposte date intorno al 1780 da Gregorio Morlaiter, figlio di Giammaria che si qualificava in tale occasione «scultor e pressidente dell'Accademia», agli otto *Quesiti per il Collegio de' scultori*, che gli erano stati sottoposti dall'Inquisitore alle arti, un magistrato con compiti di supervisione del mondo delle corporazioni. All'epoca «li Proffessori Scultori approvati» erano rimasti in sei, «quattro delli quali hanno studio, ed uno di questi passa gli anni ottanta, li altri due sono raminghi, e lavorano per le botteghe delli tagliapietra». «Due soli» «i giovani o sia aggiutanti [...] e questi impiegati dal Morlaiter». Quanto alla

---

[11] Ibid.

[12] Cfr. il *Catalogo delli Professori tutti Accademici di Pittura, Scoltura ed Architettura nella Pubblica Accademia di Venezia* datato 11 settembre 1797 in ASV, *Riformatori*, filza 538.

[13] Cfr. i verbali delle riunioni tenute nel «luoco di S. Marco» e «nel luogo dell'Accademia» il 13 maggio 1770 e il 10 ottobre 1771 in ASV, *Giustizia vecchia*, b. 204, filza 253.

«deccadenza di questa liberal arte» Morlaiter *junior* l'attribuiva a tre cause: 1) non vi era a Venezia «quel genio per tali operazioni, che dia modo alli Proffessori d'impegnarsi a studiare, non che di mantenersi e sussistere»; 2) «tutte le opere di architettura nobile come altari, tabernacolli, mausolei, facciate, et altre che porterebbero con sè ornamenti di scoltura, sono per lo più dirette da persone che non hanno il gusto d'introdurvi con grazia tali ornamenti, e per ciò li omettono, togliendo in tal guisa il modo alli Proffessori di potersi impiegare»; 3) i tagliapietra «a poco a poco si sono arogati l'autorità di farsi impresari d'ogni sorte d'opere non solo di quadratura, ma anche di scoltura, le quali essi s'ingegnano o di pessimamente eseguire o cercano fra li scultori più innesperti, anche nella Terraferma, chi gliele faccia per minor prezzo, con pregiudizio non solo delle opere che appaltano, ma del decoro e fama delli Proffessori più provetti di questa Serenissima Dominante», ai quali erano spesso abusivamente attribuite tali opere.

Secondo Morlaiter, il quale – va ricordato – era l'unico scultore cui l'accademia riconoscesse anche il titolo di architetto, «il solo rimedio» era che «tutte le suddette opere di architettura nobile dovessero appartenere alli soli scultori accademici versati nell'architettura», auspicava, cioè, un ritorno al glorioso passato della scultura veneziana, «al tempo di Sansovino, di Alessandro Vittoria, di Girolamo Campagna, di Tullio Lombardo ed altri, tutti scultori ed insieme architetti e direttori di tante opere nobili». Era questa «la sola strada per dare qualche rissorsa a questa povera arte, che si va perdendo a gran passi, animando in tal modo anche la gioventù a frequentare gli studi accademici e ad esercitarsi con impegno per distinguersi ed arrivare ad essere approvati, potendo questi in allora con qualche raggione sperare di ritrovare nella proffessione quella sussistenza che dalla sola statua non possono certamente avere»[14].

In sintesi: nonostante o, forse, proprio a causa della metamorfosi di un'arte "meccanica" in una professione liberale, a Venezia gli scultori erano diventati una specie in via di estinzione, alla quale soltanto la riserva accademica poteva offrire "qualche rissorsa" e qualche speranza di sopravvivere mediante una qualificazione della "gioventù" basata su tutta la gamma delle belle arti, dall'architettura alla pittura. Nello stesso tempo la crisi del mercato della Dominante costringeva perfino alcuni scultori di primo piano come Bernardi e Marchiori a cercare commesse in Terraferma, entrando in diretta concorrenza, ma anche garantendo degli aggiornati punti di riferimento ai locali tagliapietra (soltanto a Venezia vi era stato il salto di qualità istituzionale dall'arte "meccanica" al collegio liberale), ad una professione che spesso riproponeva ad un li-

---

[14] *Quesiti per il Collegio de' Scultori*, in ASV, *Inquisitorato alle arti*, b. 72, fasc. 68.

vello empirico e poco qualificato un bagaglio non specialistico in larga misura simile a quello, che si voleva trasmettere alla "gioventù" accademica.

2. *Il ruolo del patriziato negli esordi di Canova*

Dalle botteghe alla pubblica accademia, dalla Terraferma della pratica artigianale alla Dominante dei maestri "professori", dall'avaro mercato e dal mecenatismo col contagocce dei privati ad un più generoso e illuminato mecenatismo di Stato. Non è difficile riconoscere in questi itinerari non solo gli esordi di Antonio Canova, che aveva un nonno paterno, Pasino, che aveva palesato – come avrebbe fin troppo generosamente riconosciuto il nipote – «molto talento e capacità in varie sue opere di architettura e in qualche piccolo lavoro di scultura, nelle quali due arti avea studiato e approfittato da sè», e un padre, Pietro, «valente lavoratore di pietra ed architetto»[15], ma anche il tema del suo capolavoro giovanile, *Dedalo e Icaro*[16]. Dal «tagliapietra, per non dire anche scultore» Pasino[17] allo scultore accademico Bernardi e, al seguito di quest'ultimo, dal Trevigiano a Venezia, dove, grazie anche a cento ducati ricavati dal nonno dalla vendita di un campo e donati al nipote, a partire dalla fine del 1774 Canova fu in grado di lavorare soltanto *part time* per il nipote di Bernardi, Giovanni Ferrari, che ne aveva ereditato lo studio, e nelle ore rimanenti poté «frequentare l'Accademia di nudo» e la nota galleria di gessi raccolta da Filippo Farsetti a San Luca[18].

---

[15] A. CANOVA, *Abbozzo di biografia 1804-1805*, in Id., *Scritti*, I, a cura di H. Honour, Edizione nazionale delle opere di Antonio Canova, Roma 1994, p. 296.

[16] Cfr. G.C. ARGAN, *Antonio Canova*, a cura di E. Debenedetti, Roma 1969, p. 7: «il vero tema del gruppo è la Scultura», Dedalo è il "prototipo dell'artiere", che calpesta gli arnesi tradizionali, lo scalpello e il mazzuolo, in quanto inutili, mentre Icaro incarna l'ideale, il modello dello scultore accademico.

[17] "Giornale enciclopedico", luglio 1777, p. 59, cit. in CANOVA, *Scritti* cit., p. 281.

[18] A. CANOVA, *Abbozzo di biografia* cit., p. 296. Va ricordato che, stando al redattore dell'articolo apparso sul "Giornale enciclopedico", dopo la morte di Bernardi (febbraio 1774) il ragazzo fu affidato dal suo protettore Zuanne Falier ad un pittore, Giambattista Mengardi, nel gennaio del 1775 ispiratore di una "sollevazione" degli studenti dell'accademia contro i vertici dell'istituzione. Mengardi sperava che la contestazione minasse la credibilità dell'accademia e che favorisse un trasferimento in massa dei suoi allievi nella galleria Farsetti, di cui il pittore avrebbe voluto diventare il direttore. Anche "Antonio Chànova" sottoscrisse, insieme ad altri trentaduc studenti, la petizione, che chiedeva che le "attitudini" di nudo fossero soltanto una e non due la settimana, una diminuzione del carico di "lavoro" a tutto vantaggio degli studenti-lavoratori come il possagnese (cfr. G. PAVANELLO, «*Antonio Canovae Veneto...*», in *Antonio Canova*, catalogo della mostra a cura di G. Pavanello e G. Romanelli, Venezia 1992,

Ma il possagnese, se da un lato puntò ben presto ad un riconoscimento istituzionale, ottenendo nel 1775 il secondo premio in un concorso riservato agli allievi scultori meno esperti e riuscendo nel 1779 ad essere accolto tra gli "accademici professori" (un *exploit* che, alla luce della rarefazione degli scultori nelle file dell'istituto, appare assai meno mi-
racoloso di quanto sia stato finora giudicato, così come non stupisce la
circostanza che l'aggregazione fosse approvata da una banca composta
esclusivamente da pittori), dall'altro non si accontentò degli studi e delle gratificazioni veneziane – tra le quali il successo di pubblico e di stima ottenuto con l'esposizione delle sue opere, nella "bottega" dell'Accademia, alle grandi fiere della *Sensa* del 1777 (*Orfeo*) e del 1779 (*Dedalo*
3, 5 *e Icaro*) – e si propose di mettere al più presto da parte la somma necessaria per «veder [le] opre greche e romane archetipe»[19].

Pare che la sua prima opera su commissione sia consistita, nel 1775,
in due canestri di frutta e fiori, che il suo "primo grande benefattore"
2 Zuanne Falier[20] fece acquistare da Daniel Farsetti. Ma Canova «vide de-
luso con una vile gratificazione» – cento ducati – «le sue speranze [...] di
conseguirne per prezzo quanto bastasse per fare il viaggio a Roma»[21]. «Il
desiderato viaggio a Roma» lo poté fare quattro anni più tardi, all'indo-
mani dell'elezione ad accademico, grazie soprattutto ai cento zecchini
netti (vale a dire tre volte e mezza la somma ricevuta da Farsetti) guada-
4, 5 gnati con il gruppo di *Dedalo e Icaro* commissionato dal Procuratore di
San Marco Piero Vettor Pisani S. Polo[22]. Il primo soggiorno romano (con
le significative tappe del viaggio e le puntate a Bologna, Firenze e Napoli) fu interrotto a metà del 1780, quando Canova ritornò a Venezia per
7 portare a termine la statua di *Giovanni Poleni*, che Lunardo Venier S. Fe-

---

pp. 45-46). La formazione di Canova dovette, a quanto pare, più alla galleria Farsetti (cfr. la
copia in creta del cosiddetto *Mercurio di Belvedere*, ma soprattutto il fatto che la prima opera
originale del possagnese, due *Canestri di frutta*, fosse acquistata da Daniel Farsetti, il proprietario della galleria, e il suo "ardore", particolarmente alimentato dalla galleria, «di veder [le]
opre greche e romane archetipe» sottolineato dal "Giornale enciclopedico") che all'accademia
vera e propria: nel suo caso contò più il mecenatismo privato che quello pubblico.

[19] Su Canova e l'accademia cfr. E. BASSI, *La R. Accademia di Belle Arti* cit., pp. 107-113.
[20] *Note di Antonio Canova sulle proprie opere* (1787), in CANOVA, *Scritti* cit., p. 219.
[21] A. CANOVA, *Abbozzo di biografia* cit., p. 296. Che i canestri risalgano al 1775 – e non
al 1774 (come si è recentemente stabilito, rettificando un precedente 1772: cfr. G. PAVANELLO,
L'opera completa del Canova, Milano 1976, al n. 3 e *Antonio Canova* cit., p. 212) – lo si ricava dall'*Abbozzo di biografia* cit. che colloca i canestri dopo il concorso accademico del
1775.
[22] A. CANOVA, *Abbozzo di biografia* cit., p. 298.

lice, che aveva avuto lo scienziato quale precettore, voleva collocare nel padovano Prato della Valle[23].

Nel gennaio del 1781 lo scultore riprese la strada di Roma «con le lacrime agli occhi» – come avrebbe scritto pochi mesi più tardi a Iseppo Falier, il figlio di Zuanne che gli era più vicino – perché i «ricchi di Venezia» non avevano «avuto il cuore nemmeno di far[gli] un imprestito perché facess[e]» il viaggio e l'avevano costretto a «ritrovare qui [vale a dire a Roma] soccorso»[24]. Evidentemente a Venezia era carente – come sottolineava in quegli anni anche Gregorio Morlaiter – «quel genio per tali operazioni che dia modo alli Proffessori d'impegnarsi a studiare, non che di mantenersi e sussistere»[25] o, meglio, "quel genio" era monopolio quasi esclusivo di chi – come avrebbe scritto Canova di Zuanne Falier – era «mancante di ricchezze corrispondenti alla sua nobiltà e al suo merito»[26], di quei patrizi, ai quali – come aveva scritto Francesco Tron un quarto di secolo prima – «le fortune de tempi presenti non permettono diletti di troppo costo»[27].

Da un lato, quindi, un manipolo di nobiluomini veneziani estimatori e protettori di Canova accomunati – con l'unica, parziale, eccezione di Abbondio Rezzonico, che in ogni caso era sì un nobile veneto, ma prima ancora un senatore romano – da entrate mediocri, dall'altro i veri «ricchi di Venezia», le grandi case patrizie di regola poco disposte ad aprire i cordoni delle loro borse a beneficio degli artisti e, in particolare, degli scultori. Dalla cerchia a lui più vicina – i Falier S. Vidal (non solo Zuanne e Iseppo, ma anche gli altri figli del primo, dal frate camaldolese Gian Benedetto – al secolo Anzolo – a Zan Battista e a Vidal)[28], i Renier S. Pantalon (in particolare Cattarina Berlendis Renier e il di lei figlio Ber-

---

[23] G. PAVANELLO, *L'opera completa del Canova* cit., n. 17.

[24] Canova a Iseppo Falier, Roma 4 aprile 1781, in A. MUÑOZ, *Antonio Canova. Le opere*, Roma 1957, p. 23.

[25] Cfr. sopra la nota 14.

[26] A. CANOVA, *Abbozzo di biografia* cit., p. 298.

[27] Cfr. sopra la nota 1.

[28] Ad esempio, in A. CANOVA, *I quaderni di viaggio 1779-1780*, in *Scritti* cit., si accenna a lettere scambiate con tutti e cinque i Falier, da Zan Battista (pp. 44 e 72) a Zuanne (pp. 57, 70 e 120), da Gian Benedetto (p. 72) a Iseppo e a Vidal (cfr. per entrambi p. 120). Da valutare criticamente G. FALIER, *Memorie per servire alla vita del marchese Antonio Canova*, Venezia 1823. Ben riassume, in ogni caso, il rapporto tra Canova e i Falier S. Vidal una lettera di Iseppo allo scultore, nella quale definisce la propria casa «vostra prima culla», quella «dove avete passato li primi anni del vostro nascere» (Iseppo Falier a Canova, Venezia 28 aprile 1792, in A. D'ESTE, *Memorie di Antonio Canova*, pubblicate per cura di Alessandro D'Este, Firenze 1864, p. 383).

nardin)[29], Anzolo Querini S. Severo[30], gli Erizzo S. Martin (Nicolò 2°
Marc'Antonio e la moglie di questi Metilde Bentivoglio)[31], Girolamo Zulian S. Felice (con Abbondio Rezzonico uno dei due fari del possagnese
negli anni 1780 e nei primi anni 1790), Francesco Battagia S. Stae (dopo
la morte di Zulian il tutore degli interessi dello scultore in seno al governo della Serenissima)[32] e Antonio 1° Capello S. Polo[33] – Canova ottenne
sì alcune commissioni, in ogni caso, come era logico attendersi, assai poco remunerative (Falier gli ordinò due statue da giardino, *Euridice* e *Orfeo*, che gli costarono, pietra compresa, settanta scudi romani, vale a di-
10 re trentadue zecchini[34]; Querini gli commissionò un busto del *Doge Polo*

---

[29] Sui rapporti tra i Renier e Canova cfr. le *Lettere inedite di Antonio Canova*, Padova
1833 (ma la ricostruzione di Bernardin Renier dei suoi contatti giovanili con il possagnese va
vagliata con cura) e, in appendice a A. D'ESTE, *Memorie* cit., p. 397, quella di Eleonora Renier Sagredo, una figlia di Cattarina, a Canova, Venezia 11 marzo 1798, che sottolineava che
la sua famiglia «si pregia di conoscervi fin dalla più tenera età». Sull'importanza dell'«adorabile mia buona padrona la signora Cattina Renier» agli occhi dello scultore (Canova a Selva, Roma 6 giugno 1795, in *Epistolario di Antonio Canova*, Biblioteca del Civico Museo
Correr di Venezia (= Correr), *mss. P.D.* c 529) cfr. in particolare la sua lettera alla dama, Roma 13 febbraio 1796, in cui le chiedeva di consentire di farsi ritrarre da Ferdinando Tonioli
in modo che il possagnese potesse arricchire una piccola galleria di benefattori, in cui avevano già trovato posto il cavalier Zulian e il "vecchio Falier" (*Lettere inedite* cit., p. 28). Era
intenzione di Canova «fare un bassorilievo di soggetto decoroso, e in quello porvi il ritratto
de' miei benefattori» (Canova a Iseppo Falier, Roma 20 dicembre 1794, in L. CICOGNARA,
Biografia di Antonio Canova, Venezia 1823, p. 92). Lo scultore realizzò unicamente, una de-
2 cina d'anni più tardi, la stele funeraria di Zuanne Falier: cfr. G. PAVANELLO, *L'opera completa
del Canova*, al n. 183.
    [30] Sulle strette relazioni tra Canova e Querini negli anni intorno al 1780 cfr. la lettera del
primo a Giannantonio Selva (allora a Roma), Venezia 12 agosto 1780, in *Epistolario di Antonio Canova* cit.: «intesi dall'ultima vostra come sentiste dall'Amb[asciato]re [Girolamo Zu-
lian] che il N.H. Querini si porta in Roma, è verissimo, ma egli non vi sarà sino gli ultimi del
venturo settembre, così lui stesso mi accertò». Canova rimase comunque legato al patrizio anche in seguito: cfr. la lettera dello scultore a Selva, Bassano 28 settembre 1795, ibid.: «sarò ve-
nerdì a pranzo ad Altechiero (altrimenti il Querini mi fulmina)».
    [31] Nel 1779 il cavalier Erizzo diede a Canova delle lettere di raccomandazione per il
conte fiorentino Orlando Malvolti del Bevino: cfr. A. CANOVA, *I quaderni di viaggio* cit.,
p. 50.
    [32] «Mio buon protettore», lo definisce Canova in una lettera scritta a Selva da Bassano il
22 luglio 1795, in *Epistolario di Antonio Canova* cit.
    [33] Cfr. la lettera di Canova a Selva, Roma 26 dicembre 1795, in R. BRATTI, *Antonio Cano-
va nella sua vita artistica privata (da un carteggio inedito)*, "Nuovo Archivio Veneto", n.s. 17
(1917), tomo XXXIII, parte II, p. 310: «troppo devo a codeste rispettabili persone all'Ecc.mo
Pr[ocurator] Capello» e la Sign.ra Francesca» (Francesca Falchi, allora convivente e più tardi
moglie di Capello: cfr. P. FAVARO, *Antonio I Capello*, in *Venise et la Révolution française. Les
470 dépêches des ambassadeurs de Venise au doge 1786-1795*, édition établie par A. Fontana,
F. Furlan et G. Saro, Paris 1997, p. 1086).
    [34] A. CANOVA, *Abbozzo di biografia* cit., p. 297.

Renier S. Polo in terracotta; negli anni immediatamente precedenti la caduta della Serenissima Zulian, la Berlendis Renier, i Falier, Capello ricevettero, di regola pagando soltanto le spese di spedizione, se non affatto
gratis, i bassorilievi, i cui temi lo scultore, suggestionato in modo particolare dall'opera di Melchiorre Cesarotti, aveva ricavato da testi classici), ma soprattutto un arco di appoggi, di raccomandazioni e di mediazioni nei confronti tanto dei "ricchi di Venezia" quanto del governo marciano, del quale del resto i ricchi erano la *magna pars*[35].

I patrizi più legati a Canova costituirono una sorta di *lobby* dedita,
nella scia del processo che aveva portato all'istituzione di un'accademia
pubblica e al riconoscimento delle belle arti quali professioni che lo Stato doveva proteggere esentandole, tra l'altro, dalle imposizioni fiscali, ad
un mecenatismo che si potrebbe definire ad un tempo indiretto e colletti-
vo, ad un tipo di *patronage* che era illustrato in quegli anni in maniera
esemplare da Andrea Memmo S. Marcuola, il patrizio dalle fortune
quanto mai modeste che aveva tuttavia saputo creare a Padova una nuova magnifica piazza-mercato nel Prato della Valle grazie ad un'abile regia delle risorse statali e locali, pubbliche e private[36].

Tra gli scultori, che beneficiarono dell'iniziativa di Memmo di ornare il Prato con un corteo di statue di uomini illustri legati in un modo o
nell'altro a Padova, vi fu lo stesso Canova, che nel 1778-79 fu incaricato di scolpire, oltre al già citato *Poleni*, anche un *Esculapio* «colla fisionomia del senatore Alvise Valaresso» per onorare un omonimo del senatore, che in occasione della peste del 1630-31 era stato provveditore di
sanità a Padova[37]. Va anche sottolineato che, dopo la prima infornata del
1756, erano stati ammessi tra gli accademici, fino a Canova compreso,
quattro scultori, dei quali due – Francesco Gai e Gregorio Morlaiter – nel
pieno rispetto di una consolidata tradizione familiare e gli altri due,
Giambattista Locatelli e appunto Canova, che avevano legato o stavano
per legare il loro nome all'affermazione del Prato della Valle, una pietra
miliare dell'illuminismo veneziano.

Fu lo stesso Memmo che sollecitò la marchesa Ernestina Stahrem-
berg Spinola, un'amica di Valaresso, ad ordinare la statua "colla fisionomia" del senatore al possagnese: è probabile che in questa occasione Canova facesse la conoscenza della Berlendis Renier, che era figlia di una

---

[35] Cfr. G. Pavanello, *Collezionismo di gessi canoviani in età neoclassica: Venezia (parte
prima)*, in "Arte in Friuli Arte a Trieste", 15, 1995, pp. 225-270.

[36] Cfr. L. Puppi, *Il Prato in età moderna*, in *Prato della Valle. Due millenni di storia di
un'avventura urbana*, a cura di L. Puppi, Padova 1986, pp. 69-173.

[37] A. Canova, *Abbozzo di biografia* cit., p. 297.

sorella di Valaresso[38]. Quanto a Venier, il committente del *Poleni*, si sa che era un grande amico di Anzolo Querini[39]. Ma «il benefattore o il mediatore» per eccellenza del giovane Canova fu – come lo stesso artista riconosceva nel 1781 – Zuanne Falier, che lo aveva levato «dalla cava di pietre» dove lavorava con il nonno, gli aveva «da[to] e procur[ato] modo di far lo scultore, e per distinguer[si] ancora, e più dopo questo col procurar[gli] una pensione»[40]. In particolare Falier lo aveva messo in contatto, oltre che con Farsetti, con il Procurator Pisani (e forse questi aveva a sua volta assicurato a Canova la commissione, da parte del cognato Marc'Antonio Grimani S. Polo, di una versione in marmo dell'*Orfeo*) e con un altro Procuratore di S. Marco, Lodovico Rezzonico (che gli aveva ordinato sei statue da giardino: ma pare che anche la Berlendis Renier favorisse l'incarico)[41]. Inoltre Falier «lo raccomandò fervorosamente al cavalier» Zulian, allora ambasciatore veneziano a Roma[42], il quale peraltro era amico assai stretto anche e soprattutto della Berlendis Renier e di Anzolo Querini[43].

A partire dal 1780 e fino alla sua scomparsa fu Zulian «l'adorabile padrone» di Canova, il mecenate che gli offrì quel "soccorso" negatogli dai «ricchi di Venezia». L'ambasciatore assicurò allo scultore «casa, tavola e locale per lo studio»[44]; gli regalò un pezzo di marmo, da cui Canova ricavò *Teseo sul Minotauro*, un'opera di cui Zulian gli concesse la piena disponibilità e che più tardi lo scultore vendette per mille zecchini, la somma più elevata riscossa fino ad allora per un suo gruppo; lo introdusse negli ambienti artistici romani; perfezionò, tramite l'abate Giuseppe Foschi, la formazione culturale, assai carente, del possagnese; lo mise in contatto con un committente, Abbondio Rezzonico, che gli avrebbe

---

[38] Nel 1795 Canova ricordava alla Berlendis Renier che «Ella mi ha fatto tanto bene da diciassette anni addietro» (lettera da Roma del 18 ottobre 1795 in *Lettere inedite* cit., p. 26), vale a dire proprio a partire dall'anno dell'ordinazione del Valaresso.

[39] Cfr. P. DEL NEGRO, «*Amato da tutta la Veneta Nobiltà*». *Pietro Longhi e il patriziato veneziano*, in *Pietro Longhi, catalogo della mostra* a cura di A. Mariuz, G. Pavanello e G. Romanelli, Milano 1993, p. 234.

[40] Canova a Giovanni Falier, Roma 29 dicembre 1781, in L. CICOGNARA, *Biografia di Antonio Canova* cit., p. 81.

[41] Cfr. V. MALAMANI, *Canova*, Milano s.d. [1911], p. 15. A questa commissione è generalmente riferito il bozzetto dell'*Apollo* delle Gallerie dell'Accademia (G. PAVANELLO, *L'opera completa del Canova* cit., n. 12).

[42] A. CANOVA, *Abbozzo di biografia* cit., p. 298.

[43] Nel 1780 – come abbiamo visto sopra alla nota 30 – Querini fu invitato a Roma da Zulian. Quanto ai rapporti tra Zulian e la Berlendis Renier cfr. A. CANOVA, *I quaderni di viaggio* cit., p. 56.

[44] A. D'ESTE, *Memorie* cit., p. 16.

procurato, insieme ai suoi fratelli, il più lucroso (più di undicimila zecchini) e il più impegnativo incarico, il monumento funebre dello zio papa Clemente XIII[45]; gli fece infine ottenere dal governo veneziano, sempre sul filo di un mecenatismo che utilizzava al meglio le opportunità ga-
rantitegli dal ruolo pubblico, una pensione di trecento ducati per un soggiorno di tre anni a Roma[46], una «grazia di cui» – come scriverà Canova
– «non era stato onorato per lo innanzi alcun altro artista»[47] e che coro-
nava, per un certo verso, la strategia dell'accademia di Stato, dotando
quest'ultima, sia pure *una tantum*, di una sorta di *Ecole de Rome* gestita
dall'ambasciata veneziana.

Fred Licht ha ritenuto che la concessione della pensione e, più in generale, «l'influente protezione di cui Canova godette fin dall'inizio del
suo soggiorno romano» testimonino il tentativo del «governo veneziano
[di] sfrutta[re] tutte le risorse culturali a sua disposizione per conservare
una parvenza di prestigio internazionale»: la Serenissima si proponeva
«qualcosa di più del semplice lancio di un artista promettente» su un
mercato cosmopolitico; la sua preoccupazione era quella di mascherare
mediante l'eccellenza artistica la «grave decadenza politica, economica e
militare»[48]. In realtà la "grazia" pubblica concessa a Canova fu un surro-
gato della "grazia" privata che un patrizio relativamente poco abbiente
come Zulian non era in grado di concedere. Inoltre la richiesta fu accolta perché l'ambasciatore seppe abilmente declinarla secondo il paradig-
ma, che aveva presieduto agli interventi dello Stato a favore delle belle
arti.

Nella supplica rivolta nel luglio 1781 ai Riformatori dello Studio di
Padova, il magistrato che «presied[eva] agl'incrementi delle Scienze e
delle Arti nello Stato» e da cui dipendeva l'accademia di pittura, scultura ed architettura, Canova «implor[ò] dalla pubblica sovrana Munificen-
za il modo di sussistere, onde poter compiere i suoi Studi e ritornar poi
alla sua Patria»[49]. La richiesta trovava, come è ovvio, un pieno appoggio
in una lettera di Zulian, in cui si spiegava che lo scultore era «già arriva-
to ad eseguire le sue opere assai abilmente, mancando ad esso soltanto
quel grado di ripulimento, nel quale consiste la diferenza fra il mediocre
artista et il perfetto», una "cognizione" che si poteva «acquista[re] uni-

[45] *Nota di lavori di Antonio Canova per ordine de' tempi nella sua dimora in Roma*
(1795), in *Scritti* cit., p. 259.
[46] Decreto del senato del 22 dicembre 1781 in ASV, *Senato Terra*, filza 2749.
[47] A. CANOVA, *Abbozzo di biografia* cit., p. 300.
[48] F. LICHT, *Canova*, edizione italiana, Milano 1984, p. 19.
[49] Supplica di Canova ai Riformatori s.d. (ma anteriore al 28 luglio 1781, data della lettera, con cui Zulian accompagnò la supplica), in ASV, *Senato Terra*, filza 2749.

camente collo studiare i più celebri antichi esemplari». «Acquisita che
avrà la perfezione» – era lo scenario dipinto da Zulian nella lettera del 28
luglio, che accompagnava il memoriale di Canova, e avallato dai Riformatori nella scrittura del 20 agosto – «diverrà molto utile alla Nazione
stessa et allo Stato, mentre colle commissioni, che sarà per ricevere da
varie parti, richiamerà alla Dominante il denaro, e tratterà quello che
in altro modo sarebbe per uscire»[50].

La repubblica non intendeva affatto aprire a Roma una vetrina del-
l'arte veneziana, ma al contrario si proponeva di fare leva sullo studio
degli antichi per risollevare la fama della scuola della Dominante e, soprattutto, restituirle quell'importanza economica che aveva perso. Un
criterio eminentemente utilitaristico, dunque, che del resto aveva ispirato la maggior parte dei provvedimenti del governo a favore delle belle arti e che era stato lucidamente esposto nel 1760 in una scrittura dei Riformatori dal Procuratore di S. Marco Francesco 2° Lorenzo Morosini S.
Stefano, il patrizio che, tra l'altro, nel 1777 aveva indotto Canova ad
esporre l'*Orfeo*, una statua scolpita dal possagnese in uno studio situato
nei pressi del palazzo del Procuratore, nel convento di S. Stefano, alla
fiera della *Sensa* insieme alle opere degli accademici[51]. Un criterio riba-
dito anche dal decreto del Senato del 22 dicembre 1781, che incaricava i
Riformatori di «assicurarsi in quei modi, che riputeran convenienti, af-
finché trascorso il detto triennio abbia il Canova a stabilirsi nella Dominante e porre in pratica le cognizioni acquistate, onde non inutile riesca
il pubblico dispendio»[52].

Canova avrebbe ricordato nelle memorie di aver ottenuto la sua pensione «col mezzo del cavalier Tron» (e in effetti era stato il Procuratore
di S. Marco Andrea Tron S. Stae, l'influentissimo fratello maggiore di
Francesco che in qualità di savio del consiglio in settimana aveva presentato e fatto approvare il decreto), «del mecenate Falier», che aveva ottenuto l'appoggio di Tron tramite, a quanto pare, la moglie Cattarina
Dolfin, «e di molti altri patrizi»[53], tra i quali vanno segnalati quanto meno, oltre a Zulian, i tre Riformatori Andrea Querini S. Maria Formosa, un

---

[50] Scrittura dei Riformatori dello Studio di Padova Andrea Querini, Alvise Valaresso e Girolamo Ascanio Giustinian del 20 agosto 1781, *ibid.*
[51] Sulla politica culturale di Morosini cfr. P. DEL NEGRO, *Il governo veneziano e le istituzioni* cit. Sul ruolo del Procuratore nel lancio di Canova cfr. la testimonianza di quest'ultimo
in *Abbozzo di biografia* cit., p. 297.
[52] Cfr. il decreto cit. sopra alla nota 45.
[53] A. CANOVA, *Abbozzo di biografia* cit., p. 300. Quanto al ruolo della Dolfin Tron cfr. la
lettera di Canova a Zuanne Falier cit. sopra alla nota 39, alle pp. 82-83 («con questo ordinario
invio una mia all'Eccellentissima Procuratessa Tron, ringraziando Lei, e il Procuratore»).

cugino di Tron, quell'Alvise Valaresso, che abbiamo già incontrato in veste di 'modello' di Canova, e Girolamo Ascanio Giustinian S. Salvador,
il grande amico di Anzolo Querini[54]. Nonostante lo schieramento di alcuni dei più grossi calibri della politica veneziana erano tuttavia trascorsi
quattro mesi dalla presentazione della scrittura dei Riformatori al varo
del decreto, un indice delle difficoltà che i fautori del mecenatismo di
Stato continuavano ad incontrare a Venezia.

3. Canova "romano" e la Venezia dei patrizi

Come si sa, nonostante che avesse scritto a Zuanne Falier che non
doveva «temere che passati li tre anni, che il Senato si contenta[va]
ch'[egli] st[esse] a Roma, [potesse] avere la sconoscenza di
allontanar[si] dalla [sua] patria» e che anzi era sua intenzione, una volta
terminato *Teseo sul Minotauro*, un'impresa che prevedeva che l'avrebbe
impegnato ancora per una ventina di mesi, di «ritornar[se]ne in seno ad
essa»[55], Canova si stabilì nella città dei papi. È vero che nel corso del
triennio "coperto" dalla borsa di studio Canova ricevette le commissioni
dei monumenti funebri di Clemente XIV Ganganelli e Clemente XIII
Rezzonico: in particolare quest'ultimo "deposito", cui si dedicò fino al
1792, dal momento che celebrava l'ultimo papa veneziano, non poteva
non apparire pienamente giustificato agli occhi del governo della Serenissima e quindi un più che legittimo impedimento al ritorno in "patria".
Ma si può considerare la scelta di Canova anche da altri punti di vista, non più congiunturali ma strutturali. Nel momento in cui il possagnese reagiva con la fuga all'inarrestabile crisi veneziana della scultura,
faceva anche constatare il fallimento della linea politico-culturale ufficialmente abbracciata dal regime marciano. Infatti, poiché «il più gran
scultore del nostro secolo» – come lo definiva la Berlendis Renier nel
1788[56] – era attivo lontano da Venezia ed anzi favoriva con la sua presenza proprio la principale rivale della città lagunare sul mercato italiano
dell'arte, si deve riconoscere che di fatto la linea dei Tron e dei Morosini, una versione del dispotismo illuminato che favoriva sì le arti e la cultura in genere, ma a scopi utilitaristici e che comunque subordinava gli

---

[54] Sugli strettissimi rapporti tra Querini e Giustinian cfr. P. DEL NEGRO, *Politica e cultura nella Venezia di metà Settecento. La "poesia barona" di Giorgio Baffo "quarantiotto"*, in "Comunità", 36 (ottobre 1982), in particolar modo p. 411.

[55] Cfr. la lettera cit. sopra alla nota 39, alla p. 81.

[56] Cattarina Berlendis Renier a Canova, Venezia 4 ottobre 1788, in A. D'ESTE, *Memorie* cit., p. 361.

obbiettivi culturali a quelli politici, era stata sconfitta. Era invece preval-
sa una logica diversa, quella più congeniale ai Memmo e agli Zulian, una
sorta di illuminismo "liberale" e liberista (nella misura in cui si contrap-
poneva al protezionismo della corrente "dispotica"), una strategia che in-
duceva a coltivare dei rapporti tendenzialmente paritari tra i patrizi e gli
artisti e in ogni caso alimentava un mecenatismo "ingenuo", disinteres-
sato, senza contropartite che non fossero la promozione e il rispetto dei
valori superiori della cultura e dell'arte[57]. Questa linea non escludeva affatto un'inclinazione "patriottica", ma l'esaltazione del "veneto nome" si
risolveva nella rivendicazione del contributo dato da Venezia alle «ma-
gnifiche sorti, e progressive» dell'umanità.

Tuttavia anche l'illuminismo "liberale" di Zulian doveva risultare,
nel caso di Canova, in larga misura perdente. Dopo il suo ritorno a Venezia dal bailaggio a Costantinopoli il patrizio, che era diventato uno dei
più influenti membri del governo veneziano, cercò di attrarre nuovamente lo scultore nell'orbita della Serenissima, impegnandolo in tre significativi progetti, un monumento in onore di Tiziano da erigere nella chiesa dei Frari (1790), la stele funeraria del Procuratore di S. Marco Anzolo
Emo S. Simon piccolo (1792) e una raccolta di gessi canoviani da collocare in una stanza del palazzo, che Zulian aveva in affitto a Padova, una
raccolta che il possagnese avrebbe voluto arricchire con una sua statua in
marmo, *Psiche* (1793-95)[58]. L'idea di celebrare Tiziano venne ad una dama[59], ma fu Zulian che cercò di costituire una società in grado di raccogliere i settemila zecchini ritenuti necessari per condurre a termine il
mausoleo: si prevedevano settanta sottoscrizioni (quindi una quota *pro
capite* di cento zecchini, una somma di cui potevano disporre anche quei
patrizi di mediocri fortune, come lo stesso Zulian, che favorivano le belle arti)[60].

(in margine: 12, 13)

---

[57] Cfr. quanto a Memmo, P. DEL NEGRO, *Il governo veneziano e le istituzioni* cit., e riguardo a Zulian, Id., *Tra politica e cultura: Girolamo Zulian, Simone Stratico e la pianta di Padova di Giovanni Valle*, in "Archivio Veneto", s. V, 132 (1989), pp. 97-128.

[58] Cfr. G. PAVANELLO, *Collezionismo di gessi canoviani in età neoclassica: Padova*, in "Arte in Friuli Arte a Trieste", nn. 12-13, 1993, pp. 167-190.

[59] In una lettera a Selva datata Roma 14 ottobre 1795 Canova rivelò anche il nome della
dama in questione, ma scrivendolo in una forma poco comprensibile (egli stesso annotò: «Dio
mel perdoni come ho scritto questo nome»): cfr. *Epistolario di Antonio Canova* cit.

[60] Va ricordato che quasi tutte le case patrizie più vicine a Canova – dai Falier S. Vidal agli
Zulian S. Felice, dai Battagia S. Stae ai Memmo S. Marcuola, dai Querini S. Severo ai Renier
S. Pantalon, dagli Erizzo S. Martin ai Capello S. Polo – erano incluse da Giacomo Nani nella
terza delle cinque classi, tra le quali aveva distribuito il patriziato (cfr. ora sulle classificazio-
ni di N.V. HUNECKE, *Il patriziato veneziano alla fine della Repubblica 1646-1797. Demogra-
fia, famiglia, ménage*, edizione italiana, Roma 1997). Una tendenza analoga si riscontra a proposito del collezionismo d'antichità: «nel secolo dei lumi furono le case della media nobiltà

Il monumento a Tiziano incarnava sotto ogni aspetto l'ideologia dell'illuminismo "liberale": non solo onorava un artista (e non un politico), ma Canova aveva anche preparato un modello, che presentava in primo piano le arti sorelle della pittura, della scultura e dell'architettura (un evidente richiamo alla pubblica accademia) affiancate da un leone piangente, simbolo dell'intima fusione che Venezia aveva promosso tra la vita politica e quella artistica, se non del rovesciamento dei rapporti tradizionali tra la politica e l'arte. Ma il mecenatismo cooperativo di Zulian non decollò: è probabile che l'impresa si arenasse ancora prima della morte del patrizio avvenuta nel febbraio del 1795[61].

Zulian ottenne un successo maggiore, quando fece intervenire, al posto della società patrizia, lo Stato. Quando morì il capitano estraordinario delle navi Anzolo Emo, l'uomo di guerra della Serenissima che aveva dato alla repubblica l'illusione di poter ancora recitare un ruolo attivo in ambito militare, Zulian fece decretare dal senato nel marzo del 1792 che «la immagine del nominato cittadino [fosse] scolpita in un busto di marmo»[62] e indusse nel giugno successivo i savi cassier Alvise Querini S. Maria Formosa e Zuanne Emo S. Moisé ad affidare la commissione ad un recalcitrante Canova sulla base del modellino di una stele, vale a dire, come sarebbe stato sottolineato nel 1795, «d'un lavoro meno semplice di quello» inizialmente previsto[63]. È probabile che lo scultore fosse dapprima contrario ad accettare la commissione del suo governo in quanto non era basata su un contratto, una situazione equivoca alla quale Canova si sarebbe rassegnato unicamente perché era stato il suo "adorabile padrone" a fargli dare l'incarico. In altre parole in questa occasione il possagnese avrebbe convertito una commessa pubblica originata da un "comando" del principe in una commessa privata del suo benefattore, l'avrebbe iscritta in quella sfera dei valori, che privilegiava sopra ogni altra: «la riconoscenza, la giustizia, e la generosità d'animo».

La *Stele Emo* fu completata dopo la scomparsa di Zulian. Furono la Berlendis Renier e soprattutto Battagia, un influente savio del consiglio

---

senatoria e/o quarantiotta», che si distinsero nella raccolta di statue, iscrizioni ecc. (cfr. la recensione di chi scrive a K. POMIAN, *Collezionisti, amatori e curiosi...*, Milano 1989 e a I. Favaretto, *Arte antica e cultura antiquaria...*, Roma 1990, apparsa in "Studi Veneziani", n.s. 26 (1993), p. 355).

[61] La prima rata della sottoscrizione doveva essere pagata nell'aprile 1794: dal momento che la fitta corrispondenza tra Canova e Selva non accenna a tale scadenza, si deve ritenere che il progetto fosse già stato messo, a tale data, da parte (cfr. G. PAVANELLO, *L'opera completa del Canova* cit., pp. 72-79).

[62] Decreto del Senato del 24 marzo 1792 in copia nel dossier allegato al decreto del 23 luglio 1795, ASV, *Senato Terra*, filza 3076.

[63] Scrittura dei savi cassier attuale e uscito Nicolò 1° Erizzo e Francesco Calbo, Venezia li 22 maggio 1795, *ibid.*

che proveniva, al pari di Zulian, dalle file del medio patriziato e che aveva anch'egli aderito alla massoneria, che riuscirono, dietro le quinte, a gestire l'affare con piena soddisfazione di Canova, che voleva a tutti i costi impedire che "per ordine pubblico" la sua opera fosse sottoposta ad "un esame", che fosse cioè rivisto in chiave di subalternità secondo i consueti "metodi veneti" quel rapporto "paritario" di collaborazione e di fiducia tra l'artista e il governo, che era stato fino ad allora garantito dal "povero [suo] Mecenate"[64]. In base al decreto del senato del 19 settembre 1795 lo scultore fu ricompensato – una volta che l'opera era stata stimata dal savio cassier Nicolò 1° Andrea Erizzo, un figlio del cavalier Marc'Antonio, tra i tre e i quattromila zecchini – con un vitalizio di cento ducati al mese e con il conio di una medaglia celebrativa del valore di cento zecchini[65]. Oltre ad Erizzo e al savio cassier uscito Francesco Calbo, cooperarono al successo dell'operazione i savi del consiglio Zuanne Molin S. Paternian, un cugino di Zulian, e Daniel 1° Andrea Dolfin S. Pantalon, che divenne uno dei sostenitori di Canova su sollecitazione della moglie Giustiniana Maria Gradenigo[66].

Nel frattempo era stata risolta l'altra questione lasciata aperta da Zulian, quella del destino della *Psiche*. Dopo una fitta serie di trattative tra il cavaliere e l'*entourage* canoviano era stata trovata a metà del 1794 un'intesa circa l'opera ritenuta da tutti soddisfacente. Poiché Zulian non poteva permettersi di comperarla al suo valore di mercato, né voleva accettarla in dono, mentre Canova voleva dare al suo benefattore una prova tangibile della sua riconoscenza, era stato pattuito che il patrizio avrebbe coniato, a parziale contraccambio di una statua valutata settecento zecchini, alcune medaglie celebrative per una spesa totale di trecento zecchini in onore ad un tempo dello scultore e del suo mecenate[67]. La *Psiche* raggiunse Venezia alla vigilia della morte di Zulian: dal momento che il cavaliere aveva donato la sua collezione di oggetti d'arte allo Stato, anche la statua di Canova avrebbe dovuto trovare posto tra le raccolte della Biblioteca Marciana. Ma gli eredi delle restanti sostanze di

---

[64] Canova a Francesco Battagia, Roma 18 aprile 1795, in *Memorie relative al monumento Emo esistente nell'Arsenale di Venezia opera dell'immortale Canova*, raccolte da G. Consolo, Per nozze Giacomo e Enrichetta Treves de Bonfilj, Padova 1844, pp. 12-13. Cfr. anche Canova a Cattarina Berlendis Renier, Roma 25 aprile 1795, in *Lettere inedite* cit., p. 22.

[65] Decreto del senato del 19 settembre 1795, ASV, *Senato Terra*, filza 3083; cfr. [G. CORRER], *Documenti sul monumento ad Angelo Emo di Antonio Canova e sulla medaglia d'oro donata al Canova dal Senato Veneziano*, pubblicazione per le nozze di Maria Giovanelli-Venier con Antonio Emo-Capodilista, 1867, pp. 17-18.

[66] Canova a Selva, Roma 23 gennaio 1796, in *Epistolario di Antonio Canova* cit.

[67] Girolamo Zulian a Selva, Padova 25 luglio 1794, *ibid*.

Zulian, i nipoti Priuli S. Trovaso, forti dell'appoggio di un altro loro zio, il doge Lodovico Manin, decisero nel marzo del 1795, a quanto pare allo scopo di evitare di dover essi stessi contribuire al conio delle medaglie celebrative, che la *Psiche* fosse ancora di proprietà di Canova e gliela restituirono[68].

Canova se la prese con "quell'anime da cimice"[69], che non avevano «voluto far la volontà del defunto»[70] collocando la statua nel Museo di S. Marco e ad un tempo onorare anche nella Dominante la sua fama con un solenne attestato e affidò all'amico Giannantonio Selva il compito di trovare un acquirente della *Psiche* a Venezia, di modo che potesse «restare nella [sua] patria a vergogna delle anime picciole e a decoro delle grandi». «Questo mi farebbe piacere», scriveva all'amico, «e più ancora perché l'aspirante non è Cavaliere né ricco immenso»[71]. La statua sarebbe stata venduta sul tamburo al conte Giuseppe Mangilli, un nobile della ventitreesima ora, dopo che non era andata in porto una trattativa con l'avvocato Giambattista Cromer, colui che l'anno prima aveva comperato per trentasei zecchini l'*Esculapio*-Valaresso, un'opera che la marchesa Spinola non aveva mai finito di pagare e che Canova aveva dovuto conservare in un deposito per quindici anni[72]. Se si tiene presente che alla fine del 1795 il conte Giuseppe Giacomo Albrizzi, un ricco ebreo convertito, gli avrebbe ordinato la celebre *Ebe*, è evidente che alla vigilia della caduta della Serenissima era avvenuta una mutazione sociale nella committenza veneziana di Canova: il posto di coloro che nei momenti di malumore lo scultore chiamava "codesti Eccellentissimi", che «credono [...] di premiare assai col degnarsi d'incomodare», era stato occupato dalla *crème* del terzo stato, dalle avanguardie di coloro che avrebbero preso il potere sulla punta delle baionette francesi[73].

È anche vero che, contemporaneamente, il patriziato lagunare non era per niente scomparso, come invece accadrà di fatto dopo il 1800, dall'orizzonte delle committenze del possagnese. A Roma Canova riceveva in quegli anni da monsignor Antonio Marin 3° Zuanne Priuli, uno dei nipoti di Zulian, la commissione della *Maddalena penitente* per ottocento zecchini (ma finirà per venderla, nonostante la sua profonda repulsione

---

[68] [Antonio Marin 2∞] Alvise Priuli a Canova, s.d. [marzo 1795], *ibid.*
[69] Canova a Selva, Roma 29 marzo 1795, *ibid.*
[70] Canova a Iseppo Falier, Roma 3 aprile 1795, in Correr, *mss. P.D.* 893 c/II.
[71] Cfr. sopra la nota 68.
[72] Canova a Selva, Roma 30 agosto e 11 ottobre 1794, in R. BRATTI, *Antonio Canova* cit., p. 289.
[73] Canova a Selva, Roma [aprile] 1795, *ibid.*, p. 298.

per i "giacobini", ad un francese per mille zecchini[74], forse per vendicar-
si di «quell'anim[a] da cimice»). Nella stessa Venezia un Mocenigo –
probabilmente Alvise 1° Mocenigo S. Stae, il primogenito del terz'ultimo doge della Serenissima – lo incaricava di scolpire un gruppo, che non
vedrà mai la luce[75], mentre il consiglio nobile di Padova gli chiedeva una
stele per celebrare il rettorato di Girolamo Giustinian S. Barnaba[76].

Ma, nonostante il vitalizio concessogli dalla repubblica, nonostante
l'infittirsi della commesse proprio negli ultimi anni della Serenissima,
non si può affermare che Canova avesse consolidato delle relazioni pri-
vilegiate con Venezia. Certo, anche dopo il 1795 seguirà con un'intensa
partecipazione le vicende della sua "adorabile patria": la fedeltà alla repubblica marciana rimarrà sempre un punto fermo della sua *Weltan-
schauung*[77]. Ma in quanto artista Canova era stato sostanzialmente af-
francato dalla morte di Zulian da un rapporto profondo ed organico con
il regime lagunare e con le sue politiche culturali. Lo scultore aveva con-
quistato la sua piena indipendenza da "codesti Eccellentissimi" e il mercato veneziano era diventato un mercato come gli altri.

---

[74] Cfr. G. PAVANELLO, *L'opera completa del Canova* cit., p. 87.

[75] Accenni al "gruppo per il Mocenigo" (che fosse del ramo di S. Stae e non di quello di
S. Samuel, lo si ricava indirettamente dalle lettere del 1804-05 di Alvise I Mocenigo S. Samuel
a Canova edite per *Nozze Cais di Pierlas – Mocenigo*, Vicenza 1894) nelle lettere di Canova a
Selva, Roma 14 ottobre 1795 e 27 settembre 1796, in R. BRATTI, *Antonio Canova* cit., p. 325 e
Roma 22 ottobre 1796, in *Epistolario di Antonio Canova* cit.

[76] Cfr. le lettere di Canova a Selva del 1796-97, in R. BRATTI, *Antonio Canova* cit., pp.
327-329 e il fascicolo II dell'*Epistolario di Antonio Canova* cit..

[77] Canova a Selva, Roma 29 aprile 1797, in R. BRATTI, *Antonio Canova* cit., p. 349. In
quelle settimane il possagnese aveva anche pensato di scolpire un bassorilievo raffigurante le
province venete, che giuravano fedeltà al doge. Cfr. quanto avrebbe dichiarato a Bonaparte a
Saint Cloud: «tanto m'afflisse la sovversion di Venezia e di quella Repubblica che [...] s'ella
avesse rimesso lo Stato veneto sul piè di prima me le sarei prestato per tutto il corso della mia
vita a pane ed acqua» (A. CANOVA, *Abbozzo di biografia* cit., p. 316).

* *Ringrazio Giuseppe Pavanello per la scelta e per il prestito delle fotografie dell'apparato illustrativo.*

STATUTO

E

PRESCRIZIONI

DELLA

PUBBLICA

ACCADEMIA

DI PITTURA, SCULTURA, ED ARCHITETTURA

INSTITUITA NELLA CITTA'

DI VENEZIA

Per Decretò dell' Eccellentiſſimo Senato.

MDCCLXXII.

NELLA STAMPERIA ALBRIZZIANA

1. *Statuto e Prescrizioni della Pubblica Accademia di Pittura, Scultura ed Architettura instituita nella città di Venezia*, Venezia 1772, frontespizio.

The inscription on the relief reads: VIX·ANN·LXXXXIX·

2. Antonio Canova, *Ritratto di Giovanni Falier*, particolare della *Stele di Giovanni Falier*. Venezia, chiesa di Santo Stefano.

3. Antonio Canova, *Orfeo*. Venezia, Museo Correr.

4. Alessandro Longhi, *Ritratto del Procuratore di San Marco Pietro Vettor Pisani*. Venezia, palazzo Pisani-Moretta.

1

5. Antonio Canova, *Dedalo e Icaro*, particolare. Venezia, Museo Correr (foto Mimmo Jodice).

ANDREAS MEMMO
EQUES AC DIVI MARCI PROCURATOR
ANNO M.DCC.LXXXV

6. Girolamo Carattoni (dal dipinto di Angelica Kauffmann), *Ritratto del Procuratore di San Marco Andrea Memmo*, incisione.

7. Antonio Canova, *Giovanni Poleni*. Padova, Museo Civico (già in Prato della Valle).   147

8. Francesco Bartolozzi (dal dipinto di Nazario Nazzari), *Ritratto del Procuratore di San Marco Lodovico Rezzonico*, incisione.

9. Antonio Canova, *Apollino*. Venezia, Gallerie dell'Accademia.

149

10. Antonio Canova, *Ritratto del doge Paolo Renier*. Padova, Museo Civico (raccolta Bottacin).

11. Carlo Orsolini, *Ritratto del Procuratore di San Marco Francesco II Lorenzo Morosini*, incisione.

12. Antonio Canova, *Monumento di Tiziano*, modellino. Possagno, Gipsoteca.

13. Antonio Canova, *Stele di Angelo Emo*. Venezia, Museo Storico Navale.

Sezione II

CANOVA E ROMA

MARIA TERESA CARACCIOLO

LA ROME DE CANOVA

Entre la date du 4 novembre 1779, à laquelle Canova, âgé de vingt-deux ans, arriva à Rome pour la première fois, et celle de sa mort, surve-nue à Venise en 1822, la cité papale vécut de bouleversantes et profondes mutations: le sculpteur connut ainsi le climat raffiné, marqué par une prospérité exceptionnelle des arts, des dernières décennies de l'Ancien Régime; il connut l'époque âpre et déroutante des années révolutionnai-res – qui l'amenèrent d'ailleurs à quitter la ville pendant quelque temps – et il connut ensuite la Rome française, une Rome occupée, mais aussi élevée au rang de «seconde ville de l'Empire». Enfin, il connut durant huit ans la Rome de la Restauration pontificale et du pape Pie VII.

Les événements qui marquèrent le passage du 18ᵉ au 19ᵉ siècle s'en-chaînèrent avec une intensité et une rapidité telles que l'historien d'aujourd'hui est en droit de s'interroger sur les limites de la perception que purent en avoir les témoins contemporains. Canova compta en tout cas parmi ceux-ci, et eut parfois le rôle difficile, même si toujours pri-vilégié, de vivre en protagoniste certains des épisodes cruciaux de l'his-toire de la cité papale.

S'il y eut un temps où l'on assista aux plus audacieuses des recon-versions et à des retournements fracassants, ce fut bien le temps de Ca-nova. Pourtant, le sculpteur poursuivit à Rome sa carrière brillante d'ar-tiste et son ascension d'homme public sans trop se plier aux compromis-sions. La fermeté de son attitude n'est pas sans évoquer, sur ce point, cel-le de son contemporain Chateaubriand.

L'une des constantes du code moral de Canova consista précisément dans sa fidélité à Rome, la ville qui avait suscité ses enthousiasmes juvé-niles, l'avait "converti" aux tendances les plus novatrices de l'art, l'avait adopté, et avait contribué à consacrer sa fortune. Ce fut le caractère universel et sacré de Rome antique et chrétienne qui retint et attacha à elle Canova, comme il avait su retenir avant lui d'autres éminents citoyens d'adoption. Dans le tourbillon des mutations démesurées qui firent basculer l'Etat d'Ancien Régime dans une ville acheminée – tant bien que mal – sur la voie de la modernité, Rome sut conserver son âme; une âme sans doute trop vieille pour être balayée par le vent de l'histoire et que les siècles avaient à jamais consolidée.

S'il est vrai que la Rome de Canova eut différents visages, ce fut cependant une seule et même ville qui l'accueillit en 1779, et qu'il quitta pour toujours à la fin de l'été 1822.

1780-1789: les dernières années de l'Ancien Régime

Lorsqu'il arriva de Venise dans la cité papale, à l'automne 1779, Canova se rapprocha d'abord, spontanément, du milieu des Vénitiens qui s'était rassemblé autour de deux personnalités remarquables d'amateurs et de mécènes: Girolamo Zulian, ambassadeur de la Sérénissime auprès du pape Pie VI, résidant au palais de Venise, et don Abbondio Rezzonico, Sénateur de Rome, neveu du défunt pontife Clément XIII, l'hôte très raffiné du palais *Senatorio*, sur le Capitole.

L'âme du cercle des Vénitiens de Rome avait été, jusqu'en 1778, donc jusqu'à la veille de l'arrivée de Canova, l'architecte et graveur originaire de Venise Giambattista Piranesi.

Architecte visionnaire plus que grand bâtisseur, auteur d'admirables eaux – fortes qui comptent parmi les chefs – d'œuvre du genre, dessinateur virtuose à la sanguine, à la plume et au lavis, Giambattista Piranesi fut à Rome l'artiste des Rezzonico. Il fut aussi l'interprète lyrique et inspiré de la Rome du 18e siècle, dont il rendit, dans le domaine de la *veduta*, une image très personnelle, et en rupture avec les représentations désormais stéréotypées de ses contemporains. La Rome de Piranèse, aux dimensions dilatées et exaltées, est une ville onirique, surgie d'un rêve en noir et blanc. La tradition très ancienne de la *veduta* italianisante, consacrée par des générations d'artistes étrangers, le *capriccio* d'origine maniériste, déjà récupéré par l'art baroque, confluèrent dans la vision de Piranèse; mais sublimés par elle, ils traduisirent pour la première fois de manière saisissante le passage de l'inspiration de l'artiste sur le registre psychologique et mental, en franchissant les limites ultimes du 18e siècle, et en se situant désormais aux abords du Romantisme. Des nombreuses voix qui s'élevèrent des milieux romains pour annoncer le Romantisme naissant au cours de l'époque qu'il est convenu d'appeler "néoclassique", celle de Piranèse fut l'une des plus convaincantes et des plus convaincues.

Du temps où Canova commença à fréquenter le cercle des Vénitiens de Rome, les échos de la vaste querelle, qui remontait aux années 1760, et qui fut très représentative de la culture du 18ᵉ siècle, entre "Hellénistes et Romanistes", ne s'étaient pas encore éteints. Au cours de cette querelle, qui avait agité le monde des artistes, des amateurs, des antiquaires, des marchands et des premiers représentants de la critique d'art naissante, Piranèse s'était fait le défenseur de Rome face à des personnalités résolument favorables à la Grèce, dont faisaient partie, entre autres, Winckelmann, Préfet des Antiquités de Rome et responsable de la bibliothèque du Vatican, et Pierre – Jean Mariette. Les positions très fermes prises par le graveur dans ses ouvrages théoriques illustrés tel le *Della Magnificenza e Architettura dei Romani* (1761), le *Parere sull'Architettura* (1765), et les *Diverse maniere d'adornare i Cammini*, dédié au cardinal Giambattista Rezzonico en 1769, se résument à une défense non pas de la primauté de Rome sur la Grèce, mais de l'originalité de l'art romain, et de sa substantielle indépendance de l'art de la Grèce antique. La formation de Piranèse, entre Venise (et son univers artistique lié au théâtre et à la décoration théâtrale), Rome et Naples, peut aider à comprendre ses positions. En 1743, l'artiste s'était rendu à Naples; il avait, bien sûr, visité les sites archéologiques et étudié l'antique. Il avait aussi été en contact avec la pensée de l'historien Giambattista Vico, avec ses théories des "cours" et des "recours" historiques et avec ses thèses concernant les échanges entre les différentes civilisations de l'antiquité, l'égyptienne, l'étrusque, la grecque et la romaine. En défendant la notion d'autonomie de l'art et de la culture romaines, Piranèse rejoignait les positions des Etruscologues italiens de son temps. La dernière œuvre théorique de Piranèse, les *Diverse Maniere di adornare i Cammini*, exprime en plus la défense d'une création artistique indépendante, de l'éclectisme en architecture, de ces "revivals" qui connurent tant de fortune dans l'art romantique, et de la richesse foisonnante de l'ornement. Pour Piranèse, la perfection ne fut guère atteinte uniquement dans l'art de la Grèce antique, mais se retrouve aussi bien dans différentes périodes historiques, et dans le cadre de civilisations différentes. La beauté de l'architecture étrusque et romaine n'est inférieure en rien à l'élégance, à la grâce, et à la simplicité de l'architecture des Grecs.

Du temps où Canova accomplissait à Rome les premiers pas de sa carrière artistique, les théories de l'art avaient bien sûr évolué. Les interlocuteurs du sculpteur dans ce domaine furent, comme nous le verrons, des théoriciens, historiens de l'art et archéologues tels Antoine Quatremère de Quincy, Carlo Fea, Francesco Milizia dont l'enthousiasme pour la Grèce antique fut inconditionnel. Le nouveau rôle de la Rome "moderne", cependant, était désormais établi. Un témoignage particulièrement probant sur ce point est apporté, nous semble-t-il, par les mots de

Quatremère de Quincy, que l'on peut lire dans sa *Quatrième lettre à Miranda*, écrite en 1796, avec les six autres, pour plaider auprès du Directoire le maintien en Italie des œuvres d'art menacées de saisie:

«Excepté Rome, il n'est point de ville dans l'Europe qui puisse présenter à ces chefs-d'œuvre un hospice digne d'eux, ni un temple propre au recueillement qu'exige leur étude... *Rome est devenue pour nous ce que la Grèce était jadis à Rome* [nous soulignons]. Eh bien! Que disait Cicéron, le plus délicat ami des arts de son temps, et qui achetait des statues en Grèce? *Ces choses*, disait-il, *perdent leur valeur à Rome. Il n'y a pas ici assez de loisir pour les goûter. La distraction des affaires y rend les spectateurs indifférents à toutes ces jouissances, qui veulent, pour être senties, le repos et la quiétude philosophique de la Grèce*. Et Cicéron ne parlait pas seulement pour les étudiants de Rome, qui tous allaient cultiver les muses dans leur pays natal; mais il éprouvait que les belles choses qu'il avait vues en Grèce ne lui paraissaient plus si belles à Rome...»

Les débats qui avaient animé le cercle des Vénitiens de Rome peuvent aider à comprendre le caractère très subjectif de l'adhésion de Canova au Néoclassicisme et éclairent en tout cas l'amour et l'admiration qu'il porta à Rome et à son histoire tout au long de sa vie, qui à leur tour annoncent la tendance nationaliste et puriste de la culture artistique romaine de l'époque de la Restauration. A cette date, les œuvres de la maturité du sculpteur compteront parmi les plus hautes et les plus harmonieuses expressions de cette culture.

Au cours des années de sa formation, Canova regarda avec autant d'attention la sculpture antique et la sculpture baroque. Il admirait le Bernin autant que des sculpteurs classicistes du 17ᵉ siècle, tels Algardi et Rusconi, et il ne renia jamais la tradition de l'école vénitienne de sculpture du 17ᵉ et du 18ᵉ siècle, comme en témoignent en premières ses séduisantes terres – cuites, *bozzetti* sculptés avec une sensibilité éminemment picturale, qui préparent le dépouillement et la réduction à l'essentiel de l'œuvre définitive en partant d'une perception naturaliste de l'objet représenté. Avec de nombreux contemporains romains, comme avec quelques peintres français présents à Rome dans les années 1780, Canova partagea l'engouement pour la peinture du Corrège, un engouement qui avait été d'actualité durant tout le 18ᵉ siècle et que les textes théoriques de Mengs, réédités à Rome en 1787 par les soins du chevalier d'Azara, avec des corrections et des adjonctions de Carlo Fea, contribuèrent de raviver. On sait que la *Danaé* du Corrège, œuvre clé du maître, connut une considérable fortune auprès des peintres romains dans les années 1780; la peinture du Corrège, qui fut acquise en vente publique à Paris, en 1826, par Camillo Borghese, et a rejoint depuis les collections de la Galerie Borghese à Rome, était conservée à l'époque dans la galerie Orléans à Paris, mais une autre version en avait reparu en Italie, dans la collection Udny de Livourne, qui fut gravée à Rome en 1786 par Domenico Cunego. L'intérêt pour le Corrège contribua sans doute à rapprocher Canova d'abord de Prud'hon, présent à Rome entre 1785 et 1788, puis de Girodet, qui arriva dans la cité papale au début des années révolutionnaires, en 1789. Girodet fera plus tard, vraisemblablement en 1810, un portrait dessiné de Canova, conservé aujourd'hui au Louvre.

D'emblée, l'adhésion de Canova au Néoclassicisme se fit en harmonie avec le goût et les tendances de l'art romain de son temps et se situa sur un registre opposé à celui de David, qui pourtant voulut peindre à Rome son tableau – manifeste de 1785, le *Serment des Horaces*.

On a beaucoup discuté et écrit à propos du *Serment*, qui cependant n'a jamais été replacé correctement dans le contexte de la peinture romaine contemporaine. On a surtout beaucoup répété le poncif selon lequel l'œuvre révolutionnaire du Français – révolutionnaire du point de vue de la mise en page, de l'exécution picturale et de la référence à l'antique – aurait profondément affecté le cours de la peinture romaine des années 1780. En réalité, il n'en fut rien. Les échos de la presse artistique romaine de 1785 sont tout à fait révélateurs à cet égard. Il est temps d'admettre que même s'il y eut foule dans l'atelier de David au moment de l'achèvement et de la présentation au public du tableau, celui-ci n'eut pas d'impact sur la peinture romaine contemporaine, et David ne fit pas d'émules parmi les peintres de Rome, ni parmi les étrangers présents dans la cité papale. Comme Sandra Pinto le soulignait en 1983 dans son texte de référence publié dans l'excellente *Storia dell'arte italiana* de l'éditeur Einaudi, une foule tout aussi nombreuse, enthousiaste, ou simplement curieuse, afflua pareillement dans la basilique des Saints Apôtres deux ans après, lorsque le monument au pape Clément XIV Ganganelli par 3 Canova fut dévoilé et présenté au public. Le succès des créations du sculpteur vénitien aurait connu cependant une durée bien plus longue que celle du *Serment des Horaces*, et le monument révéla en fait à la cité papale celui qui aurait conquis son *leadership* artistique durant les trente années à venir. Le portrait du comte Josef Johann von Fries par Angelika Kauffmann (Vienne, musée historique de la ville) qui remonte à la même année 1787, témoigne du prestige dont Canova jouissait déjà dans les milieux romains: derrière la figure du séduisant gentilhomme autrichien, revêtu d'un élégant costume inspiré de ceux des modèles de Van Dyck, on reconnaît le groupe de Canova représentant *Thésée triomphateur du Minotaure*, que l'artiste avait achevé en 1783, et dont le comte Fries s'était rendu acquéreur. La consécration officielle de Canova permit d'une certaine manière au sculpteur de prendre la relève de celui qui avait été jusqu'à cette date le peintre le plus réputé de la Rome du milieu du 18e siècle, et qui venait de s'éteindre, en cette même année 1787: le portrai-

4, 5   tiste de Lucques adopté par Rome, Pompeo Batoni. Dès son arrivée dans la cité papale, Canova avait rencontré le vieux maître, et avait fréquenté son atelier: la culture artistique raffinée de Batoni, sa vision hédoniste et sereine, son indépendance des théories et la qualité impeccable de sa technique séduisirent le jeune sculpteur.

Le goût néoclassique très personnel de Canova, voué, comme celui de Batoni, au culte du bonheur et de l'innocence, demeura constamment indépendant de tout credo politique, ou d'une théorie abstraite de l'art. La "conversion" de Canova au goût antique se joua essentiellement sur le registre de l'intuition et de la sensibilité, et ne fut guère le résultat d'un processus intellectuel. L'artiste succomba progressivement à la fascination exercée par l'antique au cours des années 1780, qui assistèrent non pas à une résurrection, ou à une nouvelle renaissance du goût antiquisant, mais plutôt à une sorte de triomphe, un apogée de celui-ci.

Dans le cadre de l'école romaine de peinture et de sculpture – qui fut, il convient de le souligner, un cadre à part – une sorte de fil conducteur réunit en effet les conquêtes formelles des artistes de la Renaissance aux interprétations audacieuses des modèles antiques proposées par les Maniéristes, puis au courant classiciste constamment présent dans la Rome baroque, incarné par Annibal Carrache, le Dominiquin, Poussin, Andrea Sacchi, parmi d'autres, un courant qui mène à Carlo Maratta, et enfin aux «Néoclassiques avant la lettre», peintres ro-
6, 7   mains de la première moitié du 18ᵉ siècle tels Benefial, Lapis, Subleyras, Costanzi, ou Etienne Parrocel, dit le Romain. A cette date, les découvertes sensationnelles faites en Campanie, au cours des fouilles d'Herculanum et de Pompei, ramenèrent à la lumière une moisson considérable de sculptures, d'objets et surtout de peintures romaines antiques qui exaltèrent à la fois les imaginations et le goût des contemporains. Enfin, mais non en dernier lieu, la politique qui fut menée à Rome dans le domaine de la muséographie, au niveau, notamment, des collections d'antiques, joua un rôle considérable dans l'affirmation du goût antiquisant et dans la consécration des modèles fournis par l'art classique. C'est précisément dans les années 1780, avec l'ouverture du musée Pie – Clémentin au Vatican, et avec la décoration et l'aménagement du *casino* du prince Borghese près de Porta Pinciana, que ce chapitre fondamental de l'histoire des musées parvint à sa conclusion; tout avait commencé, à Rome, dans les années 1730, avec l'ouverture au public des musées du Capitole et s'était poursuivi dans les années soixante avec l'édification de la villa du cardinal Alessandro Albani sur la via Salaria, et avec l'installation dans la villa elle-même et dans le jardin de la collection d'antiques du cardinal, classée selon des critères modernes, et remarquablement présentée par Winckelmann. L'impact de ces réalisations romaines sur les artistes et sur la création contempo-

raine fut considérable; il semble avoir orienté à jamais l'inspiration, la méthode et le goût de Canova.

Dans le cercle des Vénitiens de Rome, parmi les invités du prince Rezzonico au palais Senatorio, Canova put connaître très tôt Gavin Hamilton, peintre anglais adopté lui aussi par Rome, qui introduisit le sculpteur dans les milieux anglo – saxons et contribua à lui faire obtenir, en 1783, la commande du monument Ganganelli. En 1784, Hamilton 8 achevait la *Stanza di Elena e Paride* dans le Casino de la Villa Borghese de Porta Pinciana, dont les toiles et les décorations peintes au plafond peuvent être considérées comme un manifeste de cette peinture érudite, placée sous le signe de la science antiquaire, néo – poussinesque et un peu figée, qui aurait désormais triomphé dans les dernières décennies du siècle. Le peintre anglais participait par ces œuvres à l'un des chantiers les plus prestigieux de la Rome du 18e siècle finissant, et l'un des plus représentatifs de son goût et de son art. Le réaménagement des collections Borghese, décidé par le prince Marcantonio IV et réalisé par l'architecte Antonio Asprucci, entre 1773 et 1793 environ, concerna les deux étages de la villa. Une certaine différence de registre sépare le rez-de-chaussée du premier étage. Le rez-de-chaussée était en effet destiné à accueillir les collections de sculpture antique et moderne dont le prince Borghese avait hérité de ses ancêtres, notamment du cardinal Scipione (1577 – 1633), et fut placé d'emblée sur un niveau équivalent à celui de la Villa Albani, et même du musée Pie-Clémentin. Il fut en effet conçu comme un musée, à savoir un lieu avant tout destiné à accueillir et à conserver les œuvres dans les meilleures conditions, et où celles-ci pourraient être vues et admirées du public érudit et des artistes, qui en étaient désormais considérés comme les bénéficiaires au même titre que le prince.

La conception du premier étage de la villa, destiné à recevoir une partie des peintures de la collection Borghese, dont le plus grand nombre demeurait encore à l'époque dans le palais de la famille au Campo Marzio, répondit à des critères différents, moins officiels. Le premier étage fut décoré et aménagé tout au long des années 1780 par une pléiade internationale d'artistes dont firent partie, en plus de Hamilton, le français Bénigne Gagneraux, les romains Corvi et Cades, les autrichiens von Maron et Unterberger, parmi de nombreux autres. Les décorations du premier étage – y compris celle du français Gagneraux – témoignent de la distance qui séparait à l'époque la peinture romaine de l'art français contemporain, et de l'ouverture progressive de Rome à la culture préromantique anglo-saxonne et germanique. L'intérêt que Goethe prêta à la Villa Borghese et à ses jardins lors de son séjour de 1786-1788, la description qu'en donne Madame de Staël dans son roman *Corinne ou l'Italie* de 1807 sont à cet égard des confirmations significatives du témoignage visuel livré par les peintures elles-mêmes.

1789-1800: les années de la Révolution française et des campagnes napoléoniennes d'Italie

C'est vers la fin des années 1780, au début de l'époque révolutionnaire, que commence à se dessiner, à Rome, la double orientation du Néoclassicisme, partagé entre deux tendances issues d'une même souche, mais animées d'une sensibilité différente. Dans l'une de ses études fondamentales consacrées à la naissance de la fortune des Primitifs au 18ᵉ siècle, Giovanni Previtali distinguait pertinemment «l'aile modérée, purement érudite, fondée sur l'archéologie et apolitique, représentée par Canova» (nous reprenons, en les traduisant, les mots de Previtali) de «l'aile francophile, révolutionnaire, marquée par l'idéologie» à laquelle appartinrent, entre autres, des étrangers tels Jean-Baptiste Wicar (présent en Italie de 1789 à 1793, puis de 1796 à sa mort), Humbert de Superville (arrivé à Rome en 1789 et reparti en 1802), Joseph Anton Koch (présent à Rome à partir de 1795) ainsi que quelques Romains de naissance ou d'adoption tels Pietro Camporesi, Francesco Piranesi, Ennio Quirino Visconti et Felice Giani.

Le sculpteur et remarquable graveur anglais John Flaxman, qui arriva à Rome en 1787, et compta parmi les personnalités d'avant-garde du Néoclassicisme romain de la dernière décennie du siècle, rejoignit d'emblée les rangs de Canova à qui il dut, en 1790, la commande du groupe représentant *La Furie d'Atamante* pour Lord Bristol (aujourd'hui à Ickworth, dans le Suffolk). Il demeura toujours très lié au sculpteur et en 1822, après la mort de Canova, il prononça son éloge funèbre à la Royal Academy de Londres.

Lorsqu'on aborde l'étude du temps de la Révolution française, des guerres napoléoniennes d'Italie, des traités de paix, et de l'éphémère république romaine de 1798, la première impression que l'on reçoit est celle d'une surenchère d'événements, tous extrêmement significatifs, et d'une série de réactions à ces événements, qui engendrent dans leur ensemble un effet global de confusion; on constate aussi l'instauration progressive d'une sorte de décalage entre la vie artistique de la ville et les faits marquants de l'histoire contemporaine de l'Europe.

C'est à partir de 1790-1791, notamment après la proclamation, à Paris, de la constitution civile du clergé, que le cheminement de la Révolution française commença à être perçu à Rome avec inquiétude et hostilité. Cela signifia le début d'une campagne anti – républicaine et anti – française savamment orchestrée, qui contribua à détruire à Rome toute chance d'implantation des idées progressistes. Plus tard, du temps des campagnes napoléoniennes d'Italie, les guerres et leurs lourdes conséquences n'arrangèrent en rien les choses. Ce fut essentiellement la question des réquisitions des œuvres d'art dans les collections publi-

ques et privées italiennes – en amont de laquelle se trouvait la revendi-
cation, de la part de la jeune république française issue de la Révolution, de l'héritage de l'antiquité et par conséquent aussi des œuvres antiques parvenues au monde moderne – qui suscita les réactions les plus
vives dans le monde des artistes et des amateurs. Les positions que Canova prit sur ces questions sont connues; elles ne péchèrent jamais par
ambiguïté, même dans les circonstances délicates de sa longue entrevue
avec l'Empereur, à Fontainebleau, en 1810, quand le sculpteur riposta,
dans les limites du possible, aux argumentations de celui qui était devenu à l'époque le maître de l'Europe et le premier des ses commanditaires. Elles s'exprimèrent avec plus de liberté et d'autorité en 1815, lorsque Canova fut élevé par le pape Pie VII au rang d'ambassadeur de l'E-
tat pontifical, chargé de la récupération, à Paris, des œuvres prélevées
par les Français pour le musée Napoléon. Mais en 1796, la voix qui s'é-
leva avec le plus d'autorité contre les saisies d'œuvres d'art dans les
pays conquis fut celle d'un Français, à savoir Quatremère de Quincy,
qui opposa aux théories révolutionnaires de l'époque les arguments historiques destinés à s'imposer à long terme, et qui défendit, notamment,
la notion d'un patrimoine artistique indissolublement lié au territoire
qui l'a produit tout au long des siècles. Hélas, Quatremère ne fut pas
écouté, et les propos lucides de ses *Lettres à Miranda* – qu'ont éclairé,
de nos jours, les études savantes d'Edouard Pommier – ne purent empêcher ce que l'on ne peut définir autrement que le saccage des collections publiques et privées italiennes et la conséquente, définitive altéra-
tion du paysage artistique de la péninsule.

En 1792, Canova achevait de sculpter le monument funéraire dédié
au pape Clément XIII Rezzonico, érigé dans Saint-Pierre. C'est un élément de ce tombeau – le séduisant Génie de la mort qui s'appuie sur l'un
des lions – que Oswald et Corinne, protagonistes du roman déjà cité de
Madame de Staël, admirent dans l'atelier du sculpteur, en l'appréhendant
sur le registre de la sensibilité, en fonction de leurs états d'âme person-
nels, selon une attitude proprement romantique, que Stendhal, à peine
plus tard, portera à son diapason:

«Corinne et lord Nelvil terminèrent leur journée en allant voir l'atelier de Canova, du plus grand sculpteur moderne. Comme il était tard, ce
fut aux flambeaux qu'ils se le firent montrer; et les statues gagnent beaucoup à cette manière d'être vues... Il y avait chez Canova une admirable
sculpture destinée pour un tombeau: elle représentait le Génie de la douleur, appuyé sur un lion, emblème de la force. Corinne, en contemplant
le Génie, crut y trouver quelque ressemblance avec Oswald, et l'artiste
lui-même en fut aussi frappé. Lord Nelvil... dit à voix basse à son amie:
"Corinne, j'étais condamné à cette éternelle douleur quand je vous ai
rencontrée"...».

Canova poursuivait en même temps sa quête incessante de la jeunes-se et de la beauté dans ses groupes sculptés tels *Amour et Psyché gisants* aujourd'hui au Louvre (1787-1793), *Vénus et Adonis* (1789-1794), com-mandé à Naples par le marquis Salza Berio, ou encore dans ses ravissan-tes inventions de femme, telle la *Hébé* Albrizzi, de nos jours à Berlin (1796). De nombreuses peintures réalisées à Rome durant ces années, notamment par Angelika Kauffmann (*Amour et Psyché*, de 1792, et *Ganymède offrant à boire à l'aigle*, de 1793, tous deux aujourd'hui à Bregenz), par Gavin Hamilton (*Hébé*, de nos jours à Stamford, Burghley House), ou encore par Bénigne Gagneraux, qui peignit sa *Psyché réveil-lée par Amour* pour la Salle pompéienne du palais Altieri en 1790, se fi-rent l'écho des œuvres et des thèmes traités par Canova, en alimentant cette veine lyrique, délicate et légère, qui devait sans doute servir d'anti-dote à la brutalité des événements contemporains.

L'épisode très significatif du faux autoportrait de Giorgione, exécuté par Canova pour mettre à l'épreuve ses amis peintres, remonte aussi à l'année 1792. Il se trouve évoqué dans la biographie manuscrite du sculpteur conservée au musée de Bassano, et fut repris par Melchior Mis-sirini dans sa biographie de Canova de 1824. L'épisode se résume à peu près en ceci: ayant appris, en lisant Ridolfi, que Giorgione avait réalisé un autoportrait qui avait appartenu à la famille vénitienne Widmann, ap-parentée aux Rezzonico, le sculpteur se procura un panneau ancien et peignit dessus une effigie de Giorgione. D'accord avec le sénateur Rez-zonico, il fit ensuite parvenir le panneau, dûment encaissé et emballé, au palais Senatorio, un soir où le prince recevait ses amis peintres à dîner: Angelika Kauffmann, Giuseppe Cades, Antonio Cavallucci, Martino De Bonis, parmi d'autres, ainsi qu'un critique subtil de l'époque, l'auteur des pages consacrées à la peinture dans les *Memorie delle Belle Arti*, Gian Gherardo De' Rossi. Le maître de maison déclara publiquement que l'œuvre lui venait de ses neveux Widmann et tous les présents, en cœur, s'extasièrent devant ce chef-d'œuvre de Giorgione retrouvé... L'é-pisode est significatif car il évoque le climat de la Rome de l'époque, qui se passionnait pour les questions de philologie, exerçait fiévreusement son "œil" (au risque de commettre des bévues) et voyait s'affirmer à la fois la science du *connoisseurship* et la très jeune, et même à peine nais-sante, histoire de l'art. Des amateurs tels Jean-Baptiste Séroux d'Agin-court et Dominique – Vivant Denon s'adonnèrent ensemble à des jeux analogues, dont l'un consistait, par exemple, à confier à un artiste l'exé-cution d'une copie d'après une œuvre originale et à soumettre ensuite copie et original à un "jury" de spécialistes; l'artiste gagnait la partie si le "jury" ne parvenait plus à distinguer l'original de la copie. L'on peut évoquer aussi ce que Luigi Lanzi, premier historien de l'art italien, phi-lologue et amateur distingué, écrivit au sujet de Giuseppe Cades, l'un des artistes qui avait rapidement rejoint Canova et Flaxman dans «l'aile catholique, érudite, apolitique et modérée» du Néoclassicisme romain des années 1790: «*Non vi è stato falsator di caratteri così esperto in contraffare i tratti e le piegature di 24 lettere come egli contraffaceva, anche all'improvviso, le fisionomie, il nudo, il panneggiamento, tutto esattamente il carattere d'ogni più lodato disegnatore. Fatemi, gli diceano i più esperti, un disegno alla michelangiolesca, alla raffaellesca, e così degli altri: esso prontamente eseguivalo: mettevasi poi a confronto di un disegno indubitatamente originale di quell'autore; chiedevasi quale fosse, v.gr. [= per esempio], il vero Buonarroti; e quegli o esitavano o, ingannati, additavano il Cades...*».

Mais Lanzi et Séroux d'Agincourt ne se contentèrent pas de participer à ces jeux subtils, certainement très stimulants, de connaisseurs. Le premier, comme nous le disions, réalisa un remarquable travail de synthèse sur la peinture italienne de "sa renaissance" aux temps modernes, la *Storia pittorica della Italia*, publiée pour la première fois à Bassano del Grappa en 1796; le second achevait à Rome, au cours des années révolutionnaires, sa monumentale *Histoire de l'art par les monu-* 10 *ments depuis sa décadence au IVème siècle jusqu'à son renouvellement au XVIème*, dotée d'un nombre très important d'illustrations, qui ne sera publiée qu'à partir de 1811, en partie à titre posthume; un ouvrage où se traduit pour la première fois cette réévaluation de l'art du Moyen Age que les milieux érudits italiens avaient préparée durant tout le 18e siècle et qui allait devenir l'un des *leit-motive* de l'esthétique romantique. Canova participa lui-même aux travaux de l'*Histoire* de Séroux, en fournissant la copie dessinée d'un *Christ mort pleuré par les anges* conservé dans le Palais Ducal de Venise et considéré à l'époque comme de la main d'Antonello de Messine (en réalité, il s'agissait d'une œuvre de Antonio de Saliba).

Ce furent cependant des artistes anglais et nordiques – notamment William Young Ottley, et Humbert de Superville – qui apportèrent le concours le plus innovateur à l'ouvrage de Séroux d'Agincourt. Leurs dessins, destinés à être gravés dans les planches illustrées de l'*Histoire de l'Art*, concernent des maîtres primitifs d'Italie centrale, qu'ils découvrirent au cours de voyages à Assise, Pérouse, Orvieto et Florence, voya- 11 ges réalisés en partie en compagnie du sculpteur Flaxman et de sa femme, entre 1792 et 1798. Leurs copies transcendent le simple exercice de reproduction et traduisent une puissante capacité d'interprétation, placée, comme l'a souligné Previtali, sur un registre "expressionniste", d'un goût déjà pleinement romantique. La récupération des formes linéaires des primitifs italiens, comme de certains aspects de leur sentiment religieux fervent et naïf, joueront un rôle actif dans l'évolution de l'art à Rome à la fin du 18e siècle et au début du 19e, essentiellement dans le do-

maine des arts graphiques: la ligne de contour s'impose désormais avec
force dans le dessin, une ligne dont la tendance est de synthétiser et d'é-
purer les formes. Les partis adoptés avec une opiniâtreté farouche par Ja-
12 cob Asmus Carstens, artiste danois arrivé à Rome en 1792 et mort dans'
la ville six ans plus tard (dans l'exposition publique de ses œuvres, présentée en 1796 dans l'ancien atelier de Batoni, ne figurèrent que des travaux exécutés sur papier, à la détrempe et au lavis) sont symboliques de
l'autonomie conquise par les arts graphiques aux abords du Romantisme.
Les dessins de Flaxman, qui furent réalisés à Rome entre 1792 et 1793 et
qui furent gravés au trait par Tommaso Piroli – notamment ses excep-
13 tionnelles séries d'après Homère, Eschyle et Dante – comptent parmi les
exemples les plus saisissants de cette nouvelle manière d'abstraire en
dessinant, dont Ingres sera l'héritier génial, lui aussi à Rome, dans les
premières décennies du 19e siècle.

1800-1814 Les années de l'occupation française

Le débat est encore ouvert, de nos jours, autour de la question du "ré-
veil" de l'Italie du temps de l'invasion française et de l'occupation de la
péninsule sous le Consulat et sous l'Empire. Doit-on suivre Stendhal, et
sa vision lyrique, exprimée notamment dans le fameux premier chapitre
de la *Chartreuse de Parme*?

«...Les miracles de bravoure et de génie dont l'Italie fut témoin en
quelques mois réveillèrent un peuple endormi...»

Doit-on écouter les propos plus réalistes tenus par Ugo Foscolo dans
son *Autobiographie*?

«*Ed è verità che Napoleone largì all'Italia tutti i benefici che una nazione schiava e divisa poteva in alcun modo attendersi da un conquista-
tore: a lui andò debitrice dell'unificazione, a lui delle sue leggi e delle
armi; e da lui e dal suo ordinamento trassero ispirazione la rinnovata attività e il riconquistato spirito militare d'Italia. Ma il Foscolo* [Ugo Foscolo écrit son *Autobiographie* à la troisième personne] *era cittadino della Repubblica Veneziana che Napoleone distrusse, e sono molti coloro
che in Italia considerano l'indipendenza del proprio paese come il primo
e indispensabile passo verso la sua rigenerazione...*»

Ou doit-on plutôt penser, finalement, que le sursaut nationaliste suscité en Italie par l'invasion française se dirigea d'emblée contre tous les
envahisseurs, y compris les Français, et qu'il survécut sous d'autres formes à la chute de l'Empire, jusqu'à la conquête de l'unité nationale, en
1870?

La création artistique romaine des premières décennies du 19e siècle
s'orienta résolument vers des sujets et vers des réalisations destinés à

exalter les origines antiques et sacrées de la ville et à évoquer les personnages illustres de son histoire, notamment ses "Maîtres", protagonistes de l'histoire glorieuse de son art; à cet égard, l'eau-forte originale réalisée en 1785 par Giuseppe Cades, représentant *La mort de Léonard* [14] *de Vinci dans les bras de François 1er*, d'après le récit de Vasari, dédiée aux "Gloires de la Peinture" (dans la lettre de la gravure on peut lire: *Leonardo da Vinci moribondo fra le braccia di Francesco I re di Francia: si fanno spettatori, ritratti dai loro originali, il primo in apparenza più prossimo al re Francesco Salviati, il secondo Andrea del Sarto, il terzo l'Abate Primaticcio, il quarto il Rosso Fiorentino, il quinto Benvenuto Cellini, celebri Artisti italiani che in vari tempi fiorirono in corte di quel gran Mecenate delle Belle Arti*) annonce le projet que Canova contribuera à réaliser dans les années 1813-1819, à savoir une galerie des portraits des plus grands artistes italiens, à partir de Giotto jusqu'aux [15] temps modernes, dont les bustes, commandés à une pléiade de jeunes sculpteurs italiens, furent placés en un premier temps au Panthéon, et ensuite au Capitole. Relevons aussi que le sujet de l'eau-forte de Cades sera traité à Rome par Ingres, en 1818.

Enfin, au niveau du style, les recherches de l'école romaine se portèrent vers un retour aux sources les plus pures de l'art italien, des sources "non contaminées" par les modèles étrangers, notamment par le modèle français, "il maledetto stile francese", selon l'expression significative utilisée plus tard, en plein mouvement puriste, par Tommaso Minardi.

Les courants de pensée que l'on retrouve en amont de la création artistique de la Rome des deux premières décennies du 19e siècle ne furent pas réellement entamés par les soubresauts politiques de l'Empire français et de son histoire. L'art romantique poursuivit son chemin; ses nouvelles tendances, catholique (Canova, les Nazaréens, Minardi, Tenerani), royaliste modérée (Madame de Staël) et légitimiste (Chateaubriand), jacobine (Giani, Stendhal, Géricault), se diversifiaient déjà, et s'exprimaient indépendamment de la fulgurante ascension et de la chute précipitée de Napoléon.

Il est vrai, cependant, que quelques-uns des aspects les plus visibles de l'art à Rome entre 1800 et 1814 furent liés à la présence française dans la ville, et au zèle de certains artistes à souligner par les images les nouveaux liens tissés entre la France et la ville Eternelle; ils durent beaucoup aussi à la volonté opiniâtre du Premier Consul, puis de l'Empereur, de marquer son époque par un art d'Etat, et par le biais d'un mécénat fastueux. Ces aspects les plus "apparents" de la création artistique furent inaugurés à Rome par le dessin (destiné à être diffusé par la gravure et conservé de nos jours à Versailles) et par le tableau de Wicar (actuellement dans les collections du pape à Castelgandolfo), qui célébrèrent tous deux le Concordat de 1801, des œuvres inspirées et commandées par [16] l'ambassadeur de France à Rome François Cacault, qui constituent un exemple probant de peinture mise au service de la politique. Cet art destiné à célébrer l'image de l'Etat trouve son expression la plus significative et la plus accomplie dans les travaux réalisés au niveau du vaste chantier du palais du Quirinal (1811-1813), réaménagé en vue de la future présence à Rome de l'Empereur et de sa famille, une présence qui cependant ne se concrétisa jamais. Placés sous la direction d'architectes et d'artistes de renom, désireux de souligner les liens entre la France et la "seconde ville de l'Empire" (Raffaello Stern, Vincenzo Camuccini, Gaspare Landi), ces aménagements ont fait l'objet d'études exhaustives auxquelles nous renvoyons dans notre bibliographie. Dans la pléiade d'artistes qui fournirent les peintures, les décors, et les objets d'ameublement, Ingres se distingua par deux peintures d'une qualité exceptionnelle, et d'une réelle nouveauté stylistique. L'une d'entre elles, *Les Songes d'Ossian*, inspirée d'un ouvrage poétique fort apprécié de l'Empereur et destinée à sa chambre à coucher, est une étonnante composition peinte en partie sans couleurs, qui rend à merveille la composante immatérielle du rêve. L'autre, où l'on voit *Romulus vainqueur d'Acron*, célèbre la politique des armes si représentative de l'époque. Une aquarelle, considérée autrefois comme de la main de l'artiste mais enlevée à Ingres, en 1999, par Philip Conisbee, a fixé l'instant de cette création: on peut y voir le peintre devant son immense toile dans l'atelier qu'il s'était fait aménager à Rome, dans la tribune de la Trinité des Monts (Bayonne, Musée Bonnat). Ni l'une, ni l'autre des œuvres d'Ingres ne demeurèrent en place. Il nous semble d'ailleurs significatif que Rome, qui fut pourtant la ville de toutes les stratifications et qui plus que toute autre sut conserver et s'approprier les composantes étrangères de l'art généré sur son sol, se défit de ces deux chefs-d'œuvre qui étaient venus rejoindre les collections du palais du Quirinal. A peine remonté sur le trône pontifical, en effet, et réinstallé dans son palais, Pie VII fit de la chambre à coucher de Napoléon sa propre chambre, et le décor Empire fut en grande partie détruit. En 1835, Ingres racheta sa propre toile, qu'il légua au musée de Montauban. Quant au *Romulus vainqueur d'Acron*, il fut offert par le pape Pie IX à Napoléon III en 1867 et est actuellement conservé au musée du Louvre. Le destin étrange de ces deux tableaux extraordinaires témoigne indirectement du rejet de la culture française par la culture italienne du premier Romantisme.

1806-1820 La Rome de Ingres

L'unité rigoureuse que présente le parcours accompli par Ingres durant son premier séjour à Rome, débuté en 1806 à l'Académie de France de la Villa Médicis et achevé en 1820 (deux ans avant la disparition de Canova) nous semble très représentative de la continuité de la vie et de la création artistique à Rome sous l'occupation française et sous la Restauration.

Dans un texte du catalogue de la belle exposition consacrée aux portraits d'Ingres par la National Gallery de Londres, Philip Conisbee a évoqué récemment ce parcours, qui de la *Baigneuse de Valpinçon* et de l'*Œdipe et le sphinx* (1808) mène au saisissant *Christ remettant à saint Pierre les clefs du Paradis*, en passant par le mystérieux nu dit de la *Baigneuse de Naples* que le peintre présenta dans la *Sala del Senatore*, au Capitole, au cours de l'exposition internationale de 1809. Cet événement marquant de la Rome française, dont relatent à la fois le catalogue de la manifestation et les textes de l'abbé Giovanni Antonio Guattani dans les *Memorie Enciclopediche romane sulle Belle Arti...* fut présidé par le directeur de l'Académie de France à Rome, Guillaume Guillon Lethière, et rassembla les œuvres des artistes romains et étrangers présents dans la ville. L'"*elenco*" de Guattani cite les noms d'une pléiade de peintres et de sculpteurs, parmi lesquels on relèvera ceux de Gaspare Landi, de Nicolas – Didier Boguet, de François – Marius Granet, de Gottlieb Schick, et de Bertel Thorvaldsen. Certains dessins d'Ingres, directement ou indirectement liés à la *Baigneuse de Naples* (qui fut acquise par Joachim Murat et n'est pas repérée de nos jours) témoignent des liens qui rattachent les conquêtes réalisées par le peintre français dans le domaine de l'abstraction linéaire aux recherches menées dans le même sens, plus de dix ans plus tôt, par Flaxman et par Humbert de Superville.

La fortune dans les arts figuratifs de l'*Enéide* de Virgile remonte à ces années. Cette fortune prit d'une certaine manière la relève de celle que l'*Iliade* et l'*Odyssée* avaient connue à la fin du 18e siècle, dans le cadre de l'esthétique du Sublime, au même titre que quelques autres textes des "origines" de la littérature, tels la Bible et certains classiques grecs, premier d'entre eux Eschyle.

En ce qui concerne l'*Enéide*, l'attention des artistes des premières décennies du 19e siècle se focalisa sur les six derniers livres du poème, consacrés au mythe du débarquement d'Enée sur les rives du Latium et à la fondation de Rome, la ville qui reçut l'héritage du passé et prit durant des siècles le *leadership* du monde. Dans les milieux français de Rome, les thèmes virgiliens furent utilisés aussi pour souligner la continuité entre l'histoire antique de Rome et l'histoire de la France moderne. La plus célèbre de ces commandes fut celle que le général Miollis adressa à Ingres en 1811. L'artiste l'honora en peignant sa toile conservée aujourd'hui au musée des Augustins de Toulouse (dont une autre version, à l'effet sans doute plus saisissant, se trouve actuellement dans les musées de Bruxelles). La composition représente l'épisode connu sous son titre latin *"Tu Marcellus eris..."* qui évoque, comme on sait, l'évanouissement d'Octavie, sœur d'Auguste, lors de la lecture par Virgile aux souverains du sixième livre de l'*Enéide,* et tout particulièrement du passage faisant allusion à la mort dramatique et prématurée de Marcellus, fils d'Octavie: «... l'ombre triste d'une affreuse nuit vole au-dessus de sa tête...» écrivait le poète en faisant allusion au jeune héritier du trône de Rome, mort dans des circonstances mystérieuses, et en évoquant indirectement l'inéluctable menace qui guette les plus puissantes des institutions créées par l'homme («... Dieux, la nation romaine vous eût paru trop puissante, si ce présent eût été durable...»). On comprend que la toile, commandée à l'origine pour le palais de l'Empereur au Quirinal, ne fut guère jugée convenable à une telle destination. Mais le sujet, évocateur de l'état d'âme romantique de l'homme fragilisé par sa prise de conscience de l'irréversible fuite du temps, connut un succès considérable, et Ingres fit des émules au sein et en dehors des milieux français. Le «*Tu Marcellus eris...*» de Wicar, peint en 1818 pour le comte Sommariva et conservé aujourd'hui à la Villa Carlotta de Cadenabbia Tremezzo, mérite d'être évoqué car il constitue l'une des rares compositions peintes vraiment séduisantes de l'artiste, qui fut précédée d'une admirable série de dessins. En 1819, Vincenzo Camuccini fit du sujet le frontispice de la nouvelle édition de l'*Enéide* patronnée à Rome par le duchesse de Devonshire, une publication que Madame Récamier aurait admirée lors de son séjour romain 1823-1824, ainsi qu'en témoignent les *Souvenirs* de sa nièce Amélie Lenormant: «Elle [la duchesse de Devonshire] fit imprimer à ses frais, en 1816 et 1819, par les presses de De Romanis, le texte et une traduction en vers italiens de la Vème satire d'Horace (*Voyage à Brindes*), et la traduction de l'*Enéide*, d'Annibal Caro. Ces deux éditions in-folio, exécutées avec un grand luxe, sont ornées de nombreuses planches gravées au burin. La duchesse avait eu l'idée de joindre au texte antique la vue des lieux décrits par les deux poètes latins, dans leur état actuel; elle demanda ces vues aux peintres et aux graveurs les plus habiles parmi les artistes fixés en Italie, à quelque nation qu'ils appartinessent: Camuccini, Catel, Chauvin, Boguet, Pomardi, Williams, Eastlake, Gmelin, Keisermann ont fourni chacun une ou plusieurs compositions...»

L'heureuse initiative de la duchesse de Devonshire dut sans doute beaucoup à l'éclosion que connaissait à cette date l'art du paysage de Rome et de ses environs, qu'une pléiade d'artistes étrangers (français, nordiques, anglais, allemands) pratiquaient désormais dans la cité papale en tant que genre autonome. Nous renvoyons au livre de Anna Ottani Cavina *I Paesaggi della Ragione* pour une reconstitution détaillée des étapes parfois surprenantes, toujours remarquablement analysées, du parcours qui de David et des dessinateurs de son cercle romain mène à Corot, en passant par Valenciennes, Thomas Jones et Humbert de Superville. Ajoutons qu'à partir des années 1810, à Rome même, des dessinateurs 19 du cercle des Nazaréens apportèrent aux vues de Rome et de sa campagne, et de certains sites d'élection du Latium et de l'Ombrie, quelques contributions remarquables par leur dépouillement et leur silence, parfaitement accordées à la simplicité naïve, marquée par une intense ferveur religieuse, de l'art qu'ils avaient entrepris de pratiquer en marge de la cité papale, dans un isolement quasiment monastique.

Dans le texte récent que nous venons de citer, Philip Conisbee souligne les liens qui rattachent, à ses yeux, le *Christ remettant à saint Pierre les clefs du Paradis* d'Ingres aux peintures religieuses contemporaines des Nazaréens. Mais il convient de relever aussi, nous semble-t-il, que tous ccs artistes puisèrent aux mêmes sources, à savoir les anciens Maîtres italiens, et non seulement Raphaël, mais aussi ceux qui l'avaient précédé et qui avaient préparé l'éclosion de son art "parfait", ces "primitifs" que l'on considérait à ces dates avec de plus en plus d'attention, non seulement dans les cercles des connaisseurs, des érudits et des premiers historiens de l'art, mais aussi dans les milieux des collectionneurs, notamment des collectionneurs français, et dans les musées en pleine rénovation. En ce qui concerne les collections de peintures, il suffit d'évoquer les ensembles réunis à Rome, sur la base de critères "historicistes" similaires, par Agostino Mariotti, Giovan Pietro Campana, François Cacault, Artaud de Montor ou le cardinal Fesch; dans la capitale, les commentaires ne durent sans doute pas manquer au sujet des nouvelles salles des primitifs inaugurées au Louvre par Dominique-Vivant Denon, au moment même de la chute de l'Empire. Quant aux dessins, la collection rassemblée durant toute sa vie par Jean-Baptiste Wicar et léguée à sa ville natale de Lille comprend un remarquable groupe de dessins italiens "primitifs" que l'artiste se procura en Italie, en suivant le plus près possible les indications transmises par les ouvrages de Vasari, de Lanzi, et de Séroux d'Agincourt.

Rappelons aussi que les travaux philologiques et critiques poursuivaient à Rome le chemin ouvert par Lanzi et par Séroux d'Agincourt et que la gravure de reproduction des œuvres des anciens maîtres connut alors une saison féconde; une série très complète de ce type de gravures, par Francesco Giangiacomo, réalisée sans doute sur les conseils, et sous la direction de son maître Wicar, commença à paraître à partir de 1810, sur commande de la *Calcografia Camerale*: ces estampes vulgarisèrent de manière systématique la connaissance des peintures du 15e et du 16e siècle conservées dans les églises et dans les couvents de Romc, notamment celles de Fra Angelico dans la chapelle de Nicolas V au Vatican, de Pinturicchio, de Spagna, et d'autres élèves du Pérugin dans l'église de Santa Maria del Popolo, ainsi que d'autres œuvres copiées à Sant'Agnese fuori le mura, à Saint-Jean-de-Latran et encore, en dehors de Rome, à Santa Maria della Verità à Viterbe.

Les travaux de restauration d'ensembles de fresques de la même époque – notamment à San Clemente, à Santa Maria sopra Minerva, à Santa Maria del Popolo, à Sant'Agostino (le Prophète Isaïe de Raphaël), enfin à Sant'Onofrio (la lunette considérée comme de Léonard de Vinci) – commencés, dans la Rome française, par des administrateurs français, et poursuivis sur la même ligne, à partir de 1814, sous la direction de Vincenzo Camuccini, contribuèrent aussi à faire mieux connaître cette peinture "primitive", ou "pré-raphaélite", que l'on trouve à la base du renouveau de la peinture religieuse du 19ᵉ siècle.

Le *Christ remettant à saint Pierre les clefs du Paradis*, dernière des œuvres peintes par Ingres à Rome, tableau de nos jours controversé – il fut bien accueilli à Rome lors de sa réalisation, mais il n'est pas unanimement apprécié des spécialistes contemporains – demeura néanmoins, par la suite, la référence incontournable de cette peinture religieuse "moderne"; il constitue aussi, d'une certaine manière, l'ultime aboutissement de la longue quête historique et philologique menée depuis plus d'un siècle par les milieux romains des artistes, des amateurs et des savants.

1814-1822: les années de la Restauration. Conclusion

Rome, 28 mai 1814:

«La Providence réservait à M.me Récamier, prête à quitter la ville éternelle, un de ces spectacles extraordinaires qui remplissent l'âme d'une émotion profonde et ineffaçable. Elle eut le bonheur d'assister à l'entrée de Pie VII dans la capitale. Du haut de gradins placés sous les portiques que forment à l'ouverture du *Corso* les deux églises qui font face à la porte du Peuple, elle vit le pontife rentrer dans Rome. Jamais foule plus compacte, plus enivrée, plus émue, ne poussa vers le ciel les clameurs d'un enthousiasme plus délirant. Les grands seigneurs romains et tous les jeunes de bonne famille s'étaient portés au-devant du pape jusqu'à la Storta, dernier relais avant la ville. Là, ils avaient dételé ses chevaux; la voiture de gala du souverain pontife s'avançait ainsi traînée, précédée de ces hommes dont les figures étaient illuminées par la joie et animées par la marche. Pie VII se tenait à genoux dans la voiture; sa belle tête avait une indicible expression d'humilité; sa chevelure parfaitement noire, malgré son âge, frappait ceux qui le voyaient pour la première fois. Ce triomphateur était comme anéanti sous l'émotion qu'il éprouvait; et tandis que sa main bénissait le peuple agenouillé, il prosternait son front devant le Dieu maître du monde et des hommes, qui donnait dans sa personne un si éclatant exemple des vicissitudes dont il se sert pour élever ou pour punir. C'était bien l'entrée du souverain, c'était bien plus encore le triomphe du martyr...»

Ce témoignage livré par Amélie Lenormant, qui partageait à Rome l'exil (doré) de sa tante Juliette Récamier, exprime la participation sincère des deux Françaises à la liesse de la ville au moment du retour du pape de Fontainebleau. Tommaso Minardi fixa lui aussi le souvenir de ce retour dans une aquatinte (qui fut précédée de nombreux dessins) conservée aujourd'hui dans le fonds Piancastelli de la *Biblioteca Comunale* de Forlì.

Madame Récamier et sa nièce étaient très proches, à l'époque, de Canova, malgré le désagréable incident qu'avait provoqué, quelques mois plus tôt, le portrait en buste de Juliette exécuté par le sculpteur: l'œuvre avait en effet fortement déplu au modèle, et Canova avait dû la garder dans son atelier et l'avait transformée plus tard en une tête idéale de *Béatrice*. [20] Les années qui suivirent la restauration pontificale consacrèrent, comme on sait, le prestige du sculpteur en tant qu'homme public, ambassadeur du pape à Paris, auprès du roi Louis XVIII, chargé de négocier les restitutions des œuvres saisies sous le Consulat et sous l'Empire. Nous ne pouvons traiter dans ces pages de ces restitutions, qui mériteraient cependant l'étude approfondie dont elles n'ont pas encore fait l'objet jusqu'à nos jours.

Les fresques qui ornent les quinze lunettes du *Braccio nuovo* du Museo Chiaramonti, dans les musées du Vatican, célèbrent aussi, parmi les [21, 22] nombreux bienfaits de la politique artistique de Pie VII – notamment de sa loi de sauvegarde du patrimoine national, promulguée en 1802 et renforcée, en 1820, par l'édit du cardinal Pacca – le retour dans la capitale des œuvres récupérées par Canova. Les fresques du Museo Chiaramonti furent réalisées, entre 1803 et 1817, par une pléiade d'artistes italiens (Hayez, Demin, Tommaso Conca, Durantini) et allemands, du cercle des Nazaréens (Philip Veit et Carl Eggers).

A partir de ces dates, la culture artistique du Romantisme italien, marquée par l'influence des maîtres primitifs, nourrie dans son inspiration par les textes historiques et littéraires, et pénétrée d'une ferveur religieuse rénovée, suivit un chemin parallèle à celui du mouvement indépendantiste, dont les premières manifestations eurent lieu en 1820 et qui aboutit, en 1870, à l'unité politique de l'Italie.

Rome dut alors assumer son rang moderne de capitale du jeune état italien. Le changement, cette fois, fut de taille, et comme tous les changements, il ne se fit pas sans pertes. La ville cessa progressivement d'être le centre incontournable de la création européenne et le point de rencontre de la communauté internationale des artistes. Dans la Rome des Savoie, la Rome de Canova ne fut plus qu'un souvenir.

SOURCES MANUSCRITES ET IMPRIMÉES, BIBLIOGRAPHIE, CATALOGUES
D'EXPOSITIONS

I. *Sources manuscrites et imprimées*
Memorie per le Belle Arti, Roma 1785-1787
Giornale delle Belle Arti, Roma 1784-1787
L. LANZI, *Storia Pittorica della Italia*, Bassano 1795-1796
Biografia manoscritta di A. Canova, 1804 c., Bassano, Museo Civico (D 7) (publiée dans
    A. CANOVA, *Scritti*, I, Roma 1994)
MADAME DE STAËL, *Corinne ou l'Italie*, Paris 1807
J.B. SÉROUX D'AGINCOURT, *Histoire de l'art par les monuments depuis sa décadence au
    IVᵉᵐᵉ siècle jusqu'à son renouvellement au XVIᵉᵐᵉ*, Paris 1811-1813
M. MISSIRINI, *Della vita di Antonio Canova*, Prato 1824
Souvenirs et Correspondance tirés des papiers de Madame Récamier, Paris 1873, 2 vo-
    lumes.
CHATEAUBRIAND, *Mémoires d'Outre-tombe*, 1848-1850. Ed. nouvelle par M. Levaillant et
    G. Moulinier, Paris 1951.

II. *Bibliographie*
M. PRAZ, *Gusto Neoclassico*, Napoli 1959
G. HUBERT, *La Sculpture dans l'Italie napoléonienne*, Paris 1964
G. HUBERT, *Les Sculpteurs italiens en France sous la Révoution, l'Empire et la Restau-
    ration, 1790-1830*, Paris 1964
G. PREVITALI, *La Fortuna dei Primitivi (Dal Vasari ai Neoclassici)*, Torino 1964. Traduc-
    tion française, précédée d'une introduction d'E. Castelnuovo, 1994
H. HONOUR, *Neoclassicism*, London 1968. Traduction française, avec mise à jour biblio-
    graphique, Paris 1998
A.M. CORBO, *Il restauro delle pitture a Roma dal 1814 al 1823*, "Commentari", XX,
    1969
S. RÖTTGEN e S. PINTO, compte-rendu de l'exposition *The Age of Neoclassicism*, "Arte Il-
    lustrata", VI, 52, février 1973
G. PAVANELLO, *L'opera completa del Canova*, Milano 1976
Nuove idee e nuova arte nel Settecento italiano, Atti del Convegno dell'Accademia Na-
    zionale dei Lincei [1975], Roma 1977
J. WILTON ELY, *The Mind and Art of Giovanni Battista Piranesi*, London 1978
A. PINELLI, *Storia dell'arte e cultura della tutela. Le "Lettres à Miranda" di Quatremère
    de Quincy*, "Ricerche di Storia dell'Arte", 8, 1978-1979
L. GRASSI, *Teorici e storia della critica d'arte*, II, *Il Settecento in Italia*, Roma 1979
E. SPALLETTI, *La Documentazione figurativa dell'opera d'arte, la critica e l'editoria nel-
    l'epoca moderna, 1750-1930*, dans *Storia dell'Arte Italiana*, II, Torino 1979
H. HONOUR, *Romanticism*, London 1979
D. TERNOIS, *Ingres*, Milano 1980
A.M. CLARK, *Studies in Roman Eighteenth-Century Painting*, éd. E.P. Bowron, Washing-
    ton 1981
F. HASKELL-N. PENNY, *Taste and the Antique, The Lure of Classical Sculpture, 1500-1900*,
    London-New Haven 1981
A. OTTANI CAVINA, *Il Settecento e l'Antico*, dans *Storia dell'Arte Italiana*, II, 2, Torino
    1982
S. PINTO, *La promozione delle arti negli stati italiani dall'età delle Riforme all'Unità*,
    dans *Storia dell'Arte Italiana*, II, 2, Torino 1982

S. Rudolph, *La Pittura del Settecento a Roma*, Milano 1983
A.M. Clark, *Pompeo Batoni. Complete Catalogue*, éd. E.P. Bowron, Oxford 1985
C. Pietrangeli, *I Musei Vaticani. Cinque secoli di storia*, Roma 1985
G. Sestieri, *La Pittura del Settecento*, Torino 1988
A.C. Quatremère de Quincy, *Lettres à Miranda sur le déplacement des monuments de l'art en Italie* (1796), introduction et notes par E. Pommier, Paris 1989
Il Palazzo del Quirinale. Il mondo artistico a Roma nel periodo napoleonico (ouvrage collectif), Roma 1989
L. Barroero, *La Pittura a Roma nel Settecento*, dans *La Pittura in Italia. Il Settecento*, Milano 1990
P. Arizzoli-Clémentel-C.Gastinel-Coural, *Il Progetto d'arredo del Quirinale nell'età napoleonica*, 1991 (mais paru en 1995), "Bollettino d'Arte, Supplemento al n°70".
M.T. Caracciolo, *Giuseppe Cades (1750-1799) et la Rome de son temps*, Paris 1992
A. Canova, *Scritti*, I, a cura di H. Honour, Roma 1994
G. Sestieri, *Repertorio della Pittura romana della fine del Seicento e del Settecento*, Torino 1994
A. Ottani Cavina, *I Paesaggi della Ragione*, Torino 1994
Galleria Borghese, a cura di P. Della Pergola, Roma, 1994.
G. Pavanello, *I Rezzonico: committenza e collezionismo fra Venezia e Roma*, "Arte Veneta", 52, 1998
Ch.M.S. Johns, *Antonio Canova and the Politics of Patronage in Revolutionary and Napoleonic Europe*, Berkeley, Los Angeles, Londres, 1998

III. *Catalogues d'expositions*

The Age of Canova. An Exhibition of the Neo-Classic, Providence 1957
Il Settecento a Roma, Roma, Palazzo delle Esposizioni, 1959
Ingres in Italia, 1806-1820/1835-1841, Roma, Accademia di Francia, Villa Medici, 1968
Painting in Italy in the Eighteenth Century. Rococo to Romanticism, Chicago-Minneapolis-Toledo 1970-1971
The Age of Neoclassicism, London, Royal Academy of Arts and The Victoria and Albert Museum, 1972
Roma Giacobina, Roma, Palazzo Braschi, 1973-1974
Piranèse et les Français, Rome-Dijon-Paris 1976
Camuccini, 1771-1844, Roma, Galleria Nazionale d'Arte Moderna, 1978
John Flaxman R.A., London, Royal Academy of Arts, 1979
The Poetical Circle, Fuseli and the British, New Zeland, Australia, 1979
The Fuseli Circle in Rome. Early Romantic Art in the 1770s, New Haven 1979
A Scholar Collects. Selections from A.M.Clark Bequest, Philadelphia, Museum of Art, 1980-1981
I Nazareni a Roma, Roma, Galleria Nazionale d'Arte Moderna, 1981
Disegni di Tommaso Minardi, 1787-1871, Roma, Galleria Nazionale d'Arte Moderna, 1982-1983
Bénigne Gagneraux, 1756-1795, un pittore francese nella Roma di Pio VI, Roma-Dijon 1983
Bertel Thorvaldsen, 1770-1844, scultore danese a Roma, Roma, Galleria Nazionale d'Arte Moderna, 1989-1990
Canova Ideal Heads, Oxford, Ashmolean Museum, 1997
T. Clifford, *Canova in context. The Sculptor, his Reputation, his British Patrons and his Visit to England*, dans *The Three Graces. Antonio Canova*, Edinburgh, National Gallery of Scotland, 1995

A. LAING, *In Trust for the Nation, Paintings from National Trust House*, London, National Gallery, 1995

Prud'hon ou le rêve du bonheur, Paris, Grand Palais, 1998

Angelika Kauffmann e Roma, Roma, Accademia Nazionale di San Luca, 1998

P. CONISBEE, *Rome, 1806-1820*, dans *Portraits by Ingres. Image of an Epoch*, London, National Gallery of Art, 1999

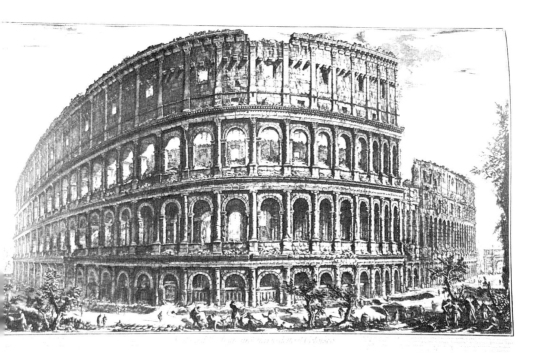

1. Giambattista Piranesi, *Le Colisée*, eau-forte originale.
2. Giambattista Piranesi, *Vue du Capitole et de l'église de Santa Maria in Aracoeli*, eau-forte originale.

179

3. Antonio Canova, *La Mansuétude*, détail du *Monument funéraire de Clément XIV*.
Rome, basilique des Saints Apôtres.

4. Pompeo Batoni, *La Mansuétude*. Uppark, West Sussex.
5. Pompeo Batoni, *La Pureté*. Uppark, West Sussex.
6. Marco Benefial, *La Mort de sainte Marguerite de Cortone*. Rome, église de Santa
   Maria in Aracoeli.

7. Etienne Parrocel, "le Romain", *Sainte Françoise Romaine agenouillée aux pieds de la Vierge*. Rome, Monastère de Tor de' Specchi.

8. Gavin Hamilton, *Enlèvement d'Hélène*. Rome, Museo di Roma (autrefois à la Villa Borghese).

9. Giuseppe Cades, *Il Riconoscimento di Gualtieri d'Angversa*. Rome, Galerie Borghese. 183

10. Planche gravée de *l'Histoire de l'Art par les monuments* de J.B.Séroux d'Agincourt, illustrant des fresques de la basilique de Saint François, à Assise (d'après l'édition italienne de 1826-1829).

11. Humbert de Superville, Copie d'un détail de la *Crucifixion* de Pietro Lorenzetti (autrefois attribuée à Pietro Cavallini) dans l'église inférieure de la basilique de Saint François à Assise. Venise, Gallerie dell'Accademia.

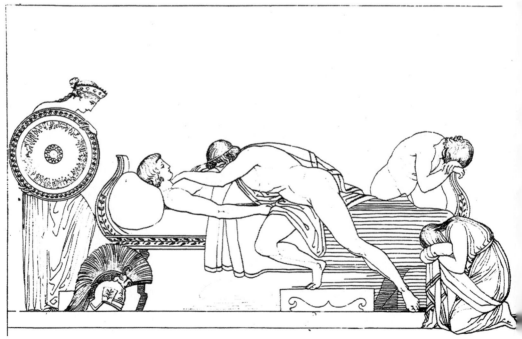

12. Jacob Asmus Carstens, *Jason tenant la toison d'or*. Copenhague, Statens Museum for Kunst.
13. Tommaso Piroli d'après John Flaxman, *Achille pleure la mort de Patrocle*, gravure au trait.

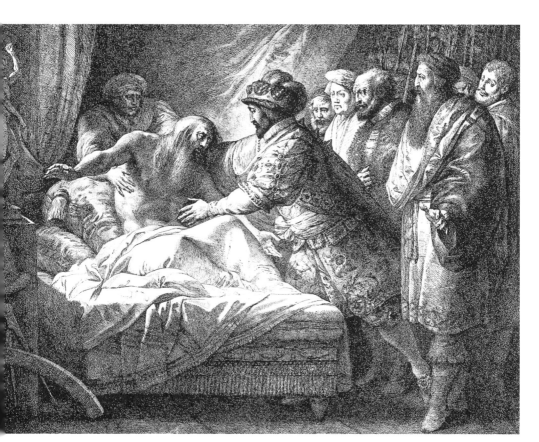

14. Giuseppe Cades, *Mort de Léonard de Vinci dans les bras de François 1er*, eau-forte originale.
15. Alessandro D'Este, *Buste de Giotto*. Rome, Protomoteca Capitolina.

16. Jean-Baptiste Wicar, *Le Concordat*. Castelgandolfo, palais du Pape.
17. Anonyme, *Ingres devant son tableau représentant Romulus vainqueur d'Acron, dans son atelier de la Trinité des Monts*. Bayonne, Musée Bonnat.

1

18. Vincenzo Camuccini, «*Tu Marcellus eris...*», collection privée (gravé dans le frontispice de l'édition romaine de l'*Enéide* de 1819).

19. F. Olivier, *Vue de Santo Stefano Rotondo, à Rome*. Düsseldorf, Kunstmuseum.

20. Antonio Canova, *Portrait en buste de Madame Récamier, transformé en une tête idéale de Béatrice*. Lyon, Musée des Beaux-Arts.

1

...ARIORA · ARTIFICVM · EXCELLENTIVM · OPERA · AD · EXTEROS · AVECTA
VRBI · RECVPERATA

PICTORIAE · ARTI · HONOS · TRIBVTVS
PRAEMIA · DELATA

21. Francesco Hayez, *Allégorie célébrant le retour à Rome des œuvres prélevées par les Français*. Rome, Musées du Vatican, Museo Chiaramonti.
22. Giovanni Demin, *Hommage à la Peinture*. Rome, Musées du Vatican, Museo Chiaramonti.

Lorenzo Finocchi Ghersi

PIRANESI ARCHITETTO:
LA FORMAZIONE VENEZIANA E I PROGETTI ROMANI

La figura di Giovanni Battista Piranesi, "architetto veneziano", come ebbe sempre il vezzo di qualificarsi, è stata e rimarrà una delle più affascinanti fra gli artisti italiani del secondo Settecento, periodo che la trascinante multiformità della sua opera testimonia a pieno, sviluppandosi sulla spinta dei contrasti ideali che investono le arti del disegno durante gli anni che preludono agli albori del Neoclassicismo.

Un movimento, quest'ultimo, che, è bene tenerlo a mente, nel campo dell'architettura italiana non poté dare luogo a quei risultati innovativi e rivoluzionari sottesi a tante architetture sorte in Europa fra Sette e Ottocento, dove, come testimoniano i casi di Quarenghi a Pietroburgo, di Robert e James Adam in Inghilterra, o di Boullée, Ledoux e Lequeu in Francia, una serie di circostanze favorevoli legate al progressivo arricchimento dei grandi stati nazionali consentì l'affermarsi di un nuovo stile architettonico rigoroso e solenne, in piena sintonia con le astrazioni spirituali via via sempre più definite sulle quali, da Kant in poi, si formava l'idealismo romantico a guida della filosofia tedesca.

In Italia, al contrario, la progressiva decadenza politica che, seppure in maniera diversa, affliggeva un po' tutti gli stati della penisola nel Settecento, fu causa di una netta riduzione delle possibilità di lavoro per tutti gli artisti, ma soprattutto per gli architetti, per i quali, considerati gli alti costi delle fabbriche, le possibilità di lavoro diminuirono sensibilmente già con i primi decenni del secolo, costringendoli, di fatto, a viaggiare da una corte all'altra in cerca di nuove occasioni. Fra i casi più noti rimane sempre quello di Filippo Juvarra, forse il più geniale costruttore italiano del XVIII secolo, il quale, dopo ben dieci anni passati nella Roma di Clemente XI Albani, dove pure aveva ricevuto non poche lodi per le sue capacità, non era riuscito a realizzare personalmente che una sola opera, la raffinatissima cappella Antamoro in San Girolamo della Carità. Juvarra, proveniente dalla Sicilia, proseguì per Torino, per poi passare in Spagna, e morire infine prematuramente a Madrid mentre dirigeva la fabbrica del nuovo Palazzo Reale per Filippo V. Se tanti spostamenti furono ripagati all'architetto dalla soddisfazione di vedere eseguiti i propri progetti, il destino di Piranesi fu molto diverso e significativo, nella sua anomalia, di come stessero cambiando rapidamente i tempi e le occasioni che si presentavano a chi fosse, come Giambattista, profondamente dedito all'architettura in maniera quasi maniacale, tanto da sfidare, per essa, i più valenti e autorevoli conoscitori del tempo.

Invero, Piranesi nasce letteralmente nella Venezia del 1720, in seno a un ambiente di architetti e tagliapietra che ne orienta la professionalità sin dalla giovinezza. Figlio di Angelo, capomastro attivo in cantieri rilevanti del pari di quello di Ca' Corner della Regina, al suo coinvolgimento nei temi di architettura contemporanea contribuisce non poco anche lo zio materno Matteo Lucchesi, un proto esperto essenzialmente di questioni tecniche, sulle quali aveva affinato l'esperienza pratica condotta probabilmente a fianco del padre, tal Valentino Lucchesi, a sua volta legato da vincoli di amicizia ad Alessandro Tremignon, autore della facciata di San Moisé, che tenne a battesimo la figlia Laura, madre di Giambattista.

Come è stato puntualizzato più volte negli studi anche recenti sull'architettura barocca a Venezia, nella città lagunare l'evoluzione verso il rococò e il neoclassico avviene con modalità tutte particolari rispetto a quanto si può notare in un centro come Roma, dove l'impulso creativo di artisti di primo piano come Bernini, Borromini e Pietro da Cortona, aveva segnato l'avvento di una civiltà figurativa e architettonica ormai lontana e autonoma, per la sua originalità, dal precedente retaggio cinquecentesco. Questo non si era verificato a Venezia e nel Veneto, dove la tradizione palladiana si mantiene ancora più che vivace nel corso del Seicento e fino agli inizi del Settecento, quando riceve ancora un'iniezione di linfa vitale dall'interesse internazionale suscitato dalle varie edizioni londinesi del trattato dei *Quattro Libri*, fra le quali ricordiamo quella curata da Campbell del 1729, patrocinata da lord Burlington, della quale vide la luce solo il primo libro sugli ordini.

L'insolito isolamento della capitale insulare che ne segna lo sviluppo delle arti durante gran parte del Seicento, in architettura comincia a essere messo in crisi non tanto da Longhena, che con il suo progetto per la chiesa della Salute orchestra in maniera più ampia e monumentale modelli spaziali e strutturali ancora mutuati da San Giorgio Maggiore e dal Redentore, le chiese veneziane di Palladio, bensì da una figura ancora poco nota del panorama lagunare di fine secolo, Antonio Gaspari. Di quest'architetto, che sappiamo attivo negli anni a cavallo dei due secoli, abbiamo, tuttavia, ragione di supporre che fu il più deciso nell'importare in laguna quelle bizzarrie compositive che avevano resa celebre la Roma barocca.

Anche se a sostegno di tale ipotesi non possiamo presentare fabbriche condotte a termine, un valido esempio della sua disposizione verso modelli diversi da quelli palladiani è testimoniato dal cospicuo fondo di disegni autografi conservati al Museo Correr. Fra di essi, ci riferiamo a uno di quelli per la facciata della chiesa di San Vidal, poi eseguita in una veste ben più normativa da Andrea Tirali negli anni trenta del Settecento, dove compare un inedito assemblaggio di motivi architettonici e figurativi che dà luogo a un risultato certamente innovativo. Sebbene, infatti, lo schema della facciata rieccheggi ancora una volta quello cinquecentesco di San Giorgio, l'analogia è subito contraddetta dalla comparsa dei due obelischi fuori scala ornati di bugne in forma di targhe scolpite, ai quali corrispondono le lastre a rilievo, più grandi, poste sui lati a conclusione del prospetto. I capitelli delle paraste bugnate hanno caratteri antropomorfi, mentre al centro campeggia, secondo una tradizione tutta veneziana, la statua di Francesco Morosini detto il Peloponnesiaco per le sue missioni belliche, il cui stemma familiare è posto al centro del timpano superiore.

Non si fa molta fatica a comprendere le motivazioni che fecero respingere un progetto del genere. Quella tradizione veneziana che da sempre aveva accettato con grande cautela suggerimenti provenienti da altri contesti artistici, nel timore fosse compromessa l'unità sostanziale che sosteneva la trama fragile e vetusta della città, non poteva accettare un'eresia di tale portata nei confronti del credo palladiano. Deroghe di tal genere erano invece viste molto meglio negli interni, tanto ecclesiastici che di edifici nobiliari, come testimonia, ancora una volta, la ristrutturazione tardoseicentesca di palazzo Zenobio curata da Gaspari, dove il grande salone con le fantasiose sovrapporte in stucco dorato e gli affreschi di Louis Dorigny costituisce il principale punto di avvio della grande decorazione barocca d'interni a Venezia, divenendo un modello imprescindibile per lo stesso Tiepolo nei suoi lavori della prima metà del Settecento.

Ma per tornare all'architettura in senso stretto, quella costruita, è ancora d'obbligo rifarsi alla schematica, ma efficace, intuizione di due linee progettuali che coesistono nella Venezia del primo Settecento, esposta a suo tempo da Elena Bassi. Da una parte architetti come il vicentino Domenico Rossi e Giorgio Massari perseverano nella loro fede in un adeguamento dei modelli palladiani al nuovo gusto per la decorazione plastica, come testimoniano la facciata di San Stae e il rifacimento della chiesa dei Gesuiti del primo e la facciata dei Gesuati del secondo. Dall'altra progettisti come Giovanni Antonio Scalfurotto e Tommaso Temanza s'impegnano per una riforma radicale dell'architettura che prelude alle polemiche di metà secolo sulla liceità o meno degli ornamenti delle fabbriche di derivazione classica, nelle quali tanta parte avrà Piranesi con i suoi scritti.

Anche qui è il caso di ricordare una serie di legami familiari che vigevano fra di essi e che aiutano a capire i motivi per la condivisione di certe convinzioni. Scalfurotto, infatti, genero di Andrea Tirali, fu anche zio di Temanza, cosicché è facile individuare una produzione 'familiare', potremmo dire, impostata all'insegna di un insolito rigorismo che sembra gettare un ponte fra i primi decenni e gli sviluppi dell'architettura neoclassica nella seconda parte del secolo. Ricordiamo la facciata prevista da Andrea Tirali nella ristrutturazione di palazzo Priuli Manfrin a Cannaregio, un saggio molto esplicito di revisione in senso rigorista del modello di fronte cinquecentesca di ascendenza sansoviniana. Oltre al nitore della superficie, scandita da aperture regolari poste in asse, è opportuno notare come l'architetto abbia mirato a dare una credibilità alla funzione strutturale delle fasce orizzontali, come quella dei balconi del primo piano, la trabeazione centrale, i profili unificati delle edicole del primo piano, fino all'imponente trabeazione finale. Assente, è importante notarlo, è invece ogni riferimento a un ordine architettonico. Questo particolare è molto significativo, poiché testimonia la volontà dell'architetto di adottare solo quegli elementi ornamentali che fossero corrispondenti alla reale struttura architettonica dell'edificio, anche questo un motivo basilare delle teorie che saranno sostenute da Marc Antoine Laugier nel suo *Essai sur l'Architecure* del 1753, e che saranno oggetto di animate contestazioni da parte di Piranesi nel suo *Parere su l'Architettura* (1765).

Manifesto di un approccio rigorista a una fabbrica ecclesiastica profondamente diverso da quello riservato da Rossi per le chiese di San Stae e dei Gesuiti, è il progetto di Scalfurotto per la chiesa di San Simeone Piccolo, la cui fabbrica si protrasse fra il 1718 e il 1738. Come vediamo nella pianta e nella sezione, colpisce la pluralità di modelli che sono alla base della genesi del progetto, già messa in luce molti anni orsono da Rudolf Wittkower (1958), facendone quasi un esempio di *revival* architettonico romantico. Ad una pianta circolare con nicchie scavate nel muro perimetrale, preceduta da un pronao con quattro colonne frontali posto in cima ad una scalinata, anch'essa anomala per Venezia, è giustapposto un coro biabsidato, coperto da una cupola, che rimanda ancora una volta a quello palladiano di San Giorgio. Molto particolare è anche l'andamento della cupola principale, che se all'interno presenta un profilo emisferico, all'esterno è invece notevolmente rialzata al vertice, sul quale svetta una lanterna alta e stretta che conferisce alla calotta un vago sapore orientale memore delle cupole di San Marco. Wilton Ely, a ragione, ritiene probabile che il giovane Piranesi possa essere stato impegnato, seppure con compiti limitati, nella fabbrica di San Simeone, sia per-

ché si trattava del cantiere veneziano più importante di quegli anni, sia
per i contrasti che forse si verificarono presto in tale contesto con lo zio
Matteo Lucchesi a causa del carattere impulsivo del giovane, che si allontanò rapidamente dalla sua tutela. Sebbene Piranesi abbandoni Venezia per Roma già dal 1740, per farvi ritorno solo due volte fra il 1744 e
il 47, è importante sottolineare che la sua educazione avvenne in seno a
un ambiente dove molto frequentati erano i temi relativi alla qualità degli ornamenti architettonici, un dibattito fortemente alimentato dalle teorie di Carlo Lodoli, religioso e maestro di architettura di una ristretta cerchia di giovani nobili, fra i quali Andrea Memmo, che nel 1786, a Roma,
ne rese pubbliche le tesi (*Elementi dell'Architettura Lodoliana*). Analogamente a quanto espresso da Laugier nel citato *Essai* del 1753, Lodoli
inneggiava a diffidare della trattatistica architettonica del Cinquecento,
in virtù del fatto che gran parte della decorazione prevista dai diversi ordini era relativa a una struttura lignea, e come tale non era adatta a fabbriche in pietra e mattoni, dei quali erano costituiti gli edifici moderni.

Paradossalmente, quindi, poiché la civiltà del barocco non si era im-
posta sulla scena urbana veneziana, con l'eccezione della chiesa della
Salute di Longhena, la tradizione architettonica lagunare comincia a essere guardata con sempre maggiore interesse da coloro che avvertivano
le prime insofferenze per l'eccessivo decorativismo dell'architettura tardobarocca, sia in Europa che in Italia. Il grande *revival* palladiano che si
sviluppa in Inghilterrra durante il primo trentennio del Settecento è estremamente significativo per comprendere il lancio di un nuovo gusto architettonico basato sulla ripresa dei modelli cinquecenteschi, dei quali
Venezia era la città depositaria per quell'eredità ideale tradotta nelle cri-
stalline facciate in pietra d'Istria delle chiese di San Giorgio e del Redentore, affacciate sullo specchio del canale della Giudecca. Ma con il
procedere del secolo il concetto di funzione, così caro al Lodoli, prende
il sopravvento anche sulla liceità visuale degli ornamenti dell'architettura classica e rinascimentale, cosicché nelle teorizzazioni estreme di Laugier e Lodoli tutto il fascino del passato architettonico del mondo occidentale sembra essere annullato sulla base di un'apodittica sentenza, per
la quale la presenza di ogni singolo elemento ornamentale doveva essere
avallata dallo svolgimento di una funzione. E il pieno affermarsi di un
gusto sempre più rigoroso nell'architettura lagunare, lo possiamo notare
già nella chiesa della Maddalena, edificata da Tommaso Temanza nel
1748. A pianta ellittica, la facciata colpisce per la severità degli elementi che la compongono: un pronao su colonne tangente ad uno dei lati lunghi dell'ellisse con un attico a memoria del Pantheon romano, che prose-
gue lungo il perimetro dell'edificio con un giro di paraste in pietra d'I-
stria, estremamente semplificate, a sostegno della trabeazione sulla quale poggiano l'attico e la cupola. Per capire la novità dirompente di tale

invenzione, non sarà inutile ricordare le critiche di cui fu fatta oggetto, prima che fosse costruita, da Massari, e la reazione colorita che queste suscitarono nello stesso Temanza. In una lettera a Giovanni Poleni scriveva: «Il superbo e maligno Massari, ma dovrei dire ignorante asinaccio va di soppiatto sparlando del mio modello. Il mio modello è corretto e armonioso e ripieno di maestà. La verità e la semplicità vi trionfano. Non è già abito di truffaldino, nè uno sciarpellone a moda come sono le opere sue» (Venezia, Biblioteca del Seminario).

Verità e semplicità divengono per molti, quindi, sinonimo di maestà, tutti concetti esaltati ancor più dalle prime pubblicazioni che rendono noti in Europa i resti dell'architettura della Grecia antica, *Les Ruines des plus Beaux Monuments de la Grèce* di Julien David Leroy (1758) e *The Antiquities of Athens* di James Stuart e Nicholas Revett ((1762). L'essenzialità delle imponenti strutture trilitiche è via via considerata di gran lunga più attraente e raffinata degli esiti dell'architettura tardobarocca, la cui enfasi decorativa è sempre più guardata con sospetto in principio, per essere poi apertamente condannata dalla metà del secolo in poi da teorici come Winckelmann, ma soprattutto da Temanza e Milizia.

Al momento del suo arrivo a Roma, quindi, la cultura artistica di Piranesi è profondamente influenzata dal clima leggero e arioso del rococò lagunare, vagamente ispirato al Cinquecento di Palladio e Veronese, in seno al quale cominciò la sua formazione come ideatore di capricci scenografici, genere in seguito portato ai massimi risultati da pittori come Canaletto e Guardi. Un gusto innato per la decorazione architettonica fatta di cartigli elaborati e preziose cornici a stucco e oro dovette forse condurlo addirittura a proporsi come quadraturista di Tiepolo, quando, nel 1745, fece ritorno a Venezia in cerca di un impiego stabile. Ma i quattro anni passati in precedenza a Roma non erano trascorsi invano. L'impatto con l'architettura antica e moderna dell'urbe, per lui che proveniva da tutt'altro contesto, dovette affascinarlo al punto da indurlo a riflettere sulla città eterna con occhi avidi e insaziabili delle novità di fronte alle quali veniva a trovarsi. Ed è già in questo primo soggiorno romano che Piranesi dimostra di comparare le sue nuove conoscenze con quelle già acquisite durante la sua formazione. Emblematici, in questo senso, sono il disegno preparatorio per il vestibolo di un tempio antico e la relativa incisione inserita nella *Prima Parte di Architetture e Prospettive* (1743), dove slanciate colonne libere scandiscono la suddivisione degli ambienti, articolati fra loro secondo un'armonia progettuale il cui modello rimane il Palladio di San Giorgio e del Redentore. E se ancora tutta di ascendenza veneta è la luce accecante che plasma con violenti contrasti le strutture architettoniche, il loro gigantismo non può che essere addotto al fascino esercitato su Giambattista dalle grandi fabbriche romane, sia antiche che rinascimentali e barocche. Al riguardo è sufficiente riflettere su altre due incisioni comprese l'una nella *Prima Parte* (1743) e l'altra nelle *Opere varie* (1750). Si tratta del *Mausoleo Antico*, dove il ricordo della cuspide della Sapienza di Borromini sembra ispirare la copertura superiore, e della *Pianta di un Magnifico Collegio*, il cui ingranaggio di forme concave e convesse rimanda inequivocabilmente all'architettura barocca del secolo precedente, che a Venezia non aveva avuto modo di svilupparsi.   3, 4

Fra il 1745 e il 1747 Piranesi, come si è detto, tenta di ristabilirsi a Venezia, ma è singolare che, dopo due anni, rientri a Roma per non farvi più ritorno. Non crediamo che a tal proposito sia obbligatorio addurre la sola ragione della mancanza di un lavoro, poiché, come Roma, anche Venezia era ormai meta consacrata del *Grand Tour* dei giovani aristocratici europei che non avrebbero mancato, allo stesso modo che a Roma, di acquistargli le sue incisioni, apprezzate tanto più per il loro carattere squisitamente pittorico. Una qualità, quest'ultima, che invece Vasi, incapace di capirne le qualità e l'originalità, gli aveva rimproverato quando Giambattista, da poco giunto a Roma, lo aveva avvicinato per consigliarsi su come affrontare la nuova attività di incisore. Riteniamo, invece, che già in quei primi quattro anni il veneziano abbia avuto modo di rendersi conto della particolare realtà della Roma papale di Benedetto XIV, ossia quella di essere divenuta un centro riconosciuto di una certa cultura internazionale appassionata di problemi di teoria dell'arte. Piranesi, infatti, nel corso dei successivi anni sessanta ebbe modo di partecipare con una *vis* polemica affatto insolita per un artista fortemente apprezzato dal mercato com'era lui, al famoso dibattito internazionale sul valore che ormai in molti non volevano più riconoscere all'architettura di Roma antica, per esaltare, al contrario, la purezza di linee dell'architettura greca. In proposito Piranesi scrisse una delle più appassionate difese dell'architettura romana, il *Della Magnificenza ed Architettura dei Romani* (1761), e con il successivo *Parere sull'Architettura* (1765) si scagliava contro le generalizzazioni lodoliane che avrebbero voluto bandire la varietà degli ornamenti più fantasiosi, che egli, al contrario, riteneva essenziali per la riuscita e l'originalità delle invenzioni. Niente poteva essere più lontano, infatti, dalla sua concezione del bello, della capanna di tronchi che Laugier aveva posto sul frontespizio del suo trattato, indicata come archetipo stringato cui ogni progetto corretto avrebbe dovuto necessariamente rifarsi.

La decisione di Piranesi di fermarsi a Roma, fra le varie ragioni che possono averla motivata, potrebbe derivare proprio dall'occasione unica che gli concedeva la città. Essa si offriva ai suoi occhi come un infinito repertorio tipologico e decorativo dell'arte antica e moderna, suscettibile di essere modificato e variato a suo piacimento nelle sue composizioni grafiche, secondo una prassi ancora tutta barocca e aliena dalle rigide prescrizioni neoclassiche che contribuiranno alla disapprovazione generale dei suoi unici progetti realizzabili, quelli stilati per l'abside di San Giovanni in Laterano e per la chiesa di Santa Maria del Priorato. Restando a Roma, quindi, Piranesi aveva la coscienza sia di arricchire a dismisura le sue cognizioni sull'architettura antica, delle quali le sue incisioni sono una valida testimonianza, che, nello stesso tempo, di vivere indipendentemente con i proventi delle sue vedute, libero anche d'intervenire nei dibattiti teorici più accesi del tempo. La sua organizzazione di vita fu, quindi, già molto simile a quella di un artista borghese del secolo successivo. Crediamo che, per renderci conto pienamente dell'originalità e della modernità di una tale figura di artista-pensatore, sia molto efficace un rapido raffronto con l'esperienza di Tiepolo, il grande epigono della tradizione pittorica lagunare. Se questi fu un lavoratore infaticabile al servizio di nobili italiani e sovrani europei, portando a vette ancora inesplorate i risultati della grande maniera decorativa della pittura veneziana del Settecento, è anche vero che non sembra sentì mai il bisogno di rendere nota una sua posizione rispetto agli sviluppi inesorabili della cultura neoclassica, che infine, anche nella lontana Madrid, finirono col renderlo inattuale rispetto all'algido Mengs, il quale, al contrario, godeva di una fama immeritata grazie all'appoggio incondizionato che Winckelmann, erettosi ad arbitro del buon gusto, gli aveva assicurato fin dai suoi esordi nel *Parnaso* di Villa Albani a Roma. Cresciuti entrambi dall'humus del rococò veneziano ed entrambi maestri atti ad esprimersi in un linguaggio comune del quale la base si ravvisa nelle grandi scenografie teatrali dell'epoca, le loro carriere artistiche saranno l'una l'opposto dell'altra. Se, infatti, a Tiepolo sarà concesso lavorare moltissimo fino in tarda età come pittore e frescante, alla fine della sua lunga professione sconterà la sostanziale indifferenza riservata al dibattito sull'estetica neoclassica svoltosi nella seconda metà del secolo fra Parigi e Roma, che muterà a suo netto sfavore il gusto artistico del tempo. Diametralmente opposta sarebbe stata, invece, l'esperienza di Piranesi. Si direbbe, infatti, che la volontà di rimanere a Roma derivi non tanto dalla ricerca di commissioni di architettura o di occasioni di lavoro come incisore, quanto dall'attrazione incoercibile per lo studio dell'antico, visto come origine ancestrale della propria cultura artistica, fedelissima, come quella di Tiepolo, agli insegnamenti derivati dalla conoscenza dei grandi episodi della decorazione barocca. Piranesi resta a Roma, quindi, per non rinnegare se stesso e le proprie origini, e per far questo non solo versa fiumi d'inchiostro in polemica con i rigoristi, ma si serve anche di due occasioni progettuali che è ora tempo di prendere in esame.

L'artista dovette rimanere affascinato non poco dal sogno realizzato della villa-museo che il cardinale Alessandro Albani si fece costruire poco fuori del centro della città fra il 1756 e il '63 da Carlo Marchionni con la consulenza di Winckelmann, il suo bibliotecario giunto da Dresda nel 1755 e attivissimo nel bollare come di cattivo gusto gran parte della produzione artistica italiana successiva alle radiose bellezze scultoree dell'arte greca, fra le quali elesse come termine massimo di paragone l'*Apollo del Belvedere*, intorno al quale spirava, secondo una sua celebre descrizione, un'aura di "eterna primavera". Ma proprio quello che era considerato uno dei complessi architettonici più raffinati dallo stesso Winckelmann, dimostra, nei suoi caratteri stilistici, una sostanziale lontananza dalla severità classicista predicata dallo studioso tedesco, per essere molto più consono al passato tardobarocco della città eterna. Ricordiamo brevemente, infatti, che con l'avvio del Settecento, a Roma si era sviluppata una vivace ripresa borrominiana (la facciata della chiesa della Maddalena di Giuseppe Sardi e gli edifici di Filippo Raguzzini in piazza Sant'Ignazio ne sono un esempio), protrattasi nei primi decenni del secolo parallelamente alla sopravvivenza dell'eredità berniniana che si poteva ben notare nei maggiori complessi scenografici della città, come il porto di Ripetta di Alessandro Specchi, la Scalinata di Spagna di Francesco De Sanctis e la Fontana di Trevi di Nicola Salvi. A questa tradizione fa capo la decorazione dell'edificio principale della villa, decisamente ispirato ancora al Cinquecento con i suoi pilastri bugnati ai lati delle serliane, ai quali sono sovrapposte le paraste che inquadrano il piano superiore. E per comprendere le aspettative di una committenza di rango elevato del pari del cardinale Albani in tale momento di transizione, è interessante sottolineare che in alcuni edifici minori della villa, una finta rovina e un tempietto, notiamo un linguaggio schiettamente neoclassico, quasi fossero prime sperimentazioni di una nuova poetica.

Cause di vario genere allontanarono la possibilità che Roma arricchisse la sua compagine urbana d'interventi neoclassici di ampia portata, ma la più determinante fu il legame mai sciolto, di fatto, con la tradizione seicentesca, che avendone rifondato le strade, le piazze e le quinte degli edifici maggiori, restava immancabilmente un termine di confronto imprescindibile. E Piranesi, del quale abbiamo visto quanto diversa fosse la sua formazione iniziale, ad un certo punto della sua carriera dovette misurarsi proprio con uno dei capolavori dell'architettura barocca a Roma, il rifacimento interno di San Giovanni in Laterano, la cui facciata era stata edificata negli anni trenta del Settecento da Alessandro Galilei in forme neopalladiane ispirate a quel gusto già antibarocco, per certi versi, sviluppatosi a Roma durante il pontificato di Clemente XII Corsini, del quale Galilei, anch'egli fiorentino, era stato l'interprete principale in architettura. L'incarico che gli giunge nel 1764 da papa Clemente XIII Rezzonico, eletto al soglio già dal 1758, non è da poco. A Piranesi viene richiesto di concludere la grande nave borrominiana con una nuova tribuna, ma la sorte avversa al nostro architetto non demorde neanche questa volta. Il progetto andrà in fumo, ma di esso ci restano una serie di disegni illustrativi delle cinque ipotesi previste che furono donati al papa nel 1767 (New York, Avery Library, Columbia University), quando era ormai chiaro che non se ne sarebbe fatto nulla.

Come si può osservare su una pianta borrominiana della basilica, la nuova tribuna avrebbe dovuto aprirsi sul transetto che interrompeva la sequenza trasversale delle cinque navate. In una prima ipotesi (tavv. I, II, III), che possiamo vedere in pianta, prospetto e sezione, si nota già la decisione di Giambattista di mutare il linguaggio figurativo dell'aggiunta da quello della navata centrale. Da essa sono riprese, ad esempio, le due nicchie ai lati del presbiterio, mentre quelle intorno all'abside sono semplicemente scavate nella muratura. È interessante, inoltre, che Piranesi riprenda anche il motivo degli ovali borrominiani in stucco sulle vele della calotta absidale per farne delle finestre alternate a rilievi in stucco, accrescendo di molto la luminosità del coro. In una seconda ipotesi in pianta e sezione (tavv. IV e V), Piranesi sembra accorgersi di una certa irrilevanza plastica delle nicchie previste in precedenza intorno all'abside, cosicché le riduce a due, avendo cura di omologarle al modello borrominiano, il che testimonia, ancora una volta, la grande ammirazione nei confronti del suo predecessore, con fare totalmente incurante degli attacchi di cui il ticinese cominciava a essere oggetto da parte della critica neoclassica. Grande effetto viene conferito alla luce proveniente dalla finestra ovale ingrandita, posta su entrambi i lati della calotta dell'abside, un indizio di come la luce fosse considerata fondamentale per la resa dei volumi e degli spazi progettati.

Ed è ancora la ricerca di dimensioni maggiori animate da una prorompente luminosità diffusa, questa volta, e non mirata, come in precedenza, che conduce Piranesi (tavv. VI, VII, VIII, IX, X), a optare per una tribuna di raggio maggiore rischiarata, oltre che da alcune finestre sulla muratura circolare, da tre grandi oculi aperti sul cielo, come possiamo notare nella sezione della tribuna rivolta verso l'interno. In essa vediamo anche il prospetto posteriore del giro di colonne nel quale era inserito l'altare maggiore. Ed è in questo elemento (tav. XX), concepito come un'architettura effimera, che Piranesi ci dà un saggio della sua originalissima maestria. Pur prevedendo una soluzione che fosse degna conclusione degli ornati borrominiani della grande nave, sul retro dell'altare maggiore dispone una fronte concava di sei colonne a sostegno di un timpano, la quale, con i vari motivi ornamentali che vi sono applicati, appare come una esemplificazione delle fantasie incise a corredo del *Parere* del 1765. Anche in questo caso, tuttavia, le reminiscenze veneziane non mancano. Ricordiamo solo la greca posta alla base delle colonne e lungo la parte arretrata del prospetto, che si ritrova come legamento dei piedistalli in San Giorgio Maggiore, mentre l'idea del giro di colonne su alti piedritti con capitelli figurati sembra rimandare anche all'esempio tardoquattrocentesco del coro di San Zaccaria.

Se nelle tavole XI e XII la soluzione prevista è analoga con l'eccezione della posizione del ciborio, posto al centro del presbiterio invece che del transetto della basilica, nelle restanti tavole XIV, XV, XVI e XVIII la tribuna viene notevolmente allungata a scapito del deambulatorio della versione precedente. Le grandi colonne che la delimitano sembrano abbandonare i riferimenti continui al Cinquecento e al barocco romano, per indicare un nuovo interesse di Piranesi per la sperimentazione di una struttura ornamentale più imponente e semplificata, della quale un'ultima ipotesi è quella presente nella tavola XVII.

In queste due ultime soluzioni il ciborio è previsto di nuovo al centro del transetto, e sotto di esso avrebbero dovuto essere collocate reliquie dei santi Pietro e Paolo. Di questo elemento Piranesi disegnò quattro versioni, tutte ispirate a Borromini, come scrive in alcune didascalie, e in 7 due di esse compare un preciso riferimento al rilievo con l'*Aquila* traianea posta tuttora nel portico dei Santi Apostoli. Antico e barocco, quindi, ancora una volta sono legati in un contesto inscindibile dalla volontà artistica di Piranesi, che in questi progetti ci consegna un saggio del suo estremo coinvolgimento nel problema della forma architettonica. Paradossalmente, tuttavia, è proprio il suo amore sfrenato per la tradizione che lo conduce, infine, a negarla inconsapevolmente, dimostrando anche lui, come i cosiddetti "rigoristi", del resto, di non voler soggiacere a qualsiasi normativa, per seguire solo le sue intuizioni personali, scisse da una legge formale aprioristica. Con la sua versatilità esuberante Piranesi non lesina la sua attenzione per ogni particolare delle tradizioni architettoniche a lui note, tipologico o decorativo che fosse, fidando in un'ideale libertà dell'artista che avrebbe dovuto assicurare all'opera originalità e bellezza. In tal modo il cammino era spianato ancor più per la nascita e l'affermazione di una figura di artista fondamentalmente libero da ogni sorta di condizionamenti esterni, e in grado, come del resto accadde a Giambattista, di badare da solo a organizzare il lavoro per la propria sopravvivenza senza necessariamente dipendere da pochi committenti. La figura di Piranesi è altamente rappresentativa, quindi, di una transizione del ruolo sociale dell'artista neoclassico che sempre a Roma, dopo la sua morte, troverà un interprete pienamente cosciente in un altro veneto debitore alla città eterna della sua maturità, Antonio Canova.

La sorte riservò al veneziano la possibilità, infine, di cimentarsi con un progetto che sarà eseguito, nel quale ebbe modo di realizzare alcune di quelle idee che fino ad allora erano rimaste solo sulla carta. L'occasione fu, ancora una volta, la benevolenza dimostratagli da monsignor

Giovanni Battista Rezzonico, nipote del papa e gran priore dei Cavalieri di Malta, il quale, fra il 1764 e il 1766, gli affidò l'incarico di ristrutturare la chiesa dell'Ordine posta sull'Aventino. Anche se le dimensioni della fabbrica e il luogo scosceso dove si trovava non consentivano mutamenti radicali, Piranesi considerò il problema in maniera globale, curando la percezione che si sarebbe avuta della nuova architettura da più punti di vista. Fu così che previde di allargare la strada che conduceva alla sommità del colle fino a farne una piazza dalla quale parte il cammino che giunge alla nuova facciata della chiesa. Su uno dei lati corti della piazza, Piranesi pose tre lastre lapidee in ricordo dell'opera e del committente, ornate da motivi figurativi relativi sia allo stemma araldico dei Rezzonico (la torre e l'aquila a due teste) che ad altri allusivi alle antiche imprese belliche dell'Ordine e a modelli etruschi. In tal modo era ricreato, di fronte alla chiesa, quella sorta di spazio che, nella Roma sei-settecentesca, era definito "teatro". Naturalmente, l'esempio più celebre d'invaso architettonico aperto, nella Roma del tempo, era il "gran teatro" formato dal colonnato berniniano di San Pietro, ma in seguito ne erano stati eseguiti anche di minori, come il "teatrino" costruito da Carlo Fontana agli inizi del Settecento di fronte alla piccola chiesa medievale di San Teodoro al Palatino. Anche questa idea della corte circoscritta dalle lapidi era, quindi, legata alla storia del barocco romano. Ma Giambattista la rese unica profondendovi una complessa e insolita decorazione figurativa, intrecciandovi motivi di varia provenienza atti a celebrare l'origine e l'antica destinazione del luogo.

Arrivando alla facciata, vi si nota uno schema canonico sul quale, come in alcune incisioni contemporanee del *Parere*, sono inseriti vari elementi figurativi, per alcuni dei quali ci sono pervenuti disegni, come quello per le spade applicate sulle paraste. La libertà dell'architetto si spinge fino a sostituire il fregio con una greca e le volute dei capitelli con le torri, tratte dallo stemma Rezzonico, poste al centro di due sfingi analoghe a quelle ritratte dallo stesso Piranesi da capitelli antichi che si trovavano a villa Borghese. L'inserzione che colpisce maggiormente, per altro, è la fronte di sarcofago strigilato posto al centro della facciata, in asse con il portale. Se lo scopo era rammemorare il carattere funerario della chiesa, dove venivano sepolti gli appartenenti all'Ordine, vale la pena di ricordare che il motivo di un cenotafio in facciata, assente nella tradizione romana, era stato sempre molto frequente a Venezia fin dal XV secolo. Testimoniano in proposito il monumento di Vettore Cappello sulla facciata di Sant'Elena, o quelli sansoviniani, più noti, nelle facciate di San Giuliano e di Santa Maria Formosa, rispettivamente di Tommaso Rangone e di Vincenzo Cappello.

Quanto all'oculo centrale, bordato da foglie di palma, non è difficile concludere che il modello sono le cornici borrominiane in San Giovanni in Laterano, ed è il caso di ricordare che in origine, a rafforzare ancor più il carattere di architettura senza tempo della facciata, vi era anche un pesante attico superiore, poi distrutto a metà del secolo XIX, che possiamo osservare in un rilievo settecentesco.

All'interno, il grande altare sul fondo, progettato come un triplo sarcofago di cui ci sono rimasti alcuni disegni preparatori (fig. 9), presenta   9
l'*Apoteosi di san Basilio di Cappadocia*, realizzata in stucco da Tommaso Righi secondo una soluzione analoga compiuta dallo stesso Righi nel *Monumento Balestra* nei Santi Luca e Martina. Il gesto del santo, in asse con lo stemma Rezzonico sovrapposto alla croce dell'Ordine di Malta, situati sulla conchiglia absidale, allude a una colomba illuminata dalla lanterna superiore. Questa, a sua volta, è posta al centro di una complessa decorazione quadriloba in stucco, dove sono raffigurate scene della vita del Battista, protettore dell'Ordine. Anche questo tipo di decorazione era stato previsto da Piranesi nella seconda ipotesi progettuale per la calotta della tribuna di San Giovanni in Laterano, e di essa ci rimane un disegno della serie già menzionata. La struttura dell'altare è ugualmente derivata da un modello tardo-cinquecentesco veneziano, l'altare maggiore di San Giorgio, opera di Girolamo Campagna. Anche qui, secondo una prassi tutta barocca, le parti figurative delle sculture in bronzo predominano su quelle architettoniche, inscenando una sorta di rappresentazione sacra che coinvolge direttamente lo spettatore nello spazio del presbiterio, analogamente a quanto avviene nel coro della chiesa romana.

Se compariamo l'idea piranesiana con il progetto stilato per lo stesso altare da Carlo Marchionni (New York, Cooper-Hewitt National Design Museum), è facile capire come, mentre questo è in linea con la tradizione più comune del tardo barocco romano per il sostanziale equilibrio delle linee formali, Piranesi concepisce il suo come un'esasperazione della teatralità barocca, salvo poi sorprenderci nel rivelarne, sul retro, il nudo incastro volumetrico sul quale poggia la finzione scenica dell'ascensione del santo. Un espediente, quest'ultimo, che denuncia apertamente l'appartenenza dell'artista alla cultura speculativa del suo tempo, poiché vi si nota un'ambiguità che indica sia la sua fede nella prassi artistica del passato che la coscienza di vivere rivolgimenti ideali tali da impedire una semplice ripresa abitudinaria di spunti già noti.

La grande volta centrale, invece, memore nella sua spartizione in lunette suddivise da ampie fasce della volta borrominiana della cappella di Propaganda Fide, presenta al centro un grande rilievo in stucco con i simboli marinari dei Cavalieri, definiti con molta attenzione dallo stesso Piranesi, come risulta dai documenti che ci sono pervenuti.   10

Secondo una brillante ipotesi di Wilton Ely, la profusione di motivi bellici sia nella decorazione della piazza esterna che sulla facciata della chiesa potrebbe alludere alla cerimonia antica dell'*Armilustrium*, che era noto si svolgesse sull'Aventino, e durante la quale i sacerdoti di Marte, detti Salii, purificavano le armi dei soldati romani. La decorazione in pietra e stucco, quindi, potrebbe intendersi come una manifestazione della conclusione della storia bellica dell'Ordine, e una sua ideale deposizione delle armi nei pressi della propria chiesa.

Non si può dire che Santa Maria del Priorato ebbe successo. Nel 1787 Milizia (*Roma nelle belle arti del disegno*) la giudicò tale da provocare "disgusto", e il Bianconi, allievo di Winckelmann, nel suo elogio funebre di Piranesi del 1778, scrive che «l'opera riuscì troppo carica d'ornamenti, e questi pure, benché presi dall'antico, non sono tutti d'accordo fra loro. La chiesa del priorato certo piacerà a molti, come piacerà sommamente al Piranesi, che la riguardò mai sempre per un capo d'opera, ma non piacerebbe né a Vitruvio né al Palladio se tornassero in Roma».

In un clima di generale condanna del barocco, è ancora a Palladio che si guarda come maestro di purezza di linee, maestro che Piranesi, oggi ci è chiaro, seppe interpretare con l'ausilio di suggerimenti provenienti da ambiti diversi e lontani fra loro. La luminosità degli interni previsti sia al Laterano che al Priorato deriva strettamente da Palladio, ma egli, sentendosi uomo del suo tempo, non poté fare a meno di tentare una sintesi dei motivi ornamentali più vari al fine di conferire originalità e interesse alle sue clamorose ideazioni architettoniche. Ma l'intolleranza di certe posizioni critiche a lui contemporanee fece in modo che solo nel nostro secolo se ne sia ristabilito il ruolo innovatore nel panorama artistico della Roma del tempo. Ancora nel 1778 Gianantonio Selva, allievo veneziano di Visentini e Temanza, scriveva da Roma a quest'ultimo, con toni forti, che «noi veneziani usciamo da una scuola che non ha soggezione di verun'altra; e nel proposito di architettura il nostro Palladio impone a tutti; se poi egli va poco a genio di codesti architetti romaneschi, ciò procede dalla loro ignoranza» (Venezia, Biblioteca del Seminario).

Piranesi non piacque, quindi, perché, per ironia della sorte, lui, architetto veneziano, fu accusato di derogare dagli insegnamenti che erano stati basilari per la sua formazione. Ma è proprio la distanza fra l'inizio e la conclusione del suo operato, a caratterizzarlo come uno degli interpreti principali della stagione artistica del Neoclassicismo italiano ed anche, come ha scritto Tafuri, «come un critico delle posizioni illuministe». «Scavalcandone la segreta aspirazione alla fondazione di nuove sintesi» – continua Tafuri – per Piranesi «l'architettura non è altro che segno e costruzione arbitraria». Tale conclusione, che è difficile non condividere, induce a riconoscere nel veneziano una stupefacente anticipazione dell'artista contemporaneo, interessato non tanto al risultato finale dell'opera, quanto ai vari stadi dei procedimenti che ne scandiscono la genesi.

NOTA BIBLIOGRAFICA

Questo testo si fonda sui principali interventi apparsi finora su Piranesi architetto, oltre ai quali ricordiamo le fonti principali:

GIAN LODOVICO BIANCONI, *Elogio storico del Cavaliere Giambattista Piranesi*, in "Antologia Romana", XXXIV-XXXVI, 1779.

Giovanni Battista Piranesi: The Polemical Works, a cura di J. Wilton Ely, Farnborough 1972. Vi sono incluse le ristampe de *Lettere di Giustificazione*, *Della Magnificenza ed Architettura dei Romani*, *Parere su l'architettura*, e *Diverse maniere d'adornare i camini*.

M. ALFIERI, *Il complesso del Priorato all'Aventino*, in *Piranesi nei luoghi di Piranesi*, catalogo della mostra a cura di P. Santoro, II, Roma 1979, pp. 5-9.

M. F. FISCHER, *Die Umbaupläne des Giovanni Battista Piranesi für den Chor von S. Giovanni in Laterano*, in "Münchner Jahrbuch der bildenden Kunst", XIX, 1968, pp. 207-228.

Giovanni Battista Piranesi. Drawings and Etchings at Columbia University, catalogo della mostra a cura di D. Nyberg, New York 1972.

W. KÖRTE, *Giovanni Battista Piranesi als praktischer Architekt*, in "Zeitschrift für Kunstgeschichte", II, 1933, pp. 16-33.

Piranesi. Drawings and Etchings at the Avery Architectural Library, Columbia University, New York; The Arthur Sackler Collection, a cura di D. Nyberg, H. Mitchell, New York 1975.

L. PUPPI, *Appunti sulla educazione veneziana di Giambattista Piranesi* in *Piranesi tra Venezia e l'Europa*, a cura di A. Bettagno, Firenze 1983, pp. 217-264.

A. ROBISON, *Giovanni Battista Piranesi*, in *La Gloria di Venezia*, edizione italiana del catalogo della mostra (Londra, Royal Academy of Arts), Milano 1994, pp. 377-406.

F. STAMPFLE, *Giovanni Battista Piranesi: Drawings in the Pierpont Morgan Library*, catalogo della mostra, New York 1978.

M. TAFURI, *"L'architetto scellerato": G.B. Piranesi, l'eterotopia e il viaggio*, in ID., *La sfera e il labirinto*, Torino 1980, pp. 33-75.

J. WILTON ELY, *The Art of Polemic: Piranesi and the Graeco-Roman Controversy*, in *La Grecia antica: mito e simbolo per l'età della grande rivoluzione*, a cura di P. Boutry et al., Milano 1991, pp. 121-130.

J. WILTON ELY, *Piranesi as Architect*, in *Piranesi Architetto*, catalogo della mostra, American Academy in Rome, Roma 1992, pp. 15-42.

J. WILTON ELY, *Piranesi Architetto*, in *Piranesi e l'Aventino*, catalogo della mostra a cura di B. Jatta (Roma, Santa Maria del Priorato), Milano 1998, pp. 63-78.

R. WITTKOWER, *Piranesi's Parere su l'architettura*, in "Journal of the Warburg Institute", II, 1938-39, pp. 147-158. Ripubblicato in ID., *Studies in Italian Baroque*, a cura di M. Wittkower, London 1975, pp. 235-246.

Sul tardobarocco a Roma e a Venezia rimandiamo alla scelta bibliografica presente in A. M. MATTEUCCI, *L'architettura del Settecento*, Torino 1988, pp. 337-338, 345-346. Segnaliamo inoltre i vari saggi presenti in: *Le immagini del SS.mo Salvatore. Fabbriche e sculture per l'Ospizio Apostolico dei Poveri Invalidi*, catalogo della mostra a cura di B. Contardi, G. Curcio, E. Di Gioia (Roma, Museo Nazionale di Castel Sant'Angelo), Roma 1988; *In Urbe Architectus*, catalogo della mostra a cura di G. Curcio, B. Contardi, (Roma, Museo Nazionale di Castel Sant'Angelo), Roma 1991, e in *Architettura del Sette-*

cento a Roma, catalogo della mostra a cura di E. Kieven (Roma, Palazzo Braschi), Roma 1991. Sul gusto architettonico della Roma di metà Settecento si veda in particolare E. KIEVEN, *Überlegungen zu Architektur und Ausstattung der Cappella Corsini*, in *L'architettura da Clemente XI a Benedetto XIV, Studi sul Setecento Romano*, 5, 1989, a cura di E. Debenedetti, pp. 61-95, e gli studi condotti di recente da C. VARAGNOLI, *S. Croce in Gerusalemme. La basilica restaurata e l'architettura del Settecento romano*, Roma 1995 e da S. PASQUALI, *Il Pantheon. Architettura e antiquaria nel Settecento a Roma*, Modena 1996, dove compare anche un interessante profilo dell'attività romana di Paolo Posi, architetto senese attivo a Roma e progettista per Filippo Farsetti della villa veneta di Santa Maria di Sala (pp. 106-119). Sul restauro borrominiano di San Giovanni in Laterano si rimanda all'analisi compiuta da A. ROCA DE AMICIS, *L'opera di Borromini in San Giovanni in Laterano: gli anni della fabbrica (1646-1650)*, Università degli Studi di Roma "La Sapienza" Dipartimento di Storia dell'Architettura, Roma 1995. Sull'architettura del Sei e Settecento a Venezia e, in particolare, sull'opera di Antonio Gaspari, si rimanda ai seguenti contributi: G.M. BADILE, *Un architetto del Settecento: Antonio Gaspari*, in "Arte Veneta", VI, 1952, pp. 166-169; E. BASSI, *L'edilizia veneziana nei secoli XVII e XVIII. Il restauro di palazzi*, in "Critica d'Arte", 1957, 19, pp. 2-21; EAD., *Episodi dell'edilizia veneziana nei secoli XVII e XVIII. Palazzo Pesaro*, in "Critica d'Arte", 1959, 34, pp. 240-264; EAD., *Un episodio dell'edilizia veneziana del secolo XVII: i palazzi Zane a San Stin*, in "Arte Veneta", XV, 1961, pp. 155-164; EAD., *L'architettura del Sei e Settecento a Venezia*, Napoli 1962, pp. 246-267; EAD., *Episodi di architettura veneta nell'opera di Antonio Gaspari*, in "Saggi e memorie di Storia dell'Arte", 3, 1963, pp. 55-108; S. BIADENE, *Antonio Gaspari: i progetti non realizzati*, in *Le Venezie Possibili. Da Palladio a Le Corbusier*, catalogo della mostra (Venezia, Museo Correr) a cura di L. Puppi, G. Romanelli, Milano, 1985, pp. 94-106; A.M. MATTEUCCI, *L'Architettura del Settecento*, Torino, 1992, pp. 297, 298, 299, 300, 310, 314; A. MARIUZ, G. PAVANELLO, *La chiesetta di Bernardo Nave a Cittadella*, "Arte Veneta", 1997, 50, pp. 70-71, 83.

1. Antonio Gaspari. *Studio per la facciata di San Vidal*. Venezia, Museo Correr.
2. Giambattista Piranesi, *Vestibolo d'antico tempio*, incisione, da *La Prima Parte...* (1743).

3. Giambattista Piranesi, *Mausoleo antico*, incisione, da *La Prima Parte...* (1743).

4. Giambattista Piranesi, *Pianta di ampio magnifico Collegio*, incisione, da *Opere varie...*
(1750).

211

5. Giambattista Piranesi, *Progetto per la tribuna di San Giovanni in Laterano, prospetto sul retro*. New York, Avery Library, Columbia University.

6. Giambattista Piranesi, *Progetto per la tribuna di San Giovanni in Laterano, particolare del frontone sul deambulatorio*. New York, Avery Library, Columbia University.

*Altro progetto dell'Altar Papale della Basilica Lateranense
veduto dalla parte della gran nave della stessa Basilica
adornato con un'urna da riporvi le Sacre Teste de' Santi Apostoli Pietro e Paolo*

Cav. G.B. Piranesi f.

7. Giambattista Piranesi, *Studio per il ciborio di San Giovanni in Laterano*. New York,
   Avery Library, Columbia University.

8. Giambattista Piranesi, *Santa Maria del Priorato*. Roma.

9. Giambattista Piranesi, *Studio per l'altare maggiore di Santa Maria del Priorato*. New York, Pierpont Morgan Library.

10. Giambattista Piranesi, *Studio per lo specchio della volta di Santa Maria del Priorato*.
New York, Pierpont Morgan Library.

217

EDOUARD POMMIER

WINCKELMANN ET ROME

«Il n'y a qu'à Rome qu'on puisse éprouver le sentiment du beau dans   1
sa plénitude, sa justesse et son raffinement» (1763).

C'est un des nombreux jugements de Winckelmann sur Rome «école de l'Univers», le lieu qui l'a transformé. Rome, «une université pour
le monde entier» (4 février 1758); «c'est le paradis où la nature a prodi-
gué ses trésors et toutes ses beautés... c'est le pays de sagesse» (juin
1761).

Même si Winckelmann est sensible à la beauté extérieure, au pittoresque, sa remarque est beaucoup plus qu'une remarque de touriste. Ses
réactions devant le spectacle du monde italien ont toujours une tonalité
émouvante. Chaque matin, il regarde l'aurore monter sur les toits de Rome (13 avril 1765). Sur le rivage d'Anzio, il écrit (6 février 1768): «C'est
le lieu du bonheur. Comme je voudrais nous y voir, mon ami! Je voudrais marcher avec vous, doucement, longuement, le long du rivage calme de la mer, au pied de la haute digue couverte de myrtes; ou bien
quand la mer gronde et se déchaîne, la contempler calmement, sous une
arcade de l'antique temple de la Fortune, ou bien du balcon de ma chambre».

Rome: la "vraie patrie" (1765)
Mais qu'est-ce que Rome?

*   *   *

Rome: le lieu du regard, le lieu où s'applique le précepte évangéli-
que: "Viens et vois". Le lieu de la révélation, dans sa plénitude, de
l'art antique, comme l'avait été, pour la peinture moderne, la galerie de
Dresde.

C'est l'unique lieu où puisse s'élaborer la forme d'histoire à laquelle il croit. Il ne s'agit plus d'étaler une érudition ennuyeuse et pédante, de gloser sur les textes; il ne s'agit plus de continuer les débats sur le nombre des nodosités de la massue d'Hercule ou sur la contenance de la coupe de Nestor. Dès 1752, il avait rejeté cette forme d'histoire.

Que le projet d'histoire de l'art antique sorte du monde traditionnel des biographies, Winckelmann lui-même le confirme dans une lettre d'août 1757 à Wille; après avoir rappelé qu'il est bien décidé à écrire cette histoire, il précise: «L'histoire des artistes de l'Antiquité n'a rien à voir; on pourrait l'écrire d'après les livres, et même en Sibérie; je m'en suis tenu à ce qu'on ne peut faire qu'à Rome».

La rupture avec la tradition érudite est confirmée dans une lettre (août 1757, également) de Hagedorn à Nicolaï (qui repose certainement sur une lettre perdue de Winckelmann à Hagedorn): «L'essai d'une histoire de l'art de cet estimable savant est presque terminé... Ce livre ne contient pas la description des vies des artistes de l'Antiquité, ni la liste de leurs œuvres d'après les anciens auteurs. Winckelmann suppose que tout cela est connu, et qu'on peut le trouver ailleurs. La finalité principale de ce livre, c'est le style des artistes de l'Antiquité: les différences et les caractéristiques du style égyptien, du style étrusque et du style grec: le style grec ancien, le style sublime, le beau style. Car le style romain, dans l'Antiquité, n'existe qu'en rêve».

Mais il faut aller audelà; Rome est la ville où il s'épanouit dans la Liberté, dans la *Ruhe / Stille*, «la paix du coeur». (Philippiens, 4,7).

Cette liberté, c'est d'abord la liberté de s'exprimer, de critiquer, une liberté de "propos de table": par exemple la conversation d'avril 1766 rapportée par un familier du prince F.G. d'Anhalt-Dessau, au sujet de la "bête majeure", le jeune roi de Naples. Ou ses relations avec John Wilkes, en 1766-1767, "l'apôtre de la liberté". Rome est le lieu où personne ne commande et ou personne n'obéit.

Winckelmann souligne le lien entre la Liberté et la culture. Il considère les *Pensés sur l'imitation* comme un manifeste d'opposition, voire de rupture:

«L'œuvre a obtenu un succès incroyable. Et de bons connaisseurs, prenant en compte la grande liberté dont j'ai fait preuve vis-à-vis du goût qui règne ici, et même du goût du roi, m'ont fait le compliment d'avoir ouvert la voie au bon goût et d'avoir eu la chance de pouvoir écrire de la sorte grâce à une haute protection».

En constatant que dans la même lettre, il souligne que le principe de la supériorité des Antiques et de Raphaël serait l'un des points forts de son petit livre, avec la dénonciation du mauvais goût et de la mauvaise imitation de la nature, incarnées par le Bernin, on peut comprendre ce caractère "politique" du libelle, qui attaque en fait le goût dominant, celui du prince et donc le prince lui-même.

Pour mesurer ses intentions, il faut relire sa lettre du 4 juin 1755, où il indique ce qui fait à ses yeux l'intérêt de son opuscule: la démonstration de l'excellence de la nature chez les Grecs; la "réfutation" de Bernin; la mise en lumière de la perfection des Anciens et de Raphaël.

Seuls les Grecs peuvent révéler le secret de cette ligne qui sépare subtilement la plénitude du superflu et qui, seule, peut traduire cette "grandeur calme", cette "Stille", qui est à la fois le calme, le silence du recueillement, la solitude par rapport au monde chez le spectateur, et l'au delà de la passion, du mouvement, du naturalisme, dans l'œuvre d'art. Ces définitions fondamentales brièvement rappelées font mieux comprendre le rôle dissuasif attribué à Bernin comme représentant de tout un mouvement que Winckelmann qualifiera en 1762 d'"onde du mauvais goût", traversant l'art européen de Michel-Ange à Borromini et mettant en scène des personnages dont l'âme est une comète qui s'est écartée de son orbite, selon la belle image des *Pensées*.

L'opposition entre le monde contemporain et l'Antiquité qui est au coeur de ce livre (car Bernin ne serait-il pas invoqué par Winckelmann, comme un prétexte grâce auquel il se trouverait dispensé d'une critique frontale de son milieu et de son temps, c'est-à-dire Dresde et ses deux princes électeurs successifs, Auguste II et Auguste III?) pose implicitement un problème difficile: ces Grecs, qui rappellent aux artistes qu'ils doivent «tremper leurs pinceaux dans la raison», sont-ils vraiment imitables? L'auteur ne donne pas de réponse explicite, mais des indications.

La plus importante, est l'évocation encore très rapide et superficielle dans l'ouvrage de 1755, du contexte dans lequel la sculpture grecque a atteint un degré d'épanouissement et de perfection qui en fait la référence des siècles à venir. Ce contexte, c'est d'abord un milieu géographique, l'influence d'un "ciel doux et pur", éloigné de tout excès, premier élément à prendre compte, puisque le climat favorise la pratique de la nudité, elle-même impliquée par la pratique des jeux du stade qui mettent le corps humain en valeur et contribuent au maintien de la santé indispensable à ces pratiques. Cette Grèce des compétitions olympiques est aussi celle des grandes tragédies, c'est-à-dire le pays d'une civilisation qui associe l'éducation du corps à celle de l'esprit, seules capables, dans leur conjonction, d'offrir de beaux modèles aux artistes.

Par ces allusions à des pratiques physiques, éducatives et culturelles tellement différentes de celles de son époque, Winckelmann crée brusquement le sentiment d'une distance, peut-être même d'un abime, entre le monde des Grecs et le nôtre et provoque un sentiment d'éloignement et de radicale différence qui paraît nouveau, qui est peut-être la véritable révolution que Winckelmann apporte dans notre relation à l'Antiquité: elle cesse soudain de flotter dans le flou d'un éternel présent, où elle paraît être à portée de la main, mais reste pourtant insaisissable. A cette An-

tiquité sans date ni repère, qui pourrait être celle de Junius, il oppose une
Antiquité, qui n'a pas encore une histoire bien à elle, mais qui est représentée comme une altérité, voire une étrangeté, qui semble défier toute
possibilité de reconstitution. Et, encore, la différence de régime politique
n'est-elle pas citée ouvertement, même si elle est au coeur de la démarche de Winckelmann. Au moment même où il avait un urgent besoin du
soutien moral et financier du prince pour réaliser le grand dessein du
voyage de Rome, il ne peut pas tout écrire, ou du moins, tout publier. Car
il est significatif de lire dans un brouillon de 1756 ces réflexions qui
semblent inspirées par une opposition violente au système politico-cultu-
rel de l'absolutisme:

«C'était le temps (depuis un siècle) où le luxe vaniteux des cours
avait pris le dessus et favorisait l'amollissement, la paresse et l'esclavage des peuples... Les sciences étaient aux mains de savants d'antichamb-
bres... On lisait les écrits des sages de la Grèce aussi peu qu'on contem-
plait les statues de leurs artistes. Et le nombre de ceux qui observaient
leurs œuvres d'art avec une véritable intelligence, était encore plus réduit
que le nombre de ceux qui, cachés ici et là, étudiaient, pour leur propre
plaisir, les monuments de la raison et de la science de cette nation... La
connaissance générale des Grecs apprenait à penser comme eux et inspi-
rait l'esprit de liberté qui se répandait grâce aux sages; cet esprit qui,
comme l'enseigne Hobbes, ne peut pas être plus facilement étouffé que
lorsque la lecture des Anciens est interdite à la jeunesse».

Winckelmann semblait ainsi proposer de la civilisation grecque une
vision globale, réunissant les "sages" et les "artistes", porteurs les uns et
les autres de l'esprit de liberté qu'elle a incarné au moins une fois dans
l'histoire. Mais si cette solidarité était vraiment une réalité, quel sens
pourrait donc prendre l'hymne à l'imitation qui soulève comme une in-
cantation la prose des *Pensées*?

On comprend mieux ainsi la différence revendiquée par Winckelmann, avec quelque provocation, dans sa lettre du 3 juin 1755, au moment de la publication des *Pensées*. Il ne s'inscrit pas seulement dans une
tradition. Mais il part d'une position radicalement critique à l'égard du
système dominant (certes, elle reste implicite, mais les textes "privés"
révèlent l'ampleur de ce non-dit, qui le sépare totalement d'un Rubens
ou d'un Bellori); et c'est peut-être cette rupture qui l'amène à effleurer le
problème de l'historicité de cet art grec qui reste apparemment normatif,
puisqu'il semble faire de son imitation le dogme fondamental d'une
éventuelle régénération de l'art contemporain, étant entendu qu'il ne s'a-
git pas de reproduire des œuvres (copier) mais de retrouver la démarche
qui les a créées (imiter).

Cette conception culturelle de la Liberté est renforcée dans les passa-
ges célèbres de *l'Histoire de l'art de l'antiquité*, publiée en 1764, après

avoir été méditée, conçue, écrite à Rome depuis 1756. On est frappé par deux aspects.

Le premier concerne l'effacement de la notion d'imitation, affectée, dans les *Pensées*, d'un signe positif, au profit de celle d' "éclectisme", affectée, elle, d'un signe négatif; il semble que la relève de l'imitation par l'éclectisme traduise la condamnation de l'imitation. La suspicion que Winckelmann attache au terme d'éclectisme, dont il semble bien avoir été le premier à faire usage dans le vocabulaire artistique, se manifeste d'abord dans le traité de la *Capacité du sentiment du beau dans l'art*, publié en 1763, et où il applique le système de la succession chronologique des styles grecs, qu'il vient de mettre au point pour l'*Histoire de l'Art*, à l'histoire de la peinture depuis le début de la Renaissance. Après les grands génies, qui l'ont portée à son sommet, vinrent les Carrache et l'école de Bologne:

«C'étaient des éclectiques. Ils ont cherché à réunir la pureté des Anciens et de Raphaël, la science de Michel-Ange, la richesse et l'exubérance de l'école vénitienne et en particulier de Véronèse, et la gaieté du coup de pinceau des Lombards chez le Corrège».

En naturalisant le mot dans le vocabulaire de l'histoire de l'art, Winckelmann n'invente pas l'"éclectisme", mais se réfère implicitement à un débat fondamental dans le champ de la théorie des arts depuis le milieu du XVIe siècle, et à une constante de l'enseignement académique: celui de la pratique d'une imitation sélective des grands maîtres de la peinture, pris pour modèle dans les parties où ils ont excellé (dessin, couleur, expression...). Il n'est pas question de refaire ici l'histoire complexe d'une notion dont le grand théoricien de l'époque maniériste, G.P. Lomazzo a donné une définition imagée parfaitement claire, en écrivant que le plus beau tableau du monde serait une représentation du premier couple de l'humanité, où Adam serait de la main de Michel-Ange et Eve de celle de Raphaël. De cette quête pathétique du chef d'œuvre absolu qui serait la somme, ou la synthèse, des éminentes qualités éparses dans les chefs d'œuvres effectifs, Winckelmann fait justice dans son *Histoire de l'Art*, en transposant cette notion d'éclectisme dans l'évolution de l'art grec au moment où celui-ci vient de parcourir le cycle vital qui l'a conduit de la rudesse à la noblesse, en passant par la grandeur. Il faut citer ce long passage, qui est au coeur de la notion d'imitation et qui remet en cause le signal donné dans les *Pensées*:

«On ne pouvait pas pousser plus haut le concept de beauté. On avait représenté l'image des dieux et des héros de toutes les manières et dans toutes les positions possibles; il était difficile d'en inventer d'autres. La voie était donc ouverte à l'imitation. Elle est une entrave pour l'esprit. Quand il ne paraît plus possible de dépasser Praxitèle ou Apelle, il devient difficile de les égaler, car celui qui imite reste toujours au dessous de celui qu'il imite. Il s'est passé dans les arts ce qui s'est passé dans la pensée; là aussi, parmi les créateurs, sont apparus les éclectiques: ceux qui recueillent: manquant de force en eux-mêmes, ils ont cherché à prendre des éléments chez plusieurs, pour former le Beau, qui est unique. Dans la philosophie, on ne peut considérer les éclectiques que comme les copistes des différentes écoles, qui n'ont rien produit d'original. De même dans l'art, quand on s'est engagé dans cette voie, on ne pouvait plus rien espérer de global, d'original ni d'harmonieux. Et de même que les écrits des Anciens finirent par se perdre dans les extraits des copistes, les belles œuvres originales de l'art furent négligées au profit des œuvres des éclectiques. L'imitation entraîna une baisse des connaissances personnelles, ce qui rendit le dessin lamentable. On essaya alors de remplacer ce déficit de connaissance par l'application, qui s'est manifestée de plus en plus dans les détails, sur lesquels on passait à l'époque de la floraison de l'art, parce qu'on pensait qu'ils nuiraient à la noblesse du style. Quintilien a raison de dire que beaucoup d'artistes auraient été capables de réussir mieux que Phidias les ornements de son Jupiter. Comme on voulait éviter la dureté présumée et mettre partout souplesse et douceur, les parties que les artistes précédents avaient soulignées avec force, furent traitées avec plus de rondeur, mais sans éclat, avec plus de charme, mais sans signification. C'est ainsi qu'à toutes les époques la corruption s'est insinuée dans l'art d'écrire, et que la musique a perdu sa virilité pour tomber dans l'efféminé, comme les arts plastiques. Le bon, quand on veut le rendre meilleur, se perd souvent dans l'artificiel».

De ce passage central, riche d'une thématique complexe, je ne veux retenir ici que quelques idées essentielles: l'antinomie affirmée entre l'imitation et l'invention; l'impossibilité de parvenir à la perfection par la voie de l'imitation; l'assimilation de l'imitation à une déficience du tempérament créateur; le lien établi entre la pratique systématique de l'imitation et les périodes d'épuisement de la création; enfin, le parallélisme entre l'évolution des diverses manifestations de la culture: arts plastiques, littérature, philosophie, musique. C'est déjà beaucoup pour ne pas relativiser la thèse qui réduirait l'enseignement de Winckelmann au dogme de l'imitation inconditionnelle et exclusive de l'Antiquité...

C'est, après l'effacement de la notion d'imitation, entraînée par la récusation de l'éclectisme, bien commun du discours académique, un deuxième aspect de l'*Histoire de l'Art* qui sollicite l'attention, parce qu'il met en cause, non plus l'opportunité de l'imitation, mais sa possibilité même. Cet aspect est implicite dans le passage qui vient d'être cité: les arts plastiques font partie d'une civilisation dont ils sont solidaires et dont Winckelmann propose une interprétation globale, qui est, bien sûr, discutable, même fragile, mais qui constitue un évènement dans l'émergence de la notion d'historicité de l'art.

Winckelmann montre que cette civilisation est l'expression d'un système politique, qui est le garant de sa floraison et qui repose sur la liberté. On connaît la phrase célèbre de l'*Histoire de l'Art*:

«Du point de vue de la constitution et du gouvernement de la Grèce, c'est la liberté qui a été la cause principale de la place éminente de l'art».

Affirmation d'une telle importance qu'elle mérite d'être commentée par un autre passage:

«La manière de penser des Grecs a été très différente des conceptions des peuples dominés. Hérodote montre comment la liberté a été la raison de la puissance et de la grandeur à laquelle Athènes s'est élevée».

Pour mieux prouver que le régime de la liberté est le fondement de l'essor artistique, et qu'il représente une circonstance historique plus décisive que les données géographiques du climat, Winckelmann oppose à l'exemple d'Athènes celui de l'Ionie:

«Chez les Grecs d'Asie mineure, dont la langue, après leur arrivée de Grèce, s'enrichit en voyelles et se fit plus douce et plus musicale, parce qu'ils bénéficient d'un ciel encore plus heureux que les autres Grecs, ce ciel même suscita et inspira les premiers poètes; c'est sur ce sol que se forma la philosophie grecque, et les premiers historiens eux aussi venaient de cette région; Apelle même, le peintre de la Grâce, était né sous ce ciel voluptueux. Mais ces Grecs, qui ne parvinrent pas à défendre leur liberté contre la puissance voisine des Perses, ne réussirent pas à former, à la différence des Athéniens, des états puissants et libres, et les arts et les sciences ne réussirent jamais à s'implanter brillamment en Ionie. Mais à Athènes, où après l'expulsion des tyrans, s'établit un régime démocratique, l'esprit de chaque citoyen, et celui de la ville elle-même s'élevaient au dessus de tous les autres Grecs».

A ces conditions politiques favorables à l'épanouissement des arts en Grèce, Winckelmann oppose la situation des pays européens, au moins par allusion. La liberté assure le règne de la sagesse, la servitude, celui du mauvais goût:

«L'honneur et le bonheur de l'artiste ne dépendaient pas de l'égoïsme d'un orgueil ignorant; et les œuvres d'art n'étaient pas faites pour plaire au goût minable et à l'oeil mal formé d'un juge institué par la flatterie et la servitude: c'étaient les sages parmi tout le peuple qui jugeaient et qui récompensaient».

Les artistes n'etaient plus livrés à une clientèle de médiocres, ils travaillaient pour la cité et ses dieux:

«Comme l'art n'était consacré qu'aux dieux et que, dans la patrie, il était réservé aux causes les plus sacrés et les plus utiles et que dans les maisons des citoyens, régnaient la mesure et la simplicité, l'artiste n'en était pas réduit à faire de petites choses, des jouets, à cause de la mesquinerie des lieux ou de la dépravation de leurs propriétaires. Ce que l'artiste faisait correspondait aux nobles concepts du peuple tout entier».

Ici l'*Histoire de l'Art* de 1764 rejoint l'esquisse inédite de 1756. Au "miracle grec", rendu possible par le concours du règne de la liberté avec un milieu naturel favorable, de l'esprit critique avec le développement du corps et de la pensée, Winckelmann oppose la situation décadente et dépravée de son temps et soulève, implicitement, la question, non de la nécessité, mais de la possibilité concrète de l'imitation des Grecs. En fait la nécessaire imitation est impossible; elle est dépourvue de sens, parce que les circonstances sont radicalement différentes, parce que la société a changé, parce qu'il y a une histoire et que le temps est en marche. Il ne reste que l'éclectisme: mais ce n'est pas une solution à la crise de la création, c'est à peine une recette de production.

Si l'art grec ne peut plus être une norme vivante, il est condamné à entrer dans l'histoire. Il reçoit le droit à l'histoire au moment où Winckelmann affirme qu'il est intégré à toute une civilisation, qu'il dépend de facteurs socio-politiques et culturels, au premier rang desquels figure le régime de la cité. Et c'est parce que la liberté a une histoire très concrète; c'est parce qu'elle n'est pas une abstraction, mais s'incarne sans cesse dans un contexte souvent menaçant; c'est parce qu'elle est en perpétuel devenir, que l'Art a droit à une histoire, lui aussi. C'est par l'histoire de la cité, que l'art entre dans l'histoire. On peut naturellement sourire des maladresses, des naïvetés, voir des contorsions avec lesquelles Winckelmann tente désespérément de mettre en parallèle l'histoire de la démocratie athénienne avec l'histoire des progrès, de l'épanouissement et de la décadence de l'art grec. Le fait qu'il ne pouvait disposer ni des monuments ni des instruments indispensables à l'accomplissement de cette tâche, n'infirme en rien la nouveauté ni la fécondité de son intuition.

Et pourtant, de cette liberté, Winckelmann écrit, à plusieurs reprises, qu'il la vit, intensément, à Rome. Le cri de joie qui éclate en 1767: «Miseri voi, e fortunato me, perche sono libero in paese libero», fait écho à des lettres précoces: en 1751, il renonce à un poste d'enseignement «par amour pour la liberté»; en 1753, il déclare que «le rang et les honneurs ne sont rien pour lui, la paix et la liberté sont les plus grands des biens».

Quelques exemples:

«Je vis avec une liberté sans limite» (août 1757)

«Je n'ai jamais vécu avec plus de liberté qu'ici» (15 mai 1758)

«Je suis pauvre, je n'ai rien, mais je jouis d'une liberté fière, que je ne cèderai pas pour tous les trésors du monde», (1 janvier 1759).

«La liberté dont je jouis est illimitée, et personne ne me demande ce que je fais», (27 avril 1763).

C'est la liberté d'un état en décadence... Rome est l'antithèes de Berlin «ce pays despotique et de l'esclavage» (13 septembre 1760); le 21 février 1761, il s'inquiète d'un ami de jeunesse; peut-être est-il disparu? C'est ce qui aurait pu lui arriver de mieux, «comme pour tous ceux qui dans ce malheureux pays de despotisme, respirent un air lourd, étouffant, O bienheureuse liberté, que je peux enfin goûter à Rome, à chaque pas, et dont je jouis pleinement». Enfin dans une lettre à l'ami suisse, Usteri (15 janvier 1763), à propos de la nomination de J.G. Sulzer comme professeur à l'Académie militaire de Berlin, il écrit, «Je frissonne, des pieds à la tête, en pensant au despotisme prussien et à ce bourreau des peuples, qui fait détester de toute l'humanité ce pays maudit par la nature, couvert de sable comme le désert de Lybie... Meglio farsi Turco circumciso che Prussiano». Ces relations avec les amis de Zurich évoquent, à côté de la Grèce, qui ne reviendra pas, et de Rome, en décadence, un autre mirage de la liberté, celui de la Suisse où il avait eu la tentation d'aller s'établir. Mais il ne s'y résoud jamais: la liberté n'est d'ailleurs, même dans les Républiques, que l'ombre de celle qu'il connaît à Rome (2 janvier 1757), ce que lui confirme l'un de ses protecteurs, le cardinal Passionei: Rome est unique en Europe (12 mai 1757).

*   *   *

La liberté de critiquer; la liberté de l'histoire (la Grèce, Florence aussi, à l'époque de la Renaissance); la très paradoxale liberté romaine... Quel est le fil conducteur? Il est peut-être dans le drame intérieur qui pèse sur la vie de Winckelmann de 1753 environ à sa mort, en 1768: depuis la décision de payer le prix pour Rome: la décision d'abjurer le protestantisme.

La seule chose à laquelle il est vraiment décidé, après des années obscures dans des lieux déshérités où seuls quelques livres peuvent témoigner de la grandeur et de la beauté des Anciens, c'est d'écouter l'appel des Muses: celles de la Peinture et de l'Antiquité, qui ne siègent qu'à Rome. Mais elles lui permettent de consulter sa raison, «ce doigt du Tout-Puissant», qui est en nous pour nous montrer la voie. Il explique à son correspondant ce que la raison lui dit, c'est-à-dire ce qu'il veut entendre: que, pour l'amour de la science, on peut passer sur des «jongleries théâtrales» (c'est ainsi qu'il qualifie la liturgie catholique); que la conscience peut se plier à des pratiques qui ne sont certes pas fondées sur la Révélation, mais qui ne la contredisent pas, que «le service de Dieu en esprit (expression très paulinienne) n'est le fait que de quelques élus qui peuvent se trouver dans toutes les confessions».

Et comme s'il ne suffisait pas, cette raison décidément bien complice, précise encore: la révélation de la vérité n'est pas dans la lettre, mais dans de divines émotions «que j'attends dans le recueillement de l'adoration» («in stiller Anbetung»). Alors, réfugié dans la paix du sanctuaire intérieur, Winckelmann peut conclure (en fait, la phrase est au milieu d'une lettre qui est un chaos de réflexions dont chacune est issue du souffle palpitant de la vie): «la grâce du Seigneur restera toujours en moi un monument éternel»: «Die Gnade des Herrn wird bei mir ein ewiges Denkmal bleiben». "Denkmal": à la fois "monument", avertissement, souvenir, présence.

Telle est cette confession (6 janvier 1753), dictée sous le coup d'un trouble extrême, qu'il redit dans une deuxième lettre au même ami, le 11 janvier, en prévision de ce "pas" qu'il appelle «le plus audacieux de ma vie». Elle ne nous paraît pas ressembler à une méditation digne d'un sage antique et j'y cherche en vain l'inspiration du "païen né" que Goethe croyait avoir rencontré en Winckelmann. Document émouvant, certes, par sa charge existentielle, sa spontanéité saccadée, et son intensité éruptive et nostalgique à la fois; document précieux, parce qu'il livre une première autoanalyse du comportement et de la mentalité de Winckelmann, au moment où une brisure va traverser sa vie. Il a fait son choix, au nom de ce qu'il appelle la raison, mais qui serait plutôt un instinct complaisant; ce choix, c'est l'aménagement d'une sorte de réserve intime, isolée du domaine où l'être extérieur doit se livrer à ses "jongleries"; la pratique d'un dédoublement qui veut concilier l'adhésion à des pratiques qui restent superficielles et la liberté d'une conscience qui s'abandonne à la grâce dont l'élu ne peut jamais être séparé (encore une attitude venue droit de saint Paul). Dans cette dialectique de soumission et de liberté, peut s'installer cette fragile paix de l'âme, cet irénisme secret qui veille sur l'unité menacée de l'être. Ce que Winckelmann tente, désespérément peut-être, de préserver en lui, c'est une zone de recueillement, c'est une "Stille", venue de l'Evangile, des épîtres de Paul, de la tradition piétiste du luthéranisme silésien d'où son père est issu; c'est le calme des profondeurs à l'abri des tempêtes de la surface. Et c'est étrangement, cette intériorisation d'une fois désormais coupée de toute gesticulation, d'une foi totalement indéterminée et presque désincarnée, qui va trouver, deux ans plus tard, donc très vite, sa première et encore timide transmutation dans la vision rêvée d'une antiquité grecque qui lui donnerait sa correspondance plastique... Il n'est pas inutile de souligner que Winckelmann découvre ou fabrique, cette "Stille", dont il est peut-être le faussaire nostalgique, quand le drame s'installe dans sa vie, pour ne plus la quitter. Le 13 avril, il fait encore état au fidèle confident, Berendis, de son extrême agitation; mais il faut, ajoute-t-il, s'abandonner au courant («alsdenn will ich mich dem Strom überlassen»), avec la résignation fataliste d'un héros préromantique, dont on peut alors se demander s'il se laisse toujours guider par la raison, au moment où il se sent le jouet consentant du destin.

En fait, plusieurs mois devaient encore s'écouler avant que Winckelmann ne franchisse le pas décisif, période sur laquelle nous sommes mal renseignés, jusqu'à la signature de l'abjuration, le 11 juin 1754.

Le 12 juillet, enfin, il se décide à tout avouer à Berendis, dans une lettre placée sous l'invocation d'un psaume de David, le psaume XXXII, 3: «Tant que je gardais le silence, mon corps dépérissait»: «Mon frère, j'ai fait, hélas, ce pas malheureux, que j'avais péniblement esquivé il y a un an». Et la lettre se termine sur cet aveu, dont il n'y a pas lieu de suspecter la sincérité: «J'aurais préféré mourir brusquement». Et après être revenu, dans l'intervalle, sur le trouble et la douleur qui l'ont acccompagné dans cette décision "extrême", il répète cette expression de désespoir le 17 septembre: «ich wollte sehr gerne sterben, mit grosser Wollust meiner Seelen». («j'aurais voulu mourir, dans la volupté de l'âme»).

La démarche suivante, ce sera la publication des *Pensées* en juin 1755, dont nous avons noté le caractère délibérement "politique".

A ce monde du baroque catholique caricaturé comme une agitation désordonnée et une perversion de l'esprit (Pluton a l'air d'un fou furieux dans le «Rapt de Proserpine» de Bernin) et de la morale, Winckelmann oppose le monde grec dont il ne peut encore avoir, en 1755, aucune idée concrète. C'est au terme d'un processus où se combinent une étonnante force d'intuition, des lectures hâtives et vastes (notamment des œuvres de la pensée classique française) et la vue de quelques gravures, que Winckelmann justifie la supériorité exemplaire des Grecs par les fameux qualificatifs de "simplicité noble" et de "grandeur calme" qu'il n'a sans doute pas inventés totalement; mais s'il les a tirés de textes du XVIIe siècle, il leur a donné une signification beaucoup plus forte et surtout il a détaché l'un d'entre eux, qu'il vaut mieux citer d'abord dans sa forme originale, "die Stille", pour en faire, tout au long de son œuvre, et en particulier dans l'*Histoire de l'art*, non seulement la marque propre de l'art grec dans sa période de maturité, mais surtout, et à la fois, la condition et la conséquence de la révélation de la beauté dans le monde.

Dans les *Pensées*, la "Stille", qui doit caractériser solidairement les attitudes et l'expression, est la manifestation de ce que Winckelmann appelle «eine grosse und gesetzte Seele», une âme grande et posée. Dans la mesure où l'Art commence par l'excès, la violence, le superficiel (il change d'avis dans l'*Histoire de l'Art*), la "Stille" est une conquête de la sagesse, "Weisheit", à laquelle elle est parfois assimilée, signe d'une maîtrise des sentiments et des passions et de leur traduction extérieure. Si Winckelmann y découvre, par pure intuition, la cause de l'exemplarité qu'il attribue à l'art grec et qu'il oppose à la dégénérescence d'un art qui donne le spectacle de personnes trop nombreuses, qui parlent toutes à la fois, pour dire trop de choses, il la retrouve sur le visage d'une Vierge de Raphaël, comme la "Madone Sixtine" (qui venait d'arriver à Dresde) ou dans les personnages qui jouent, sous le pinceau de Gérard de Lairesse, le drame d'Antiochus et Stratonice.

Dans l'*Histoire de l'Art*, Winckelmann précise cette place centrale de la "Stille", solidaire de l'autre préalable de la révélation de la Beauté, l'indétermination ("Unbezeichnung", mot qu'il est sans doute le premier à appliquer au langage de l'art). Les deux notions ne se peuvent comprendre que l'une par rapport à l'autre. L'indétermination, c'est le refus de cette "surdétermination", qu'il dénonce dans l'art baroque, c'est-à-dire l'accentuation de toutes les particularités (qu'il s'agisse de l'âge, de la forme, de l'expression, en un mot de tout ce qui éloigne de l'universel); et la "Stille", c'est l'au delà de toutes les passions qui génèrent le mouvement, l'excès, le désordre: c'est l'eau sans goût de la source pure, et l'immobilité, apparente, de l'immensité de la mer.

Si cette "Stille", fondement du système esthétique et éthique de Winckelmann, est bien le caractère des dieux et des héros de l'Antiquité, de Zeus qui ébranle le monde d'un simple froncement de sourcil; d'Apollon, sur le regard vainqueur duquel plane une paix bienheureuse; de Niobé dont l'angoisse devant la mort de ses enfants se transfigure en une sorte d'indifférence; si cette "Stille" est bien ensemble la perfection de l'accomplissement et du contentement, et la perfection d'une maîtrise qui associe à la domination des passions la domination de la forme; alors on pourrait revenir à Goethe et l'écouter nous parler du "païen né" qui se serait épanoui paradoxalement à l'abri de la conversion au catholicisme de juin 1754 et qui se poserait en honnête gérant de l'héritage d'Epicure et de Sénèque, d'une sagesse qui ouvrirait l'accès d'un Olympe de quasi inhumaine sérénité, où tous les mouvements de l'âme sont comme suspendus dans une immobilité fragile.

Et pourtant... Il faut insister: cette "Stille" n'est pas seulement un caractère formel, extérieur de l'objet contemplé: c'est d'abord un état d'âme propre à celui qui veut la découvrir dans les statues des dieux. La "Stille" ne se révèle qu'à celui qui la possède, et il faut la posséder pleinement en soi pour la rechercher et la trouver. Réalité objective de l'œuvre d'art, la "Stille" est aussi un état spirituel du sujet qui crée l'œuvre d'art ou qui la regarde.

On pourrait faire une abondante anthologie de tous les textes dans lesquels Winckelmann parle à ses correspondants du bonheur qu'il a trouvé à Rome, dans cet état de "Ruhe", de repos, c'est-à-dire d'absence de passions, de désirs, de besoins, de revendications, propice à la révélation de la "Stille", et, apparemment, négation ou dépassement de la "Unruhe" des années 1751-1754. Dans une lettre à Gessner, du 19 septembre 1761, il parle de ses convoitises ("Begierden") qui sont contenues par la jouissance de la paix; le 22 décembre 1764, il évoque Rome, «le seul havre où il puisse trouver la paix»; l'année suivante, il déclare triomphalement: «J'ai trouvé la paix»; mais il avoue à Stosch, en 1766, que la paix, ce bien suprême, il ne l'atteindra jamais. Nous sommes déjà au bord de l'autre versant de la vie spirituelle de Winckelmann.

On ne peut qu'être frappé d'abord par la négativité qui caractérise sa tentative de définition des attributs de la Beauté: ils ne se laissent saisir qu'à travers l'absence: l'absence de mouvement, d'expression, de contraste, de marques; à la détermination physique ou morale, naturaliste ou expressive, ressentie comme une limite, c'est-à-dire comme une restriction, s'oppose l'indétermination qui s'ouvre sur la plénitude. D'où ces métaphores qui privilégient des états de passage, de transition, d'écoulement: par exemple, la rosée, qui est bien préférable à la pluie, ou l'aube, qui est peut-être chez lui le sommet de cet état de suspension qui tente de retenir la perfection entre l'obscurité de la nuit et la clarté solaire: «la force s'annonce en lui comme l'aurore d'un beau jour», écrit-il dans sa description de l'*Apollon* du Belvédère. La "Stille", dans son immensité 2 marine, plane sur cette fragilité, qui est celle du temps qui passe inexorablement. Il y a absence, sauf celle du temps.

Pour tenter de saisir cette "Stille", lisons la lettre à son ami, le sculpteur danois Wiedewelt (14 avril 1761):

«Créez, sous le ciel des Cimbres, une beauté grecque, qu'aucun regard n'aura encore vue, et élevez-la, si possible, audessus de toute sensation qui pourrait troubler les traits de la beauté. Qu'elle soit, comme la sagesse que Dieu a conçue, immergée dans la jouissance de la félicité, et que de douces ailes l'emportent jusque dans la paix de Dieu (" göttliche Stille "). Que tel soit, mon ami, votre dessein suprême!».

Texte magnifique, et d'une clarté aveuglante, qui situe parfaitement la "Stille" dans son parcours transcendant: venue de Dieu, pour nous visiter, elle doit nous ramener à Dieu, dont elle est l'attribut, la manifestation, en même temps qu'en l'homme, la condition de sa révélation.

Ce langage ne me paraît pas du tout celui du «gründlich geborener Heide», mais au contraire il me semble très proche de celui des documents de l'époque de la conversion, où Winckelmann parle, dans son désespoir même, d'une certitude, celle de conserver, dans le recoin le plus caché de son être, le monument éternel de la Grâce, la paix secrète, que les "jongleries" ne peuvent pas compromettre, que le monde ne peut pas atteindre, que les vicissitudes de l'existence ne peuvent plus effacer chez celui qui a la certitude de l'avoir reçue.

Cette "Stille" que Winckelmann puise en lui-même pour la projeter parmi son peuple de statues, où peut-il l'avoir trouvée, sinon dans une certaine tradition luthérienne qui, plongeant ses racines dans la mystique allemande de la fin du Moyen-Age (Suso écrit: «que l'homme se recueille de tout temps et se ramène du multiple dans la» Stille «et la simplicité, l'unité»), s'épanouit dans la littérature du Piétisme, florissant aux XVIIe et XVIIIe siècle, en particulier dans les églises de Silésie, d'où son père est issu.

La littérature théologique du piétisme montre en effet la grande im-

portance de cette notion de "Stille": c'est un attribut essentiel de Dieu, et
le modèle en est le Christ, qui fait preuve d'autant plus de "Stille" que la
tempête fait rage autour de lui. Mais c'est aussi une exigence de Dieu à
l'égard de l'homme: il faut avoir la "Stille" en soi, pour laisser Dieu régner; Goethe lui-même sera sensible à cette appel au début de sa carrière littéraire et cite Isaïe, III, 15: «C'est dans le calme et la confiance que
sera votre force». Le récit de la tempête sur le lac de Tibériade (Matthieu,
VIII, 23-27) est invoqué comme exemple de "Stille" et on peut se demander s'il n'a pas inspiré à Winckelmann l'image de la mer. Il est, en
tout état de cause, tellement proche de la spiritualité et du vocabulaire du
Piétisme que c'est à peine si on pourrait parler d'une "sécularisation" de
ces textes, ou d'une vague religiosité dans laquelle baignerait sa conception de l'art grec. Le lien parait plus direct et plus profond: c'est du dernier recoin de l'âme de Winckelmann, où il préserve cette "Stille", condition préalable et garantie de la permanence de la grâce de Dieu, que
s'écoule le courant de pensée autour duquel s'ordonne sa vision de l'antiquité grecque. De l'adhésion à cette attitude piétiste, seule façon de rester secrètement fidèle à l'église de son baptême, serait issue toute la construction théorique qui lui permet non seulement d'analyser et de classer
les chefs-d'œuvre de la sculpture antique, mais aussi d'ordonner ce "corps de doctrine" qui est l'une des raisons d'être de l'*Histoire de l'Art*.

L'hypothèse est d'autant plus tentante que d'autres termes fonda-
mentaux liés à la "Stille" sont empruntés au vocabulaire piétiste: à commencer par la mer, métaphore privilégiée de l'infini de Dieu; la "Unruhe", l'agitation que Winckelmann dénonce dans l'art baroque et redou-
te de voir s'emparer de sa vie intérieure, signifiant l'état d'abandon de
Dieu; ou la multiplicité ("Mannigfaltigkeit"), qui s'oppose au règne de la
Beauté fondée sur l'Unité, obstacle, pour les piétistes, à l'union du fidèle avec son Dieu.

Je ne veux pas enrôler Winckelmann dans la fraternité de ceux que
leurs adversaires avaient surnommés, pour se moquer d'eux, "die Stillen
im Lande", dénomination que les Piétistes avaient d'ailleurs acceptée,
comme une citation du Psaume XXXV, 20 (allusion aux ennemis du peuple élu, qui trament des complots «contre les gens tranquilles du pays»).
Il n'empêche: la conversion, avec son cortège de doutes et de déchire-
ments, l'a forcé à chercher refuge en lui et à faire de la paix de l'âme
sauvée par la grâce de Dieu, la seule valeur qui assure l'unité de son être
et qu'il va sublimer dans un impératif esthétique de beauté dont les statues grecques délivrent le message. La "Stille" est le champ de l'unique
révélation.

                    *   *   *

Cette "Stille", il l'a emmenée à Rome. Peut-être l'aide-t-elle à trouver son épanouissement dans cette ville, dont il a su éprouver et célébrer

le rayonnement intellectuel et spirituel avec des accents si chaleureux et si convaincants. Rome devient vite pour lui la cité du bonheur, parce que c'est le lieu de la liberté, celui où il peut travailler, écrire, se développer loin du pédantisme dont il a tant souffert auprès des milieux universitaires allemands. Rome où, comme il le dit à plusieurs reprises, il commence vraiment à vivre.

Cette Rome où sa "Stille" s'exprime, après le salut à l'aube, par le chant des cantiques luthériens, qui parlent de paix, de confiance, de présence de Dieu. Il dispose d'un recueil de l'église de Hanovre et chante en particulier les cantiques de Paul Gerhardt (1607-1676, l'auteur le plus important de lieder protestants, après Luther). Cette Rome catholique à l'éternité de laquelle il ne croit pas. Il écrit le 30 août 1760 à Stosch:

«L'empire des prêtres s'approche de l'effondrement et du naufrage de tous côtés... Les cardinaux eux-mêmes prophétisent que, dans trente ans, le Pape n'aura plus un mot à dire au delà du mur d'enceinte de Rome». Et au même moment, le 26 février 1768, à la veille de son voyage fatal: «La machine (en italien), mon ami, va à sa ruine; je veux parler de celle des prêtres; dans cinquante ans, il n'y aura peut-être plus, ni prêtres, ni pape».

En fait, ces hymnes et ces assurances ne peuvent plus refouler un profond malaise, qui devient de plus en plus perceptible à partir de 1765. Winckelmann approche alors de la cinquantaine; c'est l'heure où l'homme commence à voir les ombres du soir s'allonger devant ses pas. Le remords de 1754 ne l'a pas quitté. On a le précieux témoignage d'un Allemand qu'il avait reçu et guidé à Rome, l'architecte Erdmannsdorf, venu en 1766 avec son maître, le prince d'Anhalt-Dessau, le prince selon le coeur de Winckelmann:

«Un jour que je revenais avec lui de Nettuno, et que nous nous entretenions sur cette partie de sa vie qu'il avait passée en Saxe... il m'avoua que si sa mère ou quelques uns de ses proches parents eussent encore vécu, il n'aurait jamais pu s'y résoudre (à la conversion), de peur de les chagriner; mais que, n'ayant plus personne qui s'intéressât vivement à ce qui le regardait, il avait cru devoir passer sur ce que le public dirait là dessus à son désavantage, fermement persuadé que c'était l'unique moyen de parvenir à son but. Aller à Rome et se livrer entièrement à l'étude de l'Antiquité, c'était là où tendaient les plus chers de ses voeux».

Ce retour sur un passé resté douloureux, malgré cette voix intérieure, cette "Stille", qui est la manifestation de la grâce de Dieu, accordée pour toujours à l'homme, s'accompagne de la conscience de plus en plus aigüe de sa condition mortelle, exprimée par la reprise d'un mot, jadis utilisé quelques fois (en 1753-1756), le "Pilgrimm", le pèlerin, celui qui est en route vers la cité celeste. Le 23 septembre 1766, il demande à son ami L. Usteri de l'accueillir un jour comme un pèlerin qui vient de Rome. Et le 8 août 1767, il signe "Winckelmann, pèlerin", une lettre à Mechel, dans laquelle il déclare: «je voudrais finir ma vie en pèlerin, loin des honneurs et de l'argent». Quelle étonnante prémonition, puisque, quelques mois plus tard, il finissait sa vie en voyage, sous les coups d'un voleur. Là encore les références scripturaires à la condition de l'homme en ce monde sont évidentes: le Psaume XXIX, 13: «je ne suis chez toi (David s'adresse à l'Eternel) qu'un étranger, qu'un passant», et surtout Pierre, 1ère Epître, II, 11: «je vous exhorte comme des étrangers et des voyageurs». expression qui revient souvent dans la liturgie et les chants de la Réforme.

Dans deux de ses dernières lettres, Winckelmann s'invente une émouvante désignation, celle du "leichter Fussgänger", le piéton au pas léger, admirable image de l'étranger et du voyageur sur la terre, qui passe sans déranger, en marche vers l'éternité. «Personne n'a rien à se promettre après ma mort, car je quitterai ce monde, comme un piéton au pas léger, le visage joyeux, et pauvre comme je suis venu» (à Heyne, le 23 janvier 1768). Et quelques jours après, le 6 février, à Francke, l'ami de Nöthnitz, qu'il a quitté il y a près de 13 ans et qu'il pense revoir enfin à l'occasion de son prochain voyage en Allemagne: «Enfin, la paix viendra, au lieu où nous espérons nous revoir et profiter de nous... Après, je veux, comme un piéton au pas léger, quitter ce monde, comme j'y suis venu». Et avouant que cette perspective lui tire les larmes, il les dédie à «cette noble amitié qui vient du sein de l'amour éternel». Ainsi, dans cette lettre, se recroisent une dernière fois les thèmes vitaux: l'amitié, la mer, la tristesse devant un destin d'étranger sur cette terre, et aussi la certitude d'être porté par l'amour éternel de Dieu. Le cercle s'est refermé: la lettre du 6 février 1768 rejoint celle du 6 janvier 1753: «la grâce du Seigneur restera toujours en moi un monument éternel». Cette certitude ne l'a sans doute jamais abandonné; elle le rejoint pleinement dans les derniers mois de sa vie.

De la "Stille" à la tristesse qui semble vouloir l'étouffer par moment, Winckelmann n'a cessé de porter la secrète blessure de sa conversion, ni de vivre la douloureuse difficulté de cette religion intérieure, de cette foi cachée, de cet abandon à la grâce, qui sont censés transcender les rites et les dogmes, les gestes et le "théâtre". Mais sans doute dans cet abîme sans fond, a-t-il puisé les intuitions qui lui ont permis d'échafauder un système d'analyse et une chronologie de l'art grec. Et il a peut-être investi dans son rapport si passionnément vivant avec les œuvres d'art ce besoin et ce potentiel de paix, de recueillement et d'adoration dont il avait perdu la source dans le pacte conclu en 1754: il a troqué sa religion contre le sentiment religieux de l'art. Mais à l'heure où le destin prend le visage de l'angoisse de vivre et où s'annonce le terme du voyage, les dieux restent silencieux. Seuls les cantiques parlent de consolation, de

secours, de force de vivre. Le rêve de l'impossible paix du coeur dispen-
sée par les chefs-d'œuvre grecs trouve son expression poétique la plus
parfaite chez Hölderlin, qui peut être considéré comme l'un des héritiers
de Winckelmann et qui sera déchiré, jusqu'à la folie, entre la "Stille", qui
est une raison d'espérer, et la tristesse de la mort des dieux, déjà an-
noncée par Schiller. La folie de Hölderlin et la mort de Winckelmann
sont les deux coups du destin qui viennent foudroyer ceux qui avaient
voulu retourner dans les sanctuaires de la Grèce.

A la faveur de ce voyage imaginaire, qui se confond pour lui avec le
voyage de Rome, il a pris conscience d'une perte irrémédiable, d'une
mutilation irréparable, d'un impossible retour. Son lamento funèbre devant le *Torse* du Belvédère, le chef-d'œuvre présent à l'état de ruine,   3
donc à jamais absent, est peut-être le texte fondateur de l'histoire de l'art:

«O, si cette image, je pouvais voir la grandeur et la beauté avec laquelle elle s'est révélée à l'esprit de l'artiste, et si, en me contentant de
ce reste, je pouvais dire ce qu'il a pensé, afin que je sois digne de la décrire. Je reste saisi de tristesse, je suis comme Psyché qui se mit à pleu-
rer l'Amour, après l'avoir connu... L'art pleure avec moi; car cette œuvre, qu'il pouvait opposer aux plus grandes découvertes de l'esprit et de
la réflexion, et grâce à laquelle il pouvait, comme à l'âge d'or, s'élever
au sommet de l'admiration humaine; cette œuvre, qui est peut-être la dernière à laquelle il a appliqué toutes ses forces, cette œuvre, il faut qu'il la
voie maintenant à moitié détruite et cruellement maltraitée».

Soudain une distance immense s'est étendue entre l'Antiquité et
nous, une distance qui augmente chaque jour, avec le flux du temps.
L'Antiquité s'éloigne de nous. C'est toute une mer qui nous sépare d'elle, cette mer dont l'image récurrente dans l'œuvre de Winckelmann est
ici celle du temps et de la mort, la mer qui porte un vaisseau dont le
voyage n'aura jamais son terme et qui ne finit pas de disparaître aux
yeux de celui qui reste sur le rivage. La méditation mélancolique sur le
Torse s'éclaire à la lumière crépusculaire de la dernière page de l'*Histoire de l'Art*:

«Comme une amoureuse qui, au bord de la mer, regarde, les yeux
plein de larmes, l'être aimé qui s'éloigne, sans espoir de le revoir jamais,
croit apercevoir encore son image sur la voile qui disparaît, nous n'avons
plus comme elle que l'ombre de nos désirs; mais elle éveille une nostalgie d'autant plus forte pour ce que nous avons perdu, et nous contem-
plons les copies des formes originelles avec une attention plus forte que
nous n'aurions fait si nous les avions possédées dans leur plénitude.
Nous sommes comme ceux qui veulent voir des fantômes et qui croient
les apercevoir là où il n'y a rien. Le nom d'Antiquité est devenu un
préjugé, qui n'est d'ailleurs pas sans avantage. Il faut se figurer, à tout
moment, qu'on va beaucoup trouver, afin de chercher beaucoup et de dé-

couvrir quelque chose. Si les Anciens avaient été plus pauvres, ils auraient mieux écrit sur l'art. Nous sommes à leur égard comme des héritiers qui ont reçu une compensation: nous retournons chaque pierre, et
grâce aux conclusions que beaucoup tirent pour leur compte, nous par-
venons à une assurance relative qui peut être plus riche d'enseignements
que les informations laissées par les Anciens: en dehors de quelques intuitions, elles révèlent plutôt de la chronique. Il ne faut pas avoir peur de
rechercher la vérité, même au détriment de notre réputation: certains doivent errer, afin que d'autres puissent cheminer tout droit».

Cette péroraison est tellement connue qu'on a parfois du mal à la relire d'un oeil neuf. Pourtant, elle complète admirablement le discours sur
le *Torse*, dans la même tonalité nostalgique (l'Antiquité que nous ai-
mons, ne revient pas) en lui ajoutant cet appel pathétique à une attitude
qu'il faut accepter de désigner par des mots plats et ordinaires: le travail,
les fouilles, la recherche, toutes ces fondations de l'histoire, convoquées
par Winckelmann sous l'allusion transparente à la fable du vieux labou-
reur de La Fontaine. Nous ne sommes que les héritiers d'un champ de
ruines. L'art grec peut entrer dans l'histoire, parce qu'il est mort.

Winckelmann situe l'Antiquité à sa nouvelle place: entre le Temps,
qui l'éloigne et la mutile, et l'histoire qui lui rend la seule forme de vie
qui importe désormais: celle de la connaissance. Ce n'est plus l'imitation
qui s'oppose aux ravages du Temps dévorant d'Ovide, c'est l'histoire
parce qu'elle est inscription dans un temps accepté et reconnu.

A la fin de l'*Histoire de l'Art*, Winckelmann médite devant la mer à
l'horizon de laquelle disparaît pour toujours le navire qui emporte le rêve d'une impossible résurrection de l'Antiquité, dont la mort rend possible l'histoire. A la fin de son pèlerinage, Winckelmann attend, sur le rivage de Trieste, le navire qui le ramènerait vers Rome et ses statues, mais
qui ne viendra pas, car la mort frappera avant. Etrange effet de miroir entre la page écrite et la page vécue.

A l'abri de la liberté romaine, liberté de la conscience dans l'intimité
de sa vérité, s'épanouit cette «paix du coeur», cette "Stille" qui permet à
Winckelmann d'inventer cet au delà de l'histoire de l'art, qui s'appelle la
religion de l'art, et de chanter d'un même coeur Apollon et le Dieu transcendant. Dans la cour du Belvédère: «S'il plaisait à la divinité de se
révéler sous cette forme aux mortels, le monde entier tomberait en adoration à ses pieds» (Rome 1757). Et le matin, fenêtre ouverte sur les toits
de Rome, avec le livre de cantiques luthérien: «Je chante à toi, Seigneur... Tu es la lumière de mon coeur» (Rome 23 janvier 1768).

BIBLIOGRAPHIE

1. Synthèses récentes

J. MORRISON, *Winckelmann and the notion of esthetics education*, Oxford 1996.
A. POTTS, *Flesh and the ideal. Winckelmann and the origins of art history*, New Haven-Londres 1994.
F. TESTA, *Winckelmann e l'invenzione della storia dell'arte. I modelli e la mimesi*, Bologna 1999.

2. Winckelmann et l'Italie

H. SICHTERMANN, *Winckelmann e Roma*, dans "Studi Romani", XVII, 1969, p. 459.
O. BRIDEL, *Uomo libero in paese libero: J.J. Winckelmanns Italienische Briefe*, dans *Aufstieg und Krise der Vernunft (Festschrift Hans Hinterhäuser)*, Vienne-Cologne 1984, pp. 45-55.
H. SICHTERMANN, *Winckelmann in Italien*, dans *Johann Joachim Winckelmann, 1717-1768*, dir. Thomas Gaehtgens (Studien zum achtzehnten Jahrhundert, VII), Hambourg 1986, pp. 121-160.
E. OSTERKAMP, *Winckelmann in Rom. Aspekte adressatenbezogener Selbstdarstellung*, dans *Rom-Paris-London: dans Erfahrung und Selbsterfahrung deutscher Schriftsteller und Künstler in den fremden Metropolen*, dir. Conrad Wiedemann, Stuttgart 1988, pp. 203-230.
M. DISSELKAMP, *Die Stadt der Gelehrten. Studien zu Johann Joachim Winckelmanns Briefen aus Rom*, Tübingen 1933.

3. Articles d'E. Pommier

Winckelmann et la vision de l'Antiquité classique dans la France des Lumières et de la Révolution, dans "Revue de l'Art", 83, 1989, pp. 9-20.
La notion de la Grâce chez Winckelmann, dans E. Pommier (dir.), *Winckelmann: la naissance de l'histoire de l'art à l'époque des Lumières* (cycle de conférences du Musée du Louvre, 1989-1990), Paris 1991, pp. 41-81.
Winckelmann: l'art entre la norme et l'histoire, dans "Revue Germanique Internationale", 2, 1994, pp. 11-28.
Winckelmann et la religion, dans *Winckelmann et le retour à l'antique*, Actes des Entretiens de la Garenne Lemot, I, 1994, dir. Jackie Pigeaud et Jean-Paul Barbe, Nantes 1995, pp. 13-31.
Winckelmann: des vies d'artistes à l'histoire de l'art, dans Matthias Waschek (dir.), *Les «vies» d'artistes* (Colloque international du Musée du Louvre, 1993), Paris 1996, pp. 205-230.
Winckelmann: l'Antiquité entre l'imitation et l'histoire, dans Ph. Hoffmann et Paul Louis Rinuy (dir.), *Antiquités imaginaires. La référence antique dans l'art moderne de la Renaissance à nos jours* (Table ronde du 29 avril 1994, Ecole Normale Supérieure), Paris 1996, pp. 59-77.

1. *Portrait de Johann J. Winckelmann*, gravure de Girolamo Carattoni d'après le tableau d'Anton von Maron (*Storia delle arti del disegno presso gli antichi*, Roma, 1783, III).

2. *Apollon du Belvédère*. Rome, Musée Vatican.

3. *Torse du Belvédère*. Rome, Musée Vatican.

ELISA DEBENEDETTI

VILLA ALBANI

Villa Albani, di proprietà dei principi Torlonia dal 1886, della quale non si sa tuttora molto, fu costruita per volontà del cardinale Alessandro, che l'aveva pensata quale ambiente perfetto per ospitare la sua collezione di antichità, messa insieme a partire dal 1735[1]. L'impulso a questa im-

[1] Il presente saggio è strutturato come un percorso di visita guidata all'interno della villa. Per la bibliografia sulla villa e sulla famiglia Albani si cfr.: S.A. MORCELLI, C. FEA, E.Q. VISCONTI, *La villa Albani ora Torlonia*, Imola 1869; *Il cardinale Alessandro Albani e la sua villa*, "Quaderni sul Neoclassico", 5, a cura di E. Debenedetti, Roma 1980; L. CASSANELLI, *Nuove acquisizioni documentarie per il giardino della villa Albani Torlonia*, in *Giardini italiani. Note di storia e conservazione*, in "Quaderni del Ministero per i Beni Culturali e Ambientali", 3, a cura di M.L. Quondam-A.M. Racheli, Roma 1981, pp. 72-80; *Forschungen zur Villa Albani*, Berlin 1982; *Committenze della famiglia Albani. Note sulla Villa Albani Torlonia*, "Studi sul Settecento Romano", 1/2, a cura E. Debenedetti, Roma 1985-86; J. RYKWERT, *Splendori effimeri*, in *I primi moderni dal classico al neoclassico*, Milano 1986, pp. 411-426; G. DELFINI FILIPPI, *Committenze Albani: il Palazzo alle Quattro Fontane e Giovan Paolo Panini*, in *Ville e palazzi: illusione scenica e miti archeologici*, "Studi sul Settecento Romano", 3, a cura di E. Debenedetti, Roma 1987, pp. 13-29; M. FABBRIZI, *Note sulla Villa Marina del Cardinale Alessandro Albani*, in *Carlo Marchionni architettura, decorazione e scenografia contemporanea*, "Studi sul Settecento Romano", 4, a cura di E. Debenedetti, Roma 1988, pp. 21-56; A. PACIA, *Esotismo decorativo a Roma fra tradizione rococò e gusto neoclassico. Il Gabinetto Cinese di Villa Albani*, in *Temi di decorazione: dalla cultura dell'artificio alla poetica della natura*, "Studi sul Settecento Romano", 6, a cura di E. Debenedetti, Roma 1990, pp. 151-156; A. ALLROGGEN-BEDEL, *La villa Albani: criteri di scelta e disposizione delle antichità*, in "Studi sul Settecento Romano", 7, a cura di E. Debenedetti, Roma 1991, pp. 205-291; R. ASSUNTO, *Winckelmann a Villa Albani: ossia antichità e natura nell'idea neoclassicista di giardino*, in *Giardini e rimpatrio*, Roma 1991, 13-37; *Alessandro Albani patrono delle arti. Architettura, pittura, collezionismo nella Roma del '700*, "Studi sul Settecento Romano", 9, a cura di E. Debenedetti, Roma 1993; E. DEBENEDETTI, *Villa Albani Torlonia*, guida dell'Associazione Dimo-

presa gli derivò dall'idea di far rinascere l'antica villa suburbana come cornice paesaggistica e architettonica del suo patrimonio antico, in linea con una lunga tradizione romana, che trova la sua origine negli orti di Lucullo e Sallustio fino agli esempi più recenti di Villa Madama, Villa Giulia, Villa d'Este a Tivoli. Ma la genialità del cardinale e del suo *entourage*, che conta sui nomi di Baldani, Venuti, Cavaceppi, Bottari, Piranesi, Contuccio Contucci, il gesuita Maffei, Francesco Bianchini, consistette soprattutto nel fabbricare la sontuosa villa «per ravvivare la sublime idea della Romana magnificenza», rappresentando nel contempo la concrezione delle più travolgenti passioni antiquarie degli anni attorno al 1760, capace di fornire al Winckelmann i materiali della sua riflessione teorica, per l'elaborazione di un sistema critico e iconologico per la sua ricerca storica e iconografica[2].

La villa, dunque, riflette, nella sua integrità, il clima culturale della Roma dell'epoca, centro propulsore della civiltà dei Lumi.

Ricostruire la storia della costruzione e della decorazione del complesso non è impresa facile. Sussidio prezioso allo scopo sono state sicuramente le guide, come quella settecentesca del Cordara, che può essere considerata una vera e propria lettura critica da parte di un esponente della cultura antiquaria romana da cui e per cui la villa fu concepita, ad altre, sempre dello stesso periodo, che più semplicemente riportano gli umili conti delle spese fatte per vetrari, cristallari e ottonari; fino a quelle del 1804 e del 1816, contenenti minute descrizioni di oggetti d'uso, importanti per chi voglia ricostruire l'aspetto della villa fino al 1798, soprattutto nei particolari di arredamento molto presto distrutti[3]. Oltre alla

---

re Storiche Italiane, Roma 1995; C. GASPARRI, *Una fontana ritrovata. Ancora su Piranesi a Villa Albani*, in *Artisti e mecenati. Dipinti, disegni, sculture e carteggi nella Roma curiale*, in "Studi sul Settecento Romano", 12, a cura di E. Debenedetti, Roma 1996, pp. 193-206; E. DEBENEDETTI, *I della Rovere e due dipinti nella quadreria Albani*, in *Le due Rome del Quattrocento*, Atti del Convegno Internazionale di Studi, Università di Roma "La Sapienza" – Facoltà di Lettere e Filosofia, Istituto di Storia dell'Arte, 21-24 febbraio 1996, Roma 1997, pp. 264-272; E. DEBENEDETTI, *Nota su una presunta copia di Andrea Salaino nella quadreria Albani*, in *Saggi in onore di Marabottini*, a cura di T. Pugliatti et alii, Roma 1997, pp. 71-76; E. DEBENEDETTI, *Alcune anticipazioni sulla quadreria Albani*, in *Arte d'Occidente, temi e metodi*, in *Studi in onore di Angiola Maria Romanini*, III, Roma 1999, pp. 1199-1206.

[2] R. ASSUNTO, *Winckelmann a Villa Albani: il giardino, luogo del rimpatrio*, in *Committenze della famiglia Albani. Note sulla Villa Albani Torlonia...* cit., pp. 159-165. ID., *Winckelmann a Villa Albani: ossia antichità e natura nell'idea neoclassicista di giardino*, in *Giardini e rimpatrio*, Roma 1991, pp. 13-37. Si veda anche: A. ALLROGGEN-BEDEL, *La villa Albani: criteri di scelta e disposizione delle antichità*, cit., pp. 205-291.

[3] Si veda in particolare: *Villa Albani: le guide*, in *Il cardinale Alessandro Albani e la sua villa ...* cit., pp. 197-270.

fondamentale opera redatta da Morcelli, Fea e Visconti, e agli inventari di famiglia già noti, è oggi possibile basarsi anche su una serie di documenti, da me recentemente scoperti e pubblicati, che gettano luce soprattutto sulle trasformazioni e spostamenti subiti dalla ricca collezione di dipinti posseduti dal Cardinale[4].

Il primo contratto di acquisto dei vigneti fuori "porta Salara" risale al 1747, e la costruzione va avanti fino al 1763, anno di inaugurazione della villa. La zona era servita dall'acquedotto dell'Acqua Felice, ma dall'inizio dei lavori al 1754, ad ogni acquisizione del terreno, corrispose un nuovo rifornimento idrico. Il succedersi di acquisti dei terreni Lanci, Orsi, Serlupi, Della Porta, con l'utilizzazione e l'ingrandimento di condotte d'acqua, seguiti da lavori di ampliamento di appezzamenti a nord e a est, e nel 1753-1754 anche a sud per sistemarvi i giardini all'italiana, permisero la realizzazione di un'articolazione complessa, ma composta dello spazio tra costruzioni e vegetazione, tra architettura e natura. Ancor prima dell'acquisto dei Torlonia, nel 1866, forse in seguito alla diminuzione dell'afflusso d'acqua nella villa, scomparvero fontane molto eleganti[5].

Il casino doveva essere eretto al confine nord, mentre la sistemazione delle fontane, dei viali e delle piantagioni fu decisa successivamente agli acquisti degli "orti" confinanti. Di fronte al palazzo doveva sorgere un'esedra semicircolare, larga quanto la parte centrale dell'edificio principale. Come disse il Cardinale stesso, l'insieme risultò alla fine piuttosto pesante e un po' fuori moda[6]. La situazione è ben documentata dai disegni di Nolli, Qualeatti e Gabrielli[7].

L'"esedra gentile" fu la prima ad essere costruita nel 1751 e risulta completata nel 1757, secondo le testimonianze di Madame du Boccage; era del resto già indicata nella pianta del Nolli del 1748, dalla quale si individuava anche l'indicazione di una costruzione del palazzo, poco chiaramente leggibile per l'esiguità dei dettagli architettonici e planimetrici, esclusi i segni di un probabile colonnato[8].

1, 2

3

[4] S. A. MORCELLI – C. FEA – E. Q. VISCONTI, cit.; E. DEBENEDETTI, *I della Rovere e due dipinti nella quadreria Albani...* cit., pp. 264-272.

[5] Recentemente il Gasparri ha recuperato la fontana del boschetto opera dell'*atelier* piranesiano, smembrata in tre pezzi: portico occidentale, galleria e canopo. Si cfr. C. GASPARRI, *Una fontana ritrovata. Ancora su Piranesi a Villa Albani...* cit., pp. 193-206.

[6] J. RYKWERT, cit., p. 413.

[7] Si veda in particolare: *Villa Albani: il terreno (1747-1763)*, e *Villa Albani: l'acqua*, in *Il cardinale Alessandro Albani e la sua villa...* cit., pp. 129-194.

[8] L. CASSANELLI, *Note per una storia del giardino di Villa Albani*, in *Committenze della famiglia Albani. Note sulla Villa Albani Torlonia...* cit., pp. 167-191, in particolare pp. 175-176.

Quando il Winckelmann giunse a Roma alla fine del 1755 il casino
era già stato ultimato nelle sue parti essenziali, così come già era stato sistemato lo spiazzo anteriore con la doppia scalinata. Al piano terra, nelle
nicchie, erano collocate le statue degli imperatori, ed i mascheroni colossali erano inseriti nelle pareti. Non risultavano però conclusi i porticati
laterali mentre la *fontana dei Giganti* si trovava già al suo posto[9].

Al "nobile portico" solo nel 1758 furono aggiunte le due ali laterali
ed il Tempio di Diana, terminato nel 1761, ad una di esse congiunto, dietro il quale sorge il piccolo museo in miniatura conosciuto anche come
"appartamento dei bagni", di cui restano testimonianze grafiche di Pâris
e di Percier. Pâris eseguì, tra il 1770 ed il 1774, due vedute ed una planimetria dell'edificio formato da tre vani più grandi e tre più piccoli[10]. La
pianta disegnata dal Pâris somiglia sommariamente a quella eseguita dal
Magnan, mentre presenta notevoli affinità con la planimetria realizzata
dal Percier tra il 1786 ed il 1789. Nella terza sala, secondo i disegni di
Pâris, si trovava la famosa vasca a rilievi rappresentanti le gesta di Ercole. Morcelli, Fea e Visconti descrivono qui otto colonne antiche, mentre
nella pianta di Pâris le colonne sembrano essere quattro agli angoli, oppure in numero considerevolmente maggiore rispetto a quelle enumerate
nella succitata guida. Date le discrepanze tra le testimonianze documentarie e quelle grafiche si potrebbe pensare ad una costruzione talmente
modificata nel tempo, da risultare oggi irriconoscibile. Ciò che è degno
di nota è invece il fatto che questi piccoli ambienti, un portico, un ingresso, una Sala egizia, la Sala dei bagni ed il vestibolo ospitavano una
collezione ricchissima di antichità. Poiché tali vani, come del resto tutti
gli edifici della villa, non erano destinati ad abitazione, si può forse par-
lare in questo caso di stile museale della raccolta e delle decorazioni. La
denominazione di "appartamento dei bagni" è utilizzata dal solo Pâris.
L'immagine da lui e da Percier introdotta ricorda, nonostante le piccole
dimensioni, le stanze delle terme romane. Il soffitto a volta a botte accenna infatti ad una simile destinazione. Ci troviamo, dunque, di fronte
al primo tentativo realizzato nel XVIII secolo di imitazione dello stile di
un'architettura romana antica. Pâris lavora per certi aspetti di fantasia:
anche la prospettiva della stanza tre e della stanza quattro doveva essere

---

[9] S. ROETTGEN, in *Forschungen zur Villa Albani...* cit., pp. 59-177.

[10] Va anche ricordato come il terreno per la costruzione dei due edifici rurali fosse stato
acquistato dal cardinale nel 1759: il piccolo museo viene anche denominato "della Leda", dal
pezzo più noto ospitatovi all'interno. Per i disegni di P.A. Pâris si veda: E. DEBENEDETTI, *Due
Taccuini per Villa Albani*, in *Il Cardinale Alessandro Albani e la sua villa...* cit., pp. 83-101,
mentre la pianta di CH. PERCIER è tratta dal volume in collaborazione con P.F.L. FONTAINE,
Choix des plus célèbres maisons des plaisances de Rome et de ses environs, Paris 1824.

diversa, rispetto a quanto appare nel disegno. Lo stato odierno dell'edificio non merita particolare credibilità per quanto concerne la fedeltà all'originale. Gli interni riprodotti dal Pâris sono però da porre in stretta connessione con la stanza dei pappagalli affrescata dal Clérisseau nel 1767 all'interno del convento di Trinità dei Monti, stanza che, nella riproduzione di un tempio in rovina, rappresentava la realizzazione del desiderio del committente P. Leseur. Questo interno, d'altra parte, si ispirava al Colombario degli Arrunzi, apparso, nel 1756, nelle *Antichità romane* del Piranesi. Le vedute di Pâris sono in stretta connessione con quelle "capricciose" di Huber Robert del 1760. L'ambiente, non più originale, potrebbe inserirsi nel clima di Clérisseau, Piranesi e Huber Robert. Probabilmente si potrà precisare meglio il suo assetto originario, in quanto la pianta del casino, confrontata a dei rilievi esistenti di questa parte di Villa Albani riprodotta pressoché identica in Percier e Fontaine è da considerarsi di invenzione come le vedute.

Del 1762 è invece il cosiddetto Tempio delle Cariatidi, dal nome delle quattro che ne sorreggevano il tetto al posto delle colonne scanalate attuali. Va detto però che le cariatidi furono rinvenute nella vigna Strozzi soltanto nel 1766. Il Tempio quindi doveva avere originariamente un altro aspetto, ma comunque doveva già essere stato eretto, se nella nicchia centrale, che fu poi trasformata in porta, fu ritrovata la statua della *Roma Triumphans*, successivamente spostata nella *Porticus* 4 *Romae* dietro il coffeehouse. Ancora al 1762 risalgono le due nicchie delle fontane con divinità fluviali: quella con il *Nilo*, ai piedi della dop- 6 pia scalinata che conduce dal palazzo al giardino all'italiana, affiancata da due cariatidi, e quella, con un'altra divinità fluviale, notevolmente più piccola, in una parete di sostegno del muro ad occidente, ai piedi delle due corsie della scala che di qui sale verso l'alto. Contemporanei a queste sarebbero gli *ornements*, cioè la definizione dell'apparato decorativo interno, poi sostituito, avvalorata alla luce della molto probabile presenza al cantiere di Villa Albani di Piranesi, che faceva parte dello stesso circolo di ferventi cultori dello studio dell'antichità che, animato da passione antiquaria, andava nello stesso tempo approntando la prima pianta archeologica della città su basi rigorosamente scientifiche. Possiamo ora aprire una parentesi che ci offre anche il destro di ribadire i rapporti tra Winckelmann e Piranesi, molto più stretti di quanto non paia. Il classicismo di cui è improntata la villa, a livello architettonico e decorativo, è in realtà meno autentico e meno antico degli stessi paramenti di scultura greca, o addotta come tale, incastonata nelle pareti. Anche nella *Magnificenza dei Romani*, Piranesi non manifesta la volontà di offrire al lettore dei criteri normativi, al contrario si concentra sul capitello eccentrico, sulla modanatura inconsueta, sull'esempio singolo. E nelle osservazioni sulla lettera del Mariette egli ribadisce il valore attribuito all'autenticità del paramento "incastrato" in un presente anche solo articolato a imitazione dell'antico. Insistendo costantemente su questo aspetto, Piranesi in fondo non fa che esagerare quel contrasto che lo stesso Winckelmann avverte in Villa Albani, e cioè un grande ordine tematico che governa e unifica tutto l'edificio, una tessitura rigorosa e geometrica, che sorregge in realtà un campionario vastissimo di reperti, creando un senso quasi di spiazzamento; in realtà tutto era predisposto in funzione di un'epifania, di una rivelazione. L'antico come memoria e nostalgia del passato, come rivelazione di un nuovo modo di essere nel mondo moderno. Basterà, per tornare al punto da cui siamo partiti, pensare al Tempietto ionico realizzato dal Winckelmann a Villa Albani, spesso e con ragione considerato la manifestazione del suo concetto architettonico: questo non è formato su modelli greci, ma su modelli romani dell'età imperiale, come dimostra la ricchezza degli ornati, mentre il ritmo irregolare degli intercolumni richiama l'architettura etrusca. Lo stesso Winckelmann nelle sue *Osservazioni sopra l'Architettura degli Antichi*, del 1762, quando già la villa sta per essere ultimata, conviene stranamente sull'uso di conchiglie negli archivolti delle nicchie, espediente decorativo sfruttato proprio dal Marchionni nella villa, e sembra quasi accettare l'uso della "rocaille" per i *parterres* dei giardini[11]. Sia Winckelmann che Piranesi, si basano sul concetto di "imitazione", per quanto i lavori di entrambi siano intimamente caratterizzati da quel senso del grandioso che Kant definisce "sublime matematico". Ci viene in questo senso particolarmente in soccorso lo Szondi che, nel riferimento alla pacata grandezza ribadisce la sottesa metafora del mare «le cui profondità rimangono tranquille nonostante la superficie sia in tempesta»[12].

Prima della costruzione del coffeehouse, terminato nel 1765, un vano doveva già essere al centro dell'asse del portico, con sette statue egizie. Oggi l'edificio si presenta come costituito di un atrio ovale sbieco che dà sul portico con due piccoli vani annessi: atrio o *canopeum*. Le statue, insieme ad altre opere egizie, furono trasferite, probabilmente nel 1866, nell'allora *Porticus Romae*, della facciata sud della casa del Caffè che, per l'occasione, fu decorata con pitture di tipo egizio. Al contrario non si è conservato nulla della decorazione pittorica dell'atrio e dei due ambienti annessi, dove era custodita la collezione egizia ai tempi del Cardinale e dei suoi eredi. Le pitture, simili a quelle del Biliardo, che decoravano la volta del soffitto, erano state eseguite da Domenico e Serafi-

---

[11] Si veda in proposito anche l'opinione di J. RYKWERT, *I primi moderni dal classico al neoclassico...* cit., pp. 421-422.

[12] P. SZONDI, *Antico e moderno nell'estetica dell'età di Goethe*, ed. it., Milano 1995.

no Fattori, ora documentati come padre e figlio[13]. Anche la decorazione pittorica dell'interno non mostra più l'aspetto originario. Non ci sono pervenute né le copie dipinte su rame secondo la moda antica, né soprattutto i grandi paesaggi raffiguranti monumenti, simili a quelli della stanza di *Antinoo*, secondo Winckelmann realizzati dal Clérisseau. Attualmente questi grossi campi laterali, che Pâris dice dipinti da La Piccola, con raffigurazioni di paesaggi con bambini, sono coperti da una tela blu, che richiama il colore del fondo delle nicchie delle pareti laterali. Riguardo alla paternità degli affreschi perduti, anche gli autori delle guide riferiscono pareri diversi: in particolare io credo che i paesaggi e le marine siano di Anesi e dello stesso autore rimasto tuttora indecifrabile del Casino della villa, mentre i quadrucci spettino al Bicchierai. Le prospettive furono comunque tutte restaurate nel 1773 da Francesco Pannini. Secondo Pâris, anche la base delle nicchie era coperta di affreschi e questi forse erano simili a quelli a monocromo, eseguiti dal La Piccola, che compaiono nella stanza d'angolo del casino, dove è conservata la copia della *Trasfigurazione* di Raffaello. Tutti i dettagli della sistemazione pittorica e decorativa del locale descritti dal Pâris corrispondono allo stato attuale. Il soffitto della sala rettangolare del coffeehouse è diviso in tre parti: nelle laterali sono le rappresentazioni delle *Tre Parche* e delle *Nozze di Amore e Psiche*, in quella centrale si vedono le *Nozze di Bacco e Arianna*, copia semplificata del celebre dipinto di Giulio Romano nel Palazzo Tè a Mantova[14]. Autore è il La Piccola, che più che ispirarsi all'originale trasse spunto, per questo e per il riquadro con *Amore e Psiche*, da due copie di piccolo formato, eseguite probabilmente da un pittore di area veneta-lombarda, possedute dal cardinale Alessandro. Costui, convinto del fatto che i due dipinti fossero autografi di Giulio Romano, li conservava in una camera da letto del palazzo, ordinando poi, nel testamento, che fossero reinseriti nella collezione dei quadri di famiglia. Il gusto per le copie si era del resto ampiamente diffuso intorno al 1750, e lo stesso Cardinale aveva partecipato come consigliere ad una monumentale raccolta di copie di capolavori del '500 e '600[15]. La Piccola dimostra di subire l'influsso di Mengs ma ancor più di Nocchi, con cui aveva collaborato fin dal 1768. La realizzazione dei tre scomparti andrebbe quindi collocata successivamente a tale data. I campi delimitati a stucco imitano i soffitti della Domus Aurea. Così concepito il coffeehouse potrebbe considerarsi rappresentativo della realizzazione progressiva

---

[13] Domenico Fattori detto il Corazza visse probabilmente tra il 1705-10 ed il 1780.

[14] M. A. DE ANGELIS, *Le "Storie di Psiche" nella quadreria Albani*, in *Committenze della famiglia Albani. Note sulla Villa Albani Torlonia...* cit., pp. 251-255.

[15] L. LEWIS, *Connoisseurs and Secret Agents in 18th Century Rome*, Roma 1961, p. 161.

dell'idea base della progettazione della villa, intesa quale "zona umaniz-
zata della natura" inserita nel paesaggio della campagna romana, come le
vedute di Giani e Hackert bene interpretano.

    Nell'estate del 1766 fu portata a termine la costruzione di una gran-
8 de cascata, non più esistente, in direzione della quale si estendeva l'asse
longitudinale della villa a sud del coffeehouse, e fu concluso anche il
grande prospetto della fontana vicino alla *Porticus Romae*.

    Sicuramente prima del 1766 fu realizzato il Tempio diruto. Winckel-
9 mann, ispirandosi al Tempio circolare di Tivoli, aveva pensato ad un
tempio dorico circolare con sedici colonne, che ospitasse all'interno la
monumentale vasca di marmo, rinvenuta nel 1762, decorata sul bordo
con le *Fatiche di Ercole*, poi sistemata, come ho già detto, nell'"appartamento dei bagni". Stranamente lo studioso sembra rinunciare al proprio
dettato filosofico improntato su una personale interpretazione della cultura greca, per adeguarsi alla realizzazione di un edificio che tenesse
conto della tendenza al capriccio fantastico, perseguita dal Pannini e dal
vedutismo in generale. Il Tempio è comunque la prima costruzione di rovina artistica realizzata in ambito romano: esempi più tardi si rintracciano nelle ville Borghese, Doria Pamphili e Torlonia. Bisogna però ricordare che il motivo della rovina artistica, anche se non anticheggiante, si
incontra già nel Parco dei Mostri di Bomarzo ed in altri giardini manie-
ristici e perciò va considerato come parte costitutiva della tipologia della
villa. La moda del tempio diruto antico aveva attecchito soprattutto in Inghilterra con Robert e James Adam con cui Piranesi, Clérisseau ed il cardinale Alessandro Albani erano in rapporto e in un continuo scambio di
idee. Tuttavia anche i *pensionnaires* francesi come Clérisseau e Hubert
Robert si erano dimostrati inclini a questo gusto romantico della rovina,
specie nelle vedute di forte sapore panniniano. Pannini aveva avuto dei
precedenti con il cardinale Albani, che gli aveva commissionato la decorazione della Galleria di palazzo Albani alle Quattro Fontane: dunque
non deve destare meraviglia il fatto che il Cardinale riveli anche una ade-
sione all'antico di impronta panniniana.

    I padiglioni, sorti in tempi leggermente sfalzati, sono rappresentativi
del motivo dominante della villa: l'architettura intesa come tramite tra
giardino e paesaggio. Il più tardo è quello del Bigliardo, che si erge su
5 un alto podio, sullo stesso piano del palazzo, accanto all'edicola di Giove. Attraverso un portico tuscanico di quattordici colonne antiche si entra nell'interno formato da due gallerie che corrono parallele, collegate
da un corridoio aperto. La galleria anteriore è un'anticamera separata a
nord da una sequenza aperta di colonne. Essa serviva realmente come
Sala da bigliardo. Le pareti sono articolate da un falso ordine di pilastri
ionici. Ogni due pilastri piatti è collocata una statua. Calchi dei quattro
rilievi ovali della Galleria del palazzo si trovano sul lato corto. Il soffit-

to a *grisailles* simulanti una cornice in stucco da cui si affacciano puttini che giocano sullo sfondo del cielo, appartiene forse ad un restauro ottocentesco. La galleria posteriore costituita da tre archi mostra una ricca decorazione pittorica di Domenico e Serafino Fattori, ma anche di La Piccola, che probabilmente eseguì le grottesche, molto simili a quelle che si ritrovano ad Ostia Antica. Le scene mitologiche del soffitto – *Centauressa con menade, Ratto di Anfitrite, Centauro cavalcato da Baccante* – dipinto in stile pompeiano, si rifanno agli affreschi di Baldassarre Peruzzi alla Farnesina. Del resto anche l'architettura risente l'influsso di modelli cinquecenteschi come le Logge di Raffaello in Vaticano, che proprio negli anni tra il 1760 ed il 1770 richiamavano gli interessi di pittori e decoratori. Dunque la datazione della decorazione interna del Bigliardo va sicuramente posticipata. È comunque da sottolineare come le grottesche di villa Albani siano i primi esempi di imitazione di grottesche del '500.

Ma chi fu l'architetto della villa? Secondo il Vasi il progetto d'insieme appartiene al cardinale Alessandro, mentre le parti decorative furono ideate dal Marchionni, il quale avrebbe però utilizzato disegni precedentemente eseguiti dal Nolli. È una suggestiva ipotesi che proprio a Giovan Battista Nolli, che il Cardinale ricorda con la qualifica di "mio dipendente" e "attuale mio architetto", possa venir assegnato non solo l'impianto rococò francesizzante del giardino, impostato sull'asse centrale del *parterre* a cui si accosta il bosco organizzato secondo un ormai tradizionale schema ad assi radiali, ma anche il suggerimento per l'edificio principale della villa, secondo le intenzioni del Delalande e del Füssli. Nolli morì nel 1756, quando il palazzo era appena iniziato, tuttavia l'evidente richiamo stilistico tipologico ai palazzi Capitolini, che trova un diretto riscontro, oltre che negli ovvi interessi personali del cardinale Albani, negli intenti encomiastici della grande *Allegoria di Roma* della *Nuova Pianta*, potrebbe rendere valida l'attribuzione[16].

Fu comunque il cardinale Alessandro che volle i portici ai lati del palazzo e l'esedra circolare davanti ad esso. Marchionni, infatti, aveva progettato un palazzo con due avancorpi laterali come a Castelgandolfo e a Nettuno. A Nettuno, sulla balaustrata del giardino, furono poste due sfingi, come poi si ritroverà anche a Roma. L'architetto poteva essersi ispirato al Palazzo dei Conservatori in Campidoglio, o alla loggia Cornaro di Falconetto a Padova, o ancora al progetto di Carlo Rainaldi per piazza San Pietro, ed al casino della villa del cardinale Giacomo Taurese sul Gianicolo (attuale via Aurelia), del 1668. Ciò che distingue particolar-

---

[16] M. Bevilacqua, *Nolli e Piranesi a villa Albani*, in *Alessandro Albani patrono delle arti... cit.*, pp. 71-82.

mente villa Albani dalle ville romane del '500, '600 e '700 sono gli spa-
ziosi portici, il cui effetto scenografico, secondo Gaus, risente della visione di quelli di Villa Mondragone a Frascati[17], che sebbene formalmen-
te simili, sono realizzati in maniera più rustica e non hanno nulla del-
l'aerea leggerezza e scenografia dei portici di villa Albani. L'impianto
generale del giardino, che si conclude con il coffeehouse, deriva in effetti dalle ville manieristiche tosco-romane. Il casino, infatti, si affaccia sul
giardino segreto, come a Villa Borghese, Villa Madama, Villa Montalto,
Villa Doria Pamphili; la regolarizzazione dei dislivelli del terreno è realizzata attraverso un sistema a terrazzamenti, quale si trova nel giardino
mediceo di Monte Mario, e precedentemente nel Belvedere bramantesco
e nelle ville del Tuscolo, ma dove lì era una necessità inderogabile per il
forte pendio dei colli Vaticano, Monte Mario e Albani, qui diviene una ri-
cercata soluzione spaziale di un terreno in lieve pendenza. Anche il gusto per il meraviglioso, tipico delle ville manieristiche, si ripropone a Villa Albani nei due episodi classico-barocchi della *grotta di Polifemo* e della *cascata dei Sette Fiumi*. Le storie di *Polifemo e Ulisse* erano del resto
rappresentate nei ninfei di alcune ville romane, di Tiberio a Sperlonga e
di Domiziano nei pressi del lago di Albano, lungamente studiate dal Piranesi. Il Winckelmann era d'altronde perfettamente cosciente del valore
assunto dal personaggio di Ulisse come *exemplum virtutis*. La cascata,
formata dalla caduta delle acque del *parterre*, scendeva da dietro l'esedra
fino all'ingresso meridionale, dominato così da una prospettiva sceno-
grafica ripresa dalle cascate di Villa Lante a Bagnaia, Villa Caprarola,
Villa Aldobrandini e Pamphili. In questo angolo di giardino, oltre alla
statua di *Anfitrite*, da cui aveva origine la cascata, la decorazione scultorea consisteva nella rappresentazione dei *Fiumi*: ora restano le due teste
colossali dei *Tritoni* nelle nicchie ai lati della dea, con una probabile al-
lusione alla sposa di *Nettuno*, madre di *Tritone*.

La villa comunque è stata gravemente danneggiata dai restauri promossi da Alessandro Torlonia, quando le originarie inferriate dei timpani
degli archi di ambedue gli atri laterali sono state sostituite da riempimenti in muratura, ai quali è stata applicata una parte delle maschere teatrali che erano all'interno. La raffigurazione del Magnan mostra delle ve-
trate che coprono l'intera facciata principale. Nel grande portico le maschere sono rimaste nei loro posti originari. Esse costituiscono un motivo ornamentale che ricorre in tutti gli edifici della villa: coffeehouse, Bigliardo, ecc. e del resto non si deve dimenticare che il letterato Francesco
Ficoroni, possessore di una ricca collezione di antiche maschere da tea-

---

[17] J. GAUS, *Carlo Marchionni. Ein Beitrag zur römischen Architektur des Settecento*,
Köln-Graz 1967.

tro, pubblicate nel 1736, e già in rapporti d'affari con il cardinale Alessandro, aveva molto probabilmente venduto al suddetto alcuni pezzi della sua raccolta.

Il completamento strutturale del palazzo, nel senso di una fusione armonica tra antico e moderno, come era nell'intenzione di Winckelmann, risale al 1758; da ascrivere al Marchionni, autore di numerosi disegni e progetti decorativi, anche per gli interni, è il modo di utilizzare gli antichi reperti e di adattarli all'ambiente. Nella progettazione della facciata, Alessandro aveva imposto al suo architetto soluzioni estremamente sofisticate che approdano in quell'architettura dell'Arcadia, semplice, sobria, che il classicismo dell'Accademia, da lui stesso patrocinato, aveva varato verso gli anni Trenta, accelerando il processo di decomposizione barocca con il richiamo puristico del Neocinquecento.

La decorazione pittorica nel Casino e negli edifici annessi segue un unico progetto: si nota infatti una certa corrispondenza tra i padiglioni, un rimando continuo dei minori a quello principale, all'interno del quale, facendo perno sulla Galleria nobile, le stanze paiono corrispondersi simmetricamente a due a due: per esempio a ovest paesaggi della campagna, a est vedute fantastiche del giardino esterno con episodi della storia antica di Roma, resi noti dal Winckelmann, che aveva tra l'altro molto lodato la decorazione sfarzosa delle pareti della Galleria. L'arredamento ornamentale e pittorico delle sale del piano nobile del casino, esclusa la cappella, fu avviato nel 1758, e portato a termine nell'ottobre del 1762. Date precise sono disponibili soltanto per la decorazione della Galleria, dipinta da Mengs e terminata nel 1761. Le fonti e soprattutto i disegni di Pâris si rivelano dunque nuovamente preziosi per ricostruire la successione degli eventi.

Dall'atrio ovale si accede alla scala situata nel lato occidentale del palazzo. Nelle pareti sono inseriti vari rilievi ed il soffitto, a volta, è affrescato con dei puttini, opera del Bicchierai. La scala termina in uno stretto pianerottolo con due porte sopra le quali figurano iscrizioni dell'epoca di Alessandro Torlonia. Una di esse riporta come data di completamento della costruzione il 1757. Da qui si entra nel gabinetto ovale, decorato da quattro prospettive colonnari suddivise su quattro campi murali e costruite partendo dal centro della sala, il cui autore è con molta probabilità Pannini. Tra le colonne si vedono quattro paesaggi, eseguiti, secondo il Morcelli, da Paolo Anesi. Il tipo di decorazione ricorda la Sala delle Prospettive di Baldassarre Peruzzi a Villa Farnesina, che diventa un motivo di ispirazione ricorrente per tutte le ville costruite dopo la metà del XVI secolo, e corrisponde al desiderio di simulare una loggia aperta. L'ordine delle colonne dipinte è lo stesso di quello delle colonne reali di giallo antico che fiancheggiano la finestra prospiciente il giardino, i cui capitelli sono sormontati da un epistilio con fregio raffigurante un circo. Le soprapporte sono decorate a *grisailles*, eseguite da La Piccola, eccetto quella sopra la porta che dà sulla Galleria, dove compare un antico rilievo con *Mitra*. Autore dell'affresco sul soffitto, sorta di allegoria morale e filosofica della famiglia committente, è Antonio Bicchierai, che eccettuato il soffitto della Galleria e quello del Gabinetto delle antichità, ha dipinto tutti i soffitti del piano nobile: il disegno preparatorio è stato studiato da S. Prosperi, nel secondo fascicolo di "Studi sul Settecento Romano".

10, 11　　La Galleria fungendo da sala di rappresentanza del palazzo e arrivando ad ospitare fino a cinquanta persone, fu la prima ad essere decorata. L'intento del committente viene qui pienamente rispettato: i materiali antichi di cui sono rivestiti il pavimento, le porte e le pareti sono composti all'interno di una ricca cornice dorata. Gli specchi nelle nicchie e i riquadri a *grisailles* eseguiti da La Piccola si armonizzano con i vasi e le sfingi dipinte sopra le porte. Con effetti illusionistici si evoca il confronto tra antico e recente, i rilievi finti e i rilievi veri presenti sulle pareti, le statue dipinte nel *Parnaso* di Mengs e le statue reali nelle nicchie, le decorazioni anticheggianti in mosaico su otto lesene e le decorazioni eseguite con incrostazioni di marmo colorato nelle altre lesene. Secondo Morcelli, Fea e Visconti i riempimenti a mosaico delle lesene proverrebbero da villa Adriana. Le quattro che affiancano la porta e la finestra centrale sono ornate ad arabesco, motivo ripreso dalle Logge di Raffaello, mentre le lesene d'angolo sono rivestite di viticci vegetali. La casualità e l'eterogeneità dell'insieme ha come scopo quello di rendere più credibile l'autenticità delle decorazioni. Il fregio ideato dal Marchionni, con nove motivi diversi, invertiti o dimezzati, è dorato, ciò a dimostrazione della disinvoltura con cui si inserivano imitazioni, pur sempre costose, nell'insieme degli ornamenti. Se il restauro era concepito come una possibilità di riunificazione dell'antico con il moderno, l'imitazione dell'antico veniva vista come un processo formativo altrettanto importante. Entrambi i concetti si richiamavano ad una tradizione di matrice tipicamente romana: si pensi alla costruzione di alcune facciate di casini di villa come quello di Pio IV in Vaticano, o quello Borghese o Medici. Allo stesso principio si uniformava anche il Mengs nel suo *Parnaso*, destinato a sostituire un antico quadro irripetibile: ciò spiega il perché *Apollo*, le *Muse* e *Mnemosine* siano stati dipinti come se fossero statue colorate. Seguendo la tradizione pittorica cinquecentesca romana Mengs dispone i personaggi frontalmente, senza utilizzare scorci prospettici. Il *Parnaso* è affiancato da due tondi in cui sono raffigurati il *Genio delle Arti* come *Amore delle virtù* e la *Gloria principesca* come personificazione della *Dea Roma*. Le rappresentazioni si uniformano ad un programma iconografico volto all'esaltazione del committente e della sua villa. Tipo e struttura del prospetto dipendono strettamente dalla Galleria di Palazzo

Albani alle Quattro Fontane, affrescata nel 1720 da Giovanni Paolo Pannini [18]. Solo nella zona del soffitto con rilievi dipinti permane un motivo di illusione barocca. Le pareti sono invece decorate con motivi architettonici reali.

La stanza successiva viene chiamata dell'*Antinoo* per il rilievo che lo raffigura, restaurato da Pietro Bracci, e inserito in un camino di marmi preziosi e colorati, ideato dal Marchionni. Il disegno di quest'ultimo era sicuramente diverso, e le modifiche sono state apportate o in fase di progettazione o in seguito al 1815, in occasione del reinserimento del frammento, prima portato a Parigi. Il rilievo, acquisito nel 1735, rappresenta il nucleo della seconda raccolta d'antichità iniziata dal cardinale Alessandro, dopo la vendita della prima. Se per le concezioni dell'epoca l'integrazione tra antico e moderno era considerata una prassi normale, più critico si dimostra il Pâris che giudica l'insieme troppo pesante. Oggi la cornice, prima costituita da un'aquila ad ali spiegate affiancata da due urne, secondo il progetto del Marchionni, presenta un'anfora con due animali fiabeschi. In tutta la Villa Albani ci troviamo di fronte alla ripetizione formale di pezzi effettuata mediante copia o calco. Nell'incavo del soffitto di questa sala abbondano guarnizioni di rilievi in *grisailles* con putti tra stemmi e medaglioni d'angolo, che si ritrovano anche nell'ornamentazione della Galleria grande. Gli affreschi murali sono invece suddivisi in otto riquadri di varia grandezza con fantasie architettoniche e figure anticheggianti. Autore di questa decorazione è finora genericamente ritenuto il Clérisseau, in rapporto con l'Albani dal 1755, che dimostra di risentire dell'influsso del Ghezzi. Questi artisti, del resto, avevano già avuto contatti tra loro.

Le sale confinanti con la Galleria dovevano essere ultimate nel 1763, come risulta da una descrizione del Winckelmann, che riporta i soggetti di tutte le decorazioni. Si trattava di una serie di episodi riguardanti antichi romani come Scipione l'Africano, Quintinio Ortensio, Lucullo ed altri, in cui si poneva l'accento su un modello di vita contemplativa e attiva al contempo, laddove i nostri avi dimostravano di occuparsi materialmente dell'assetto e della cura delle loro proprietà di campagna. Alessandro Albani, naturalmente, intendeva istituire un parallelo tra se stesso e gli antichi. Che sia stato Winckelmann a suggerire gli argomenti da rappresentare lo prova soprattutto il fatto che richiese a Stochs, a nome del Cardinale, che gli fosse inviata da Firenze un'incisione in rame riproducente un antico dipinto con *Augusto, Marco Agrippa Mecenate e*

---

[18] G. DELFINI, *Il Palazzo "alle Quattro Fontane"*, in *Committenze della famiglia Albani. Note sulla Villa Albani Torlonia...* cit., pp. 77-116; ID., *Committenze Albani: il Palazzo alle Quattro Fontane e Giovan Paolo Panini...* cit., pp. 13-30.

Orazio, in cui un re barbaro era raffigurato ai piedi di Augusto, che fu utilizzata per la scena con *Scipione l'Africano mentre nella sua villa di Literum è aggredito dai barbari che si prostrano ai suoi piedi non appena egli rivolge loro la parola.*

Nel lato opposto, dopo la sala con i paesaggi di Anesi, dove si trova il rilievo con *Giove e Antiope* che funge da alzata del camino, e nel cui soffitto è dipinta *Venere* (nel soffitto della stanza a pandant figura *Saturno*), seguono due stanze in cui lo zoccolo è decorato con stemmi affrescati dal La Piccola. Nei soffitti compaiono: *Mercurio* e *l'Apoteosi di Ercole*, mentre sulle pareti, che sono interamente ricoperte di tessuto, trovano posto i dipinti facenti parte della ricca quadreria Albani. Questi provengono in gran parte dal palazzo alle Quattro Fontane, e furono riordinati tra il 1866 ed il 1869, in seguito all'acquisizione della villa da parte dei Torlonia. In realtà già il papa Clemente XI possedeva una ricchissima collezione di opere, ma delle duecentosettantasette elencate nell'inventario del 1712, soltanto centoquarantacinque sono menzionate da Ennio Quirino Visconti, che, coadiuvato anche da Tommaso Minardi e Virgilio Vespignani, redasse un inventario, nel quale forniva anche il nome di ciascun autore. Tale inventario fu utilizzato nella guida di Morcelli Fea Visconti, dove il numero dei dipinti si assottiglia ulteriormente fino a raggiungere gli attuali settantatré quadri. Tra essi sono da annoverare il *Presepio* di Perugino, il bozzetto con la *Trasfigurazione* di Raffaello, la *Madonna del giglio* di Leonardo da Vinci, e tanti altri, di notevole qualità, a cui soltanto recentemente è stata dedicata la giusta attenzione[19].

L'ultima sala a nord-ovest, confinante con l'abitazione del Cardinale, si configura come Gabinetto cinese. I pannelli laccati che rivestono le pareti sono di manifattura giapponese. Il pavimento è rivestito con mattonelle di Delft, tradizionalmente impiegate nelle tipologie abitative legate all'esotico. Tale moda si era già affermata alla fine del Seicento, soprattutto in Germania ed in Francia. Ma è solo con Juvarra, nel 1732 circa, nel Palazzo reale di Torino che le lacche divengono elementi necessari alla decorazione di uno spazio disegnato a misura. A Roma i primi esempi del genere si ritrovano nel secondo piano del palazzo di città di Giacomo Borghese e nella distrutta Villa Patrizi a Porta Pia, dove anche l'arredamento delle sale si uniformava al disegno cinese.

A Villa Albani l'esotismo delle lacche viene reinterpretato ed inserito in un contesto di citazioni antiquarie: le grottesche delle pareti, le sfingi affrontate delle volte, il motivo delle serpi attorcigliate nell'intaglio

---

[19] E. DEBENEDETTI, *I della Rovere e due dipinti nella quadreria Albani...* cit., pp. 254-272; EAD., *Nota su una presunta copia di Andrea Salaino nella quadreria Albani...* cit., pp. 71-76. EAD., *Alcune anticipazioni sulla quadreria Albani...* cit., pp. 1199-1206.

della mensola, che convivono con temi di decorazione desunti da altre culture. Lo sfondo a fitti intrecci rocaille, i baldacchini, le pagode, i putti confermano un prontuario ornamentale tradotto in forme ritmate. Tale tipo di ornamentazione non scompare con il neoclassicismo, ma continua a ritagliarsi spazi di fantasia all'interno di situazioni che richiamano la moda dell'antico.

Diversamente dagli ambienti prospicienti il giardino, i tre retrostanti hanno carattere più intimo e confortevole.

Nella prima stanza, partendo dalla sala ovale, sono sistemati vari ritratti e vedute della famiglia Albani. I riempimenti delle porte sono occupati da paesaggi idillici nello stile di Anesi, ma più baroccheggianti, forse realizzati nel 1866. Sul soffitto compaiono putti, eseguiti probabilmente dal Bicchierai, mentre nella volta sono due paesaggi, attribuiti dal Morcelli al poco noto Irlandieri. In questa sala si trovavano *Marine* di Vernet, alcuni ritratti di Rosalba Carriera, un quadretto con dei fiori di una pittrice tedesca innominata, ed un busto marmoreo del cardinale Alessandro, ora conservato a Versailles.

Nella seconda stanza tutte le pareti sono ricoperte di *gobelins* di genere contadino e di gusto olandese. Due di essi sono datati al 1743 e firmati da Pietro Duranti che successivamente lavorerà nell'arazzeria reale di Napoli. Rappresentano: *Partenza del guerriero* e *Soldati nella taverna*. Questi arazzi però non sono stati eseguiti per la sala in questione a differenza degli altri due firmati Sante Riutti e datati 1761, cui sono da ascrivere anche le strisce sopra le porte con raffigurazione di trofei ed i rivestimenti delle poltrone che si rifanno, come le decorazioni dei soffitti, alla pittura tardo imperiale romana, ed in special modo alla Domus Aurea[20]. Da alcune lettere tra il Cardinale ed Horace Mann, che risiedeva a Firenze, si viene a sapere che l'Albani aveva commissionato una quantità rilevante di arazzi e tappeti da destinare alla villa. In particolare in un'epistola del 6 gennaio 1759 il Cardinale si lamenta del fatto che un incendio, propagatosi nel suo palazzo di città, ha distrutto oltre agli arazzi e ai tappeti, anche i servizi di porcellana e di argenteria acquistati per la villa[21].

Il riquadro centrale del soffitto illustra un *Centauro cavalcato da una Baccante*, ispirato ad un affresco con identico soggetto che si trovava nella Villa di Cicerone ad Ercolano e aveva riscosso gli entusiasmi di

---

[20] E. GENTILI ORTONA, *Fonti pittoriche imperiali romane e pompeiane a Villa Albani*, in *Committenze della famiglia Albani. Note sulla Villa Albani Torlonia...* cit., pp. 225-236. Per il Gabinetto cinese, si veda: A. PACIA, *Esotismo decorativo a Roma fra tradizione rococò e gusto neoclassico. Il Gabinetto cinese di Villa Albani...* cit., pp. 151-155. Le notizie del complesso decorativo di Palazzo Borghese sono state tratte da E. FUMAGALLI, *Committenza e decorazione privata*. Pres. di C. Pietrangeli, Roma 1994, *passim*.

[21] L. LEWIS, *Connoisseurs and Secret Agents in 18th Century Rome...* cit., p. 198.

Winckelmann. Negli ovali sono: *Donna con le tibie*, ripresa da una pittura che decora la sala sepolcrale della piramide di Caio Cestio, disegnata dal Bartoli alla fine del Seicento; *Giovane con tavoletta* e *Flora*, copie di due affreschi che si trovavano nell'orto delle Sette Sale, attiguo alle Terme di Tito, conservate oggi a palazzo Massimi, ed infine *Figura muliebre in piedi con vassoio sacrificale* derivante da un dipinto nelle Terme di Costantino, sotto le fondamenta di palazzo Rospigliosi.

Le fonti iconografiche degli ovali e del riquadro centrale sono dunque quelle della pittura romana imperiale riscoperta nella città pontificia tra la fine del Seicento e l'inizio del secolo successivo. Fondamentale si rivelò l'opera di Sante Bartoli, al quale si devono i disegni acquarellati, poi tradotti in stampe, di tutti i principali monumenti pittorici scoperti durante quel periodo. Questi disegni saranno ripresi dal Turnbull, dal Cameron e dal Caylus. Di questo medesimo clima culturale è partecipe anche Niccolò La Piccola, come si vede nei monocromi della Galleria, derivati dai disegni del Bartoli delle Terme di Tito e della tomba dei Nasoni. Questi affreschi devono comunque datarsi a dopo il 1758 per l'evidente influsso del *Recueil* di Caylus[22].

La terza stanza con l'immagine di *Danzatrice* sul soffitto, desunta, ancora una volta, dalla Villa di Cicerone era la camera da letto a est del cardinale[23]. Confina con la stanza delle antichità, o Gabinetto dell'Esopo, che per dimensioni e per la funzione di anticamera, corrisponde al Gabinetto cinese nell'altra ala del palazzo. Che si tratti di un'invenzione dell'epoca in cui la villa fu costruita risulta dalla testimonianza del Cordara. Nella zona basamentale sono introdotti dei rilievi in stucco, non dorati, come quelli della Galleria. Nella zona inferiore del muro sono nicchie ad archetto con statue, considerate i pezzi più preziosi di tutta la collezione antiquaria. La zona superiore è invece costituita da nicchie rotonde, nelle quali sono collocati busti infantili e busti di grandezza inferiore al naturale. Un ordine corinzio di lesene aggettanti piatte racchiude rispettivamente una nicchia ad archetto e una circolare e forma un compartimento. Le parti aggettanti e tutti i profili sono lavorati in stucco e dorati, il che conferisce solennità all'insieme. Tra il basamento e la zona murale inferiore sono applicate mensole su cui poggiano vasi di alabastro e marmo. I rilievi in stucco di piccole dimensioni inseriti negli infissi delle

---

[22] E. Gentili Ortona, *Fonti pittoriche imperiali romane e pompeiane a Villa Albani...* cit., pp. 225-226

[23] Secondo la descrizione del Cordara soltanto due stanze erano arredate con lo scopo di essere abitate: oltre a questa nell'ala ovest ve ne era un'altra cui si accedeva da una porta segreta, ancor oggi visibile, dove sono i dipinti di paesaggio. Tuttavia questa sala non è stata mai praticabile, non è decorata e tanto meno ospita quadri o antichità.

porte e delle finestre sono copie di antichi modelli della collezione. La forma delle due sovrapporte non corrisponde più alle condizioni originarie: infatti gli antichi rilievi inseriti non si adattano alle loro dimensioni, come anche l'intonaco oleoso azzurro chiaro delle nicchie murali sembra essere stato aggiunto in un restauro successivo. L'affresco del soffitto raffigura la *Liberazione di Andromeda* di La Piccola.

Il vano successivo ospita nel riquadro centrale il *Trionfo di Diana*. A differenza delle altre sale del palazzo, la camera seguente presenta un carattere museale. Numerosi rilievi neoattici, tra cui il cosiddetto *Pasticcio Piranesi*, sono inseriti nelle pareti disadorne, intonacate di un rosa antico. Si trova qui il *Rilievo Albani del cavaliere* acquistato nel 1764, originariamente collocato nella *Porticus Romae*. Sul soffitto *Il trionfo di Marte* del Bicchierai.

Purtroppo riguardo questa infilata di stanze scarsi sono i documenti relativi alle modifiche o ai restauri promossi *in primis* dagli Albani e successivamente dai Torlonia. Una delle poche aggiunte riconoscibili è costituita dai tondi in gesso con la raffigurazione del *Giorno* e della *Notte*, inseriti nelle sovrapporte della sala di *Antinoo*. Si tratta di calchi di modelli in gesso originali di Berthel Thorvaldsen, conservati nell'omonimo museo di Copenaghen. Forse l'inserimento è da datarsi all'epoca in cui, in questo vano, fu aggiunto o restaurato lo zoccolo a *grisailles* con gli stemmi della famiglia Castelbarco, proprietaria della villa dal 1837 al 1866. Fin troppo spesso l'arredamento interno del palazzo è stato trascurato, forse a causa della scarsa disponibilità di riproduzioni fotografiche, mentre si è data esagerata importanza ad una lettura della villa in chiave museale.

Va invece evidenziato come il Winckelmann in numerose lettere descriva spesso soggiorni prolungati in villa da parte del Cardinale e della sua corte. Vi erano infatti edifici amministrativi, magazzini, ecc., poi trasformati in scuderie. Ma nonostante ciò ancor oggi prevale l'opinione che l'Albani avesse pensato e strutturato la villa soltanto come museo[24]. La cappella, al pianterreno, sembrerebbe smentire tale punto di vista. L'arredo dell'interno fu portato a termine nel 1763, anno in cui la cappella fu consacrata. In passato, sopra l'altare maggiore, si trovava un rilievo con *San Giuseppe*, perduto. La *Lamentazione di Cristo* del Bernini, è murata nella parete sud insieme ad altri due rilievi, *Giona che esce dal-*

---

[24] Il Rykwert è convinto che la villa fosse utilizzata soltanto per soste diurne. Cfr.: RYKWERT, *I primi moderni dal classico al neoclassico...* cit., p. 414; M. BEVILACQUA, *Giovanni Battista Nolli geometra e architetto. Biografia e regesto delle opere*, in *Roma nel secolo dei Lumi. Architettura erudizione scienza nella Pianta di G.B. Nolli "celebre geometra"*, Napoli 1998, pp. 156-163.

la bocca della balena e *Il Sacrificio di Isacco*. Il La Piccola ha dipinto sul soffitto un *Martire cristiano*, probabilmente lo stesso santo le cui reliquie, rinvenute nelle catacombe nei pressi della villa, qui sono conservate. La cappella, non visibile da molti anni, non ha mantenuto alcuna decorazione pittorica originaria, tranne l'ultimo ovale cui abbiamo accennato, al centro della volta.

La Schroetter ha scritto che esiste nella villa un preciso filo conduttore iconologico, consistente in una forma di eliocentrismo, secondo la quale i vari *pianeti* raffigurati nelle volte ruoterebbero attorno al *sole* del *Parnaso* di Mengs, unico dipinto realmente neoclassico dell'insieme[25]. Al di là di questo schema unitario mi pare tuttavia di poter scorgere, in una sistemazione voluta dal celeberrimo cenacolo cui abbiamo alluso, delle forme di germinazione di alcuni elementi stilistici portanti che si riproducono da un ambiente all'altro, fenomeno che troviamo solo in questa villa, gioiello e prototipo del gusto romano allo scadere della metà del secolo. Come spesso i grandi monumenti del periodo, infatti, la villa diviene neoclassica nel suo insieme pur parlando una lingua ambigua di inflessione chiaramente tardobarocca, per esempio nella decorazione, mentre l'antico che vi è ospitato non è quello canonico greco.

Che dire dei gessi del Gabinetto dell'Esopo che riflettono le metope del fregio della Galleria, o i piccoli punti delle poltroncine e del divano nella sala attigua, il cui gusto che trova rispondenza nelle decorazioni della volta, riprendendo lo stile tardo imperiale romano e pompeiano, torna compatto, a volte con le medesime tematiche, in alcuni particolari del soffitto del Bigliardo? E del fatto che sul lato corto di questo stesso padiglione si trovino i calchi dei quattro rilievi della Galleria? E che le lesene decorate con cammei nella sala del Canopo riproducano con leggere varianti quelle della Galleria nobile?

Costruzione preziosa e tentacolare, che non scade mai di qualità, racchiude nei suoi meandri un'eco profonda che pare rimbalzare di ambiente in ambiente, prolungandosi da una zona all'altra del giardino, quasi ad ammonirci che siamo di fronte alla ricerca del Bello per eccellenza, che per questo secolo si estrinseca soprattutto a Roma e in questa dimora.

---

[25] E. SCHROETER, *Die Villa Albani als Imago Mundi. Das unbekannte Fresken- und Antikenprogramm im Piano Nobile der Villa Albani zu Rom*, in *Forschungen zur Villa Albani...* cit., pp. 185-300.

1. Villa Albani, *Il portico e nel fondo l'ingresso al Tempio della Leda o Sala dei bagni.* 261

2. Villa Albani, *Scorcio del Casino con la doppia scalinata e nel fondo il Tempio delle Cariatidi.*

3. Villa Albani, *L'emiciclo*, particolare.
4. Villa Albani, *Dea Roma, ora nel portico retrostante il Coffeehouse*, incisione.

5. Villa Albani, *Il Bigliardo visto dal parterre e l'edicola di Giove*.
6. Villa Albani, *La statua del Nilo con ai lati le erme al di sotto della doppia scalinata*.

7. Villa Albani, *La Galleria del Canopo all'interno dell'emiciclo.*

8. Villa Albani, *La cascata e la statua di Anfitrite*.
9. Villa Albani, *Il Tempietto diruto*.

10. Villa Albani, *La Galleria nobile con il soffitto di Mengs e i monocromi di La Piccola*,
    lato verso la Sala di Antinoo.
11. Villa Albani, *Sovrapporta della Galleria*.

ANDREA ZANELLA

IL MONUMENTO FUNERARIO PAPALE
DA BERNINI A CANOVA[1]

La produzione di Antonio Canova è costituita per una buona parte da opere destinate a commemorare i defunti o a contenerne le spoglie: il modello preferito dallo scultore era evidentemente la stele, ma nella sua produzione funeraria vi sono almeno un vaso cinerario e diversi monumenti architettonici; due di questi sono destinati a perpetuare la memoria dei papi Clemente XIII e Clemente XIV. Entrambi, oltre a consacrare definitivamente la gloria dell'artista sulla scena romana ed internazionale, gli valsero la fama di innovatore rispetto alla tradizione monumentale locale che aveva in Bernini uno dei capostipiti[2].

Dal momento in cui Canova inaugurò il primo dei suoi monumenti pontifici, il confronto con Bernini parve inevitabile. Tuttavia, ciò che è stato preso in considerazione solo raramente è che tra i monumenti ber-

---

[1] Questa comunicazione non pretende di ripercorrere le tappe della complessa evoluzione della scultura monumentale a Roma dal Seicento all'epoca di Canova in tutti i suoi aspetti: concepita a complemento di una visita a San Pietro da parte degli allievi, vuole piuttosto essere un invito a tener conto di ciò che poteva aver interessato Canova.

[2] Per la bibliografia su Canova si rimanda alla voce curata da E. DEBENEDETTI in *Saur, Allgemeines Kunstlerlexikon*, 16, München-Leipzig 1997, pp. 173-176. Punti di riferimento utili per lo svolgimento di questo tema sono in R. WITTKOWER, *Art and Architecture in Italy: 1600 to 1750*, Harmondsworth 1958 e successive edizioni; J. HENRY, *Antonio Canova and the tomb to Vittorio Alfieri*, The Florida State University Ph. D, Ann Arbor – London 1978; PH. FEHL, *Improvisation and the artist's responsability in St. Peter's Rome: Papal Tombs by Bernini and Canova*, in *Akten des XXV International Kongress für Kunstgeschichte (...). Sektion 9*, Wien 1985 pp. 111-123; C. M. S. JOHNS, *Ecclesiastical Politics and Papal Tombs: Antonio Canova's Monument to Clement XIV and Clement XIII*, in «The Sculpture Journal», II, 1998, pp. 58-71.

niniani e quelli di Canova trascorre un intervallo di tempo di circa centocinquant'anni. In questo periodo furono attivi a Roma diversi artisti della cui esperienza Canova non può non aver tenuto conto. Per Leopoldo Cicognara, biografo ed amico di Canova, ma anche autore di una *Storia della scultura*, Bernini era un "genio vivacissimo" dominato tuttavia da falsi principi, responsabilie soprattutto di aver assoggettato «alla sua maniera strana e bizzarra le arti in Italia»[3]; «fu l'uomo più pericoloso nel secolo per l'aura che lo circondava, plaudendosi con troppo entusiasmo alle sue idee ingegnose, ai motivi nuovi, ai suoi progetti grandi, ricchi, arditi, originali, in conseguenza dei quali negligendo la semplice natura e i veri modelli dell'arte, servì poi egli stesso di modello a tanti infelicissimi imitatori». Secondo Cicognara dunque, la maggior parte degli scultori successivi furono dipendenti da Bernini, e per lo più, opinione questa condivisa ancora da molti, furono mediocri. Stendhal, altro estimatore di Canova, considerava mediocri tutti gli scultori che avevano lavorato nell'intervallo da Michelangelo a Canova[4], tuttavia Canova stesso dichiarò più volte la sua ammirazione per l'opera di alcuni di essi[5]. Limitandoci a due annotazioni che riguardano monumenti che citeremo in seguito, scriveva infatti Canova, il 16 novembre 1779 nel suo faticoso italiano: «Andiedimo in seguito in San Pietro in Vatticano nella qualle si misimo ad osservare tutte le Tavole di mosaico e tutte le statue e depositti di statue mi piacque il San Domenico, il San Andrea, San Ignazio, San Giovanni di Dio, il Deposito fatto da Rusconi, quello fatto da Guglielmo dalla Porta, il famoso basso rilevo fatto dall'Algardi[6]»; ed ancora il 5 marzo 1780: «Questa mattina andiedi a San Pietro a rivedere la Cappella Sistina e la chiesa di San Pietro che ogni volta che vi entro vado a vedere il Deposito fatto da Camillo Rusconi il qualle è un opera che mi sorprende massime le pieghe[7]».

Non resta dunque che passare in rassegna quei monumenti. Come è noto anche Bernini aveva realizzato due mausolei pontifici, quello di

---

[3] L. CICOGNARA, *Storia della scultura dal suo Risorgimento in Italia fino al secolo di Canova*, seconda edizione, tomo III, Prato 1823, p. 258.

[4] STENDHAL, *Promenades dans Rome*, ed. italiana a cura di M. Colesanti, Milano 1983, p. 125: «Non capisco come Cicognara abbia potuto far passare per grandi artisti tutti i mediocri scultori che hanno riempito l'intervallo da Michelangelo a Canova; sono solo abili artefici come l'abate Delille e nient'altro; parecchi hanno saputo tagliare bene il marmo, come l'abate i suoi versi. (...). La mediocrità vantata da Cicognara non vi sembra confermata dalla tomba di Alessandro VIII, Ottoboni? (...). Ma è la stessa arte che ha prodotto le tombe medicee a Firenze?».

[5] Si confrontino in merito A. CANOVA, *Quaderni di viaggio* (a cura di E. Bassi), Venezia-Roma 1959 e A. CANOVA, *Scritti*, I, a cura di H. Honour, Roma 1994.

[6] A. CANOVA, *Quaderni di viaggio*, cit., p. 37.

[7] A. CANOVA, *Quaderni di viaggio*, cit., p. 102.

Urbano VIII Barberini e quello di *Alessandro VII Chigi*, entrambi in 2 San Pietro. Con il primo monumento Bernini aveva stabilito un canone, quello della struttura piramidale con il papa alla sommità, un sarcofago alla base con due figure allegoriche agli estremi. La composizione berniniana non è originale, ma deriva indirettamente dalle tombe medicee e direttamente dal *Monumento a Paolo III Farnese* di Guglielmo Della Porta, a cui la tomba di Urbano VIII fa da *pendant* nella tribuna della 1 basilica vaticana. Lo scultore cinquecentesco aveva dato del papa un'immagine totalmente ieratica, emblematica, mentre Bernini lo aveva reso una presenza drammatica, risalendo al quattrocentesco *Monumento di Innocenzo VIII* del Pollaiolo (sempre in San Pietro) da cui potrebbe aver ripreso anche la forma della base del sarcofago a cui aggiunse un timpano michelangiolesco. Della Porta aveva rappresentato le Virtù distese su due volute mentre quelle di Bernini sono in piedi ed hanno una valenza più drammatica che simbolica. Bernini aggiunse ulteriori variazioni allo schema essenziale dell'artista cinquecentesco, elementi scenografici e simbolici: tra i timpani del sarcofago è uno scheletro che scrive su un cartiglio nero il nome del defunto, mentre api di bronzo dorato, emblemi della famiglia Barberini, salgono verso l'alto. I materiali con cui è stato realizzato il monumento sono eterogenei: la figura del papa è di bronzo, come il coperchio del sarcofago, lo scheletro e le api (e fondamentalmente come il baldacchino a cui si ricollega, e la cattedra, che fu realizzata in anni successivi); il sarcofago e il cartiglio sono in marmo nero; le Virtù sono i soli elementi in marmo di Carrara. Questa differenza di materiali può dare luogo a una lettura simbolica in senso verticale del monumento, che pure può essere letto su due livelli orizzontali sovrapposti: un livello terreno dove sono le Virtù e il sarcofago (sia la morte che le Virtù sono caratteristiche umane), e un secondo livello, ultraterreno, proprio al centro della semicalotta della nicchia che riprende la forma dell'abside, dove troneggia la figura del pontefice. Elemento di raccordo in entrambi i casi è la figura del Genio della morte in atto di scrivere. Il materiale accentua la differenza tra ciò che riguarda il mondo ultraterreno e le Virtù, che peraltro sono inquadrate nella nicchia pur restandone fuori. La raffigurazione della *Carità*, è quella di aspetto più terreno: è estremamente vivace e umanamente affaccendata ad allattare il bimbo che ha in braccio mentre controlla quello che ha al seguito; la *Fortezza* (con un atteggiamento peraltro molto poco consono al suo carattere), appoggiata al sarcofago, sembra assorta in una meditazione malinconica che la pone tra il terreno su cui poggia la sua fisicità e un mondo superiore che è quello da cui proviene l'apparizione imperiosa del papa.

A questa struttura, con varianti più o meno evidenti, si adattarono tutti gli scultori del Sei e del Settecento a cui furono commissionate tombe

papali[8], compreso Canova che, accettando l'eredità berniniana e rinno-
vandola nello stile e nel contenuto, è da porre al termine di un non breve
processo evolutivo del genere. Vuol dire cioè che tra Bernini e Canova
non esiste veramente un salto, come intendevano alcuni suoi biografi[9] e
come molta letteratura canoviana successiva ha lasciato intendere, ma una
serie di esperienze di cui Canova ha potuto sicuramente tenere conto[10].

Le prime varianti sostanziali alla tipologia del *Monumento di Urbano VIII* fu il Bernini stesso ad apportarle nel *Monumento di Alessandro
VII*. Questo monumento ha innanzitutto una struttura architettonica molto evidente ed ingloba una porta, quindi il rapporto tra la struttura piramidale e lo spazio risulta accentuato in senso tridimensionale. Agli angoli della base della piramide, costituita da uno scenografico panneggio[11], si trovano non più due ma quattro figure allegoriche; queste, au-
mentando di numero e perdendo la posizione di primo piano, sembra che
nel dramma abbiano un ruolo di "coro". In alto è posto il pontefice che
non impone la sua presenza con gesto benedicente, ma si mostra in preghiera. Il Genio della morte, che nel monumento Barberini aveva la funzione di narratore, in questa rappresentazione è un attore di primo piano:
emergendo dal drappeggio sembra uscire dalla porta sottostante. Lo scar-

---

[8] Si veda per i singoli artisti del XVII secolo A. BACCHI, *La scultura del '600 a Roma*, Milano 1996; per una visione d'insieme della situazione romana, nel XVII e XVIII secolo si vedano A. NAVA CELLINI, *La scultura del Seicento*, Torino 1982; EADEM, *La scultura del Settecento*, Torino 1982.

[9] Non potendo confrontare in questa sede tutte le fonti, si è data la preferenza a Leopoldo
Cicognara e a Antoine-Chrisostome Quatremère de Quincy; del primo è stata presa come riferimento la *Storia della scultura* citata; del secondo *Canova et ses ouvrages où mémoires historiques sur la vie et les travaux de ce célèbre artiste*, Paris 1834. Si segnalano per i rapporti
tra lo scultore e questi suoi esegeti: M. G. MESSINA, *L'arte di Canova nella critica di Quatremère de Quincy*, in *Studi Canoviani, I, Le Fonti. Canova e Venezia*, Roma 1973, pp. 119-
152; G. ROMANELLI, *Leopoldo Cicognara e la politica delle Belle Arti*, in G.C. ARGAN, G. RO-
MANELLI, G. SCARABELLO, *Canova, Cicognara, Foscolo*, Venezia 1979, pp. 35-47; F. FEDI,
L'ideologia del Bello. Leopoldo Cicognara e il classicismo fra Settecento e Ottocento, Milano
1990.

[10] Qui saranno citate solo le esperienze romane, ma a questo proposito, mi sembra giusto
citare Emilio Lavagnino, sia perché ricordò l'esortazione di Batoni a Canova: «Ricordatevi
che siamo a Roma, ritornate a San Pietro; osservate quei vasti sepolcri, le opere del Bernini,
dell'Algardi e del Rusconi!», sia perché, allargando l'orizzonte canoviano riteneva giusto in-
terrogarsi su quanto dovette Canova nell'elaborazione dei suoi monumenti ad artisti quali
Giambattista Piranesi, a J. D. Leroy, a Robert e James Adam, a Servandoni, a Germain Soufflot, a Jean-François Chalgrin. Cfr. E. LAVAGNINO, *Canova e le sue invenzioni*, Roma 1954.

[11] Questo elemento fu assai sfruttato in molti monumenti funebri successivi; ancora in San
Pietro una memoria ne è nel *Monumento di Maria Clementina Sobieski*, e forse se ne ricordò
lo stesso Canova nel *Monumento di Maria Cristina d'Austria* quando decise di far avanzare il
suo corteo funebre su di un panno.

to tra l'immobilità del pontefice e il dinamismo degli altri elementi contribuisce ad aumentarc il pathos[12].

Realizzato tra il 1671 e il 1678, fu questo l'ultimo intervento del Bernini che dal 1629 era stato nominato architetto della Fabbrica di San Pietro, fatto non trascurabile, che gli aveva dato la possibilità di intervenire su tutta la struttura della basilica e di poter creare tra le sue opere un legame sicuramente rafforzativo.

Diverso dal primo monumento berniniano, il mausoleo di Alessandro VII, si discosta anche dai due monumenti che nel frattempo erano stati realizzati nella basilica: *il monumento di Leone XI* e quello di *Clemente X*. 4

Il *monumento di Leone XI* è il primo monumento derivato direttamente dal mausoleo Barberini. Fu affidato ad Alessandro Algardi che vi lavorò tra il 1634 e il 1652, cioè quando Bernini aveva già iniziato la tomba di Urbano e in tempo utile per riprenderne la composizione e rivisitarla alla propria maniera, senza dubbio più classicheggiante. «Nonostante l'indipendenza dalle cattive abitudini di tutti gli altri scultori – notava Cicognara – anche l'Algardi pose il suo Leone XI seduto sul monumento con un lembo del piviale sulle ginocchia, e la statua scolpì in uno stile così pesante, che a dir vero non corrisponde al merito di questo scultore»[13]. Qui il papa è collocato effettivamente sul sarcofago (ma questa è una variante rispetto al monumento berniniano) all'interno di una nicchia da cui le virtù restano completamente fuori, pur essendo sullo stesso basamento del sarcofago. Rispetto al monumento berniniano non c'è movimento, non c'è unità drammatica; ciascuno agisce, o meglio è presentato, per proprio conto. Il gesto del papa, pure benedicente, è più composto di quello berniniano e il suo volto ha un espressione compassata, come le virtù che guardano in direzione opposta. Il nome del pontefice è ai suoi piedi, inciso all'interno di una corona d'alloro; non ci sono geni a scriverlo e la funzione del narratore è svolta dall'artista stesso che pose un rilievo sul sarcofago, come a dire che la scultura deve prevalere sul teatro.

A differenza di Bernini e di quanto avvenne più tardi per Canova, Algardi si trovò a dover organizzare la composizione in uno spazio assai ridotto: una nicchia sulla parete sinistra della navata, in un punto in cui que-

---

[12] Acuto il giudizio di Stendhal: «Non posso negare che ci sia qui un certo fuoco nell'esecuzione, che attira gli sguardi del popolo: ho visto spesso davanti a questa tomba una decina di contadini della Sabina fermi, a bocca aperta. Ma ciò che è fatto per commuovere il volgo, disgusta i miei amici. Ecco la grande difficoltà delle arti e della letteratura nel nostro secolo. (...). I contadini della Sabina, dopo avere osservato lo scheletro dorato della tomba di Alessandro VII, tornano ai loro monti più cattolici di prima» (STENDHAL, *Promenades dans Rome*, cit., pp. 124-125).

[13] L. CICOGNARA, *Storia della Scultura...* cit., p. 56.

sta si restringe diventando quasi un corridoio, di conseguenza era necessario contenere le dimensioni del monumento e una possibile invasione dello spazio. Algardi raggiunse questo risultato rendendo statiche le figure ed eliminando il cromatismo e quindi l'uso di materiali diversi; tutto è rigorosamente in bianco di Carrara (in realtà sià il rilievo del sarcofago, sia il bianco avevano caratterizzato un altro monumento berniniano, quello della *Contessa Matilde*, addossato al primo pilastro nella navata destra). Il risultato: «un vero monumento di Classicismo barocco» (Wittkower).

5   Poco dopo il monumento algardiano, fu realizzato il *Monumento di Clemente X* (1652 circa), collocato nel transetto destro. Si tratta di un'opera di gruppo eseguita da scultori quasi tutti passati dalla bottega del Bernini (Ercole Ferrata, Lazzaro Morelli, Giuseppe Mazzuoli, Leonardo Reti, Filippo Carcano) sotto la direzione di Mattia De Rossi. La figura del pontefice benedicente è posta su di un piedistallo sproporzionatamente alto, fiancheggiato dalle due consuete Virtù e preceduto da due genietti che sostengono un cartiglio con il nome del defunto. Tutto il gruppo resta interno alla grande esedra, l'unico elemento sporgente è il sarcofago che riprende in maniera più elaborata quello dell'Algardi, per la forma e il rilievo. Come nei monumenti berniniani, i materiali utilizzati sono eterogenei, ma solo per gli elementi architettonici e decorativi, mentre le figure, compresa quella del papa, sono bianche. In sintesi si nota sia la differenza di mani, sia la differenza di ispirazione; a tale proposito scriveva ancora Cicognara: «non è facile a spiegarsi come mai potesse esservi unità di concetto, non potendo presumersi che gli scultori delle figure ricevessero una direzione dell'architetto, o lavorassero sui suoi modelli, com'erano usati su quei del Bernini; poiché ove sono tiranni grandi non sono permesse le tirannie subalterne»[14].

6   Maggiore unità, benché con i segni di un marcato dualismo, è nel *Monumento di Innocenzo XI* (1697-1704), l'ultimo del XVII secolo, realizzato su progetto di Carlo Maratta da Pierre-Etienne Monnot. Lo scultore francese tenne presente sia il modello di Algardi, che peraltro si trova esattamente di fronte, sia quello del Bernini. Come il primo inserì nel gruppo un bassorilievo, ponendolo però sul basamento che fa un tutt'uno col sarcofago di bronzo sostenuto da due leoni dello stesso materiale. L'inserimento di questa base provoca contemporaneamente un effetto di schiacciamento al sarcofago e di rimpicciolimento alla statua del pontefice, che quasi sparisce dentro la nicchia. Al contrario sono ben evidenti le Virtù, in marmo bianco come il pontefice, sedute sugli spioventi del sarcofago (che ricordano quello berniniano). Nell'insieme si può comunque dire che Bernini sia più presente di Algardi, non tanto per la policro-

---

[14] L. Cicognara, *Storia della Scultura...* cit., p. 68.

mia dei materiali e per la ripresa di elementi dal *Monumento di Urbano VIII*, quanto per l'idea di dramma rappresentato che gli atteggiamenti e gli sguardi delle due Virtù rendono evidente. Riferimenti sia di ispirazione classica sia di ispirazione barocca, con prevalenza degli uni o degli altri convivono in quasi tutti i monumenti settecenteschi, a partire dal *Monumento di Alessandro VIII* che si trova nel transetto sinistro della basilica, cioè a *pendant* del *Monumento di Clemente X*, col quale ha in comune (1691-1725) diversi punti. Come l'altro è molto vicino al monumento berniniano, progettato dal genovese Angelo De Rossi, ma anch'esso eseguito a più mani. I materiali utilizzati sono ancora diversi e sono spariti definitivamente gli scheletri e i drappeggi ridondanti ma non le licenze fantasiose, quali le variazioni sul tema del sarcofago, che viene ingentilito nella forma. Collocata nel transetto di sinistra, questa tomba è assai più composta del suo *pendant*, il *Monumento di Clemente X*; ma è ancora lontana dalla nobiltà che invece si riscontra nel *Monumento di Gregorio XIII*, realizzato tra il 1719 e il 1725 da Camillo Rusconi, che già attua una notevole mediazione tra classicismo e barocco. Il monumento è collocato in opposizione a quello dell'Algardi, cioè addossato alla parete esterna dell'ultima campata della navata destra. Come il suo *pendant* è in marmo bianco, ma non ne ha il rigore assoluto e astratto. È un monumento che, come abbiamo già visto, Canova ammirava dai suoi primi anni romani.

Il papa di Rusconi, più in linea con i ritratti berniniani che con quelli di Algardi, è in trono sopra il sargofago, all'interno dell' esedra; le due figure allegoriche (la *Religione* e la *Fortezza*, oppure la *Sapienza* e il *Coraggio*) restano invece al di fuori di questa, ma l'unità spaziale è garantita da un'elemento utilizzato da Bernini nella tomba di Alessandro VII: un drappo che la *Fortezza* solleva per mostrare e guardare il rilievo del sarcofago (derivato dall'Algardi) sotto cui è un elemento araldico, il piccolo drago emblema dei Boncompagni, ripreso con il realismo di un animale domestico. Le espressioni, le azioni, e non ultimo il fatto che non venga rispettata una composizione rigorosamente simmetrica e frontale, portano a superare l'immobilità algardiana senza cadere nel fragore di altri esempi del barocco più tardo; eppure il conte Cicognara, giudicava mediocre anche questo monumento, pur riconoscendo che se il Rusconi «avesse avuto migliore istruzione, avrebbe facilmente più di altri molti potuto riuscire eccellente». È comunque evidente che rispetto alla tradizione tardo barocca Rusconi si fosse messo già in una posizione eversiva, e l'esempio di questo lo troviamo in Sant'Ignazio, dove l'eleganza delle sue quattro candide Virtù (che pure appartengono ad una fase più rococò dell'artista) poste agli angoli della cappella Ludovisi, contrasta di molto con la fragorosa teatralità del *Monumento di Gregorio XV* a cui lavorarono Pierre Legros ed Etienne Monnot (1709 ca.).

Allievi di Rusconi furono Filippo della Valle e Pietro Bracci, che pure eseguirono monumenti pontifici. Il primo ebbe l'incarico verso il 1746
10 del *Monumento di Innocenzo XII* su disegno di Ferdinando Fuga, per la navata destra della basilica vaticana. Il monumento è collocato più in alto degli altri, trovandosi sopra una porta della navata destra. Un'urna fiancheggiata da due Virtù precede una nicchia posta ancora più in alto in cui è la statua del pontefice. L'interpretazione di questa è certo ispirata al Bernini e il lavoro sulla materia virtuosistico, ma il gesto, più comunicativo che patetico, è quasi un saluto e tutta la figura esprime una sorta di serena umanità; così come le due Virtù, la *Carità* e la *Giustizia*. La prima è ancora una creatura di derivazione berniniana (riprende la stessa figura del *Monumento di Urbano VIII*, ma al contrario di quella si rivolge con lo sguardo al pontefice, come la *Religione* nel monumento di Rusconi), mentre l'altra, ha l'*anchement* tipico di altre figure dello stesso Della Valle (si veda ad esempio l'*Abbondanza* della Fontana di Trevi) e di molta scultura rococò.

L'insieme appare leggero e decorativo, più che monumentale, e condivide alcune variazioni, quali il rimpicciolimento dell'esedra e l'allon-
11 tanamento delle figure con il *Monumento di Benedetto XIII* di Pietro Bracci eseguito su progetto di Carlo Marchionni e con l'aiuto di Bartolomeo Pincellotti in Santa Maria sopra Minerva tra il 1734 e il 1737, dove tra l'altro notiamo ancora una variante rispetto al modello berniniano, infatti il pontefice non è in trono come Urbano VIII, ma non è neanche inginocchiato in preghiera come Alessandro VII, benché come questo sia a capo scoperto: è colto nell'atto di inginocchiarsi portando una mano al petto.

12 Pietro Bracci fu anche l'autore del *Monumento di Benedetto XIV* (1763-1769), l'ultimo dei monumenti pontifici settecenteschi in San Pietro prima dell'intervento di Canova; collocato in una grande nicchia nel passaggio del transetto destro, presenta la consueta struttura piramidale senza il sarcofago: il riferimento alla morte resta tuttavia nella porta che introduce appunto al sepolcro. Non ci sono scheletri, non ci sono racconti in rilievo, l'azione è breve, eppure c'è: una delle due Virtù si sporge verso la porta, mentre il putto che l'accompagna e l'altra hanno lo sguardo sollevato al pontefice che si presenta come una apparizione ieratica della Chiesa: in piedi col braccio levato in atto di benedire. A rimarcare la differenza di livelli tra questi personaggi (tutti comunque realizzati in marmo bianco) sono anche le pose e la differenza di resa del panneggio, che è molto più mosso in quello delle virtù. Bracci avrebbe dovuto realizzare anche il *Monumento a Clemente XIII*, di cui è noto il progetto.

Tra l'ultima realizzazione di Bracci e il progetto dei monumenti canoviani trascorrono meno di vent'anni, ma qualitativamente, già ai contemporanei di Canova sembrava fosse passata un eternità «Dallo stile manierato e lontano dal bello e del naturale che dominava alla metà del secolo XVIII, ai monumenti Ganganelli e Rezzonico si arriverà – scriveva Cicognara – con straordinaria rapidità per la forza di un genio indipendente»[15].

Sin dal primo monumento che realizzò, il *Monumento di Clemente XIV*, Canova si attenne dunque al modello stabilito, d'altra parte, anche volendo, non avrebbe potuto trarre partito dall'antichità:

«on doit en convenir, dans l'absence d'un type, résultat de moeurs et d'institution reçues – scriveva Quatremère de Quincy –, ce devoit être, à Rome surtout, et à l'égard du monument funéraire d'un Pape, sur le type des mausolées de Saint-Pierre, que Canova dévoit régler le genre de sa composition. Seulement il lui était permis d'appliquer aux masses et aux détails architectoniques de son ensemble, un style de grandeur et de purèté, qui devoit contraster avec celui des formes rompues et bizarrement contournées, dont l'école de Borromini avoit infecté l'architecture, tant en grand que dans le plus petits ouvrages. Ce fût donc sur le goût de plus d'un mausolée de Pape à Saint-Pierre qu'il résolut d'établir l'ensemble de son monument»[16].

La realizzazione impegnò l'artista dal 1783 al 1787[17]. Il monumento fu collocato nella basilica dei Santi Apostoli, proprio in fondo alla navata sinistra. Canova, guadagnandosi anche l'approvazione dell'architetto Francesco Milizia per aver realizzato un monumento "greco"[18], dispose un basamento su due livelli che inglobava la porta della sacrestia. Il papa è in alto, seduto in trono, su un podio davanti al quale è un sarcofago affiancato da due statue allegoriche. La scultura monumentale del pontefice in trono è ancora di influenza berniniana, anche se il suo braccio destro levato non è per benedire, piuttosto per imporre la mano «come suol fare chi esprime la protezione e il dominio sui popoli, non meno di chi

---

[15] L. CICOGNARA, *Storia della Scultura...* cit., p. 194.

[16] A.-C. QUATREMÈRE DE QUINCY, *Canova et ses ouvrages*, cit., p. 44.

[17] La genesi del monumento è stata recentemente illustrata in H. HONOUR, *Dal bozzetto all'ultima mano*, in *Antonio Canova*, catalogo della mostra (Venezia, Museo Correr, Gipsoteca, Possagno, 22 marzo – 30 settembre 1992), Venezia 1992, pp. 35-37.

[18] L. CICOGNARA, *Storia della Scultura...* cit., p. 192, in nota è riportata la lettera di F. Milizia al conte Sangiovanni, che vede in Canova il rinnovarsi dell'arte antica: «È questa un'opera perfetta e per tale viene dimostrata dalle censure che ne fanno i Michelangiolisti, i Berninisti, i Borroministi, i quali hanno per difetti le più belle bellezze, giungendo fino a dire che i panneggiamenti, le forme, e le espressioni, sono all'antica. Dio abbi pietà di loro». Nella composizione architettonica Canova, che nell'interpretazione della tradizione romana non poteva dimenticare la sua formazione, potrebbe verosimilmente aver ricordato anche la composizione della *Pala di Castelfranco* di Giorgione, come suggerisce G. PAVANELLO, *«Antonio Canovae Veneto...»*, in *Antonio Canova* cit., p. 48.

amministra nel culto cattolico i sacramenti» (Cicognara)[19]. È un gesto
che non raggiunge le due figure femminili dolenti che sono su un livello
fisicamente più basso: la *Temperanza*, in piedi, piangente sul sarcofago,
e la *Mansuetudine*, dall'altro lato, seduta ai piedi di esso; ciascuna è riconoscibile dall'attributo con cui si presenta (il freno per la *Temperanza*
e l'agnello per la *Mansuetudine*); eppure queste due figure non sono per-
cepite come Virtù, ma come ideali femminili accomunate da un attributo
unico che è il dolore[20]. Un dolore che si manifesta tutto intorno al sarcofago e che le rende indifferenti l'una all'altra, ed in fondo anche alla presenza del Papa, con il quale sembrano non avere alcun legame.

Sin dalla sua inaugurazione quest'opera fece molto scalpore e gli am-
miratori di Canova vi trovavano ampiezza di composizione, grandiosità
e severità insieme, semplicità e senso pittorico; particolarmente lodate
furono le forme essenziali del trono e del sarcofago. Tuttavia se il *Monumento Ganganelli* fu quello che consacrò la gloria di Canova, il vero
banco di prova fu per lo scultore il *Monumento di Clemente XIII* nella
basilica vaticana dove sarebbe stato inevitabile un paragone diretto con i
suoi predecessori.

Canova aveva cominciato a lavorare ai progetti per questo monumento già dal 1783, ma i lavori effettivi non ebbero inizio prima del
compimento del *Monumento Ganganelli* e terminarono nel 1792. Con-
siderando il gusto dei suoi contemporanei, il paragone più temibile era
con il *Monumento di Paolo III* e con il *Monumento di Urbano VIII*.
«Canova – scriveva Quatremère – paraît avoir voulu prendre le milieu
entre les deux systèmes, et pour mieux dire les avoir réunis dans l'ensemble de sa composition, où dans le fait, nous troverons de l'allégori-
que, du dramatique et du symbolique (...).»[21]. In più, come Algardi, Canova rifiutò il cromatismo berniniano, ma non gli effetti cromatici ed il
suo monumento è tutto in marmo bianco a parte il basamento. Ancora
una volta Canova adottò la disposizione piramidale e sistemò disponen-
do il gruppo su tre livelli: in alto la figura monumentale del papa, in
basso il sarcofago e due figure su un basamento che inquadra una porta.
Il monumento sfrutta una grande esedra nella parete destra del passaggio del transetto destro, esattamente all'opposto del monumento berniniano di *Alessandro VII*. Come l'Alessandro VII di Bernini, il Clemente
XIII di Canova è rappresentato in ginocchio a capo scoperto, ma è po-

---

[19] L. Cicognara, *Storia della Scultura...* cit., p. 192.
[20] Diversi studi di Canova rivelano l'interesse per le figure femminili piangenti, che si ritrovano nella maggior parte dei monumenti funerari.
[21] A.-C. Quatremère de Quincy, *Canova et ses ouvrages...* cit., p. 52.

sto di tre quarti rispetto a chi guarda e non frontalmente, in modo che la sua preghiera abbia il senso di un fatto personale, intimo, non di una manifestazione pubblica. L'espressione stessa del pontefice è di totale raccoglimento. Anche il particolare della porta (già presente anche nel *Monumento di Clemente XIV*, e già in quello di *Benedetto XIV* di Bracci e nel progetto di quest'ultimo per il monumento di *Clemente XIII*) ricorda il monumento berniniano[22]. Da qui non escono scheletri e tutto è immobile, come i due leoni ai lati della porta che probabilmente assolvono un ruolo simbolico, quello di ricordare l'origine veneziana del pontefice, e forse quello di rappresentare due aspetti del dolore, la collera e la prostrazione. In pratica i leoni svolgono quasi la funzione che nel monumento precedente era affidata alle due Virtù, che qui (perdendo tutta quell'umanità che avevano guadagnato nel *Monumento Ganganelli*) assumono un ruolo ancor più emblematico che nel *Monumento di Paolo III Farnese*, essendo rappresentate in rilievo sul sarcofago[23]. Ai lati del sarcofago che ormai ha recuperato il rigore dell'architettura classica troviamo le due figure della *Religione* e del *Genio*. Le due figure sono collocate apparentemente su piani diversi in modo che tutto l'insieme sembri asimmetrico[24]; di fatto una poggia i piedi sul piano che all'altra serve da sedile. La prima è in piedi a sinistra: è eretta e il panneggio della tunica che indossa cade pesantemente; è immobile e decisamente diversa dalle raffigurazioni settecentesche della *Religione*. Questa scultura, a cui il Canova teneva molto, suscitò pareri discordanti anche tra i suoi estimatori; al contrario la figura del *Genio* ebbe molti giudizi positivi tra i quali non poteva mancare quello di Cicognara: «L'artista poté dare sfogo a se stesso nella parte del bello ideale scolpendo la figura del Genio, in cui pare radunare tutta la forza del giova-

---

[22] Nei due monumenti la porta diventa un elemento con valenza doppia: simbolica e pratica, costituendo un effettivo passaggio ad altri ambienti. In altri casi Canova utilizzerà questo elemento con il solo valore simbolico, si veda il progetto del *Monumento a Tiziano*, poi messo in pratica nel *Monumento a Maria Cristina d'Austria*, e nel *Cenotafio degli Stuart* a San Pietro.

[23] Nel *Monumento di Innocenzo XI* erano i leoni (che avevano funzione di sostegno del sarcofago) a risultare in questa posizione araldica. Il leone venne poi ripreso da Canova nel *Monumento di Maria Cristina d'Austria* e nel bozzetto del *Monumento Pesaro*.

[24] Questa asimmetria compositiva non era cosa nuova; si veda ad esempio il *Monumento del cardinale Lorenzo Imperiali* di Domenico Guidi in Sant'Agostino, dove le figure sono poste secondo una diagonale rimarcata dal coperchio della bara, ed ancora il *Monumento del cardinale Neri Corsini* di Giovanni Battista Maini nella cappella Corsini in San Giovanni in Laterano, dove troviamo secondo questo schema di falsa disposizione di piani, lo stesso abbinamento allegorico utilizzato più tardi da Canova: la *Religione* e il *Genio*.

ne talento scegliendo le forme più belle che gli antichi monumenti lo invitavano a cercare, e modificare sulla natura»[25].

Di fatto, gli esempi che abbiamo fin qui citato illustrano un percorso nel quale Canova si inserisce gradualmente, dimostrando di aver seguito sia il consiglio di Pompeo Batoni che lo invitava a ricordarsi di essere a Roma e di tener presente l'opera di Bernini, Algardi e Rusconi, sia quello di Quatremère de Quincy che lo metteva in guardia dal pericolo di diventare un "Bernini antico". D'altra parte, sebbene il monumento papale fosse una delle commissioni più importanti affidate a uno scultore, non era certo il tipo di monumento sul quale apportare modifiche troppo evidenti: la Chiesa ne conosceva troppo bene il significato politico e spirituale per non sorvegliare sulla sua esecuzione. Parafrasando Quatremère, ciò che Canova aveva potuto fare con i due monumenti Ganganelli e Rezzonico era in effetti "chiudere il cerchio", cioè una generale revisione attraverso lo stile della composizione istituzionalizzata dalla norma, anticipando il vero scarto dalla tradizione che avrebbe voluto realizzare a Venezia nel *Monumento di Tiziano*, e che riuscì ad attuare a Vienna nel *Monumento di Maria Cristina d'Austria* (1798-1805)[26]. In questo monumento, «invenzione grandiosa e ingegnosissima»[27], Canova mise in pratica ciò che aveva già elaborato cira dieci anni prima per il *Monumento di Tiziano* che avrebbe dovuto erigersi a Venezia nella chiesa dei Frari. Vi troviamo enunciati diversi temi funerari, quali quello della porta, del Genio, dei dolenti (che qui si riuniscono in corteo; e si noti, fra l'altro che il vecchio sulla sinistra riprende la posizione della *Temperanza* del *Monumento di Clemente XIV*), il ritratto, la Gloria e il leone; su tutti domina la forma fortemente simbolica della piramide che Marco Chiarini, in un recente scritto, ha definito «figura chiave dell'immaginario iconico di Canova»[28]. Anche per questa forma l'esperienza romana fu fondamentale per Canova: innanzitutto l'impressione che ricavò dalla visita alla piramide di Caio Cestio; in secondo luogo va ricordato che dal 1514 circa, quando Raffaello disegnò le tombe di Agostino e Sigismondo Chigi per la cappella in Santa Maria del Popolo, questo elemento era diventato piuttosto ricorrente nell'iconografia funeraria romana. In particolare il

---

[25] L. Cicognara, *Storia della Scultura...* cit., p. 194. La figura del genio si ritrova in diversi monumenti canoviani: nel progetto del *Monumento a Tiziano*, ripreso nel *Monumento a Maria Cristina d'Austria*; nella *Stele funeraria di Vittorio Alfieri*, mentre nel *Cenotafio degli Stuart* i geni diventano due, così come nella *Stele Traversa*, dove però hanno sembianze infantili.

[26] Per l'iconografia della piramide si veda H. Jacob's, *Idealism and realism: a study of sepulchral symbolism*, Leiden, 1954.

[27] L. Cicognara, *Storia della Scultura...* cit., p. 224.

[28] M. Chiarini, *Canova, Goethe e dintorni*, in *Antonio Canova* cit., p. 10).

Settecento sfruttò molto la piramide per diversi monumenti e un francese, Gabriel Martin Dumont, ne fece l'elemento basilare del suo *Cayer de*   15
Tombeaux pubblicato a Parigi intorno al 1775, dopo un non breve soggiorno romano. Confrontando alcune tavole di questa raccolta con diversi studi di Canova, in particolare con le prime idee in terracotta per il *Monumento di Tiziano* della Gispoteca di Possagno (cat. n. 69 e 70) e relativi disegni, e con il modello per il *Monumento funerario all'amico di
Frank Newton* del Museo Civico di Bassano del Grappa, c'è da doman-
darsi peraltro se lo scultore conoscesse questa raccolta dove figurano diversi elementi del suo repertorio.

Prima di concludere è opportuno ricordare che alla fine della sua carriera Canova ricevette l'incarico di un terzo monumento pontificio: il   16
Monumento di Pio VI Braschi. Questo fu commissionato dal nipote del
pontefice, il duca Braschi per adempiere a un desiderio dello zio. Il monumento avrebbe dovuto rappresentare il papa in preghiera ed essere collocato su un basamento davanti all'altare della Confessione di San Pietro
(da alcuni anni relegato nelle Grotte vaticane). Canova vi lavorò dal
1817, ma al momento della sua morte, il 13 ottobre 1822, era stata realizzata solo la statua del pontefice. Il quale è rappresentato inginocchiato
e a capo scoperto, come l'Alessandro VII di Bernini e il Clemente XIII
dello stesso Canova, ma rispetto a questi si presenta con un'espressione
più patetica e non ha né la fierezza dell'uno, né il raccoglimento dell'altro. È evidente che la collocazione non permetteva di riproporre la consueta struttura piramidale dei monumenti a parete, tuttavia anche in questo caso Canova non si allontanò troppo dalla tradizione, riprendendo
una tipologia, quella del defunto in preghiera, che dal XVI secolo in poi
aveva avuto a Roma una straordinaria fortuna.

1. Guglielmo Della Porta, *Monumento funerario di Paolo III*. Roma, basilica di San Pietro.

2. Gian Lorenzo Bernini, *Monumento funerario di Urbano VIII*. Roma, basilica di San Pietro.

3. Gian Lorenzo Bernini, *Monumento funerario di Alessandro VII*. Roma, basilica di San Pietro.

4. Alessandro Algardi, *Monumento funerario di Leone XI*. Roma, basilica di San Pietro. 285

5. Ercole Ferrata, Lazzaro Morelli, Giuseppe Mazzuoli, Leonardo Reti, Filippo Carcano (direzione di Mattia De Rossi), *Monumento funerario di Clemente X*. Roma, basilica di San Pietro.

6. Pierre-Etienne Monnot, *Monumento funerario di Innocenzo* XI. Roma, basilica di San Pietro.

7. Angelo De Rossi, *Monumento funerario di Alessandro VIII*. Roma, basilica di San
   Pietro.

8. Camillo Rusconi, *Monumento funerario di Gregorio* XIII. Roma, basilica di San Pietro.

9. Pierre Legros - Pierre Etienne Monnot, *Monumento funerario di Gregorio XV*. Roma, chiesa di Sant'Ignazio.

10. Filippo della Valle, *Monumento funerario di Innocenzo XII*. Roma, basilica di San
Pietro.

11. Pietro Bracci, *Monumento funerario di Benedetto XIII*. Roma, chiesa di Santa Maria sopra Minerva.

12. Pietro Bracci, *Monumento funerario di Benedetto XIV*. Roma, basilica di San Pietro.

13. Antonio Canova, *Monumento funerario di Clemente XIV*. Roma, basilica dei Santi Apostoli.

14. Antonio Canova, *Monumento funerario di Clemente XIII*. Roma, basilica di San Pietro.

15. Gabriel Martin Dumont, *Cayer de Tombeaux*, incisione.

16. Antonio Canova, *Pio VI orante*. Roma, basilica di San Pietro (collocazione
    originaria).

ARLETTE SÉRULLAZ

JACQUES-LOUIS DAVID:
LE PREMIER SEJOUR A ROME

Dans les premiers jours d'octobre 1775 (le 2, selon Vien), David quitte Paris à destination de Rome. Il fait partie d'un groupe comprenant le peintre Vien, nommé à la tête de l'Académie de France à Rome, et sa famille, ainsi que deux pensionnaires, Bonvoisin (Premier prix de peinture en 1775) et Labussière (Premier prix de sculpture en 1774). Peyron, lauréat du prix de peinture en 1773, aurait dû se joindre à eux, mais pour une raison inconnue, il se rend à Rome de son côté et y parviendra un peu plus tard[1].

A cette époque, Rome, qui de tout temps a été un centre artistique brillant, offre aux artistes, aux amateurs et aux marchands, de nouvelles raisons de séjour prolongé. Les collections pontificales comme les collections privées, enrichies d'œuvres souvent inestimables, découvertes au fur et à mesure des fouilles qui se multiplient dans toute la péninsule, commencent à ouvrir largement leurs portes (jusqu'alors, la plupart des collections mentionnées dans les guides, celles des Barberini, des Borghese, des Mattei, des Colonna, etc. n'étaient visibles que sur autorisation des propriétaires).

Nombreuses sont les publications qui contribuent alors à renforcer l'intérêt pour l'Antiquité. Après les *Antichità d'Ercolano* (éditées entre 1757 et 1792) et les *Antichità romane* de Piranèse (1756), les quatre tomes de P. F. H. d'Hancarville sur la collection Hamilton (1766-1767), ou les *Monumenti antichi inediti* de Winckelmann (1767), pour ne citer que les titres les plus populaires, propagent à une grande échelle, dès leur pa-

---

[1] P. ROSENBERG et U. VAN DE SANDT, *Pierre Peyron, 1744-1814*, Neuilly 1983.

rution, les œuvres grecques, romaines, étrusques ou égyptiennes, qui seront autant de références pour les artistes que pour les amateurs.

Avant de quitter Paris, David avait avoué son peu d'enthousiasme
pour l'art antique. Il fallait pourtant qu'il fût bien ignorant du climat qui
régnait alors à Rome, pour proclamer haut et fort son refus de souscrire
à un engouement qui avait dépassé les frontières de l'Italie.

L'itinéraire adopté par le petit groupe, sous la houlette de Vien, a conservé une partie de son mystère. Pressé d'arriver à Rome, le nouveau Directeur de l'Académie de France semble avoir raccourci les étapes tradi-
tionnelles du voyage auquel il ne consacre, dans ses *Mémoires*, qu'un
court passage. Deux arrêts seulement y sont mentionnés: celui de Lyon,
où Vien est fêté par des amis, les Charton, et celui de Turin, qui coïncide
avec les fêtes données par l'Ambassadeur de France à l'occasion du mariage de Madame Clotilde, fille de France. De Turin à Rome, aucun événement marquant, si ce n'est l'accident survenu à la voiture à la sortie
d'Alexandrie[2]. David, quant à lui, ne se montre guère plus précis lorsqu'il
relate, plus tard, les péripéties de son voyage: «à peine fus-je à Parme que
voyant les ouvrages de Corrège je me trouvais déjà ébranlé; à Bologne je
commençai à faire de tristes réflections, à Florence je fus convaincu, mais
à Rome je fus honteux de mon ignorance«[3]. Pour cette raison, il est sans
doute hasardeux de vouloir utiliser à la lettre ce récit pour établir la
chronologie des dessins qui subsistent de son premier séjour.

Le 4 novembre, David et ses compagnons sont à Rome. L'installation
au palais Mancini, siège de l'Académie depuis 1725, les premiers con-
tacts avec les pensionnaires, le repérage de la ville, ont dû prendre quelque temps. Une chose est certaine: «étourdi de toutes les beautés» qu'il
découvre, David ne sait quel parti prendre lorsqu'il se met au travail.
Mais là encore, bien des inconnues demeurent. Que sont devenues, par
exemple, les copies d'après des moulages de la colonne Trajane, que David aurait réalisées en l'espace de six mois, et grâce auxquelles il serait
parvenu à oublier «les mauvaises formes françaises qui se présentaient
sans cesse» sous sa main. Par la suite David aurait reçu les conseils d'un
de ses camarades, le sculpteur Lamarie, arrivé en 1778, et qui lui aurait
démontré l'importance du trait dans le dessin. Mais quels sont les modèles que Lamarie a dû fournir à David pour étayer sa démonstration?[4]

Vien avait pour mission de remettre de l'ordre, sur tous les plans, à
l'Académie, que la direction de Natoire avait par trop désorganisée. Dans

---

[2] Th. W. Gaehtgens et J. Lugand, *Joseph-Marie Vien, Peintre du Roi (1716-1809)*, Paris
1988, p. 312.

[3] Autobiographie inachevée, École Nationale Supérieure des Beaux-Arts, Ms. 316.

[4] Miette de Villars, *Mémoires de David, peintre et député à la Convention*, Paris 1850,
p. 67-69.

ce but, et conformément aux instructions de d'Angiviller, successeur de Marigny à la Direction des Bâtiments du Roi, il établit une réglementation stricte: lever à cinq heures, dessin d'après le modèle de six à huit, déjeuner à midi et demi, dîner à huit heures. En cas de sortie nocturne, le retour au palais Mancini doit se faire, selon la saison, avant dix ou onze heures.

Soucieux de maintenir la discipline, Vien recommande aux pensionnaires une tenue vestimentaire sobre et des propos décents. Mais il se préoccupe parallèlement de leur redonner le goût du travail. David va donc bénéficier de la mesure qui institue l'exposition, au palais, des œuvres devant être envoyées à Paris pour être examinées par l'Académie.

Dans ses relations avec les pensionnaires, Vien, est secondé par sa femme, parfaite ménagère, au caractère aimable. Auprès d'elle, David trouve un accueil attentif et affectueux qui lui permettra de surmonter les crises qui ébranleront, à plusieurs reprises, son corps et son esprit. Il en conservera d'ailleurs un souvenir profondément reconnaissant, qui transparaît dans les lettres qu'il adressera plus tard à son maître[5].

Si l'on se reporte aux procès-verbaux de l'Académie et à la *Correspondance des Directeurs...*, David, au début tout au moins, se montre un pensionnaire respectueux du règlement, qui comprend, à partir de 1778, l'obligation (pour les peintres et les sculpteurs), d'envoyer, en plus de l'esquisse annuelle, une copie pour le Roi, d'après les maîtres ou d'après l'antique. Il s'exécutera en 1779, en copiant la *Cène* de Valentin qui se trouvait au palais Mattei. En 1777, l'événement marquant est la première exposition des ouvrages des pensionnaires dans la salle du Trône du palais Mancini. David reçoit des encouragements mais aussi le conseil d'éviter de faire référence à des modèles trop connus. En septembre 1778, les œuvres qu'il présente à la seconde exposition des pensionnaires, une académie d'homme renversé (l'*Hector* du musée de Montpellier) et l'esquisse des *Funérailles de Patrocle* (Dublin, National Gallery of Ireland), n'attirent pas l'attention des nombreux visiteurs qui se pressent au palais. David ne semble pas en être contrarié sur le moment. Pourtant, le profond malaise qui s'empare de lui quelques mois plus tard incite Vien à lui conseiller de se rendre à Naples. A son retour, David affirme «avoir été opéré de la cataracte» et avoir compris que «procéder comme les anciens et comme Raphaël, c'est être vraiment artiste»[6]. Or son moral est à nouveau en proie à une mélancolie pernicieuse qui le paralyse alors qu'il a commencé une académie. Déçu par le voyage napolitain, aurait-il eu du mal à se ressaisir complètement? Quoi qu'il en soit,

---

[5] TH. W. GAEHTGENS et J. LUGAND, *cit.*, p. 325-328.

[6] A. JAL, *Note sur Louis David, peintre d'histoire*, dans "Revue étrangère", LV, septembre 1845, p. 624.

craignant qu'il ne veuille rentrer en France, Vien, avec l'accord de d'Angiviller, se garde donc de lui annoncer la prorogation de son séjour. Le dénouement de la crise, à l'automne, correspond à l'achèvement d'une académie (le *Saint Jérôme* de Québec), qui atteste l'importance de la révolution caravagesque de David, sensible également dans un autre tableau: le *Philosophe* de Bayeux. David semble maintenant satisfait de pouvoir rester, après avoir affirmé avec véhémence qu'il voulait rentrer.

Comme pour le conforter dans ces bonnes dispositions, une commande lui parvient, celle d'un tableau pour le lazaret de Marseille (il s'agit du *Saint Roch*, peint en 1780); par ailleurs, la participation de David à la troisième exposition des pensionnaires (il y montre sa copie de la *Cène* de Valentin et le *Saint Jérôme*) reçoit un meilleur accueil, confirmé à Paris par le *Rapport des Commissaires* à l'Académie de Peinture (26 février 1780)[7].

Les efforts de David se poursuivent l'année suivante. Juste récompense, l'exposition du *Saint Roch* au palais Mancini fait sensation. David aurait pu demeurer à Rome une année de plus, puisque d'Angiviller n'y était pas opposé. Mais le peintre, impatient de regagner Paris, anticipe de trois mois son départ. L'accueil réservé au *Saint Roch*, que d'Angiviller veut du reste présenter à l'Académie de Peinture[8], lui a fait prendre la mesure de ses possibilités. D'où son désir de quitter Rome au plus vite malgré les conseils du vieux Pompeo Batoni (il partira en juillet), afin d'obtenir son agrément à l'Académie et d'être présent au Salon.

Cette décision sans appel n'entraîne pas, pour autant, de précipitation excessive. Sur le chemin du retour, David fait une halte à Venise et prend le temps de dessiner dans les églises et les musées. Il en fera de même à Florence, où il avait sollicité du directeur de la Galerie des Offices, la permission de «profiter de quelques bas-reliefs qui sont parsemés dans la gallerie, de prendre dessus de légères intentions»[9].

L'apprentissage du dessinateur

Entre l'arrivée de David à Rome (4 novembre 1775) et son retour en France (août 1780), cinq ans, ou peu s'en faut, se sont écoulés, au cours desquels l'artiste s'est appliqué avec obstination, mais non sans peine, à trouver son style propre.

---

[7] Archives Nationales, O[1], 1926.

[8] *Correspondance des Directeurs de l'Académie de France à Rome avec les Surintendants des Bâtiments...*, Paris 1887-1912, t. XIV, p. 24.

[9] Archives de la Galerie des Offices, selon *Nouvelles Archives de l'art français*, 1874-1875, p. 379.

Le résultat de cet acharnement est attesté par le millier de dessins – peut-être plus – de formats et de techniques variés que David, un jour, décida de réunir dans de grands recueils factices, et dont il ne s'est jamais séparé. Après sa mort, douze recueils constitués, protégés par une modeste couverture de papier marbré brun-jaune, furent ainsi mis en vente, une première fois, le 17 avril 1826[10].

N'ayant pas trouvé preneur, ils furent repris par la famille de David. Présenté à nouveau, lors de la seconde vente David (11 mars 1835) avec le même descriptif, l'ensemble fut, cette fois-ci, dispersé. En parcourant les recueils qui nous sont parvenus plus ou moins intacts[11], on peut apprécier les efforts que David a déployés pour éliminer toute trace d'une manière jugée à présent détestable. La variété des techniques utilisées et la diversité des exercices auxquels David s'est livré – l'une et l'autre vont souvent de pair – attestent une irréductible volonté de changement, sans correspondre pour autant à un système préétabli. Les recueils nous renseignent également sur l'orientation des recherches de David. Soucieux de ne rien perdre de ses découvertes, il a dessiné aussi bien d'après les maîtres que d'après l'antique, et d'après nature. Pareille curiosité, à vrai dire, n'avait rien de très exceptionnel, mais elle est devenue légendaire.

Pendant cinq ans, David a parcouru avec constance les salles du Vatican et du Capitole; il a regardé soigneusement les collections conservées dans les palais (Barberini, Borghese, Farnese, Giustiniani, Mattei, Rospigliosi, Sacchetti, etc.) et les villas (Albane, Aldobrandine, Madame, Medicis, Negroni, Pamphili, etc.). il s'est rendu sur le Forum, n'omettant jamais d'entrer dans les églises au cours de ses promenades dans Rome et poursuivant son travail en bibliothèque. Autrement dit, cinq années d'une acculturation intensive, qui touche à tous les domaines mais ne semble pas obéir à un programme rigoureusement défini.

Au centre des progrès accomplis par le dessinateur, la révélation de l'école bolonaise, entr'aperçue dès Bologne, au cours d'une rapide visite des églises et des palais de cette ville. A Rome, David s'attarde, de préférence, devant les œuvres d'artistes usant de formes vigoureuses, de couleurs franches, d'éclairage contrasté (il s'en inspirera au moment de peindre le *Saint Roch*). On y trouve bien sûr Raphaël, qui lui inspire des

---

[10] Sur l'historique des recueils, qui, à l'origine, avaient l'apparence de deux gros livres, voir A. SÉRULLAZ, *Musée du Louvre, Cabinet des Dessins. Inventaire général des dessins. École française. Dessins de Jacques-Louis David. 1748-1825*, Paris 1991, p. 11-29.

[11] Depuis la publication de l'inventaire des dessins conservés au Musée du Louvre, deux autres recueils ont été retrouvés. L'un d'eux est à présent à la Pierpont Morgan Library de New York. Ils seront étudiés en détail par P. Rosenberg et L. A. Prat dans leur corpus des dessins de David actuellement en cours d'achèvement.

commentaires passionnés, Raphaël, «homme divin (...) peintre sublime», qui initie David aux inimitables beautés de l'art antique.

Mais cette double influence, attestée par de nombreuses copies n'est pas seule en cause. On ne peut sous-estimer, sans avoir d'autres preuves que d'évidentes analogies d'écriture, l'influence de Peyron qui travaillait non loin de David et privilégiait dans ses dessins la plume très fine et le lavis gris, sur des papiers bleu ou crème. Ce que Peyron a pu enseigner indirectement à David, c'est un sens de la mise en place et de l'équilibre des masses, un goût de la ligne épurée. Dans le même ordre d'idées, il y a les conseils qui auraient été prodigués par le sculpteur Lamarie et qui auraient incité David, tardivement, à simplifier son trait et à rechercher une façon de dessiner plus synthétique.

En fait, l'éducation artistique de David, qui correspond dans ses grandes lignes au règlement instauré par Vien, s'est accomplie au travers de mouvements d'exaltation profonde, contrecarrée par des crises de découragement non moins violentes. L'éclectisme de ses choix, confirmé par l'identification des dessins récemment apparus met en lumière les hésitations d'un esprit encore malléable, peu préoccupé d'acquérir une véritable compétence archéologique, mais fasciné par une civilisation pour laquelle il n'avait au départ que méfiance. A cet égard, la part d'interprétation que David s'est accordée dans son travail d'après l'art antique, mérite d'être soulignée.

Il n'en demeure pas moins qu'à partir du moment où il ne se limite plus à des copies littérales, mais s'enhardit à modifier ou à recomposer le modèle qu'il a sous les yeux (cela vaut surtout pour les dessins d'après des bas-reliefs), David a franchi une étape décisive. En prenant de l'assurance, il a aussi compris le parti qu'il pourrait tirer, à l'avenir, de ses exercices austères. Pour s'en convaincre, il suffit de comparer les deux impressionnants dessins de son invention, exécutés pendant cette période: les *Combats de Diomède*, daté 1776 (Vienne, Graphische Sammlung Albertina, inv. 17 428) et la *Frise dans le genre antique* dont la partie gauche est datée de 1780 (Grenoble, musée de Peinture et de Sculpture, inv. D 952 MG 2615 et Sacramento, E. B. Crocker Art Gallery, inv. 408). L'un et l'autre sont composés d'emprunts manifestes au vocabulaire antique, mais dans un esprit diamétralement opposé. L'emphase encore brouillonne du premier trahit l'assujettissement de David au goût baroque tandis que le second offre une brillante synthèse d'un enseignement longuement et lentement approfondi, et devient, par là même, une œuvre vraiment originale, qui s'impose au regard par son dépouillement et son harmonie.

Les dessins contenus dans les recueils nous rappellent enfin que la formation de David aurait sans doute été moins profitable et qu'elle n'aurait peut-être pas échappé à une dangereuse sclérose, si elle n'avait associé aux diverses formules de copies, une observation de la nature et du réel, même le plus quotidien.

Sur ce point, un groupe de paysages – en majeure partie des vues urbaines – méritent une attention particulière, car ils constituent l'un des aspects les plus importants des véritables débuts de David dessinateur. S'il est indéniable que l'artiste montre un intérêt soutenu pour les formes architecturales (certains dessins un peu secs relèvent en effet d'une conception que l'on pourrait qualifier de topographique), son interprétation sensible et poétique des subtilités et des contrastes de la lumière romaine ne peut laisser personne indifférent.

David n'est sans doute pas un pionnier dans ce domaine, mais sa suite de lavis, pour reprendre l'heureuse formule de Kl. Holma[12] «est néanmoins exceptionnelle par la fraîcheur et la maîtrise dont il y fait preuve. Jamais il ne fut plus jeune ni plus spontané» (voir par exemple la *Vue du Tibre et du château Saint-Ange* du musée du Louvre ou le *Paysage* du musée Pouchkine à Moscou).

Par-delà l'architecture, le spectacle pittoresque des rues de Rome a éveillé la curiosité de David qui, en quelques croquis, spontanés et rapides, fixe sur sa feuille des bœufs aux cornes énormes, un vieux cheval avançant péniblement, un mulet, la tête dans une musette, un homme assis, enveloppé dans un grand manteau. Noyée dans la masse des copies de peintures ou d'œuvres antiques, ces croquis peuvent paraître déplacés. Il ne faut pas les dédaigner, car ils contiennent en germe l'une des qualités maîtresses du peintre, l'amour presque sensuel de l'objet, point de départ de ces morceaux de nature morte incomparables que seront le panier à ouvrage de l'épouse de Brutus ou les coquelicots de Mme Sériziat.

Au terme de son séjour, David pouvait se féliciter d'être parvenu au prix d'un travail opiniâtre, à l'objectif qu'il s'était fixé: acquérir la totale maîtrise de sa main. Le répertoire de formes et de sujets qu'il avait patiemment constitué allait lui servir tout au long de sa carrière; sur place, déjà, il lui avait permis de réaliser quelques compositions prometteuses.

---

[12] Kl. Holma, *David, son évolution et son style*, Paris 1940, p. 32.

Elena di Majo

L'"ERCOLE E LICA" E LE DODICI DIVINITÀ DELL'OLIMPO DAL PALAZZO TORLONIA ALLA GALLERIA NAZIONALE D'ARTE MODERNA

Fra il 1813 e il 1814 il gruppo monumentale dell'*Ercole e Lica* di Antonio Canova, portato a termine dopo circa un quindicennio di travagliati ripensamenti da parte dell'artista, veniva finalmente consegnato al definitivo committente, il facoltoso banchiere romano Giovanni Raimondo Torlonia duca di Bracciano, e collocato trionfalmente in una sorta di tribuna nella Galleria al piano nobile del rinnovato palazzo "di città" in piazza di Venezia, da poco terminato nell'ammodernamento del cinquecentesco edificio da parte di Giuseppe Valadier. Le pitture di Domenico del Frate e di Gaspare Landi raffiguranti le gesta di Ercole accompagnavano adeguatamente nel grandioso ambiente il gruppo canoviano che divenne oggetto di molti apprezzamenti negli ambienti artistici romani, come compiuta espressione del gusto per il "sublime eroico" di tradizione classicista.

Il prestigio mecenatizio di Giovanni Raimondo, *homo novus* di recente nobiltà, fu superato un ventennio più tardi dal suo erede, il terzogenito Alessandro, che si apprestò a trasformare il palazzo di famiglia – ma anche la villa suburbana sulla via Nomentana – in sontuosa dimora principesca, alla pari con quelle della più antica nobiltà romana, dai Chigi ai Farnese, ai Corsini, ai Doria. Così il programma iconografico per l'intero edificio divenne l'esaltazione del mecenatismo del committente, raffigurato ora sotto le spoglie di eroi mitologici quali Ercole, Bacco, Teseo o Psiche, ora di uomini illustri ad *exempla virtutis*, ora – soprattutto – identificato con l'omonimo eroe greco Alessandro Magno. Giovan Battista Caretti fu l'architetto prescelto per tali importanti trasformazioni del palazzo che videro, fra l'altro, la Galleria dell'Ercole mutare l'assetto originario studiato da Valadier assieme allo stesso Canova. Chiuse infatti le fi-

nestre per la costruzione di gallerie parallele, tutto il braccio dell'*Ercole* e
lo stesso gruppo monumentale collocato nella tribuna ricevettero la luce
dall'alto con sorprendenti effetti scenografici, mentre marmi veri e finti,
stucchi e dorature vennero a decorare le pareti. L'anconetano Francesco
Podesti e il bergamasco Francesco Coghetti affrescarono nei riquadri della volta a botte i *Fasti degli dei* e il medesimo Coghetti, collegandosi al
tema del gruppo scultoreo, dipinse le *Storie di Ercole* nella volta della tribuna. Giuseppe Checchetelli nella sua *Giornata di osservazione nel Palazzo e nella villa di S.E. il Sig. Principe Alessandro Torlonia* pubblicata
a Roma nel 1842, guidandoci attraverso le sale del palazzo, si sofferma
con trepida meraviglia nel braccio canoviano. «Nulla di più magnifico di
tal galleria, se ti piaccia tacere del braccio nuovo del Museo Vaticano.
Perciocché mentre in questo puoi bearti nel considerare il capolavoro del-
l'antica scultura, in essa il tuo cuor si commuove nel mirarvi grandeggia-
re il capolavoro della moderna...»[1]

Ad enfatizzare la solennità di quell'universo classicista, Alessandro
Torlonia in quei medesimi anni commissionava a rinomati scultori della
cerchia di Canova e Thorvaldsen dodici statue grandi al vero raffiguranti le *Divinità dell'Olimpo*, religioso e pacato corteo destinato a ritmare lo
spazio e a far risaltare, per contrasto, la *hybris* mortale dell'*Ercole*; ma
certamente anche, in qualche misura, ad addomesticarne l'empito in consonanza con le mutate tendenze del gusto purista verso più "naturali" e
composte espressioni del sentimento. La ben mirata ed erudita iconografia legata alle fatiche sovrumane di Ercole per meritarsi l'apoteosi divina
si stemperava così nel più generico e accessibile tema delle maggiori divinità dell'Olimpo con i loro tradizionali attributi: Giove con l'aquila e
lo scettro del comando (ora mancante), Apollo con la lira, Mercurio con

---

[1] Sul Palazzo Torlonia e la sua decorazione, cfr. il pioniere di questi studi, J.B.Hartmann, in *La vicenda di una dimora principesca romana. Thorvaldsen, Pietro Galli e il demolito Palazzo Torlonia in Roma*, Roma 1967, in particolare le pp. 22-24 sulla Galleria dell'Ercole. Più puntualmente, i recenti studi di B. Steindl, *Mazenatentum in Rom des 19 Jahrhunderts. Die Familie Torlonia*, Hildesheim, Zürich, New York 1993, e *Il Palazzo Torlonia in Piazza Venezia*, in *Filippo Bigioli e la cultura neoclassico-romantica fra le Marche e Roma*, catalogo a cura di G. Piantoni, San Severino Marche 1998, pp. 37-43. Sui Torlonia, si veda il numero monografico su *Villa Torlonia. L'ultima impresa del mecenatismo romano*, in "Ricerche di Storia dell'arte", 28-29, 1986, con scritti di M.F. Apolloni, A. Campitelli, A. Pinelli, B. Steindl; e *Villa Torlonia. L'ultima impresa del mecenatismo romano*, testi di M.F. Apolloni, A. Campitelli, A. Pinelli, B. Steindl, a cura di A. Campitelli, Roma 1997. Inoltre E. di Majo, S. Susinno, *Thorvaldsen a Roma: momenti a confronto*, in *Bertel Thorvaldsen, 1770-1844, scultore danese a Roma*, catalogo della mostra a cura di B. Jornaes, E. di Majo, S. Susinno (Roma, Galleria Nazionale d'Arte Moderna, 1989-1990), Roma 1989, pp. 19-22. Sulla formazione della collezione Torlonia, per quanto concerne i dipinti: R. Vodret, *Primi studi sulla collezione dei dipinti Torlonia*, in "Storia dell'Arte", 82, 1994, pp. 348-424.

il caduceo, Venere con il pomo, Minerva con l'elmo piumato e la corazza, Cerere con le spighe, Vesta togata, Vulcano con il martello, Giunone
con l'asta, Marte col pugnale, Diana con l'arco, Nettuno con il tridente.

Roma nella prima metà dell'Ottocento, in continuità con la tradizione dei secoli precedenti, mantiene la sua funzione riconosciuta di autore-
volissima "Università dell'arte" e il suo primato indiscusso principalmente nel campo della scultura. Il magistero romano e internazionale di
Canova e, dopo la sua morte nel 1822, il ruolo di massimo scultore assunto dal danese Thorvaldsen (ma già in precedenza le due figure si erano confrontate quasi alla pari) fino alla sua partenza da Roma nel 1838,
il testimone trasmesso poi al carrarese Pietro Tenerani e tutt'attorno le
decine e decine di studi di scultori italiani e stranieri collegati all'uno o
all'altro maestro e all'una o all'altra tendenza, fanno della capitale pont-
tificia un centro attivissimo di produzione statuaria. I viaggiatori-colle-
zionisti d'alto rango, le corti europee, i nuovi stati americani si fanno
committenti presso gli artisti operanti a Roma di monumenti celebrativi,
di singole statue o di interi complessi scultorei, tutte opere che lasciano
la città per via di terra, di fiume o di mare verso i più lontani lidi. Ma non
poche di queste restano a Roma a decorare chiese e palazzi.

Solo un anno prima del Checchetelli, il nobile inglese Hawks Le Grice, di stanza nella capitale pontificia, pubblicava un vero e proprio trattato in due volumi sugli studi degli scultori in Roma, italiani ma soprattutto stranieri, contandone quarantasette disseminati per il centro cittadino. E attorno a tali studi gravitavano, com'è naturale, una miriade di attività indotte quali il commercio dei marmi e il loro trasporto, o le operazioni più strettamente legate all'arte eseguite dagli sbozzatori, dai for-
matori, dagli assistenti[2].

---

[2] Il ruolo di Roma come "capitale delle belle arti" è stato in questi ultimi anni particolarmente evidenziato da Stefano Susinno; si veda, per la pittura: S. SUSINNO, *La pittura a Roma
nella prima metà dell'Ottocento*, in *La pittura in Italia. L'Ottocento*, I, pp. 399-430; IDEM, *Il
successo di "Francesco" Catel fra pittura di genere e di paese nella Roma della Restaurazio-
ne*, in *Franz Ludwig Catel e i suoi amici a Roma. Un album di disegni dell'Ottocento*, catalogo a cura di E. di Majo, Roma, Galleria Nazionale d'Arte Moderna, 1996, pp. 11-20; IDEM, *Napoli e Roma: la formazione artistica nella "capitale universale delle arti"*, in *Civiltà dell'Ottocento. Le arti a Napoli dai Borbone ai Savoia*, Napoli, Museo di Capodimonte, 1997-1998,
vol. *Civiltà dell'Ottocento. Cultura e società*, pp. 83-89; e per la statuaria: IDEM, *Premesse romane alla scultura purista dell'Ottocento messinese*, in *La scultura a Messina nell'Ottocento*,
catalogo a cura di L. Paladino, Messina, Museo Regionale, 1997, pp. 43-51, in part. pp. 48-49.
Per gli studi di scultura in Roma fra gli anni '30 e '40, cfr. *Walks through the Studii of the
Sculptors at Rome. A Brief Historical and Critical Sketch of Sculpture*, by Count Hawks le
Grice, Rome, 1841, 2 voll.; e, di qualche anno prima, *Visita a diversi studi di Belle Arti in Ro-
ma nel dicembre dell'anno 1835, Discorso accademico del Marchese Amico Cavalier Ricci di
Macerata* (da *Raccolte di Prose scelte d'Italiani viventi*, 1838, I).

Fra i tanti scultori attivi sulla scena romana, Alessandro Torlonia ne scelse otto per realizzare il "corteo" dell'*Ercole*, quattro dei quali ricevettero la commissione di due statue ciascuno. «Miro le pareti e la loro semplicità m'ingenera un'idea di maestosa grandezza», scrive ancora il Checchetelli a proposito della rinnovata Galleria canoviana del Palazzo Torlonia, «In questa son ricavate con bella simmetria dodici nicchie, ove le dodici divinità principali dell'antica Roma richiameranno col loro aspetto alla memoria de' riguardanti quella confusione di umano e divino, ch'era mai sempre nelle loro azioni... Questi simulacri staranno qui a provare la valentia dei loro autori, e si dice da più vi primeggerà in bellezza il Vulcano del Tenerani e la Flora del cav. Solà... Né certamente avrebbe provato poca gioia il bravo Chialli nell'udirvi celebrata la studiatissima sua Venere, se la fortuna maligna spesso con gli ingegni, avessegli concesso invecchiare a gloria delle arti e della patria: egli doveva condurre puranco la statua del Marte. Gli altri, cui furon commesse le altre statue da me non vedute, sono il Rinaldi, il Bienaimé, il Pistrucci, il Dante, il Galli, e il Thorvaldsen. I quali ricordando che il nobile committente li scelse a porre un loro lavoro presso quello del Canova, debbono usar tutto l'ingegno per benemeritare di lui, ed onorare se stessi». Gli autori delle divinità marmoree messi a confronto con l'autorevolezza di un tale sommo maestro furono dunque Pietro Tenerani, Pietro Galli, Luigi Bienaimé, Antonio Solà, Camillo Pistrucci, Cesare Benaglia, Ercole Dante e Rinaldo Rinaldi; non Giuseppe Chialli, che aveva invece lavorato al *Monumento di Giovanni Raimondo* in San Giovanni in Laterano, e nemmeno Thorvaldsen, che di ben altri impegnativi incarichi era debitore verso i Torlonia.

Al carrarese Pietro Tenerani (1789-1869), di gran lunga il più importante per qualità e quantità di lavori tra gli scultori operanti in Roma, toccarono la *Vesta* e il *Vulcano*, che Oreste Raggi riferisce all'anno 1844 nella sua biografia dell'artista[3]; e al romano Pietro Galli (1804-1877), diretto collaboratore di Thorvaldsen di cui sviluppa in particolare i temi anacreontici, il *Giove* e l'*Apollo*, due statue che lo stesso Galli scrive essere in via di finitura in una lettera-resoconto al maestro danese poco dopo la sua partenza da Roma nel 1838 e che Hawks Le Grice ricorda nei suoi *Walks through the Studii of the Sculptors at Rome* come «two beau-

---

[3] O. Raggi, *Della vita e delle opere di Pietro Tenerani, del suo tempo e della sua scuola nella scultura*, Firenze 1880, p. 574. Si veda inoltre E. di Majo-S. Susinno, *Pietro Tenerani, da allievo di Thorvaldsen a protagonista del purismo religioso romano*, in *Bertel Thorvalsen...*, cit., pp. 313-326, e S. Grandesso, *Pietro Tenerani. Fortuna critica e ricognizione dell'opera*, tesi di laurea, Università di Venezia, Facoltà di Lettere e Filosofia (rel. F. Mazzocca), 1994-1995, e Idem, *Tenerani nell'interpretazione di Giordani*, in "Studi di Storia dell'Arte", 7, 1996, pp. 251-293.

tiful statues...intended to embellish the palace of Prince Torlonia»[4]. Al carrarese Luigi Bienaimé (1795-1878), anch'egli operante nello stesso ambito con accentuazione del carattere puristico-sentimentale, furono invece assegnati il *Mercurio* e la *Venere*[5], pressoché "pudica" rispetto alla nudità trionfante del modello thorvaldseniano risalente all'incirca al 1815. E ancora due opere – la *Cerere* e la *Minerva* – eseguiva il catalano Antonio Solà (1787-1861), già attivo a Roma dal primo decennio del secolo, inizialmente come pensionante e poi egli stesso come direttore dei pensionanti spagnoli nella capitale pontificia; il suo studio in vicolo della Frezza è ancora ricordato da Hawks Le Grice nel 1841[6]. Invece una sola statua – la *Giunone* – era assegnata a Camillo Pistrucci romano (1810-1854), figlio del noto incisore di gemme e frequentatore dello studio di Thorvaldsen nel 1831; come pure seguaci dello scultore danese furono il romano Cesare Benaglia (morto nel 1884), autore del *Marte* e ancora attivo nel 1858 in vicolo delle Orsoline[7], e il poco noto Ercole Dante, cui si deve la *Diana*, con studio in via San Nicolò da Tolentino[8]. Infine il padovano Rinaldo Rinaldi (1793-1864), rimasto a lavorare nell'atelier di Canova in via delle Colonnette 27 come destinatario di importanti commissioni da parte di nobili inglesi, con il suo *Nettuno* poteva dirsi l'unico nel gruppo a testimoniare ancora il legame con il maestro veneto in questi anni '30 e '40 del secolo[9].   4-15

---

[4] Si veda Hawks Le Grice, *Walks...*, cit., II, pp. 158-163; e E. di Majo-S. Susinno, *Thorvaldsen e Roma...*, cit., p. 24, nota 69; inoltre su Galli: J.B. Hartmann, *La vicenda di una dimora...*, cit., pp. 99-104, e Idem, *La triade romana del Thorvaldsen. Alcune considerazioni su temi mitologici e cristiani*, in "Antologia di Belle Arti", 23-24, 1984, pp. 108-115.

[5] Su Bienaimé, si veda *Ibidem*, pp. 99-108. Un esemplare della *Venere* è anche conservata presso la Civica Galleria d'Arte Moderna di Torino (*Ibidem*, p. 100, fig. 9). Hawks Le Grice (*Walks...*, cit., I, pp. 129-130) elenca sedici sculture, due delle quali per i Torlonia.

[6] Dodici sono le opere di Solà citate da Hawks Le Grice, comprese le due eseguite per i Torlonia (*Walks...*, cit, I, pp. 85-87). Cfr. M.E. Gomez Moreno, *Pintura y escultura espanolas del siglo XIX*, Madrid, 1994, e M. Sartor, *Le relazioni fruttuose. Arte e artisti italiani nell'Accademia di San Carlos di Messico*, in "Ricerche di Storia dell'Arte", 63, 1997, p. 11.

[7] F.S. Bonfigli, *The Artistical Directory or Guide to the Studios in Rome*, Roma 1858, p. 33.

[8] Di Dante (o Danti), G. Melchiorri in "L'Ape Italiana" (1838, II, pp. 55-56, tav. XXXV) ricorda il gruppo scultoreo del *Ganimede rapito dall'aquila*. Per i Torlonia, è ricordata anche dal Checchetelli una statua raffigurante *Acate* nell'anticamera del piano nobile del Palazzo.

[9] Per i Torlonia, Rinaldi aveva decorato il timpano della villa sulla via Nomentana, con un bassorilievo in terracotta raffigurante *Il ritorno di Bacco dalla conquista delle Indie* (cfr. A. Campitelli-A. Pinelli, *«Una giornata di osservazione... nella Villa di S.E. il Principe D. Alessandro Torlonia» di Giuseppe Checchetelli, Roma, Puccinelli, 1842*, in "Ricerche di Storia dell'Arte", cit., p. 45 e p. 47, nota 4). Sui Rinaldi, si veda M.S. Lilli, *Rinaldo Rinaldi*, in "Antologia di Belle Arti", 13-14, 1980, pp. 94-101.

Le fotografie che qui si pubblicano sono state eseguite dal fotografo Scafoletti della Soprintendenza Speciale all'Arte Contemporanea – Galleria Nazionale d'Arte Moderna.

Il marchese Amico Ricci, accademico e letterato, al termine di un suo giro per gli studi di belle arti in Roma nel dicembre del 1835, poteva dunque a ragione considerare che «... nella successione de' secoli abbiamo sempre veduti ripetere gli stessi soggetti mitologici, trattati in diversi modi, come quelli che alla statuaria specialmente s'adattano, e ad essa si conformano più degli altri; quindi può dedursi che l'epoca nostra, la quale pare nella scultura superare assai le precedenti, ha pure abbracciato peculiarmente questo genere di soggetti...», per arrivare a concludere, non senza un poco di sufficienza, che «non vi è studio di scultura in Roma, dove non si veggono ripetute le immagini delle Veneri, degli Apolli, dei Giovi, de' Marti, e di altre deità minori»[10].

La fine del secolo doveva vedere la definitiva caduta degli dei e l'imbarazzo del loro trasloco. Decisa da parte del nuovo Stato Italiano la risistemazione urbanistica di piazza Venezia per far posto al *Monumento a Vittorio Emanuele II*, già alla metà degli anni '80 il destino del Palazzo Torlonia era segnato: l'edifico, *summa* dell'arte a Roma nella prima metà dell'Ottocento, sarebbe stato demolito. L'11 gennaio 1892 Anna Maria Torlonia, figlia del principe Alessandro, alla presenza di Pasquale Villari, ministro della Pubblica Istruzione, firmava l'atto di donazione allo Stato delle raccolte di pittura e scultura conservate nel palazzo, sulla base dell'elenco steso dal pittore Francesco Jacovacci, acciocché andassero a costituire una Galleria nazionale di opere d'arte. Le sculture "moderne" figuravano ai seguenti numeri dell'elenco allegato alla convenzione: al n. 383, «una statua: copia di una delle danzatrici di Canova fatta dal Bienaimé»; al n. 385, le «dodici statue rappresentanti divinità pagane di noti artisti del principio del nostro secolo – statue che si trovano collocate nelle nicchie delle pareti laterali»; al n. 386, il «gruppo colossale rappresentante Ercole che lancia Lica nell'Eubeica marina, opera di Antonio Canova» e al n.387 il «gruppo di tre figure rappresentante Amori e Psiche – firmato I. Gibson». La Galleria Nazionale d'Arte Antica, composta dai dipinti e dalle sculture già di proprietà Torlonia cui si aggiunse di lì a poco la collezione del Monte di Pietà, veniva istituita il 6 giugno del 1895 con sede in Palazzo Corsini, già donato allo Stato nel 1883 con quanto in esso contenuto[11].

Ma l'*Ercole e Lica* giungeva a Palazzo Corsini solo il 9 aprile 1901, dopo anni di polemiche. I contendenti erano stati Adolfo Venturi (dal

---

[10] *Visita a diversi studii...*, cit.

[11] Il testo della Convenzione è pubblicato sulla "Gazzetta Ufficiale del Regno d'Italia" del 10 maggio 1892, n. 111, pp. 1934-39. Cfr. M.G. BERNARDINI, *Da Galleria Corsini a Galleria Nazionale d'arte Antica, 1883-1983*, in *La Galleria Corsini a cent'anni dalla sua acquisizione allo Stato*, Roma, 1984, a cura di S. Alloisi e M.G. Bernardini, pp. 49-50, e R. VODRET, *Primi studi...*, cit., pp. 369-371.

1898 direttore della Galleria Nazionale d'Arte Antica), il quale rivendicava il gruppo canoviano al proprio museo non solo in quanto parte integrante della collezione Torlonia ma soprattutto in quanto "ultimo degli antichi" a grandiosa conclusione del secolo "dei lumi", e il già menzionato Francesco Jacovacci (direttore della Galleria Nazionale d'Arte Moderna, istituita nel 1883 con sede nel Palazzo di via Nazionale) che interpretava invece lo scultore veneto come "il primo dei moderni", atto ad aprire significativamente l'arte del secolo appena trascorso. L'intervento della famiglia Torlonia contribuì a far pendere la bilancia dalla parte dell'"antico", sebbene ancora pochi giorni prima del trasporto un comitato di artisti guidato da Giulio Monteverde, presidente dell'Accademia di San Luca, si fosse mobilitato in forze per l'altra soluzione. La infelice collocazione dell'*Ercole e Lica* nel porticato destro del Palazzo Corsini (ormai separato dalle dodici divinità "moderne" che per oltre cinquant'anni gli avevano fatto da guardia d'onore in Palazzo Torlonia e che ora, nell'azzeramento dei secoli, si trovavano mescolate alle "antiche" di provenienza Corsini nel grande atrio del piano nobile), le controversie logistiche con l'Accademia dei Lincei coabitante del Palazzo, infine il successivo (del 1907) trasferimento in una sala posticcia appositamente costruita (sia pur con le originarie condizioni di luce zenitale) sul terrazzo prospiciente il giardino del secentesco edificio, segnarono l'iter travagliato del capolavoro neoclassico in spazi estranei e tutto sommato inospitali[12].

Dopo soli dieci anni, i fautori di Canova quale "primo dei moderni" la ebbero vinta. Il trasferimento, nel 1915, delle raccolte della Galleria Nazionale d'Arte Moderna dal Palazzo di via Nazionale nella nuova sede costruita da Cesare Bazzani nel 1911 costituì certamente l'occasione propizia per "rivendicare" da parte dell'allora direttore Ugo Fleres il gruppo dell'*Ercole e Lica* al prestigioso spazio di Valle Giulia. Inoltre, il decreto Credaro del 7 marzo 1912, secondo il quale le collezioni della Galleria Nazionale avrebbero dovuto comprendere non solo opere di artisti viventi (come prevedeva la legge istitutiva del 26 luglio 1883) ma anche quelle di artisti "fioriti dal principio del secolo XIX"[13], avallava *ipso fac-*

---

[12] Sull'*Ercole e Lica* in Palazzo Corsini, si veda G. BERNINI PEZZINI, *La sistemazione museale del gruppo di "Ercole e Lica" del Canova,* in *La Galleria Corsini...,* cit., pp. 51-60, e soprattutto, su tutta la questione, E. BORSELLINO, *Ercole e Lica" di Antonio Canova: storia di una contesa museale,* in "Prospettiva", aprile 1989-ottobre1990, 57-60, pp. 409-418. Sul progetto della collocazione nella nuova sala del Palazzo, cfr. G. GIOVANNONI, *L'Ercole e Lica del Canova nella nuova sala della Galleria Nazionale in Palazzo Corsini,* in "Bollettino d'Arte del Ministero della Pubblica Istruzione", febbraio 1908, t. II, fasc. II, pp. 39-46.

[13] Cfr. BORSELLINO, cit., p. 418, nota 56.

to l'inserimento del gruppo canoviano nel novello museo. Così, già alla fine del 1917, l'opera poteva troneggiare nel grande salone centrale della Galleria assieme ad altri grandi esempi statuari di tutto il secolo, dal *Pellegrino Rossi* di Pietro Tenerani alla *Saffo* di Giovanni Duprè fino a scultori quali Vela, Cifariello, Trentacoste, Cencetti, Dazzi, Bistolfi[14].

Le grandi esposizioni temporanee di arte contemporanea allestite nei saloni centrali, che a partire dal secondo dopoguerra sono state il segno distintivo della politica culturale della Galleria Nazionale sotto la direzione di Palma Bucarelli, hanno convissuto tuttavia non senza disagio con la prepotente presenza del gruppo statuario, sebbene l'opera proprio per tale motivo fosse stata negli anni '50 di poco arretrata verso il corridoio retrostante di disimpegno fra le due ali del museo. Pannelli o velari ne celavano il più delle volte la mole imbarazzante per i nuovi linguaggi dell'arte, oppure – alla vista – la valenza univoca di grande e ormai familiare (ma, proprio per questo, ignorato) oggetto da arredo ne trasformava radicalmente il reale significato storico e artistico. Così è stato fino al 1997.

Il programma di totale riordinamento delle collezioni museali dell'Otto e del Novecento, avviato nel 1995 sotto la direzione di Sandra Pinto, sembra finalmente aver trovato soluzione ottimale alla secolare questione dell'*Ercole* come ben radicato abitante degli spazi museali della Galleria Nazionale d'Arte Moderna. L'ala sud-ovest (sinistra) dell'edificio Bazzani del 1911 ospita ormai dal giugno 1997, nelle sette sale restaurate nelle cromie e nei rivestimenti lignei originari, il primo settore delle raccolte dell'Ottocento, dall'età napoleonica fino al 1883, anno di fondazione della Galleria. Lo spazio centrale di quest'ala è così diventato il "Salone dell'Ercole", proprio per la presenza del gruppo monumentale che campeggia contro il fondo intenso blu-pavone delle pareti sulle quali fanno a loro volta bella mostra di sè i grandi dipinti di tema storico e mitologico del periodo neoclassico e romantico fino all'Unità d'Italia, provenienti da importanti nuclei collezionistici di famiglie aristocratiche e alto-borghesi, quali i Torlonia, i Ruffo di Sant'Antimo[15] o i Vonwiller.

2-3

Per l'appunto il criterio metodologico di presentare le opere nel contesto delle loro collezioni di origine ha reso ineludibile e di fatto operativa

---

[14] Si veda A. COLASANTI, *La Galleria Nazionale d'Arte Moderna di Roma*, Roma 1923, p. 44, ma soprattutto U. FLERES, *La Galleria Nazionale d'Arte Moderna in Roma. Itinerari dei musei e monumenti d'Italia*, Roma, 1932, p. 11, che descrive la sala centrale del museo con le opere ivi allestite.

[15] Sulle opere "moderne" raccolte da Vincenzo Ruffo principe di Sant'Antimo nel suo palazzo napoletano di via Pessina fra gli anni '30 e '40 dell'Ottocento ed ora riunite nel "Salone dell'Ercole", si veda E. DI MAJO, *Una collezione di arte "contemporanea" a Napoli: le raccolte di Vincenzo Ruffo Principe di Sant'Antimo*, in *Civiltà dell'Ottocento. Le arti a Napoli dai Borbone ai Savoia...*, cit., pp. 92-99.

una proposta avanzata qualche anno addietro da Stefano Susinno, curatore delle collezioni dell'Ottocento, in tempi evidentemente non ancora propizi per portare a compimento un'operazione solo apparentemente semplice, ma in realtà molto coraggiosa e complessa. Si trattava infatti di ricomporre in unità organica, dopo oltre cento anni di storia, uno dei principali complessi scultorei della Roma della prima metà dell'Ottocento, quella esemplare galleria della scultura "moderna" che aveva suscitato l'ammirazione del Checchetelli e dei tanti prestigiosi ospiti di casa Torlonia. Si trattava cioè di ricongiungere le dodici statue di *Divinità dell'Olimpo* all'*Ercole e Lica* – richiamando idealmente, nel rinnovato salone della Galleria Nazionale d'Arte Moderna, il sontuoso braccio canoviano di Palazzo Torlonia con il gruppo monumentale sull'asse centrale al fondo della sala, scortato sui lati lunghi dalla sua autorevole "guardia d'onore".

Come più sopra s'è detto, al momento del loro trasferimento nelle collezioni della Galleria Nazionale d'Arte Antica in Palazzo Corsini le dodici statue non avevano seguito l'*Ercole* nelle sue peregrinazioni attraverso il palazzo, ma erano state addossate a mo' di arredo (e senza nemmeno troppo rispetto per il bel partito architettonico) alle pareti del grande vestibolo al piano nobile assieme ad esempi di statuaria antica e ad altre due sculture "moderne" provenienti da Palazzo Torlonia, la *Danzatrice col dito al mento* di Luigi Bienaimé da Canova, e il gruppo di John Gibson, *Psiche portata dagli Zefiri*, quest'ultimo al centro della sala[16]. E immutata era rimasta la situazione nel corso di tutto questo secolo in Palazzo Corsini, nella cancellazione pressoché totale dalla memoria dei più di tale straordinaria vicenda di storia artistica ottocentesca italiana ma di risonanza internazionale. Una pagina di storia artistica e collezionistica che, con il ricongiungimento delle *disiecta membra*, può ora offrirsi al visitatore della Galleria Nazionale d'Arte Moderna, attraverso il filtro del discorso critico museale, nella sua più suggestiva lettura[17].

---

[16] La *Danzatrice* di Bienaimé e il gruppo di Gibson – al quale Hawks Le Grice (*Walks...* cit., I, pp. 108-117) dedica quasi dieci pagine di commento – sono attualmente le uniche sculture "moderne" di provenienza Torlonia rimaste in Palazzo Corsini. Il loro trasferimento alla Galleria Nazionale d'Arte Moderna completerebbe il progetto museale di ricontestualizzazione di tutto il complesso scultoreo di committenza Torlonia.

[17] Sulla vivace polemica che, per l'opposizione dell'Accademia dei Lincei, ha accompagnato nei mesi tra gennaio e giugno del 1997 lo spostamento delle dodici statue da Palazzo Corsini alla Galleria Nazionale d'Arte Moderna, si vedano gli articoli comparsi sulla stampa: in particolare, F. MAZZOCCA, *Perché separare Ercole e le divinità*, "Il Sole 24 Ore", 20 aprile 1997; A. PINELLI, *Le dodici statue di Palazzo Corsini*, "La Repubblica", 21 aprile 1997; *Botta e risposta, Perche i Lincei non cedono le statue canoviane*, "Il Sole 24 Ore", 27 aprile 1997; G. DE MARCHIS, *"Caro Moscati, le statue Torlonia non sono di tua proprietà"*, "Il Corriere della Sera", 6 maggio 1997. Si veda inoltre, in proposito, il testo dell'interrogazione parlamentare dell'on. Ennio Parrelli a favore della ricomposizione dell'insieme, in "Atti Parlamentari", Camera dei Deputati, XIII Legislatura, Allegato B ai resoconti, seduta del 29 aprile 1997.

1. *La Galleria del Canova, veduta verso est, con la tribuna dell'"Ercole e Lica", in palazzo Torlonia a Roma (demolito nel 1903).*

2. *Veduta della sala dell'"Ercole e Lica" di Antonio Canova nella Galleria Nazionale d'Arte Moderna a Roma.*

3. Antonio Canova, *Ercole e Lica* (sul fondo, dipinti di N. Carta, F. Agricola, G. Romney, V. Camuccini). Roma, Galleria Nazionale d'Arte Moderna.

4. Luigi Bienaimé, *Mercurio*. Roma, Galleria Nazionale d'Arte Moderna.

5. Pietro Tenerani, *Vesta*. Roma, Galleria Nazionale d'Arte Moderna.
6. Pietro Tenerani, *Vulcano*. Roma, Galleria Nazionale d'Arte Moderna.

7. Pietro Galli, *Giove*. Roma, Galleria Nazionale d'Arte Moderna.
8. Pietro Galli, *Apollo*. Roma, Galleria Nazionale d'Arte Moderna.

9. Camillo Pistrucci, *Giunone*. Roma, Galleria Nazionale d'Arte Moderna.
10. Antonio Solà, *Minerva*. Roma, Galleria Nazionale d'Arte Moderna.

11. Ercole Dante, *Diana*. Roma, Galleria Nazionale d'Arte Moderna.
12. Luigi Bienaimé, *Venere*. Roma, Galleria Nazionale d'Arte Moderna.

13. Antonio Solà, *Cerere*. Roma, Galleria Nazionale d'Arte Moderna.
14. Cesare Benaglia, *Marte*. Roma, Galleria Nazionale d'Arte Moderna.

15. Rinaldo Rinaldi, *Nettuno*. Roma, Galleria Nazionale d'Arte Moderna.   325

GIUSEPPE PAVANELLO

LA COLLEZIONE DI ANTONIO CANOVA: DIPINTI E DISEGNI DAL QUATTROCENTO ALL'OTTOCENTO

Contributi recenti hanno messo in luce l'attività collezionistica di Antonio Canova, appassionato raccoglitore di memorie archeologiche, di dipinti, disegni e incisioni dal Quattrocento all'Ottocento, rivelando aspetti inediti e talvolta sorprendenti della sua personalità artistica[1]. Dai dipinti di "Ercole da Ferrara", secondo la paternità indicata nei documenti d'archivio, a quelli del Cinque e del Seicento, veneti e non, a Tiepolo e ai prediletti vedutisti veneziani, da Canaletto a Guardi, per finire con artisti del suo tempo, da Hayez ai paesaggisti attivi a Roma, la collezione dello scultore di Possagno comprende davvero opere di rilevante importanza. Una collezione, va detto, eterogenea, determinata oltre che da scelte personali ben precise – come per i dipinti e i disegni di Giambattista Tiepolo e per le vedute veneziane del Settecento –,

---

[1] G. PAVANELLO, *Sulla collezione di Antonio Canova: i cassoni degli Argonauti di "Ercole da Ferrara"*, in "Bollettino del Museo Civico di Padova", LXXXII, 1993, pp. 265-286; M.E. MICHELI, *Le raccolte di antichità di Antonio Canova*, in "Rivista dell'Istituto Nazionale d'Archeologia e Storia dell'arte", S. III, VIII-IX, 1985-86, pp. 205-322; G. PAVANELLO, *Canova collezionista di Tiepolo*, Monfalcone 1996. Cfr. inoltre E. DEBENEDETTI, *Piranesi e il gusto collezionistico di Canova*, in *Artisti e Mecenati. Dipinti, disegni, sculture e carteggi nella Roma curiale* ("Studi sul Settecento Romano", 12), Roma 1996, pp. 241-254.

In aggiunta ai documenti d'archivio sulle raccolte archeologiche di Canova segnalati da M.E. Micheli, si può menzionare l'elenco di terrecotte "ad uso delle arti" spedite da Bassano a Roma nel 1833, vendute ai Musei Vaticani, conservato nell'Archivio della Fondazione Canova di Possagno (d'ora innanzi, AFCP) b. 13, fasc. 5 –, dove pure si conservano altre carte relative a sculture antiche, a loro copie – citiamo la *Testa di Oceano* di Mario Angelini (1810), "copia di quella del Vaticano" –, a scambi – una statua di *Sileno* in luogo di una *Venere* (1806) –, a vasi etruschi (1801), a "impronte in zolfo di Medaglie Antiche Imperiali" eseguite nel 1801 da Aurelio Visconti.

anche da occasioni estemporanee, come può essere il caso di taluni dipinti cinque e seicenteschi, per non dire di opere ricevute in dono, come la tavola di Giovanni Bellini, legata all'artista dal principe Abbondio Rezzonico assieme a tutti i libri di "belle arti" della sua biblioteca, fra cui parecchi volumi con incisioni dei Tiepolo e di Giambattista Piranesi.

1-6, 15   In casa Canova, dunque, i "primitivi", come nel caso dei cassoni "ferraresi", si accompagnano a un'opera emblematica della civiltà rococò come il *Ritratto di gruppo con il Farinelli* di Jacopo Amigoni. Lo scultore è attirato soprattutto dalla pittura veneziana settecentesca, quella dei vedutisti e quella del suo maggior pittore storico, Canaletto e Tiepolo assieme: un binomio che da solo basta a render ragione di un occhio per la qualità, quale ci è testimoniato, del resto, anche dalle carte d'archivio. A proposito di due vedute di Francesco Guardi, o, meglio, spacciate come tali a Venezia, acquistate sulla fiducia e quindi speditegli a Roma, Canova scrive, senza peli sulla lingua, dopo averle viste: «Così son anch'io dacordo che le vedutine speditemi non siano del bravo Guardi ma del figlio o della serva»[2]. È una frase che, nella sua concisione, attesta senz'ombra di dubbio doti di acuto conoscitore.

1-6   Volendo prendere avvio dai dipinti più antichi, non si può che iniziare dalle citate tavole di "Ercole da Ferrara". Stanti le attuali divergenze della critica sulla loro paternità (Ercole de Roberti, Lorenzo Costa, Bernardino Orsi), preferiamo mantenere il nome indicato nelle fonti, precisamente in un elenco di opere poste in vendita dopo la morte di Canova dall'erede, l'abate (poi vescovo) Giambattista Sartori, fratellastro dello scultore, dove sono descritte in questi termini: «Ercole da Ferrara. Due tavole ognuna delle quali ha servito di pareto anteriore ad una cassa da sponsali. Secondo taluni rappresentano l'approdo e il ritorno degli argonauti. L'una e l'altra tavola è divisa in tre riquadri eguali mediante due colonne sul cui piedestallo veggonsi gli stemmi gentilizi degli sposi»[3].

---

[2] AFCP, lettera a Ferdinando Tonioli, 11 maggio 1805 (G. PAVANELLO, *Canova collezionista di Tiepolo*, 1996, cit., p. 71, nota 35). Le lettere di Tonioli, come la contabilità dell'amministrazione da lui tenuta per conto di Canova, si conservano in AFCP, b. 2, fasc. 2.

[3] «Nota di alcuni dipinti di diversi autori, colle misure in piedi Veneti», Documento in AFCP (riportato in Appendice). I documenti relativi alla collezione di Canova si conservano in ACFP, b. 12, fasc. 4.

Rinvio al mio studio del 1993 (cfr. nota 1) per le varie ipotesi attributive, fra Ercole de Roberti e Lorenzo Costa. Più di recente è stato proposto anche il nome di Bernardino Orsi, con datazione verso il 1485-90 (A. BACCHI-A. DE MARCHI, *La formazione a Bologna*, in *Francesco Marmitta*, Torino 1995, pp. 17-18, 51-52. Vengono qui riassunte e riesaminate diffusamente le varie posizioni critiche sulle tavole). Per finire, citiamo M. MOLTENI, *Ercole de Roberti*, Milano 1995, pp. 174-175.

Dopo la vendita, le due tavole furono segate in modo da ricavare sei pannelli. Uno di essi si conserva nel Museo Civico di Padova[4]. Il dipinto – con un episodio ancora non identificato della storia degli Argonauti, ma che illustra, comunque, un momento iniziale della "saga" – fa serie con altri cinque pezzi conservati in varie raccolte europee: *La lotta fra Giasone e i guerrieri spuntati dai denti del drago sparsi sul campo solcato* ora nella Cassa di Risparmio di Firenze (già in collezione Rucellai); *Giasone che uccide il drago, sotto la cui custodia era il vello d'oro, alla presenza di Eeta re della Colchide*, già a Londra nella collezione Houstoun Boswall; il cosiddetto *Banchetto a corte* del Musée des Arts Décoratifs di Parigi; il frammento passato da Sotheby's (Londra, 19.4.1989) raffigurante un *Sovrano e dignitari di corte*, già nella collezione Peter Wilson; e, infine, *Gli Argonauti ritornano in Grecia* del Museo Thyssen – Bornemisza di Madrid[5].

Quanto alla provenienza, si sa che le tavole facevano parte della collezione romana dei Giustiniani[6]. In un inventario steso nel 1638, vengono elencati «Due quadri in tavola sopraporti con l'historia de gli Argonauti divisi con colonne dipinte con prospettive larg. pal. 7 alt. pal. 2 in circa [cioè cm 156,38 × 44,68 circa] di mano si crede di Ercole da Ferrara con loro cornici nere». Si era provveduto, dunque, dopo il distacco dalla sede originaria, a incorniciarli trasformandoli in "quadri" da appendere. Nella collezione romana i due dipinti erano pervenuti verosimilmente da Bologna, dove aveva soggiornato dal 1606 al 1611, con l'alta

---

[4] L'opera è pervenuta al Museo nel 1888 con il legato del conte Ferdinando Cavalli: cfr. *Da Bellini a Tintoretto. Dipinti dei Musei Civici di Padova dalla metà del Quattrocento ai primi del Seicento*, a cura di A. Ballarin e D. Banzato, Roma 1991, pp. 75-77 (scheda di P. Tosetti Grandi): tempera su tavola, cm 46x53, inv. A 424.

[5] Il dipinto "Houstoun Boswall", noto soltanto da una vecchia fotografia, verso il 1920 si trovava a Londra, nella collezione di Lady Houstoun-Boswall. È stato pubblicato da F. ZERI (*Appunti per Ercole de Roberti*, in "Bollettino d'Arte", 1965, pp. 74-75).

Il dipinto del Musée des Arts-Décoratifs (cm 45 × 51) è stato anch'esso pubblicato da F. ZERI (*Il terzo pannello degli "Argonauti" di Lorenzo Costa*, in "Proporzioni", II, 1948, pp. 170-171).

Il frammento "Wilson" (cm 15 × 11,2), già Moll a Vienna, quindi Schaeffer a Berlino, e quindi, dopo una vendita presso Sotheby's (Londra, 27 ottobre 1948, n. 69) presso P.C. Wilson a Londra, è passato da Sotheby's, Londra (*Old Master Paintings*, 19 aprile 1989, n. 6). Venne segnalato da R. LONGHI (*Officina Ferrarese*, Firenze 1934, p. 169, nota 85, fig. 411).

Il dipinto di Madrid (cm 35 × 26,5) venne reso noto quando si trovava nella collezione F.B. Gutmann (Heemstede/Haarlem) da P. SCHUBRING, *Cassoni*, Leipzig 1923, p. 429, tav. 949. Per una completa bibliografia, si veda R. HEINEMANN, *The Thyssen-Bornemisza Collection*, Castagnola 1969, pp. 288-289.

[6] L. SALERNO, *The Picture Gallery of Vincenzo Giustiniani, (I) Introduction, II, III (The Inventory)*, in "The Burlington Magazine", CII, 1960, gennaio, pp. 21-27, marzo, pp. 93-104, aprile, pp. 135-148.

carica di "legato", il cardinale Benedetto Giustiniani. Si può ipotizzare che le tavole siano rimaste in casa Giustiniani sino ai primi anni dell'Ottocento quando, in un momento di difficoltà – comune, del resto, anche ad altre nobili famiglie romane –, fu decisa la vendita di parte delle raccolte avite[7].

All'inizio dell'Ottocento, capofamiglia è il principe Vincenzo (nato nel 1759): pressato dai debiti, si reca a Parigi proponendo al governo francese l'acquisto della sua collezione di marmi antichi, una prima volta nel 1802, quindi nel 1808, ma senza successo[8]. Fu invece Antonio Canova, nominato nel 1802 da Pio VII Ispettore generale delle Belle Arti dello Stato della Chiesa, ad acquistare nel 1803, a proprie spese, ottanta cippi antichi della raccolta, donandoli poco dopo al papa per i Musei Vaticani, dove vennero a costituire il primo nucleo del Lapidario Chiaramonti[9].

Va sottolineato che le vicende degli Argonauti avevano conosciuto in quegli anni un momento fortunato nell'ambiente artistico d'avanguardia. Basti pensare alle incisioni – presenti anche nella biblioteca di Canova[10] – raccolte con il titolo *Les Argonautes / selon Pindare. Orphée et Apollonius de Rhodes / en vingt – quatre Planches*, realizzate da Joseph Anton Koch (1768-1839) su disegni di Asmus Jakob Carstens (1754-1798), edite a Roma nel 1799[11].

La comparsa delle tavole di "Ercole da Ferrara" nella collezione dello scultore può, in un primo momento, anche destare meraviglia. Ma si sa quanta attenzione egli portasse verso l'arte dei "primitivi"[12], come pure è noto che faceva parte della sua collezione la *Sacra conversazione*

---

[7] Cfr. L. SALERNO, *The Picture Gallery of Vincenzo Giustiniani*, 1960, cit., p. 22.

[8] Per quanto riguarda la pinacoteca, si sa della cessione di un certo numero di dipinti a Luciano Bonaparte nel 1805-06, mentre un gruppo ben più consistente fu spedito a Parigi nel 1812: fu venduto ai MM. d'Est e Bonnemaison (Cataloghi di H. Delaroche e di C. P. Landon, 1812), quindi acquistato in blocco dal re di Prussia (F. BOYER, *Les projects d'achats pour le Musée Napoleon des Antiques Giustiniani à Rome*, in "Bulletin de l'Institut Napoleon", gennaio 1953, pp. 11-13, 16, nota 22).

[9] A. D'ESTE, *Memorie di Antonio Canova...*, Firenze 1864, pp. 112-113; V. MALAMANI, *Canova*, Milano 1911, p. 92; M.E. MICHELI, *Le raccolte di antichità...*, 1985-86, cit., p. 216.

[10] Documenti in AFCP, in corso di pubblicazione a cura dello scrivente.

[11] Cfr. A. KAMPHAUSEN, *Asmus Jakob Karstens*, Neumünster 1941, pp. 228-234; R. ZEITLER, *Klassizismus und Utopia*, Stockholm 1954, pp. 129-143; C.L. RAGGHIANTI, *Studi sul Canova*, in "Critica d'Arte", 22, luglio-agosto 1957, p. 46; *John Flaxman. Mythologie und Industrie*, catalogo della mostra, Hamburg 1979, p. 209; M. NEUWIRTH, *Thorvaldsen im Spannungsfeld mysticher Bildfindungen um 1800*, in *Künstlerleben in Rom. Bertel Thorvaldsen (1770-1844). Der dänische Bildhauer und seine deutschen Freunde*, catalogo della mostra (Norimberga, Germanisches Nationalmuseum), Nürnberg 1992, pp. 53-66.

[12] In particolare: C.L. RAGGHIANTI, *Canova e i "primitivi"*, in *Studi sul Canova*, 1957, cit., pp. 30-55.

belliniana "Pourtalès", ora alla Pierpont Morgan Library di New York[13]. Col nome di Giambellino, compare al primo posto nella «Nota di Quadri appartenenti all'eredità Canova e tutti in perfettissima conservazione», dove è così descritta: «Tavola rappresentante la Vergine il Bambino Gesù con varj Santi e un devoto. Legato del Principe Rezzonico»[14].

Come detto, quell'opera, riferibile verosimilmente a Giovanni Bellini e aiuto, era pervenuta all'artista per legato testamentario del principe Rezzonico, ultimo Senatore di Roma (1810). Più interessante, per il nostro discorso, rilevare un passo d'una lettera dello scultore a Giacomo Giustinian Recanati del 29 maggio 1802 in cui egli si rallegra d'un importante arricchimento delle raccolte dell'amico veneziano: «con infinito piacere ho sentito che l'Eccellenza Vostra ha fatto acquisto di un raro quadro del celebre Mantegna. È verissimo che opere di quel maestro se ne trovano ben di rado anche nelle principali Gallerie d'Europa, onde

---

[13] *Madonna con il Bambino, san Paolo, san Giorgio, due sante e donatore*, cm 75 × 109,2 (decurtata, sembra, a sinistra e in basso): cfr. F. HEINEMANN, *Giovanni Bellini e i Belliniani*, Venezia 1962, pp. 37-38; A. BETTAGNO, *Legature contemporanee*, in *Piranesi. Incisioni-Rami-Legature-Architetture*, catalogo della mostra (Venezia, Fondazione Giorgio Cini) a cura di A. Bettagno, Vicenza 1978, p. 77; E. NOÈ, *Il testamento di Abbondio Rezzonico*, in "Arte Veneta", 1982, pp. 268-269, 271 («Al Sig. Antonio Canova il Quadro famoso di Giovanni Bellini rappresentante una Sacra Famiglia...»); A. TEMPESTINI, *Giovanni Bellini. Catalogo completo dei dipinti*, Firenze 1992, pp. 216-217; G. PAVANELLO, *I Rezzonico: committenza e collezionismo fra Venezia e Roma*, in "Arte Veneta" 52, 1998, pp. 90, 93, note 29, 70 (per i volumi di Piranesi), fig. 10.

L'autografia belliniana del dipinto non era pacifica già all'epoca se Giuseppe Bossi, menzionandolo seppur di sfuggita nei suoi "Appunti di viaggio" (Napoli, primo luglio 1810, in visita al Palazzo degli Studi), può scrivere: "vedesi la stessa Madonna del creduto Giambellino di Canova" (cfr. G. BOSSI, *Scritti sulle Arti*, a cura di R.P. Ciardi, vol. II, Firenze 1982, p. 735).

Canova ebbe altri legati di opere d'arte: ad esempio, Tiberio Roberti gli lasciò in eredità "il mio Gruppo d'avorio dinotante l'età dell'oro" (lettera di Giambattista Roberti da Bassano, 27 agosto 1817, conservata in AFCP, b. 6, fasc. 1). Teresa Tambroni, inoltre, gli aveva donato il suo *Ritratto*, eseguito da Francesco Hayez nel 1815 (cfr. S. RUDOLPH, *Giuseppe Tambroni e lo stato delle belle arti a Roma nel 1814*, Roma 1982, p. 18). Un discorso a parte (su cui contiamo di tornare) meritano gli oggetti d'arte decorativa in collezione Canova, dei quali si rintracciano frequenti menzioni nell'epistolario e dei documenti d'archivio.

[14] Venezia, Biblioteca Correr, Mss PD 594c. Il documento è pubblicato in Appendice. Un breve elenco di dipinti della collezione di Canova si conserva a Roma, Archivio di Stato, *Camerale II, Antichità e Belle Arti*, busta 7, fs 200 (citato da M.E. MICHELI, *Le raccolte...* 1985-86, cit., p. 215).

Tutti gli elenchi manoscritti con opere della collezione di Canova vennero stesi verosimilmente in vista di vendite, per conto del fratellastro ed erede dello scultore, monsignor Giambattista Sartori. Una mostra di dipinti di sua proprietà ebbe luogo a Venezia nel 1838 in palazzo Revedin (cfr. E. GARDNER, *A Biographical Repertory of Italian Private Collections*, I, a cura di C. Ceschi e K. Baetjer, Vicenza 1998, p. 186). Fra gli intermediari, a Venezia, compare il nome del "Signor Lorenzi", cioè Giuseppe Gallo Lorenzi, pittore e restauratore.

Merita trascrivere la lettera di Renato Arrigoni a Domenico Selva, entrambi legati al clan Canova, non datata ma posteriore al 1826, anno della nomina episcopale di Giambattista Sartanto più sarà singolare la collezione di Vostra Eccellenza»[15]. Siamo forse nell'anno precedente l'ingresso dei pannelli di "Ercole da Ferrara" nella collezione di Canova, acquisendo i quali sembra quasi egli volesse emulare quanto aveva fatto il conte veneziano[16].

Con la provenienza "Giustiniani" sono indicati altri dipinti nella citata "Nota di Quadri"[17]: una *Sacra Famiglia* e un *Cristo morto*, presentati come Annibale Carracci[18]. Si sa, inoltre, dell'acquisto per trenta scudi, in data 5 marzo 1811, di un «quadro rappresentante un ritratto di scola veneziana», ceduto allo scultore dal principe Vincenzo Giustiniani[19]. Dalla Galleria Ottoboni provenivano invece due importanti tele allora ritenute del Pordenone: «Quadro dipinto a due parti, detto stendardo; da una la Vergine con due Confratelli; dall'altra due Evangelisti S. Matteo e S. Marco», e «Quadro grande dipinto a tempera con Maria Vergine, varj Santi Carmelitani e diversi devoti», mentre sono indicati di provenienza

---

tori Canova: «Monsignor Canova mi incarica di rispondere al quesito portato dalla qui unita memoria, ch'ella gli ha diretto. Qui non trovansi in vendita che i quadri antichi, che furono della collezione di Canova. Li ho io in custodia da oltre un anno col progetto di venderli. Si fecero molte trattative finora; ed ora si va attendendo il riscontro sopra due illustri aspiranti. È però probabile che una resti del tutto senza effetto, e che nell'altra non si giunga che a combinare la vendita di quattro Canaletti. Resterebbero in tal caso da vendersi 19 quadri, fra i quali due bellissimi Guardi, due Marieschi, un Palma, un Morone, un Tiziano, un Paris Bordon, un Caracci, due Paoleschi, un Dolci, ed altri. Se l'aspirante ama di vederli, potrà dirigersi al Signor Gallo Lorenzi, che abita al Ponte Celsi in calle Bernardo a S. Polo» (Venezia, Biblioteca Nazionale Marciana, Cod. Marc. It., X, 265, = 6422). I nomi degli artisti qui citati si ritrovano negli elenchi trascritti in Appendice, tranne quelli di Carlo Dolci e di Palma (forse mutato in Bonifacio Veronese).

[15] Venezia, Archivio Giustiniani Recanati (copia nella Biblioteca Correr di Venezia, Mss PD 893c).

La tavola, tuttora conservata in palazzo Giustiniani Recanati alle Zattere, è stata esposta alla mostra di *Mantegna* (Mantova, 1961, p. 117 del catalogo). L'opera è stata giustamente espunta dal catalogo degli autografi mantegneschi: ci si orienta ora sul nome di Francesco Bonsignori.

[16] Di Mantegna, Canova possedeva delle stampe, come si precisa in un "Catalogo delle Stampe, Disegni ecc.", redatto forse nel 1833 (il manoscritto si conserva in AFCP ed è pubblicato in Appendice). Si può inoltre citare l'interessamento dello scultore nei primi anni dell'Ottocento per l'acquisizione del *Cristo morto* di Mantegna da parte di Giuseppe Bossi (cfr. G. BOSSI, *Scritti...*, cit., 1982, pp. 485, 628).

[17] Venezia, Biblioteca Correr, Mss PD 594c (riportato in Appendice).

[18] Nel codice della Biblioteca Correr, Mss PD 893c, con un altro, differente «Elenco dei quadri antichi procedenti dalla eredità del Cavaliere Marchese Canova ora posseduti dal di Lui fratello Monsignor Canova» (qui pure riportato in Appendice), compare soltanto, al n. 17, «Tela d'Annibale Caracci. Cristo morto in grande al vero. Testa bellissima e nel rimanente grande effetto nel rilievo della figura».

Un "Elenco" identico a quello del Mss PD 893c della Biblioteca Correr si conserva nella Biblioteca Queriniana di Brescia, Cart. 111, Fasc. XIV.

[19] Documento in AFCP.

Falconieri «Andrea del Sarto. Ritratto di Casa Medici, in tavola» e «Gasparo Pussino. Piramo e Tisbe»[20].

I due importanti dipinti ex Ottoboni, ora unanimemente ritenuti del Moretto e datati verso l'inizio degli anni venti del secolo XVI, sono il gonfalone raffigurante, da una parte, *La Madonna della Misericordia e* 9-8 *due disciplini* e, dall'altra, *I profeti Enoch ed Elia* (?), collocato da monsignor Sartori su un altare del Tempio di Possagno[21], e la grande tela con *La Madonna del Carmelo* ora alle Gallerie dell'Accademia di Venezia. 10 Quest'ultima fu ceduta da monsignor Sartori nel 1827 in cambio di due pale di Palma il Giovane, più idonee a essere poste sugli altari del Tempio, allora in fase di completamento, dove tuttora si trovano[22]. Di entrambi sappiamo con certezza l'anno d'acquisto, il 1810: dello stendardo si è potuto accertare che nell'agosto di quell'anno veniva restaurato da Francesco Gagliardi, mentre l'anno dopo il doratore Giuseppe Antonio Simonetti ne metteva a posto la cornice[23]. E ancora una foderatura veniva eseguita da Vincenzo Affricani sulla *Madonna del Carmelo*, pure nel 1810, assieme a un altro intervento sulla *Madonna della Misericordia*[24].

---

[20] Venezia, Biblioteca Correr, Mss PD 594c.

[21] L'attribuzione al Moretto del gonfalone processionale per una Confraternita o Disciplina, ora su un altare di sinistra nel Tempio canoviano (cm 142 × 200), spetta a B. BERENSON, *North Italian Painters*, New York-London 1907, p. 265. V. GUAZZONI (*Moretto. Il tema sacro*, Brescia 1981, pp. 20-21, cui si rinvia anche per la puntuale lettura del dipinto) ritiene che si tratti del gonfalone della «Confraternita de l'Ordine de la gloriosa Vergine Maria de la nunciata de lo Carmelo» di Brescia. Per i due santi, si è creduto a Pietro e Paolo, quindi a Enoch, a Eliseo, e ad Elia (in connessione con il Carmelo). Li identifica come "Enoc ed Elia" anche Domenico Vittorelli (*Viaggio o Guida di Bassano, Possagno ed Oliero*, Bassano 1833, pp. 76-77).

Da ultimo, cfr. P.V. BEGNI REDONA, *Alessandro Bonvicino. Il Moretto da Brescia*, Brescia 1988, pp. 122-129 (anche per le proposte d'identificazione dei due santi del gonfalone di Possagno).

In AFCP, b. 12, fasc. 4, carte relative al dipinto del Tempio.

[22] S. MOSCHINI MARCONI, *Gallerie dell'Accademia di Venezia. Opere d'arte del secolo XVI*, Roma 1962, pp. 145-156 (Moretto, *Madonna del Carmelo*, cm 271 × 299, inv. 312).

L'attribuzione a Pordenone della *Madonna del Carmelo* è stata corretta in favore del giovane Moretto da G. FIOCCO, *Pordenone ignoto*, in "Bollettino d'Arte", XV, 1921, p. 204 s.

Canova menziona entrambi i dipinti in una lettera all'abate Angelo Dalmistro del 20 ottobre 1820.

Le pale di Palma il Giovane nel Tempio di Possagno raffigurano *Cristo nell'orto* (già nella chiesa della Maddalena alla Giudecca) e *Madonna in gloria e Santi* (già presso i Cappuccini a Montagnana).

[23] Documenti in AFCP. In particolare, «Conto di lavori fatti per L'Ill.mo Sig.re Cav.re Antonio Canova, da me Gius.e Antonio Simonetti Doratore. Per aver dorato d'oro fino una cornice piana fissata ad un quadro dipinto da due parti [...] per aver dorato d'Oro fino una cornice grande che chiude li 2 quadri», in data 12 giugno 1811.

[24] Documento in AFCP, con saldo in favore di Vincenzio Affricani in data 18 maggio 1810: «Conto di lavori e spese fatte a uso di dorator di quadri per servizio del Signor Pietro Vitale, adi 16 Marzo 1810.

Per aver foderato un quadro di palmi 12 e 11,3 rappresentante la Madonna con diversi Santi. Con spesa di tela fina e colla e bolletta e fatura e uomini.

Poco prima era entrato nelle raccolte di Canova anche un affresco di Pomponio Amalteo raffigurante l'*Adorazione dei Magi* staccato dal coro del duomo di Valdobbiadene nel 1807[25]. Ne ignoriamo la sorte, mentre si è potuto identificare quel "Ritratto di un Bibliotecario", attribuito nei nostri elenchi a Moroni, ma opera invece, ancora una volta, del Moretto, appropriatamente descritto come «lavoro rarissimo e conservatissimo»: è l'energico *Ritratto virile* della Alte Pinakothek di Monaco di Baviera[26].

Altri dipinti cinquecenteschi figurano nei nostri elenchi: un «Ritratto di un Senator Veneto» dato a Tiziano[27], un altro «Ritratto d'Ammiraglio Veneto riccamente vestito» attribuito a Paris Bordon, una *Sacra conversazione* riferita a Bonifacio de' Pitati, un «Ritratto d'un Cortigiano Francese» e «Un mercato copioso di figure» assegnati a Leandro Bassano, un

---

[...] Per aver messo le pezze di strice a torno e ritirato a un quadro di palmi 6 e 8,3 rappresentanti S. Pietro e S. Pavolo e la Madonna».

I due dipinti si possono verosimilmente identificare con i "due quadri sacri di Pordenon" pagati dallo scultore il 10 marzo 1810 presso il duca di Fiano (documento in AFCP, b-12).

Per l'interesse di Canova verso Pordenone, cfr. C. FURLAN, *Il Pordenone*, Milano 1988, p.168.

[25] L'affresco è citato da F. DI MANIAGO, *Storia delle Belle Arti Friulane*, Venezia 1819, pp. 65, 196 (cortese segnalazione di Adriano Drigo).

In AFCP, ricevuta di pagamento del 1807 per stacco di due affreschi di Pomponio Amalteo dal duomo di Valdobbiadene.

Vi si può mettere in relazione il passo di D.M. FEDERICI, *Memorie Trevigiane sulle Opere di Disegno. Dal mille e cento al mille ottocento per servire alla Storia delle Belle Arti d'Italia*, Venezia 1803, II, p. 15: «Per nuova scoperta fatta dal nostro celebratissimo Sig. Antonio Canova in Valdobiadene in quella Chiesa Parrocchiale, nel Coro ritrovasi bellissima Pittura a fresco di Gio: da Udine gran Scolaro di Giorgione in Venezia, e gran seguace di Raffaello in Roma. Questo lavoro restò per molti anni nascosto, e coperto: vi sono nella Cornice d'intorno degli ornati Grotteschi della mano di Giovanni bellissimi, e nel mezzo l'adorazione de' Maggi. Le Teste, l'azione, le vestimenta hanno finitezza di espressione, che incantano. Le figure sono al naturale, ben disegnate, ed ottimamente colorite».

[26] Inv. W.A.F. 683, cm 101,5 × 78; l'opera, datata generalmente verso il 1545, entrò nelle collezioni bavaresi nel 1838.

L'attribuzione al Moretto venne proposta da vari studiosi alla fine dell'Ottocento: cfr. P.V. BEGNI REDONA, *Alessandro Bonvicino...*, 1988, cit., pp. 408-409.

[27] Un altro dipinto di Tiziano transitò per casa Canova: è il cosiddetto *Ritratto del cardinal Cornaro*, donato dallo scultore nel settembre 1816 a William Hamilton in segno di riconoscenza per l'aiuto dato a Parigi l'anno precedente per la restituzione delle opere d'arte dello Stato della Chiesa sottratte dai francesi alla fine del Settecento: cfr. A. D'ESTE, *Memorie di Antonio Canova*, Firenze 1864, p. 245 («Volle poi mostrarsi anche più grato al cavalier Hamilton inviandogli il quadro originale che egli possedeva del Tiziano col ritratto del cardinal Cornaro, fratello della regina di Cipro, che teneva appeso nel proprio gabinetto; quadro di molto pregio; accompagnandolo con un libro magnificamente legato di tutte le opere del pittore incise»); K. EUSTACE, *«Questa Scabrosa Missione». Canova in Paris and London in 1815*, in *Canova. Ideal Heads*, catalogo della mostra (Oxford, Ashmolean Museum) a cura di K. Eustace, Oxford 1997, p. 30, nota 180.

«Ritratto dell'Ariosto» ascritto a Dosso Dossi, così caratterizzato: «Bella attitudine e qualche bel dettaglio»[28].

E ancora, fra altri, «Lo Spirito Santo in una gloria di angeli» e una «Deposizione della Croce» attribuiti a Tintoretto[29], quindi un «San Giovanni Evangelista e un guerriero» assegnato a «Giacomo Bassano», descritto anche come «S. Giovanni sopra le nubi, ed un divoto guerriero genuflesso con paese sul fondo». Si tratta del *San Giovanni Evangelista* 12 *con ai piedi l'offerente Lodovico Tabarino*, ora ritenuto di Girolamo dal Ponte, conservato nel Museo Civico di Bassano, cui è pervenuto per dono di monsignor Sartori nel 1850[30].

A Bassano si conservano altri dipinti provenienti dall'eredità Canova, come via via si dirà. È il caso delle due tele, già in "Casa Collalto", assegnate nelle nostre carte nientemeno che a Veronese e descritte in un elenco come «Il riconoscimento di Achille, e la morte di Paride», oppure come «Achille ferito nel talone, e Cleopatra in atto di abbellirsi». Sono, purtroppo, del mediocre Valentin Lefèvre (1642-1680/82), che si cimenta in esercizi «à la manière de», forse con l'intenzione di spacciarli per dei Veronese, come più tardi faranno anche Sebastiano Ricci e lo stesso Tiepolo[31]. Il soggetto del primo dei due quadretti è ora ritenuto *Il trasporto di Marcantonio ferito*, e l'altro, di cui è "pendant", *Cleopatra* 13, 14 *in atto di abbellirsi*.

---

[28] Per quest'ultimo dipinto ci si potrebbe orientare su un'opera come il cosiddetto *Ritratto di poeta* di Wichita (Kansas, The Wichita Center for the Arts, Samuel Kress Collection, inv. N. B-22-1; K. 1070), variamente attribuito, fra gli altri, a Dosso Dossi (A. BALLARIN, *Dosso Dossi. La pittura a Ferrara negli anni del ducato di Alfonso*, I, Cittadella 1995, cat. 375, scheda di V. Romani, tav. CXXIV) e, dubitativamente, da ultimo, a Camillo Boccaccino (M. LUCCO, scheda n. 49, in *Dosso Dossi Pittore di corte a Ferrara nel Rinascimento*, catalogo della mostra, Ferrara 1998, pp. 245-248).

[29] Quest'ultima può trovare un corrispettivo nel *Compianto di Cristo deposto* del Musée des Beaux-Arts di Nancy (cfr. R. PALLUCCHINI-P. ROSSI, *Tintoretto. Le opere sacre e profane*, Milano 1982, p. 177, n. 216).

[30] Per tutti i dipinti già in collezione Canova, ora nel Museo Civico di Bassano, opere di Girolamo dal Ponte, Giambattista Bassi, Martino de Boni, Valentin Lefèvre, Anton Raphael Mengs, Roberto Roberti, Martin Verstappen, Hendrick Voogd (provenienze Stecchini, Sartori Canova e Zardo Fantolin), cfr. O. BRENTARI, *Il Museo di Bassano illustrato*, Bassano 1881, pp. 59-66, 205-206; B. PASSAMANI, *Guida al Museo civico di Bassano*, Bassano 1975, pp. 48-49, 73, 82-83, 84, 86-87; L. MAGAGNATO-B. PASSAMANI, *Il Museo civico di Bassano del Grappa. Dipinti dal XIV al XX secolo*, Vicenza 1978, p. 15, inv. 20; p. 39, inv. 285; p. 42, inv. 193; pp. 70-71, inv. 134-135; pp. 81-82, inv 216, 206; p.105, inv. 52-53; p. 114, inv. 362; p. 118, inv. 223, p. 123, inv. 51.

[31] I dipinti, in pendant (ciascuno cm 53 × 71), legati da monsignor Sartori nel 1853 all'orfanotrofio Pirani-Cremona di Bassano e quindi acquistati dal Comune per il Museo, sono stati assegnati a Lefèvre da G.M. Pilo (in C. DONZELLI-G.M. PILO, *I pittori del Seicento veneto*, Firenze 1967, p. 226).

Sono datati al settimo-ottavo decennio del secolo: cfr. L. MAGAGNATO-B. PASSAMANI, *Il Museo civico di Bassano...*, 1978, cit., pp. 70-71; A. BERTON, in *Fiamminghi. Arte fiamminga*

Fra altri dipinti seicenteschi, spiccano negli elenchi le due citate tele
sacre di Annibale Carracci: un «Cristo morto, steso sopra un lenzuolo, figura grande al vero» e una "S. Famiglia"[32]. Figurano inoltre due Padovanino, una "Maddalena", copia da Tiziano, e «Tarquinio e Lucrezia»[33]; un
«ritratto d'Uomo con berretto in testa, scuola del Vandaich», il citato "Piramo e Tisbe" di «Gasparo Pussino» proveniente dalla Galleria Falconieri»[34].

Ben più qualificato e consistente è il gruppo dei dipinti settecenteschi, ricercati con accanimento dallo scultore, specie le opere di Tiepolo
e dei vedutisti: siamo pertanto in presenza di scelte ben precise di Canova "collezionista". Vi predomina – e non può destare meraviglia – la
scuola veneziana, con opere sorprendenti oltre che per qualità, per varietà di tematiche. Già si è accennato all'eccezionale dipinto di Jacopo
15 Amigoni, ora a Melbourne, così descritto in una delle nostre liste: «Metastasio, la Castellini, Farinello, il pittore Amigoni, un paggio che pre-

_____

e olandese del Seicento nella Repubblica Veneta, catalogo della mostra di Padova a cura di C.
Limentani Virdis e D. Banzato, Milano 1990, pp. 200-202, cat. 86; D. BANZATO, Scheda n. 47,
in *Ponentini e foresti. Pittura europea nelle collezioni dei Musei Civici di Padova*, catalogo
della mostra (Padova, Museo del Santo) a cura di C. Limentani Virdis e D. Banzato, Roma
1992, p. 87.

[32] Il dipinto raffigurante *Cristo morto* dato ad Annibale Carracci poteva essere simile a
quello della Staatsgalerie di Stoccarda (cm. 70,8 × 88,8): cfr. D. POSNER, *Annibale Carracci. A
Study in the Reform of Italian Painting around 1590*, London 1971, vol. II, p. 3, già in collezione Chigi a Roma, quindi Incisa della Rocchetta (cfr. "Jahrbuch der Staatlichen Kunst-
sammlungen in Baden-Württemberg", 1968).

Per la versione "Giustiniani", con la variante di due angeli ("Un quadro con Christo morto in un lenzuolo bianco con due Angeli che piangono in tela alta pal. 5 larg. 6 si crede mano
di Agostino Carracci con cornice rabescata d'oro"), cfr. L. SALERNO, *The Picture Gallery of
Vincenzo Giustiniani*, 1960, cit., p. 144, n. 190. Ne esiste l'incisione di Landon (1812), ivi riprodotta, fig. E. Il dipinto, acquistato dal re di Prussia, è andato perduto nel 1945, come gentilmente m'informa Erich Schleier: si trovava a Potsdam, Sanssouci (inv. 5435).

Per questo dipinto e per la *Sacra Famiglia* carraccesca, pure ex Giustiniani, degli Staati-
che Museen di Berlino, cfr. D. POSNER, 1971, cit., vol. II, p. 30, cat. 71; S. DANESI SQUARZINA,
The collections of Cardinal Benedetto Giustiniani. Part I, in "The Burlington Magazine", novembre 1997, p. 784. Non è chiara la relazione fra queste opere e quelle menzionate in collezione Canova, forse ulteriori copie.

[33] Nell'"Elenco" della Biblioteca Correr, Mss PD 893c, compare come «Tela tizianesca.
La Maddalena; ripetizione di quella esistente in Ca' Barbarigo di Venezia». L'opera fu acquistata verosimilmente nel 1810, o poco prima, essendo elencata in un "Conto di lavori" di
Vincenzo Affricani in data 16 marzo 1810: «Per aver foderato un quadro di palmi 5 e 4,3
rappresentante la Madalena di Tiziano s. 1:50» (documento in AFCP; cfr. note 24 e 60).

Un dipinto simile è segnalato nella collezione veneziana di Valentino Benfatto, mentre
per *Tarquinio e Lucrezia* si può rinviare a quello della Galleria degli Uffizi (cfr. U. RUGGERI,
Alessandro Varotari, detto il Padovanino, in "Saggi e memorie di storia dell'arte", 16, 1988,
pp. 116, 154). Quest'ultimo dipinto venne acquistato nel 1799 presso il mercante veneziano
Bernardo Concolo (si veda alla nota 39).

[34] Per il dipinto con *Piramo e Tisbe* di Gaspard Dughet, si può rinviare a M.-N. BOISCLAIR,
Gaspard Dughet. Sa vie et son oeuvre (1615-1675), Paris 1986, p. 152.

senta la tavolozza ed un levriere. Ritratto in figure intere e grandi al vero». Illustrandolo nel suo profilo della pittura veneziana del Settecento,
Michael Levey lo giudica «un'opera unica per quel tempo», fondamentale per comprendere il gusto rococò, fra letteratura, musica e teatro[35]. Può
esser stata appunto la passione dell'artista per il teatro, per il melodram-
ma specialmente, a fargli desiderare il possesso di quel ritratto di gruppo,
che gli poteva restituire il fascino "musicale" della civiltà settecentesca.

Ma, a ricorrere nei nostri documenti, sono soprattutto i nomi dei vedutisti veneziani: Canaletto, Carlevarijs, Marieschi, Guardi. Del primo,
Canova possedeva ben quattro vedute «dimostranti quattro punti di Venezia sul Canal Grande, cioè la Piazzetta, la Salute, l'Erberia di Rialto, il
traghetto di S. Vio. Bellissimi originali specialmente due. Della miglior
epoca dell'autore»[36]. Entrate nella collezione di Canova prima del 1806,
furono poi acquistate da Luigi di Baviera. Mentre la *Veduta della Piazzetta e del Molo di San Marco dall'isola di San Giorgio* e *L'ingresso del*   16, 17
Canal Grande verso est, con la basilica della Salute si conservano tuttora a Monaco, presso l'Alte Pinakothek, gli altri due dipinti, *Il Canal*   18, 19
Grande verso est, da campo San Vio e *Il Canal Grande dal Ponte di
Rialto, verso nord*, usciti dal Museo prima della seconda guerra mondia-
le e passati in una collezione londinese, sono stati venduti presso Christie's a Londra nell'estate 1992[37].

---

[35] M. LEVEY, *Painting in Eighteenth Century Venice*, Oxford 1959 (edizione italiana *La
pittura a Venezia nel diciottesimo secolo*, Milano 1983, p. 206, fig. 102).
   Accanto a Metastasio, il soprano milanese Teresa Castellini (come si legge sullo spartito
ai suoi piedi), quindi, al centro, Carlo Broschi detto Farinelli e, sulla destra, il pittore Jacopo
Amigoni. Il dipinto si data fra il 1750 (anno in cui fu conferito al Farinelli l'Ordine di Cala-
trava, esibito dal cantante) e il 1752, anno di morte di Amigoni: è, pertanto, una delle ultime
opere dell'artista (cfr. F. BORIS-G. CAMMAROTA, *La collezione di Carlo Broschi detto Farinelli*,
in "Accademia Clementina Atti e Memorie", 27, 1990, pp. 188-189, 209, 223-224; G. FOSSA-
LUZZA, Scheda in *Splendori del Settecento veneziano*, catalogo della mostra (Venezia, Ca' Rezzonico, Milano 1995, pp. 140-141).
   Le misure in piedi veneti elencate nella "Nota" di Possagno ("Alto piedi 5; largo piedi 7")
corrispondono a quelle del dipinto (cm 172,8 × 245,1): un piede veneto, come noto, misura
circa cm 34,77.
[36] Venezia, Biblioteca Correr, Mss PD 893c. Nell'altro elenco (codice PD 594c della Biblioteca Correr) sono stimate 320 luigi: la valutazione è, in entrambi i casi, piuttosto alta, anche se non possono non sorprendere i 300 luigi stimati per i due "falsi" Veronese.
   I quattro dipinti di Canaletto sono schedati da W.G. CONSTABLE, *Canaletto. Giovanni Antonio Canal 1697-1768*, seconda edizione rivista da J. G. Links, Oxford 1976, vol. II, cat. 109
(a), 171 (a), 190 (a), 233 (c). Misurano ciascuno cm 69 × 94 e sono stati datati verso il 1735-
40 (F.J.B. WATSON, in "The Burlington Magazine", 1968, p. 352), anche se da alcuni ritenuti
parzialmente di scuola o eseguiti con la collaborazione del giovane Bernardo Bellotto. Si mantiene qui l'attribuzione "storica" a Canaletto.
[37] *Old Masters Paintings*, Christie's, Londra, 10 luglio 1992, nn. 25-26. Cfr. J.G. LINKS, *A
Supplement to W.G. Constable's Canaletto. Giovanni Antonio Canal 1697-1758*, London
1997, n. 190(a), 233 (c).

Si tratta di quattro importanti dipinti, che contribuiscono in modo sostanziale a rendere preziosa la collezione di Canova. La notizia dell'ingresso di tali opere nella casa dello scultore veniva data nientemeno che nelle «Memorie Enciclopediche Romane» di G.A. Guattani nel 1806, e subito anche l'abate Moschini le registra nella sua *Letteratura veneziana del secolo XVIII*[38]. In quegli anni la caccia agli ultimi importanti dipinti di veduta rimasti nelle collezioni veneziane era condotta senza risparmio di colpi, e Canova ben ne era consapevole. Conoscitori come Pietro Edwards e mediatori d'ogni sorta, anche ecclesiastici, s'aggiravano per le case veneziane alla ricerca d'opere di tal genere, appetite da un mercato che non aveva mai avuto momenti di flessione.

A far da tramite, per Canova, era il mediocre pittore Ferdinando Tonioli, che faceva funzioni di suo agente a Venezia: il loro carteggio, conservato a Possagno, è la fonte primaria per le nostre informazioni in proposito. I contatti sono più frequenti all'inizio dell'Ottocento, quando lo scultore, interessato all'acquisto di vedute settecentesche di Venezia, gli scrive sollecitandolo a più riprese. La lettera di Tonioli del 3 luglio 1802, in particolare, getta luce sul sottobosco del mercato antiquario veneziano dell'epoca. Lo stampatore e negoziante di stampe Teodoro Viero, Bernardo Concolo, Pietro Edwards, l'abate Alvise Celotti, Carlo Gaspari, Giuseppe Baldissini, Giovanni Maria Sasso: tutti si danno da fare per "servire" i clienti, il nostro Canova, nella circostanza[39]. Val la pena di leggerne l'inizio: «Non mancai tosto di rendervi servito coll'andar in traccia di persona negoziante di quadri. Io non sappeva a chi rivolgermi, e mi pensai d'interrogare il signor Viero, per sentire quanti ve

---

Da Monaco queste due tele (cm 68,7 × 92 e 68 × 94) sono passate presso Frank Partridge, quindi nella collezione londinese J.J. Joel, fin che non sono state messe all'asta.

[38] G.A. GUATTANI, *Memorie Enciclopediche Romane sulle Belle Arti, antichità etc.*, tomo II, Roma 1806, pp. 24-25; G. MOSCHINI, *Della letteratura veneziana del secolo XVIII fino a nostri giorni*, Venezia 1806, III, p. 77, nota 1 (va precisato che il volume apparve nel 1808).

[39] Cfr. F. HASKELL, *Patrons and Painters. A Study in the Relations Between Italian Art and Society in the Age of the Baroque*, London 1963 (traduzione italiana, *Mecenati e Pittori. Studi sui rapporti tra arte e società italiana nell'età barocca*, Firenze 1966, pp. 564-572).

Bernardo Concolo, pittore e antiquario, era figlio di Giacomo Concolo, fornitore di tele a Giambattista Tiepolo (cfr. A. NIERO, *Giambattista Tiepolo alla Scuola dei Carmini, precisazioni d'archivio*, in "Atti dell'Istituto Veneto di Scienze, Lettere ed Arti", tomo CXXXV, 1977, p. 375), mercante "da quadri usuali, nonché sublimi [...] a San Polo" (L. LIVAN, *Notizie d'arte tratte dai Notatori e dagli Annali del N.H. Pietro Gradenigo*, Venezia 1942, p. 65; alla data 28 ottobre 1760).

L'elenco comprende anche Giuseppe Baldissini (o Baldassini), pittore e restauratore, identificabile in quel "Baldacini" nominato nella citata lettera del 3 luglio. Figlio del pittore Nicolò (1709-1785), nacque a Venezia il 9 giugno 1744 e morì l'11 novembre 1823 (cfr. G. POLI, *Nicolò Baldissini pittore veneziano*, in "Bollettino del Museo Civico di Padova", LXXVIII, 1989, p. 57).

ne sono di questi negozianti; egli me ne nominò tre, Sasso, signor Bernardo Concolo, e Baldicini; infatti rilevai, che per cognizione unita ad una certa probità egli non saprebbe allontanarsi dal sudetto Concolo [...]. Il Sasso è negoziante più forte; ma sa approfittare dei momenti, insomma sa far da antiquario». Appunto quest'ultimo doveva esser ben noto a Canova, se già nella lettera a Caterina Berlendis Renier del 5 dicembre 1795 lo scultore scrive che «Il Signor Sasso io lo credo intendentissimo assai»[40].

A Venezia, scomparso quest'ultimo nel 1803, è l'abate Celotti a distinguersi per frenesia d'attivismo[41]: «Se venisse nuovamente da voi il signor abbate Celotti di Ca' Barbarigo per chiedervi qualche sommarella per provvista di qualche quadro che gli ho ordinato dategliela», scrive Canova a Tonioli il 21 gennaio 1804, aggiungendo subito dopo: «Se ancora sentiste che vi fosse da vendere qualche veduta di Venezia fatta da Canaletto, da Guardi o da Moretti compratemela o fatemela comprare da Gaspari o altri – dunque raccomandatevi a chi conoscete che possa esse-

---

[40] *Lettere inedite di Antonio Canova*, Padova 1833, p. 28. L'antiquario veneziano era notoriamente interessato alla pittura dei maestri settecenteschi, come risulta anche dal *Catalogo de' Quadri del qu.* Giammaria Sasso *che si mettono all'Incanto nella sua Casa al Ponte di Canalregio N. 381 presso il Palazzo Manfrin...*, [Venezia 1804] pubblicato l'anno dopo la sua morte: vi compaiono tre dipinti di Giambattista e numerosi disegni (cfr. F. HASKELL, *Francesco Guardi as* Vedutista *and some of his Patrons*, in "Journal of the Warburg and Courtauld Institutes", XXIII, 1960, nn. 3-4, cit., p. 256).

Riportiamo, dal *Catalogo* del 1804: "52. Altro Ratto di Europa, copia di Paolo fatta dal Tiepolo; 94. Cappuccini che assistono a un moribondo, di Giambattista Tiepolo; 112. L'Angelo con Tobia, di G.B. Tiepolo", e ancora "89.90. Due Capriccj di Frati, e Monache di Domenico Tiepolo". L'antiquario era anche pittore (o falsario): "107. Copietta d'una Palla, di Tiepolo, fatta da Sasso".

[41] Sull'abate Alvise (o Luigi) Celotti, cfr. F. HASKELL, *Francesco Guardi...*, 1960, cit., p. 256; ID., *Patrons...*, 1963 cit. (ed. ital., 1966, pp. 571-572).

Sulla sua collezione, cfr. *Notice des Tableaux par les plus grands Maitres d'Italie... composant le Cabinet de M.* Celotti *de Venise*, Paris 1807, p. 9 (otto dipinti di Canaletto, di cui quattro commissionati dai Gabrieli, e che sarebbero stati arricchiti da macchiette di Tiepolo) e p. 25 (due dipinti di Tiepolo: *Ratto di Ganimede e Allegoria*).

I rapporti di Canova con l'abate Celotti sono documentati anche nel registro di spese del 1804 tenuto da Ferdinando Tonioli (in data 12 gennaio è segnata un'uscita di spesa di 152 lire «contate al Signor Abate Celloti»), e da alcune lettere conservate nella Biblioteca Civica di Bassano del Grappa (d'ora innanzi BCB), tutte incentrate su consulenze e mercato d'opere d'arte.

Il 4 febbraio 1805 informa che «saranno quindici e più giorni, che consegnai il suo Quadro del Guardi al Signor Tonioli» (BCB, 2604). Nella lettera del 14 aprile 1810 l'abate dà notizia che è entrato in possesso di otto dipinti di Canaletto, quattro commissionati dai Gabrieli, altri quattro da casa Rusteghello («due sono le più grandi che abbia veduto, e che forse esistono di tal Pittore») (BCB, 2605). Il 19 luglio chiede un «giudizio sopra il Quadro di casa Manin detto di Raffaello» (BCB, 2606).

re al fatto mentre io amo assai di avere delle vedute di codesto paese che tanto adoro [...]»[42].

I contatti proseguono e va ricordata anzitutto la nota lettera di Pietro Edwards all'artista del 23 giugno 1804[43]. Dopo aver tracciato un profilo del vedutismo settecentesco e del suo mercato, passa al dunque: «Sulla scoperta fattane [dipinti di Guardi] dal Signor Tonioli trattai l'acquisto di due di tai quadretti per Vostra Signoria. Erano graziosetti, e nient'altro. Il Signor Orsetti procurò alle mie istanze di farmene vedere alcuni altri di terza persona, tutta roba di bottega, anzi da rifiuto».

Tutto il carteggio Tonioli – Canova del 1804 è punteggiato di riferimenti a dipinti di veduta[44].

---

[42] Se i nomi di Canaletto o Guardi sono di prammatica parlando di vedute veneziane, quello di Giuseppe Moretti lo è di meno, e sta a indicare un momento di grande fortuna di questo artista minore, ancora all'inizio del XIX secolo.

Canova doveva conoscere bene le sue opere. Nel lontano 1777, quando lo scultore s'affermava per la prima volta nell'ambiente veneziano esponendo in piazza San Marco alla Fiera della Sensa il suo *Orfeo*, Moretti presentava la *Veduta prospettica* oggi alle Gallerie dell'Accademia di Venezia, *pièce de réception* per la nomina a professore d'Architettura prospettica (cfr. G. Fogolari, *L'Accademia veneziana di pittura e scoltura del Settecento*, in "L'Arte" XVI, 1913, p. 391; S. Moschini Marconi, *Gallerie dell'Accademia di Venezia. Opere d'arte dei secoli XVII, XVIII, XIX*, Roma 1970, pp. 60-61; R. Pallucchini, *La pittura nel Veneto. Il Settecento*, II, Milano 1996, p. 423).

La vicenda si può seguire in successive lettere di Tonioli a Canova del 25 febbraio («rapporto all'abate Cellotti, e sulli quadri che bramate: ho parlato sul proposito con l'amico Gaspari; ma non ancora mi riuscì nulla rinvenire; né vidi pure il Signor abate Cellotti, e non vidi ancora il Signor Zardo, né Florian»), del 10 marzo («Dimani ho d'andare con l'amico Gaspari a veder due quadri di Guardi, che al dir del medesimo sembrano dello stesso Canaletto; ricercan zecchini dodici l'uno vedrò se l'affar sarà combinabile»), del 17 marzo («Sono stato a vedere li due quadri creduti del Guardi ma non ne essendo persuaso li feci vedere all'amico Selva che neppur lui fu persuaso, e li lasciai andare»).

Quindi, il 26 maggio Tonioli scrive: «Questa mattina il Signor Erduas (che distintamente vi riverisce) venne meco per veder due quadretti del Guardi uno rappresenta la Dogana, e l'altro S. Giorgio Maggiore: nel prezzo veramente non si pottemo combinare, vogliono zecchini dieci l'uno; otto gle li avevo esibiti; ma non fu possibile ridurli».

Pietro Edwards, dunque, è presente anche in questo affare: di lui Tonioli si fida, "che è vero intendente". Per i due "quadretti" Tonioli offre fino a nove zecchini (lettera del 2 giugno), senza concludere peraltro l'affare.

Sull'argomento, cfr. anche: L. Mattioli Rossi, *Collezionismo e mercato dei vedutisti nella Venezia del Settecento*, in "Ricerche di storia dell'arte", 1980, 11, pp. 79-92.

[43] BCB, 1467; copia nella Biblioteca del Seminario Patriarcale di Venezia, Mss 788.13, pubblicata e commentata da G. Lorenzetti, *Una lettera di Pietro Edwards ad Antonio Canova*, in "Fanfulla della Domenica", XXXVII, nn. 10-11, 7 e 14 marzo 1915; quindi ripresa da F. Haskell, *Francesco Guardi...*, 1960, cit., nn. 3-4, pp. 256-276.

[44] Tutti questi documenti, quando non altrimenti indicato, si conservano in AFCP, b-12.

2 giugno: «Li quadretti acenativi dal Gaspari sono quelli stessi, che andai a contratto insieme con il signor Eduars. Fu egli questa mattina da me, e m'interrogò come era andato a finire l'affare delli due quadretti del Guardi; e le risposi, che le aveva fatto offrir sino zecchini nove l'uno, ma che insiston a volerne dieci, e che perciò nulla avevo fatto; al che mi rispose che ho fatto bene mentre per nove zecchini l'uno erano bene pagati».

15 agosto, nel poscritto, «Il signor Erduas ha comprato per zecchini 8 ossia per Lire 176 una veduta della Dogana di gusto sufficiente onde lo pagherò». Si tratta di un'opera di Luca Carlevarijs, come si precisa il primo settembre («Ho pagato Lire 176 per la Veduta annunciatavi del Carlevaris»)[45].

8 ottobre: «Avete ragione se vi rincresce, che siano andati que due quadretti di Guardi dei quali vi ho già scritto: non dubitate, che starò in attenzione, e capitandomi me ne prevalerò della libertà che mi date».

29 novembre: «Non si parla più di trovare quadretti di Vedute; veramente sembra un delirio, che la roba di Canaletto, Guardi ed altri sia andata tutta fuori di Venezia. Ho veduto il quadro dell'abate Celloti che lo ha pagato tempo fa: veramente è bello ma non è una veduta delle più interessanti. L'altro quadro che tengo appresso di me di Carlevaris procuratomi dal signor Erduas non è un punto di vista di quelli da elettrizare – delirio, che li due quadreti che tempo fa non siamo andati d'accordo per il prezzo, sono andati via, se vi fossero vi assicuro, che ve li comprerei ad onta che il Signor Erduas asserisce che fossero di poca durata per esser dipinti alla prima, e con poco colore, ma pure avevan buon effetto. Infatti non dubitate, che vi ho a cuore».

8 dicembre: perduta l'occasione d'acquistare «due quadretti di Guardi», spera di trovarne altri.

14 dicembre: «Vidi il signor Erduas, e nuovamente Le racomandai le nostre premure in proposito alle note vedute»[46].

Fine febbraio 1805: «Rapporto alle vedutine dell'abate Celloti mi imagino che sarano del Guardi giovine, che non è gran cosa. veramente

---

28 luglio: «Raporto alle vedute l'affar è andato a monte. Non manco io, né il signor Edwards di star in attenzione per servirvi».

[45] In data 25 agosto è segnata un'uscita di spesa "per un quadretto/ Veduta Dogana 176" lire venete. Il soggetto del dipinto è specificato anche nell'uscita di cassa in data 25 agosto 1804: "per quadretto Veduta Dogana – 176" lire.

Si conoscono due dipinti di Carlevarijs raffiguranti *La punta della Dogana con l'isola di San Giorgio*: al Metropolitan Museum of Art di New York (collezione Lehman) e nella collezione Emo-Capodilista di Roma (A. RIZZI, *Carlevarijs*, Venezia 1964, pp. 92, 93, figg. 87,114). Di entrambi non sono note le antiche provenienze.

[46] Scrive, a sua volta, Canova il primo gennaio 1805: «Potreste farvi dare i noti quadretti di vedute dal signor don abate Celloti di Ca' Barbarigo, e fargli fare un cannone di banda e meterli dentro poi darli a Florian che col mezzo del corriere signor Bortolo Ronzoni me li farà avere alla fine del Carnovale quando verrà a Roma, così se ne avrete acquistato qualche altro glieli unisse. Non so se prendo abbaglio col dirvi che vi facciate dare i noti quadretti, mentre forse li avrete di già avuti».

In data 24 dicembre 1804 è registrata una uscita di cassa «per canon di latta, e mandar a prender quadro dal signor abate Celotti – 7» lire.

E, ancora, scrive Tonioli il 26 gennaio 1805: «Ho fatto fare un canon di latta largo per rottolar li due quadri Vedute; ma quello di Canaletto dell'abate Cellotti doppo averlo levato dal

la veduta che compraste dallo stesso temo non sia originale. Non manco di stare in tracia io pure, ma niente si trova»[47].

Come aveva scritto Pietro Edwards a Canova il 23 giugno 1804, veramente «non ci sono più pittori vedutisti di buon nome».

Qualcosa tuttavia non deve aver funzionato bene, perché Canova in una lettera dell'11 maggio 1805, avute finalmente a Roma le due piccole vedute, scrive a Tonioli il già citato passo: «Così son anch'io dacordo che le vedutine speditemi non siano del bravo Guardi ma del figlio o della serva». Dunque, non solo lo scultore aveva buon occhio per giudicar quadri, ma già era al corrente della produzione di Giacomo Guardi e di altri scadenti imitatori[48].

Canova, comunque, dovette entrare in possesso di due vedute guardesche, di grandi dimensioni. In uno dei nostri elenchi manoscritti compaiono, infatti, «Due tele del Guardi. Vedute in grande sul Canale verso la Piazzetta esprimenti la festa del Bucintoro, ed una regata», accanto a «Due vedute sul Canal Grande di Venezia del Marieschi»[49]. Se aggiun-

---

teller lo ritrovai talmente crudo, che temei si scorzasse nel rottolarlo affatto siché lo lasciai, e distesi sul terasso. Anderò in tracia del signor Erduas per vedere se vi fosse qualche maniera senza pregiudizio della pittura di render la tella più mole onde potterla rottolar senza malanni; diversamente bisognerà farle una cassetta, quale per verità sarà un poco grandetta». Sembra, dunque, che Tonioli abbia acquistato in questi mesi, per conto di Canova, anche una veduta assegnata a Canaletto.

Quindi, il 2 febbraio: «Ho parlato con il signor Erduas per spedirvi li notti quadri, ma egli non mi consiglia a rottolarli, perché sicuro massime quello dell'abate Cellotti corre rischio di crepolar tutto: in cassetta per verità è troppo grande per consegnarlo al corrier attendo intanto vostri riscontri».

Di nuovo, Canova, 9 febbraio: «Giacché dovrò passare per Venezia sarà meglio che io stesso prenda i quadri con me».

Scrive, in proposito, Alvise Celotti a Canova, in febbraio: «saranno quindici e più giorni che consegnai il suo quadro del Guardi al Signor Tonioli».

[47] Tonioli prospetta quindi di commissionare delle vedute al pittore vicentino Davide Rossi: «Non so se il Signor Davidde Rossi ad oglio riuscisse come vidi alcune vedute di Venezia dipinte nel suo tinello a fresco; ma se riuscisse a dipingerle del medesimo gusto vi assicuro che venendo a Venezia potreste farlene qualche ordinazione a vostro piacere».

Il passo della lettera di Tonioli è un prezioso documento di un'attività di frescante di David Rossi nel genere della veduta, ciò che può confermargli la sala delle ville in palazzo Manin a Rialto (cfr. G. PAVANELLO, *La decorazione neoclassica nei palazzi veneziani*, in *Venezia nell'età di Canova 1780-1830*, catalogo della mostra, Venezia 1978, p. 295, nota 28).

Qualche "affare" dovette concludersi fra Rossi e Canova se nell'elenco delle uscite di cassa compare in data 24 dicembre 1810 «Al Signor David Rossi per dati zechini 15».

[48] Da segnalare, infine, che nelle uscite di spesa in data 22 febbraio 1806 è indicata una somma «per incassar due Quadri, Dogana di transito, Fachini – 16:16» lire.

[49] BCV, Mss PD 893c. In un'altra lista, conservata in AFCP (riportata in Appendice), si può riscontrare la presenza di volumi d'incisioni di vedute: «Canaletto, vedute di Venezia N. 67 e prospetti con Ritratti di Canal, e Visentini», di «Guardi, prospetti d'isole e di Architettura» (cfr. G. PAVANELLO, *Sulla collezione...*, 1993, cit., pp. 273, 282, 284).

giamo i quattro Canaletto e il Carlevarijs, ci troviamo in presenza di una raccolta di vedute veneziane davvero prestigiosa.

Un capitolo a parte è costituito da Canova collezionista di dipinti, disegni e incisioni di Giambattista Tiepolo e dei figli Giandomenico e Lorenzo. Gli si è dedicata una specifica trattazione, che giova qui riprendere per sommi capi[50].

1793 – 1810: entro quest'arco cronologico si svolge la vicenda che ci interessa, scandita in particolare dalle lettere spedite a Canova da Ferdinando Tonioli. Il 27 aprile 1793 quest'ultimo informa che si può trattare per "quattro modelli" e per le stampe. Erano disponibili per la vendita: "S. Gaetano", «Virtù, Tempo e Merito con Putini», «La Incoronazione della Spagna con Mercurio, Giove, ed altri simboli», «Il Tempo che rapisce la Gioventù, con Borea, Nettuno, Gennj, ed altre figure». I loro prezzi variano da 15 a 25 zecchini, una cifra standard per opere siffatte[51]. Per il momento Canova si limitò ad acquistare un grup-

---

Ci potrebbe essere la possibilità che abbiano fatto parte della collezione Canova anche due tempere di Marco Ricci raffiguranti *Tempesta di mare* (cm 25,5 × 37; a tergo, scritta ottocentesca "Marco Ricci veneto") e *Paesaggio con temporale* (cm 24 × 36; a tergo, scritta settecentesca "Marcho Rizi Fece / A. G."), di collezione privata, provenienti dall'eredità dello scultore, di cui gli attuali proprietari sono discendenti.

[50] G. PAVANELLO, *Canova collezionista di Tiepolo*, con contributi di Adriano Mariuz e di Paolo Mariuz, "Quaderni del Centro Studi Canoviani di Possagno", 1, Monfalcone 1996.

[51] Riguardo ai dipinti, di grandezza all'incirca di un piede e quattro once di altezza per un piede e nove once di larghezza (circa cm 70 × 46), Tonioli osserva «che non sono certamente dei più sapporiti anzi sono dei più inferiori».

I soggetti dei modelli sono elencati in un foglio allegato alla lettera: "S. Gaetano", "Virtù, Tempo e Merito con Putini", "La Incoronazione della Spagna con Mercurio, Giove, ed altri simboli", "Il Tempo che rapisce la Gioventù, con Borea, Nettuno, Gennj, ed altre figure".

Il primo dipinto è identificabile con il modelletto rintracciato da Stéphane Loire nel Musée Communal d'Ixelles (Bruxelles), preparatorio per la pala raffigurante *L'apoteosi di San Gaetano da Thiene* della parrocchiale di Rampazzo (Vicenza). Si veda, da ultimo, S. LOIRE, Schede, in *1696-1770 Giambattista Tiepolo*, catalogo della mostra (Parigi, Musée du Petit Palais, 1998-1999) a cura di S. Loire e J. de Los Llanos, Paris 1998, pp. 208-210.

"Virtù, Tempo e Merito con Putini" potrebbe invece essere il bozzetto ovale per soffitto dell'Art Museum di Seattle, una prima idea per l'affresco, strappato, di palazzo Porto di Vicenza, pure conservato in quel museo (cfr. M. GEMIN-F. PEDROCCO, *Giambattista Tiepolo*, Venezia 1993, cat. 501a, pp. 476-477).

"La incoronazione della Spagna" è, evidentemente, uno dei due modelli per il soffitto della "Saleta" nel Palazzo Reale di Madrid, conservato al Metropolitan Museum of Art di New York (Rogers Fund, 1937 (37.165): cfr. K. CHRISTIANSEN, Scheda 54a, in *Giambattista Tiepolo 1696-1770*, catalogo della mostra (Venezia, Ca' Rezzonico), Milano 1996, pp. 329-333).

Nel testo della lettera vengono menzionate altre opere disponibili, "d'una grandezza poco maggiore": «una Crocifissione; ed il Presepio, che è pure stampato, e so che di questi rifiutò zecchini, settanta, ed ottanta, di maniera che sembra che il minor prezzo sia li zecchini 20 ed il maggiore più delli ottanta, questo può servirvi di regola. Al caso poi che voleste fare qualche acquisto allora potrò parlar io all'amico Tiepolo, per potter scieglier quelli che crepo di incisioni, come attesta un'uscita di cassa per "stampe" registrata in data 8 marzo 1794[52].

L'interesse per l'acquisto di opere tiepolesche si riaccende dopo la morte di Giandomenico Tiepolo avvenuta il 3 marzo 1804. Si rendono allora disponibili parecchi quadri di Giambattista custoditi in casa. Tonioli, cugino della vedova (e "compare" di Canova) è l'interlocutore privilegiato nelle trattative di vendita. Oltre a "Quadri, e Modelli", si vogliono vendere – ed è una novità – pure grossi libri di disegni di Giambattista. Canova s'infiamma: «Quanto amerei ancor io di possedere alcuno dei libri di disegno del Tiepolo, che tanto stimo per l'ammirabile sua fantasia e grazia», scrive all'architetto Giannantonio Selva il 31 marzo di quell'anno[53]. Ma ci sono difficoltà, perché «a quel che vedo – aggiunge lo scultore – gli eredi amano di farlo costar caro questo gusto ai dilettanti».

Possiamo immaginare il consueto tira e molla nelle trattative: ai primi di maggio Canova entra in possesso del modello di Giambattista raffigurante *Il Padreterno e l'Immacolata Concezione*[54]. Pietro Edwards ne fa, nell'occasione, un commento giustamente celebre: «ottimo per una certa elevatezza di pensiero dantesco, che si cava dall'ordinario [...] è molto ben conservato cosicché parvemi che meritasse d'essere inviato alla collezione ch'Ella vuol fare»[55]. Il dipinto, fra le ultime opere di Giambattista, si conserva, come noto, alla National Gallery of Ireland di Dublino[56].

Nessun'altra opera tiepolesca, dipinti o disegni, entra, per ora, nelle raccolte dello scultore. Bisognerà attendere il 1810 perché riprendano le trattive con gli eredi di Giandomenico Tiepolo[57]. Canova conclude, fra

---

dessi di maggior gusto, relativamente a quella spesa, che voleste fare, e tratterò allora l'affare come mio».

La lettera è stata pubblicata per la prima volta da A. MARIUZ-G.PAVANELLO, *Disegni inediti di Antonio Canova da un taccuino "Canal"*, in "Saggi e memorie di storia dell'arte", 19, 1994, p. 351, nota 37.

[52] Documento in AFCP.

[53] BCV, Mss PD 529c; lettera citata in R. BRATTI, *Antonio Canova nella sua vita artistica privata (da un carteggio inedito)*, in "Nuovo Archivio Veneto", aprile-giugno 1917, p. 402.

[54] Documenti in AFCP. «Nell'altra mia avrete inteso l'acquisto, che ho fatto col consenso del Signor Erduas del Modello del Tieppolo per lire venete N.° 440 = Sono circa zechini Romani d'oro 16 1/2 e non mancherò con il medemo di fare le vostre parti» (lettera di Tonioli a Canova, 11 maggio 1804).

L'uscita di cassa per il pagamento del dipinto è registrata in data 2 maggio 1804: "per un Modello del Tieppolo 440" lire.

[55] Lettera di Pietro Edwards a Canova, 23 giugno 1804 (BCB, 1467).

[56] Cm 58,7 × 45: cfr., da ultimo, *1696-1770 Giambattista Tiepolo*, 1998, cit., pp. 241-243. Per l'iconografia si veda l'analogo dipinto di Luca Giordano del Duomo di Cosenza (O. FERRARI - G. SCAVIZZI, *Luca Giordano. L'opera completa*, Napoli 1992, fig. 251).

[57] In quell'anno Canova entra in possesso, per legato del principe Rezzonico, del volume con le incisioni di Giambattista, Giandomenico e Lorenzo Tiepolo (cfr. E. NOÈ, *Il testamento di Abbondio Rezzonico*, in "Arte Veneta", XXXVI, p. 271).

luglio e agosto, acquisti alla grande, anche perché i prezzi frattanto erano calati, e di parecchio. Giambattista Sartori scrive all'architetto Selva, a nome dello scultore, il 20 luglio 1810: «Va benissimo l'acquisto a prezzo così discreto de' varj quadri del Tiepolo. Sentiremo la nuova sopra i disegni»[58]. L'operazione va rapidamente in porto, ed è stupefacente la dimensione dell'acquisto: ben cinque modelli, che sommati all'*Allegoria dell'Immacolata Concezione*, porta a sei il numero delle tele di Giambattista in casa Canova, e quattro libri di disegni che, stando alla precisazione della lettera di Tonioli del 26 marzo 1804, dovevano contenere all'incirca 120 fogli ciascuno. Lo scultore, dunque, in un colpo solo portava a casa cinquecento disegni di Giambattista, foglio più foglio meno[59].

Non vengono specificati, purtroppo, né il contenuto dei libri di disegni, né i soggetti dei modelli. Ulteriori dati archivistici ci permettono tuttavia ulteriori precisazioni. In una lista di dipinti fatti foderare a Roma per conto di Canova nell'estate del 1811 risalta «un quadro di palmi 6 e 8 rappresentante Le quattro parti del Mondo»[60], indubbiamente la stessa opera descritta come «Apollo nel Sole che illumina e vivifica le quattro parti del mondo» rintracciabile nel citato elenco di quadri ereditati da Giambattista

---

Il volume, ora conservato nel Museo di Bassano, è un raro esemplare della terza (o, per altri, quarta) edizione, apparsa con ogni probabilità nel 1778, della celebre raccolta di stampe della famiglia Tiepolo curata da Giandomenico, comprendente 172 incisioni figurate, più una dedica, tre titoli e un catalogo, per un totale di 177 numeri.

Le acqueforti sono impresse singole, o a gruppi di due (*Fuga in Egitto, Via Crucis, Scherzi di fantasia*), di tre e anche di quattro (le *Teste*) per foglio (mm 532 × 474), mentre quelle di formato grande (pale d'altare, soffitti) occupano fogli doppi (rilegati per innesto, mm 532 × 718 circa). Cfr. *I Tiepolo. Virtuosismo e ironia*, catalogo della mostra (Mirano, Villa Belvedere) a cura di D. Succi, Torino, 1988, p. 202); G. Pavanello, *Canova collezionista di Tiepolo*, 1996, cit., pp. 30-35.

[58] Venezia, Fondazione Querini Stampalia, Cod. VII, 104 = Cod. 736, c. 95. La lettera è scritta da Possagno, dove Canova allora soggiornava.

Per quest'ultimi lo scultore lascia all'amico architetto Giannantonio Selva carta bianca, come gli scrive ancora Sartori il 27 di quel mese: «Sopra i Libri di Disegni di Tiepolo, faccia, dice Canova, tutto quello che le suggerisce il suo sentimento. Egli si acquietterà a quanto Ella avrà deciso» (*Ibidem*, c. 96).

[59] Sono le note di partita doppia che ci forniscono queste informazioni. Nelle carte custodite a Possagno si riporta in data primo giugno 1810 (replicandolo in data primo luglio) "Per Modelli alla vedova Tieppolo 562.85" lire, mentre il 23 settembre si precisa "per Libri N.° 4 disegni del Tieppolo Zechini 18 = 202:62" lire.

I dati si completano con un resoconto conservato nella Biblioteca Civica di Padova (BCP, 142139), dove, al 10 luglio 1810, si registra "Spesi in Modelli N. 5 di Tiepolo Zechini N. 50 = 562:84" lire, e, più sotto, al 23 settembre, "per Libri disegni di Tiepolo N.° 4 zechini 18 = 202:62" lire.

[60] L'elenco è di un certo interesse, in quanto comprova la presenza nella collezione dello scultore di altri dipinti non altrimenti documentati. Doveva trattarsi, al pari del modello per lo scalone di Würzburg, di opere appena acquistate e che necessitavano di un intervento conservativo prima di entrare in casa Canova (cfr. nota 24).

21 Sartori[61]. Si tratta del modello, già offerto in vendita nel 1804, per la volta dello scalone della Residenz di Würzburg, ora al Metropolitan Museum of Art di New York[62]. Probabilmente in questa circostanza Canova potè acquisire anche il modello per il soffitto degli Scalzi con *La Santa Casa di*
22 *Loreto* (ora nelle Gallerie dell'Accademia di Venezia), di cui è attestata la provenienza dalla dimora di monsignor Sartori a Crespano[63].

Per quanto riguarda i quattro volumi di disegni, formati di norma raggruppando fogli tematicamente omogenei, conosciamo il contenuto di almeno due di essi, passati nell'Ottocento nella collezione Cheney[64]: uno
23, 26 comprendeva una meravigliosa raccolta di *Teste di fantasia*, l'altro le ancor più sorprendenti variazioni sul motivo della *Sacra Famiglia*. Sfogliandoli, Canova, che disegnava in uno stile antitetico a quello di Tie-

---

In questa occasione è l'incisore Pietro Vitali, legato, come noto, al clan canoviano, a sovrintendere alle operazioni.

«Conto di lavori fatti ad uso di foderatore per servizio del Signor Cavalier Canova ordinati dal Signor Vitale adi 2 Agosto 1811.

Per aver foderato un quadro di palmi 6 e 8 rappresentante Le quattro parti del Mondo s. 4.

Per aver foderato un quadro di palmi 5 e 3 rappresentante la Madonna che va in Cielo s. 1:50.

Per aver foderato un quadro di palmi 4 e 3.2 rappresentante diversi Angeli con la Croce s. 1.10.

Per aver foderato un quadro di palmi 4 e 3 rappresentante un Carro con diverse figure s. 1.10

Per aver foderato un quadro di palmi 3 e 2 rappresentante un Santo con la Madonna s. 0.60».

La nota è firmata, per ricevuta, da "Vincenzo Affricani".

Che si possa forse riconoscere un altro dipinto di Tiepolo in questa lista? Il "Carro con diverse figure", genuino soggetto da soffitto settecentesco, richiama due modelli ovali di Giambattista, uno per l'affresco di palazzo Canossa a Verona con *Il trionfo di Ercole*, l'altro, con *Il carro di Apollo*, forse preparatorio per un soffitto del Palazzo Reale di Madrid (cfr. M. GEMIN-F. PEDROCCO, *Giambattista Tiepolo...*, 1993, cit., pp. 458, 482; K. CHRISTIANSEN, in *Giambattista Tiepolo...*, 1996, cit., pp. 329, 333). Entrambi i dipinti hanno misure (rispettivamente cm 90,5 × 67,8 e cm 88,5 × 70,7) che corrispondono approssimativamente a quelle indicate nel documento d'archivio (un palmo romano misura circa cm 22,34).

[61] Al numero 8 della «Nota di alcuni dipinti di diversi autori, colle misure in Piedi Veneti», trascritta in Appendice.

[62] Collezione Wrightsman: sul dipinto, si veda la scheda di K. CHRISTIANSEN, in *Giambattista Tiepolo*, 1996, cit., n. 49, pp. 302-311.

[63] Ora Istituto religioso "Maria Bambina": cfr. S. MOSCHINI MARCONI, *Gallerie dell'Accademia di Venezia. Opere d'arte dei secoli XVII-XIX*, 1970, cit., p. 111.

Non si può escludere che abbia fatto parte degli acquisti del 1810 anche l'analogo modello ora a Malibu, o il modello per la chiesa della Pietà (ora al Kimbell Art Museum, Fort Worth), oppure il grande modello della sala del trono del Palazzo Reale di Madrid, ora alla National Gallery di Washington (cfr. K. CHRISTIANSEN, in *Giambattista Tiepolo*, 1996, cit., pp. 295-301, 311-316. Per l'ultimo dipinto citato, cfr. inoltre S. LOIRE-J. DE LOS LLANOS, in *1696-1770 Giambattista Tiepolo*, cit., 1998, pp. 228-230).

polo, poteva finalmente gustare, da "dilettante", quell'«ammirabile fantasia e grazia» che proprio lui aveva riconosciuto alle invenzioni del grande artista veneziano[65].

Nelle raccolte dello scultore entrarono anche dipinti e disegni di pittori e di architetti del suo tempo, a cominciare dalle tre tele in rapporto con la decorazione di Anton Raphael Mengs della Camera dei Papiri nel Museo Vaticano, eseguita nel 1772 su commissione di Clemente XIV: *Mosè*, *San Pietro* e l'*Allegoria della Storia e del Museo* pervenute nel 1850 al Museo di Bassano per lascito di monsignor Sartori[66]. In casa Canova, dunque, Tiepolo e Mengs venivano idealmente a fronteggiarsi, per così dire, al di fuori della proverbiale rivalità codificata da Winckelmann[67]. 27-29

Una piccola sezione di dipinti moderni era costituita da un gruppetto di paesaggi: *La valle Ariccia* di Hendrick Voogd (1766 – 1839), il *Paesaggio con fiume e armenti* dell'altro neerlandese Martin Verstappen (1773-1853) e il *Grande bosco con caccia di Diana* di Giambattista Bassi (1784-1852)[68]. Più che di acquisti, siamo in presenza, verosimilmente, di "omaggi" da parte degli autori, come sembra palese almeno in un caso. *La valle Ariccia* di Voogd, infatti, porta la data del 1817, che è l'anno seguente l'ingresso del pittore nell'Accademia di San Luca, di cui Canova era "principe": si può ben pensare, pertanto, a un dono di riconoscenza. 31 30 34

---

[64] Si rinvia a G. PAVANELLO, *Canova collezionista di Tiepolo*, cit., 1996, pp. 37-64.

[65] Com'è stato osservato, nelle *Teste di fantasia* Giambattista sperimenta «un genere "pittoresco" apprezzatissimo dai contemporanei e che Francesco Algarotti assimilava al madrigale o al sonetto in poesia): ritratti immaginari, per lo più di paggi e di orientali barbuti, sovente in acconciature bizzarre, fra il teatrale e la *haute couture*, evocati con rapidi, sicuri tratti a penna e ombre leggere d'acquarello», mentre nei fogli con la *Sacra Famiglia*, «attraverso soluzioni compositive ogni volta diverse, prende forma una inesauribile gamma di sfumature sentimentali; e il segno, nel mentre riallaccia di foglio in foglio il nodo degli affetti che stringe fra loro la Madre, il Bambino e il vecchio Giuseppe, attinge il palpito e la pura bellezza dell'arabesco» (A. MARIUZ, *Les dessins de Giambattista Tiepolo*, in *Dessins vénitiens du XVIIIe siècle*, catalogo della mostra (Bruxelles, Palais des Beaux-Arts), Bruxelles 1983, pp. 23, 27).

[66] Tele, cm 65 × 74, 65 × 74, 126 × 80, inv. 215, 216, 206: cfr. L. MAGAGNATO-B. PASSAMANI, *Il Museo civico di Bassano del Grappa*, cit., 1978, pp. 81-82. Secondo C. MALTESE (*Mengs, Anton Raphael*, in *Il Settecento a Roma*, catalogo della mostra, Roma 1959, p. 154) e G.M. PILO (*Pittura dell'Ottocento a Bassano "da Canova a Milesi"*, catalogo della mostra a cura di G.M. Pilo, Bassano 1961, pp. 19-20), si tratta di repliche-come pare verosimile- e non di modelli.

[67] Si può ricordare che nella collezione di Mengs si trovava un dipinto di Giambattista Tiepolo raffigurante *Ester davanti ad Assuero*, come ha rilevato K. CHRISTIANSEN (*L'"infiamata poetica fantasia" di Giambattista Tiepolo*, in *Giambattista Tiepolo...*, 1996, cit., pp. 284-285, 290, nota 33).

[68] Tele, rispettivamente cm 47,2 × 61,3, inv. 362; cm 100 × 132, inv. 223, con firma e data "H. Voogd 1817"; cm 97 × 134, con firma e data "G.B. Bassi, Roma / 1812": cfr. L. MAGAGNATO-B. PASSAMANI, *Il Museo civico di Bassano del Grappa*, cit., 1978, pp. 42,114, 118-119. Il primo dipinto fu donato al Museo nel 1850 da monsignor Sartori, gli altri due perven-

Inoltre, nelle carte conservate a Possagno viene segnalato un dipinto attribuito interrogativamente a Francesco Hayez: «I Dioscuri. Figure ignude in piedi, grandi al vero, una delle quali con pileo breve affibbiato sull'omero destro. Abbozzo molto avvanzato nel quale si riconosce la maniera di Canova, e che forse è tratto da un suo pensiere»[69]. Si sa dell'attenzione con cui lo scultore sorvegliava l'attività del giovane veneziano a Roma; non è quindi inverosimile che egli abbia seguito con diretta partecipazione un suo lavoro.

Se dava la caccia ai fogli di Tiepolo, al contempo Canova ricercava disegni di artisti ai quali era legato in amicizia. Nel carteggio con Giacomo Quarenghi si possono rintracciare, dal 1803 al 1814, cenni a doni di disegni da parte dell'architetto bergamasco[70]. Ne conosciamo una quindicina, pervenuti al Museo di Bassano, sempre per lascito di monsignor Sartori[71]. Dispersi, invece, i numerosi disegni di Bartolomeo Pinelli, fra

32, 33

---

nero con il legato di Pietro Stecchini (1849), il quale, grazie al matrimonio con Antonietta Bianchi, nipote di Sartori, era entrato in possesso nel 1837 di un gruppo di opere d'arte dell'eredità Canova.

Si ha notizia che nello studio romano di Canova erano presenti nel 1814 due *Paesaggi* di G.B. Bassi (per il quale si rinvia alla "voce" di C. Nicosia, in *Saur Allgemaines Künstler-Lexikon*, München-Leipzig 1993, pp. 404-405), mentre un documento conservato in AFCP può attestare l'ingresso in casa Canova di altri due dipinti: «Noi sottoscritti dichiariamo di aver venduto al Signor Cavalier Antonio Canova due quadri grandi uno dipinto dal Signor Berger, e l'altro dal Signor Dournon rappresentanti due fatti di Alessandro, e per i medesimi abbiamo ricevuto il prezzo di scudi cento cinquanta, della qual somma siamo pienamente contenti, e soddisfatti. In fede. Questo di 29 Marzo 1814. Barbara Santini Vedova Colizzi. Gaspare Colizzi. Giuseppe Colizzi». Si sa, inoltre, che Canova pagò a Giacomo Berger duecento Piastre romane, tramite Marino Torlonia, in data 29 febbraio 1804 (documento in AFCP).

Per Giacomo (o Jacques) Berger, pittore sabaudo (Chambéry 1754-Napoli 1822), cfr. F. Corrado, in *Saur Allgemeines Künstler-Lexikon*, IX, München-Leipzig 1994, p. 352. Nel 1805, inoltre, venivano pagati sessanta scudi a Francesco de Capo: "vedute di Torvergata" secondo gli attestati conservati in AFCP.

[69] A tergo si trovava una composizione dello stesso Canova, sinora sconosciuta: «N.B. dietro la tela vi si vede uno schizzo di mano del Canova rappresentante un vecchio coricato sul letto, al quale si presentano in atto di mestizia diversi altri vecchi. Dietro il protagonista è seduta sullo stesso letto una figura di donna. La scena è illuminata da un lume calcolato. Rappresenta forse questo schizzo un fatto appartenente alla storia di Socrate». Il documento è pubblicato in Appendice.

Si ritiene utile riportare altresì in Appendice (n.4 e n.5) altri elenchi di opere d'arte provenienti dallo studio romano. Il documento n. 4 è posteriore al 1833, dato che viene citata la pubblicazione di Melchior Missirini sul Tempio di Possagno.

[70] Cfr. *Giacomo Quarenghi architetto a Pietroburgo*, a cura di V. Zanella, Venezia 1988, pp. 303, 310, 313, 316-319.

[71] Nel 1851: cfr. *Disegni del Museo Civico di Bassano*, catalogo della mostra (Venezia, Fondazione Giorgio Cini) a cura di L. Magagnato, Venezia 1956, pp. 90-93, 102; *Disegni di Giacomo Quarenghi e dei Gaidon*, catalogo della mostra (Bassano del Grappa, Museo Civico) a cura di G.M. Pilo, Bassano del Grappa 1964, pp. 5-36.

cui una raccolta offerta dallo stesso artista romano a Canova e quindi donata da monsignor Sartori a uno sconosciuto collezionista[72].

Volendo citare qui anche dipinti della collezione commissionati da Canova, vanno ricordati il *Ritratto di Giovanni Falier*, quello di *Girolamo Zulian*[73], nonché quello di *Caterina Berlendis Renier*[74] e un *Ritratto di Antonio Canova*, eseguiti da Ferdinando Tonioli[75]. Siamo in presenza di committenze di carattere strettamente privato, come per il dipinto di Martino de Boni, di cui è noto lo stretto legame d'affettuosa amicizia con lo scultore, raffigurante il *Doppio ritratto di Antonio Canova e del fratello uterino Giambattista Sartori* (Bassano, Museo Civico)[76].

Un caso a parte è la vicenda di Roberto Roberti (1786-1837). Egli esponeva nel 1807 a Bassano, in una mostra che presentava opere di giovani artisti locali, «Due Copie di Vedute di Venezia del celebre Canaletto», già presentate con giudizio lusinghiero nelle «Memorie Enciclopediche Romane» dell'anno precedente[77]: si trattava del *Canal Grande da campo San Vio, verso est* e della *Veduta della Piazzetta e del Molo di San* 35-37

---

[72] Cfr. Documento n. 5 in Appendice.

[73] A. D'ESTE, *Memorie di Antonio Canova*, Firenze 1864, p. 400. Tonioli ne scrive a Canova il 4 ottobre 1794: «Contento assai d'avervi pottuto servire avanti le villeggiature del Ritratto dell'Eccellentissimo Falier [...] voglio sperare che per la somiglianza restarete contento, giaché sembra che tutti della famiglia sieno restati persuasi; lo feci senza parrucca colla scusa di non disturbarlo [...] circa alla fine del mese mi porterò a Padova, e vi servirò dell'altro da voi desiderato ritratto nel miglior modo che mi sarà possibile». Il successivo 22 novembre dello stesso anno informava Canova di aver «finito il Ritrato di Sua Eccellenza Cavalier Zuliani».

[74] Per quest'ultimo, si veda la lettera di Canova alla dama veneta del 13 febbraio 1796: «Il suo Canova, giacché non può vedere realmente la sua buona Padrona, vorrebbe almeno potersi godere la sua immagine ogni volta che entra nella sua stanza; sicché dunque la supplica a volerlo contentare, e soffrire in pace qualche mezz'ora di tedio sinché il signor Ferdinando Tonioli pittore le abbia fatto il ritratto. Questo giovane è amico mio, ed ha fatto per me, gli anni passati, quello del povero Cavalier Zulian e quello del vecchio Falier, tutti due somiglianti» (*Lettere inedite di Antonio Canova*, Padova 1833, pp. 28, 30).
Cfr. P. MARIUZ, *Nota su Ferdinando Tonioli*, in G. PAVANELLO, *Canova collezionista di Tiepolo*, 1996, cit., pp. 87-88, 91.

[75] Donato da Canova al senatore Falier (lettera del 12 settembre 1796; in AFCP).

[76] L. MAGAGNATO-B. PASSAMANI, *Il Museo civico di Bassano*..., 1978, cit., pp. 59-60.
Il dipinto (cm 66 × 76) pervenne al Museo quale dono di Giuseppe Zardo Fantolin (1852). È quindi verosimile che l'opera sia passata da Canova a monsignor Sartori, e da questi al cugino Giovanni Zardo Fantolin, che lo scultore, nel suo testamento del 1805 aveva designato suo principale erede (G. PAVANELLO-N. STRINGA, *I due primi testamenti di Antonio Canova*, in "Arte Veneta" 51, 1997, pp. 118-121).

[77] G.A. GUATTANI, *Prospettiva*, in "Memorie Enciclopediche Romane sulle Belle Arti, Antichità etc.", tomo II, 1806, pp. 24-25: del lungo elogio di queste opere, steso verosimilmente su indicazione dello stesso Canova, citiamo l'inizio: «il nostro giovane fedelissimamente ha mantenuta la precisione del locale, conservato il diverso carattere delle fabbriche, il differente tuono delle tinte causate sugli edificj, e dal tempo, e dal salso dell'acqua, a seconda della qualità de' materiali, che le compongono».

Marco dall'isola di San Giorgio, replicate da due dei quattro Canaletto posseduti da Canova[78]. Era lo scultore a indirizzare su questa strada il giovane artista, che soggiornava a Roma sotto la sua direzione, compiacendosene, come risulta dalla sua lettera a Tiberio Roberti del 23 maggio 1806: «Roberto ha finito il quadro dal Canaletto, e bene assai, e oggi ha di già cominciato a dipingere il compagno»[79]. Quindi, il successivo 7 giugno, scriveva: «Roberto va bene ed ha quasi finito il suo Canaletto a meraviglia. Se col fare anche gli altri che deve s'impadronisse di quella maniera, potrebbe far fortuna, giacché in quel genere non abbiamo chi si distingua»[80]. Altre tre vedute "canalettiane", ora nel Museo di Bassano, furono eseguite per incarico di Canova: una *Piazza San Marco verso San Geminiano* e *La Piazzetta di San Marco con la Basilica, Il Ponte di Rialto verso il Fondaco dei Tedeschi*, copiate da tele del maestro settecentesco ora presso la Galleria Nazionale d'Arte Antica di Palazzo Corsini a Roma[81]. Si tratta, appunto, di commissioni "sui generis", atte a far sì che

---

[78] Nel catalogo della mostra bassanese, a cura di Bartolomeo Gamba, si precisava: «con tanta fedeltà e precisione sono dipinte esse due tele, che al Cav. Canova piacque di ritenerne per sè altre due della stessa mano, onde contrapporle agli originali, e fregiarne la sua abitazione» ([B. GAMBA], *Catalogo degli artisti bassanesi viventi In cui si descrivono alcune delle loro migliori Opere esposte in Patria il dì 16 Agosto 1807 per festeggiare il nome dell'Augusto Nostro Sovrano Napoleone il Grande*, Bassano 1807, s.p.). Cfr. R. DE FEO, *Roberto Roberti. Vita ed opere*, in "L'Illustre Bassanese", n. 42, luglio 1996, pp. 5-6; L. ALBERTON VINCO DA SESSO, *L'Esposizione bassanese del 1807*, in *Napoleone a Bassano. Iconografia e testimonianze dal 1796 al 1813*, catalogo della mostra (Bassano del Grappa, Palazzo Agostinelli) a cura R. Del Sal e M. Guderzo, Bassano del Grappa 1997, pp. 127, 132-133, cat. 11-12.
Un'altra copia dei Canaletto di Canova, raffigurante *L'ingresso del Canal Grande verso est, con la basilica della Salute*, è passata a un'asta Sotheby Parke Bernet, 8 aprile 1981, n. 69 (cm 69 × 92,5), come mi viene cortesemente segnalato da Roberto De Feo.
[79] *Lettere di Antonio Canova al conte Tiberio Roberti*, per nozze Chemin-Roberti, Bassano 1864, lettera VI.
[80] Citata da G.M. PILO, *Pittura dell'Ottocento a Bassano...*, 1961, cit., p. 31.
Lo scultore era particolarmente sensibile a questo tipo di produzione, ai suoi giorni alquanto trascurata, come risulta anche dalla lettera di Edwards citata alla nota 43. In AFCP (b. 6, fasc. 1) si conservano documenti che attestano la cura con cui Canova seguiva il giovane pittore di Bassano, cui corrispondeva, per conto dei genitori, somme di denaro per il suo mantenimento a Roma.
[81] Le tele di Roberti sono pervenute al Museo per legato Stecchini (1849): rispettivamente, cm 70 × 95,2, inv. 52; cm 70 × 93, inv. 53; cm 70 × 94, inv. 51: cfr. *Esposizione di opere di artisti bassanesi fatta nella sala municipale nella faustissima occasione che S.M. Francesco I imperatore e re onorò di sua presenza la Regia Città di Bassano nei giorni 22-23 aprile 1825*, Bassano 1825, nn. 33-34; O. BRENTARI, *Il Museo di Bassano illustrato*, Bassano 1881, p. 64 e segg.; *Pittura dell'Ottocento a Bassano "Da Canova a Milesi"*, catalogo della mostra (Bassano del Grappa, Museo Civico) a cura di G.M. Pilo, Bassano del Grappa 1961, p. 33; F. PASSUELLO, *Un momento della pittura bassanese, Roberto Roberti*, Bassano del Grappa 1975, p. 39; L. MAGAGNATO-B. PASSAMANI, *Il Museo civico di Bassano...*, 1978, cit., pp. 105, 123; G. PAVANELLO, *Roberto Roberti*, in *Venezia nell'età di Canova 1780-1830*, catalogo della mostra (Venezia, Museo Correr), Venezia 1978, p. 169, n. 244). Il *Ponte di Rialto*, qui per la prima volta pubblicato, ha purtroppo subito danni nel bombardamento del 1945. È stato di recente restaurato.

lo svogliato "contino" bassanese potesse trovare un modo d'affermarsi in campo artistico: «potrebbe far fortuna», aveva scritto lo scultore celeberrimo, dimostrando ancora una volta quella sollecitudine per i giovani artisti che da tutti gli veniva riconosciuta[82].

I dipinti ora a Palazzo Corsini dovevano trovarsi all'epoca nella collezione Capparoni, dato che ne scrive Guattani ("Memorie Enciclopediche Romane", tomo IV, pp. 56-57): «Ha fatto altresì copia di un Canaletto vero in potere del Signor Capparoni, che offre la veduta meridionale del celebre ponte di Rialto» (menzionato da De Feo 1996, cit.).

Risulta, dunque, che Canova doveva aver fatto copiare a Roberti sia i quattro dipinti di Canaletto della propria collezione (di cui due presentati a Bassano nel 1807), sia almento tre di quelli ora a Palazzo Corsini. In AFCP (b. 6, fasc. 1) documenti in data 13 marzo e aprile-luglio 1809, e 15 dicembre 1813, con menzione di copie da Canaletto eseguite su incarico di Canova, e in data 15 dicembre 1812 con un impegno di eseguire altri due quadri per lo scultore.

I dipinti di Roberti pervenuti al Museo bassanese per legato di Pietro Stecchini sono segnalati nella casa di quest'ultimo a Bassano, in piazza San Francesco, da Francesco Zuliani, *Il Forestiere di Bassano e suoi contorni aggiuntovi il piccolo Viaggetto a Carpané, e a Possagno, ed alle Nove*, [1826], Bassano del Grappa, Biblioteca Civica, Ms 33 B 14.

[82] Si può inoltre menzionare una ricevuta di pagamento per 80 scudi in data 30 agosto 1817, firmata da Luigi Durantini per «la commissione di un quadro rappresentante un S. Girolamo, che il suddetto Signor Marchese mi ha fatto fare per sempre più incoragirmi, nel proseguimento de' miei studi» (AFCP, b. 12, fasc. 4).

L'artista romano (1791-1857) lavorò, su commissione di Canova, al ciclo delle lunette della Galleria Chiaramonti affrescando *Lo scavo degli archi trionfali di Settimio Severo e di Costantino* (U. Hiesinger, *Canova and the Frescoes of the Galleria Chiaramonti*, in "The Burlingtn Magazine", october 1978, p. 661, fig. 23). In AFCP documenti relativi ai pagamenti per centi scudi, in data 22 novembre 1817 e 12 marzo 1818 («per una lunetta dipinta a fresco al Museo Vaticano rappresentante un Genio, che indica l'escavazione dell'Arco di Settimio Severo»).

Nelle carte conservate in AFCP, ricevute di pagamenti (di cento scudi) per gli affreschi nella "Galleria" sottoscritte da Filippo Agricola (in data 9 agosto 1817 e 12 marzo 1818, per «il Genio che indica il Museo Chiaramonti alla Scultura»), Giovanni Colombo (in data 25 ottobre 1817 e 12 marzo 1818, per "lo scavo del Foro Trajano"), Giovanni Demin (fra 13 ottobre 1814 e 4 luglio 1815; nel 1817, inoltre, è pagato venti scudi per restauri, su incarico di Vincenzo Camuccini, di "tre quadri affresco nella Sala detta del Sansone"), Vincenzo Ferreri (in data 4 luglio 1818, per "la Santità di N. S. Papa Pio VII che dà il moto proprio a due Geni"), Michelangelo Ridolfi (in data 19 agosto 1817, 5 gennaio 1818, 28 aprile 1818), Giacomo Conca (in data 6 febbraio e 28 aprile 1818), Philipp Veit (in data 12 marzo 1818, per «lo sperone fatto da Pio VII per sostegno del Collosseo»).

Ancora in AFCP: ricevuta per scudi cinquanta, senza data, sottoscritta da Luigi Agricola «per prezzo di una mezza figura copiata presso un suo quadro originale».

In conclusione, si possono citare altri minori episodi (documenti in AFCP), come la «copia ad acquarella di un quadro di Guido Reni esistente nella Galleria Spada» eseguita da Francesco Staccoli nel 1803.

APPENDICE – DOCUMENTI

*Si sono indicate fra parentesi quadra significative parole cancellate con un trat-
to di penna nei manoscritti.*

1. *Possagno, Archivio della Fondazione Canova, b. 12, fasc. 4.*

Nota di alcuni dipinti di diversi autori, colle misure in piedi veneti

9. Tintoretto. Lo Spirito Santo in una gloria di angeli dipinto sopra tela spinata
o terlinio, e di buona conservazione. Alto piedi 6,4; largo piedi 5,6.
2. Annibale Carracci. Cristo morto, steso sopra un lenzuolo, figura grande al vero, di buona conservazione. Alto piedi 3,7; largo piedi 5,8.
1. Amigoni. Metastasio, la Castellini, Farinello, il pittore Amigoni, un paggio
che presenta la tavolozza ed un levriere. Ritratto in figure intiere e grandi al vero. La tela è in qua e in là offesa da leggiere lacerazioni, nessuna delle quali per
altro interessa le figure. Alto piedi 5; largo piedi 7.
3 e 4. Ciccio da Capua. Due paesi, uno rappresenta una boschereccia con ru-
scello ed un orizzonte con colline in lontano, l'altro una vaga campagna con
qualche monumento sepolcrale. Hanno entrambi qualche macchietta di buon tono. L'uno è alto piedi 4,4 largo piedi 5,8; l'altro è alto piedi 4,6 largo piedi 5,9.
In questo è una piccola lacerazione in fatto poco importante.
8. Tiepoletto. Bozzetto assai condotto di un soffitto rappresentante Apollo nel
Sole che illumina e vivifica le quattro parti del mondo. Di bella conservazione.
Alto piedi 3,11; largo piedi 5,3.
10. Hayez? I Dioscuri: figure ignude in piedi, grandi al vero, una delle quali con
pileo breve affibbiato sull'omero destro. Abozzo molto avvanzato nel quale si riconosce la maniera di Canova, e che forse è da un suo pensiere.
N.B. Dietro la tela vi si vede uno schizzo di mano del Canova [segnato dietro la
tela, rappresentante alcuni filosofi, che si presentano ad un uomo forse Socrate
seduto sul letto, dietro il quale una donna] rappresentante un vecchio coricato
sul letto, al quale si presentano in atto di mestizia diversi altri vecchi. Dietro il
vecchio è seduta sullo stesso letto una figura di donna. La scena è illuminata da
un lume calcolato. Rappresenta forse questo schizzo un fatto appartenuto alla
storia di Socrate. Alto piedi 2,11; largo piedi 6.
7. Gaspare Poussino. Piramo e Tisbe: di buona conservazione nelle figure e nel
paese. Ha una leggiera lacerazione precisamente nel bel mezzo del campo che
per fortuna non interessa menomamente alcuna parte importante del dipinto. Alto piedi 3,6; largo piedi 4,11.
5 e 6. Ercole da Ferrara. Due tavole ognuna delle quali ha servito di pareto anteriore ad una cassa da sponsali. Secondo taluni rappresentano l'approdo e il ritorno degli argonauti [dai Colc....!?]. L'una e l'altra tavola è divisa in tre riquadri eguali mediante due colonne sul cui piedestallo veggonsi gli stemmi gentilizi degli sposi. Le due tavole sono alquanto curvate per sofferta umidità ed hanno bisogno più o meno di restauro, ma per fortuna la parte importante della com-

posizione è quali illesa. [Si aggiunga che per aver sofferto la umidità li due paneli sono alquanto curvati]. Alte piedi 1,5 larghe piedi 4,8.
11. Tintoretto. Deposizione della Croce. Alto 2,11; largo 4.

Copia dei quadri spediti a Venezia. Al Signor Lorenzi.

2. *Venezia, Biblioteca Correr, Mss PD 594c/260*

Nota di Quadri appartenenti all'eredità Canova e tutti in perfettissima conservazione

	Palmi romani		Prezzi
	Larghezza once	Altezza once	Luigi
Giambellino. Tavola rappresentante la Vergine il Bambino Gesù con varj Santi e un devoto. Legato del Principe Rezzonico	5,0	4,4,$\frac{1}{2}$	300
Paolo Veronese. Due Quadretti di soggetto singolare. Il riconoscimento di Achille, e la morte di Paride; della Casa Collalto	3,2	2,4,$\frac{1}{2}$	300
Tiziano. Ritratto di un Senator Veneto	4,1	4,9	80
Padovanino. Maddalena di Tiziano	4,5	5,0	50
Bonifazio. Tavola della S.Famiglia e S.Caterina	5,1	3,9	80
Moroni. Ritratto di un Bibliotecario	3,6	4,6	100
Pordenone. Quadro dipinto a due parti, detto Stendardo; da una la Vergine con due Confratelli; dall'altra due Evangelisti S. Matteo e S. Marco. Galleria Ottoboni	6,0	8,10	90
idem. Quadro grande dipinto a tempera con Maria Vergine, varj Santi Carmelitani e diversi devoti. Galleria Ottoboni	13,3	11,9	80
Andrea del Sarto. Ritratto di Casa Medici, in tavola. Galleria Falconieri	3,2	4,5	60
Gasparo Pussino. Piramo e Tisbe. Galleria Falconieri	7,2	5,5	80
Annibale Carracci. S. Famiglia. Galleria Giustiniani	2,10	4,5	60
idem. Cristo morto. Galleria come sopra	10,8	4,9	80
Bassano Giacomo. S. Giovanni Evangelista e un guerriero	3,6	5,0	40
Bassano Leandro. Ritratto d'un Cortigiano francese	2,6	3,0	50
Canaletto. Quattro vedute di Venezia	4,2	3,1	320

3. *Venezia, Biblioteca Correr, Mss PD 893c*

Elenco dei quadri antichi procedenti dalla eredità del Cavaliere Marchese Canova ora posseduti dal di Lui fratello Monsignor Canova

1°. Quattro Vedute del Canaletto dimostranti quattro punti di Venezia sul Canal Grande, cioè la Piazzetta, la Salute, l'Erberia di Rialto, il traghetto di S. Vio.
Bellissimi originali specialmente due della miglior Epoca dell'Autore; apprezzati più di Napoleoni N. 400

2°. Tela tizianesca. La Maddalena; ripetizione di quella esistente in Ca' Barbarigo di Venezia.
Se non è di Tiziano è opera degnissima di Lui, valutata Napoleoni 80

3°. Due tele Paolesche. Achille ferito nel talone, e Cleopatra in atto di abbellirsi.
Tenute da molti per opere di Paolo e di bellissima composizione, valutate Napoleoni 80

4°. Due tele del Guardi. Vedute in grande sul Canale verso la Piazzetta esprimenti la festa del Bucintoro, ed una regata.
Valutate Napoleoni 60

5°. Tela del Morone. Ritratto d'un letterato con le mani e fondo di libreria.
Lavoro rarissimo e conservatissimo, valutato Napoleoni 120

6°. Tela da non potersi attribuire che a Tiziano. Ritratto di Personaggio Illustre Veneto, con le mani.
I più intelligenti non mettono dubbio sull'originalità e appartenenza del Tiziano, valutato Napoleoni 300

7°. Tela di Paris Bordon. Ritratto d'Ammiraglio Veneto riccamente vestito.
Opera bella e di buona conservazione, valutata Napoleoni 60

8°. Tela tizianesca. Ritratto d'Ambasciatore Veneto.
Valutato Napoleoni 30

9°. Tavola del Bonifacio. La B.V. il Bambino, S. Giovanni Battista, S. Elisabetta, S. Giuseppe, e S. Catterina.
Opera distinta che gareggia colle più belle opere del Palma Vecchio, valutata Napoleoni 120

10°. Tela di Leandro Bassano. Un mercato copioso di figure.
Ricca e ridente composizione valutata Napoleoni 40

11°. Tela di Giacomo Bassano. S. Giovanni sopra le nubi, ed un divoto guerriero genuflesso con paese nel fondo.
Opera pregievole specialmente la figura del divoto. Napoleoni 40

12°. Tela del Padovanino. Lucrezia e Tarquinio con altre figure. La donna dissegnata e dipinta egregiamente, valutata Napoleoni 35

13°. Due vedute sul Canal Grande di Venezia del Marieschi.
Valutate Napoleoni 30

14°. Tela con ritratto di Donna, di scuola Veneta Tizianesca.
Bel colorito e bei accessorj. Napoleoni 30

15°. Tela con ritratto d'Uomo con berretto in testa, scuola del Vandaich.
Valutato Napoleoni 30

16°. Tela del Dosso Dossi. Ritratto dell'Ariosto.
   Bella attitudine e qualche bel dettaglio, valutato Napoleoni 30
17°. Tela d'Annibale Carracci. Cristo morto in grande al vero.
   Testa bellissima e nel rimanente grande effetto nel rilievo della figura,
   valutato Napoleoni 35

4. *Possagno, Archivio della Fondazione Canova, b. 12, fasc. 4*

Catalogo delle Stampe, Disegni etc. esistenti nello Studio Canova

N. 1.   Pianta di Roma.
N. 2.   Pianta di Napoli, Littorale di Napoli, Agro Napoletano, Acquedotto di Caserta.
N. 3.   Pianta, e disegno Chiesa di S. Paolo in Londra.
N. 4.   Ponte sul Tamigi, ed altro Ponte in Londra.
N. 5.   Monumento in Londra.
N. 6.   Venetiarum pugillatus
N. 7.   Tavole 3. Basilica Vaticana.
N. 8.   Tavole 4. Foro Romano, Ponte Sant'Angelo, Dogana di Mare, le quattro Fontane.
N. 9.   Tavole 17. Vedute di Sicilia.
N. 10. Dante Paradiso Tavole 34.
        Dante Purgatorio detto 40.
        Dante Inferno detto 62.
        N.B. Mancanti Dante Purgatorio N. 13. 41.
        Simile Inferno N. 17. 30.
N. 11. Incisioni di Bartolomeo Pinelli. Storie Romane Tavole 153.
N. 12. Ritratti di Canova.
N. 13. Pitture a fresco dei principali Maestri Veneziani.
N. 14. Anatomia per uso del Disegno.
N. 15. Esemplari di Edifizj Sacri.
N. 16. Fabbriche di Venezia Tavole 5.
N. 17. Disegni e Scritti di Architettura di Ottone Calderari Tavole 17.
N. 18. Becega Carlo Vicentino. Sull'architettura Greco-Romana applicata alla Costruzione del Teatro moderno Italiano.
N. 19. Pianta e Spaccato del Teatro nuovo d'Imola.
N. 20. Santi fratelli. Progetti Architettonici.
N. 21. Museo Bresciano illustrato.
N. 22. Mercato d'Amore ideato da A. Canova.
N. 23. Le Pitture della Cappella di Nicolò V di G. Romano esistenti nel Vaticano.
N. 24. I Canti di Ossian fascicoli 12.
N. 25. Le Tombe e Monumenti illustri d'Italia. Quaderni 8, manca il N. 2.
N. 26. Prospetto di monumenti diversi.
N. 27. Stampe di Statue, Busti, Bassi rilievi antichi, e Gemme, fogli N. 85.
N. 28. Monumenti, Statue, Bassirilievi.
N. 29. Danzatrici, Scherzi di Ninfe, Muse etc. Pensieri di Antonio Canova, in pessimo stato.

N. 30. Bassirilievi da Virgilio, di Sante Bartoli.

N. 31. Miscellanea di Bassirilievi, ed altre cose antiche.

N. 32. Stampe di Busti, Statue diverse.

N. 33. Compendio di Geografia antica di Cristoforo Cellario.

N. 34. Disegni originali tratti dalle Opere di Canova fogli N. 114.

N. 35. Cartone di Disegni della Costellini fogli N. 51.

N. 36. Vedute, Disegni di Architettura, vedute di Grecia, Sicilia, ed Egitto, fogli N. 54.

N. 37. Cartone contenente Vedute di Waterloo, di Firenze. Gli Argonauti fogli 24. Flasman, F. Gianni, e la Teogonia di Esiodo incisi da Pinelli.
Vedute N. 3 di Tivoli.
Canaletto, vedute di Venezia N. 67 e prospetti con Ritratti di Canal, e Visentini.
Iconografia Chiesa di San Marco in Venezia in fogli 10 col frontispizio.
Prospetti del Porto di Chioggia N. 4.
Guardi, prospetti d'Isole e di Architettura.
Antichità della Francia. Opera incompletissima fogli N. 59.
Vedute di Roma N. 100, Vedute diverse N. 8.

N. 38. Cartone contenente Immagini Sacre N. 103.
Progetto di uno studio per la Casa di Canova.
Stampe del Mantegna.
Stampe varie N. 78.
Disegni pel Monumento Alfieri. Disegni diversi per la esecuzione del monumento Rezzonico.
Pianta di Roma. Copie N. 4.
Disegni diversi fogli 20.
Mappamondo.
Vedute di Chiese, Fontane di Roma fogli 10.
Del Tempio eretto in Possagno spiegazione di M. Missirini. Esemplare 1 Tavole 14.
Detto II tavole 13.

N. 39. Disegni varj N. 24 fogli.

N. 40. Vedute e Disegni diversi N. 60 fogli.

N. 41. Cartone contenente Vedute, Ritratto, e Immagine sacra fogli 20.

N. 42. Volume Disegni a penna, ed a matita.

5. *Venezia, Biblioteca Correr, Mss PD 893c*

[...]
Una Raccolta di disegni originali del celebre Pinelli, che ne avea fatto un regalo al Cavalier Canova, da cui passarono in eredità al di lui fratello Monsignor Canova, il quale ne fece un presente all'attuale proprietario. Questi disegni rappresentano costumi degli abitanti della Campagna di Roma, e sono al N. di 20.
[...]
Inoltre per lo stesso scopo si vorrebbe vendere un volume contenente N. 20 disegni originali bellissimi mai incisi del celebre Pinelli, in parte coloriti. Questa raccolta è stata apprezzata da molti intelligenti dai 50 ai 60 Napoleoni d'oro.

1. "Ercole da Ferrara", *La partenza degli Argonauti*. Padova, Museo Civico.

2. "Ercole da Ferrara", *Giasone uccide il drago*. Già Londra, collezione Lady Houstoun Boswall.
3. "Ercole da Ferrara", *Banchetto a corte*. Parigi, Musée des Arts Décoratifs.
4. "Ercole da Ferrara", *Lotta tra Giasone e i guerrieri spuntati dai denti del drago*. Firenze, Cassa di Risparmio.
5. "Ercole da Ferrara", *Sovrano e dignitari di corte*. Già Londra, collezione Wilson.

6. "Ercole da Ferrara", *Il ritorno degli Argonauti*. Madrid, Museo Thyssen-Bornemisza.

7. Giovanni Bellini e aiuto, *Sacra conversazione con donatore*. New York, Pierpont Morgan Library.

8. Moretto, *I profeti Enoch ed Elia (?)*. Possagno, Tempio.

9. Moretto, *La Madonna della Misericordia e due disciplini*. Possagno, Tempio.

Din̅e Mariē Carmeli
societas.

10. Moretto, *La Madonna del Carmelo*. Venezia, Gallerie dell'Accademia (foto Naya). 363

11. Moretto, *Ritratto virile*. Monaco, Alte Pinakothek.

12. Girolamo dal Ponte, *San Giovanni Evangelista con ai piedi l'offerente Lodovico Tabarino*. Bassano del Grappa, Museo Civico.

13. Valentin Lefèvre, *Trasporto di Marcantonio ferito*. Bassano del Grappa, Museo Civico.
14. Valentin Lefèvre, *Cleopatra in atto di abbellirsi*. Bassano del Grappa, Museo Civico.
15. Jacopo Amigoni, *Ritratto di gruppo con il Metastasio, Teresa Castellini, il Farinelli e Jacopo Amigoni*. Melbourne, National Gallery of Victoria.

367

16. Canaletto, *Veduta della Piazzetta e del Molo di San Marco dall'isola di San Giorgio Maggiore*. Monaco, Alte Pinakothek.
17. Canaletto, *L'ingresso del Canal Grande verso est, con la basilica della Salute*. Monaco, Alte Pinakothek.

18. Canaletto, *Il Canal Grande da campo San Vio, verso est*. U.S.A., collezione privata.
19. Canaletto, *Il Canal Grande dal ponte di Rialto, verso nord*. Collezione privata.

20. Giambattista Tiepolo, *Allegoria dell'Immacolata Concezione*. Dublino, National Gallery of Ireland.

21. Giambattista Tiepolo, *Apollo e i quattro Continenti*. New York, The Metropolitan
Museum of Art (collezione Wrightsman).

22. Giambattista Tiepolo, *La Santa Casa di Loreto*. Venezia, Gallerie dell'Academia.

23. Giambattista Tiepolo, *Testa di giovane*. Già Londra, mercato antiquario.
24. Giambattista Tiepolo, *Testa di vecchio*. Providence, Museum of Art, Rhode Island
    School of Design.
25. Giambattista Tiepolo, *Sacra Famiglia e Angeli*. Già New York, mercato antiquario.
26. Giambattista Tiepolo, *Sacra Famiglia, san Giovannino e Angeli*. Già Londra, mercato
    antiquario.

27. Da Anton Raphael Mengs, *Allegoria della Storia e del Museo*. Bassano del Grappa,
Museo Civico.

28. Da Anton Raphael Mengs, *Mosè*. Bassano del Grappa, Museo Civico.
29. Da Anton Raphael Mengs, *San Pietro*. Bassano del Grappa, Museo Civico.

30. Martin Verstappen, *Paesaggio con fiume e armenti*. Bassano del Grappa, Museo Civico.
31. Hendrick Voogd, *La valle Ariccia*. Bassano del Grappa, Museo Civico.

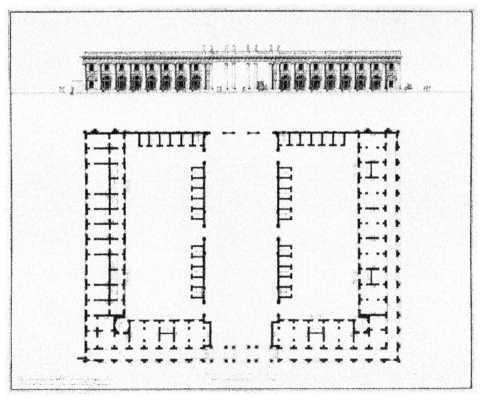

32. Giacomo Quarenghi, *Belvedere per il Granduca Alessandro*. Bassano del Grappa, Museo Civico.
33. Giacomo Quarenghi, *Botteghe annesse al Gabinetto del Palazzo Imperiale*. Bassano del Grappa, Museo Civico.

34. Giambattista Bassi, *Grande bosco con caccia di Diana*. Bassano del Grappa, Museo Civico.

35. Roberto Roberti, *Il ponte di Rialto verso il Fondaco dei Tedeschi*. Bassano del Grappa, Museo Civico.

36. Roberto Roberti, *Piazza San Marco verso San Geminiano*. Bassano del Grappa, Museo Civico.

37. Roberto Roberti, *La Piazzetta di San Marco con la basilica*. Bassano del Grappa, Museo Civico.

ANNA OTTANI CAVINA

'SUR NATURE': PAESAGGI ROMANI
DI FRANÇOIS-MARIUS GRANET

Impronte colorate, e come in dissolvenza, di una città immateriale e mutevole: nel sole, al tramonto, in pieno temporale d'estate, nella luce settembrina e violetta, sotto una coltre lattea, invernale.

La sequenza delle vedute di Roma (e della sua celebrata *campagna*) di François-Marius Granet[1] è sorprendente e piena di incanti. Mantiene intatto quel potere di rivelazione che hanno, entrandovi per la prima volta, i depositi del Museo di Aix-en-Provence. Dove, stivati a più ordini negli scaffali, quasi duecento *tableautins* di Granet impongono la loro rarefatta bellezza e reclamano per l'artista francese un posto fra i veri pittori della natura.

Chi mai del resto, fra i *plein-airistes* di talento, ha lasciato testimonianze così singolari per consistenza, organicità e ricchezza di variazioni?

---

[1] Nato a Aix-en-Provence nel 1775, ha una prima formazione nello studio di Jean-Antoine Constantin, che aveva compiuto il viaggio d'Italia (1777-1780) applicandosi allo studio del paesaggio. Protetto dal conte Auguste de Forbin, Granet si sposta a Parigi, è ammesso nello studio di Jacques-Louis David (1798), poi raggiunge finalmente Roma nel 1802. Nella sua più che ventennale permanenza in città si pone come riferimento indiscusso per la comunità degli artisti francesi nell'ambito del paesaggio, anche se la sua fama resterà legata piuttosto a quel genere religioso-romantico che poi lo ha celebrato come "*le peintre des Capucins*", pittore intimista di chiostri e di monaci. Rientrato in Francia nel 1824, muore in Provenza nel 1849.

In aggiunta a quanto segnalato più avanti ricordo, per Granet, la bibliografia più recente: E. MUNHALL, *François-Marius Granet. Watercolors from the Musée Granet at Aix-en-Provence*, New York 1988 (contiene i *Memoirs of the painter Granet*, vale a dire la traduzione inglese del suo diario); I. NÉTO-DAGUERRE - D. COUTAGNE, *Granet peintre de Rome*, Aix-en-Provence 1992; *Paesaggi perduti*, catalogo della mostra, Roma, American Academy, 1996.

I quadri di piccolo formato (rettangoli da 20 a 30 cm di base), eseguiti a olio su carta con una fluidità che richiama le liquide colate del-
l'acquerello, sono costruiti di poca materia, diluita fino alla trasparenza.
I pigmenti cromatici sono anzi a tal punto dosati da non coprire talvolta
le tracce lasciate dal pennello di tasso.

Anche la messa a fuoco dell'inquadratura, discontinua e differenzia-
ta nei piani, esalta una stesura *flou* e non finita che è l'elemento distintivo e seducente dei piccoli abbozzi. Ai quali Granet teneva davvero,
avendoli custoditi per una vita e poi destinati alla città natale di Aix
(1849), dopo averne protetta la fragilità del supporto. Le carte infatti, su
cui egli aveva dipinto, risultano tutte incollate su tela – un unico tipo,
piuttosto fine, di tela – che porta sul retro l'etichetta ed il numero del legato testamentario del 1849. Ciò che costituisce l'ante quem al loro trasporto sui leggeri telai, realizzato in vista di una più lunga durata.

Ma quando Granet li dipinse in Italia? Quale in origine la loro funzione e quale l'effetto di risonanza sulla sua opera di paesista?

Per una cronologia

Come le *études peintes d'après nature* di Valenciennes, oggi al Louvre, e quelle di Simon Denis disperse in un'asta recente di Sotheby's
(Monaco 1992[2]), anche questi studi eseguiti da Granet sul motivo provengono dall'atelier del pittore, che da Roma li riportò nella nativa Provenza (1824).

Sulla loro natura e sulla loro funzione ci si è interrogati più volte, at-
tenti a ricostruire, sulla base dei referti contemporanei, il contesto accademico e le modalità di lavoro entro cui i pittori operavano.

Alcuni punti tuttavia rimangono oscuri a cominciare dalla cronologia
e dalla linea di sviluppo di questi esercizi. Punti difficili da chiarire finché non sarà recuperata una dimensione biografica e microstorica degli
anni romani di Granet (ventitre, come dire una vita; dal 1802 al 1824) e
insieme della comunità degli artisti stranieri di Roma.

---

[2] Nato ad Anversa nel 1755, Simon Denis aveva raggiunto Roma nel 1786, legandosi al-
l'ambiente degli artisti francesi dell'Accademia di Francia, in particolare a Ménageot (direttore dal 1787 al 1792) e a Mme Vigée Lebrun. Come si legge nei *Mémoires* di Granet, è a lui che
il nostro artista ricorre per essere orientato in pittura, al suo arrivo in città. Accolto fra gli accademici di S. Luca nel 1803, Denis passa a Napoli dove, succedendo a Philipp Hackert, è
nominato primo pittore di corte da Giuseppe Bonaparte (1806). A Napoli muore nel 1812.

All'asta del 1992, tenutasi nel Principato di Monaco, sono passati diversi album di disegni
di Simon Denis, e studi di paesaggio, di animali, di contadini, alcuni dipinti su tela, numerosi
olî su carta. Molti erano firmati o monogrammati, alcuni datati. Tutti provenivano dall'atelier
del pittore, i cui fondi erano stati conservati dai discendenti (*Importants tableaux Anciens. Tableaux et Dessins du XIXème siècle*, Sotheby's, Monaco 17-18 giugno 1992, nn. 177-212).

Qualcosa tuttavia si potrebbe azzardare, in attesa di individuare collegamenti corretti fra bozzetti e disegni, in particolare fra le diverse centinaia di disegni che Granet ha lasciato al museo di Aix-en-Provence. Montati su undici album di tre diversi formati, quei disegni di paesaggio (a penna, bistro, matita) sono stati schedati sommariamente, ma non ancora ordinati secondo una scansione nel tempo[3]. Ciò che sarebbe decisivo, essenziale.

Quello che va messo in evidenza però è la maturità presto acquisita dal pittore, in tema di pittura di paesaggio.

Basta rivedere i suoi primi lavori datati.

Il *Cortile di palazzo Venezia, 16 novembre 1802* "fotografa" lo stile di Granet disegnatore, al suo arrivo (insieme all'amico Auguste de [4] Forbin, Granet aveva raggiunto Roma alla fine di luglio del 1802). Uno stile netto, marcato dalla chiarezza sintattica davidiana. Ma già gli *Interni del Colosseo*, datati 1803 e 1804[4], sfruttano dell'inchiostro ogni possibile gradazione, sfumando la nitidezza del tratto per cogliere vibrazioni atmosferiche e luministiche. Nella stessa direzione va anche la presa di distanza di Granet dal principio fondante della geometria, al momento di realizzare le sue prime tele importanti, oggi al Louvre: l'*Interno del Colosseo* del 1804 presentato al *Salon* del 1806, e la veduta bellissima di *Trinità dei Monti e di Villa Medici* del 1808, che precede di alcuni anni l'inquadratura anch'essa laterale di Eckersberg, nella tela famosa di Copenaghen.

Quasi subito dunque Granet s'impone sulla scena di Roma, più moderno e poeta di Nicolas-Didier Boguet, più audace nei tagli di Jean-Joseph-Xavier Bidauld pittore di vellutate solitudini lacustri, più rarefatto e [2] essenziale di Simon Denis. E più trasgressivo di Pierre-Athanase Chauvin, installatosi a Roma nel 1804 (aveva ormai quarant'anni) per rima- [3] nervi fino alla morte nel 1832.

Chauvin è l'amico più stretto e insieme l'antagonista di Granet, in quanto interprete, come lui molto amato, del paesaggio italiano. Protetto da Talleyrand e votato a un successo senza confini (dal cancelliere Met-

---

[3] J. CHOL, *L'Oeuvre dessiné de Granet, paysagiste à Rome, mémoire de maîtrise*, Université de Provence, Aix-en-Provence, 2 voll., 1988-89, non pubblicata; J. CHOL, *L'Oeuvre dessiné de Granet, paysagiste à Rome*, in "Impressions du Musée Granet, 7, Juin 1992, pp. 21-28. La ricognizione di Chol, effettuata su 558 disegni, ha individuato 263 vedute romane. Gli undici album sono stati numerati da 3 a 9, e da 12 a 15. Hanno tre formati diversi: mm 240x320; mm 545x380; mm 670x525. I disegni non hanno numero d'inventario.

[4] I due disegni a penna del Musée Granet, che raffigurano gli scorci interni al Colosseo datati 1803 e 1804, non hanno – come si è detto – numero di inventario. Il primo è collocato nella scatola III, foglio 7, n. 7; il secondo appartiene all'album 6, foglio 5, n. 5.

ternich al duca d'Alba, ai collezionisti russi, agli artisti di grido: Thorvaldsen, Ingres, Wicar), Chauvin aveva applicato al paesaggio una moderna e diffusa esigenza di "vero", rivisitando il prototipo classico – Claude Lorrain nel suo caso – alla luce degli studi condotti sulla natura[5]. È questa calcolata mescolanza di stilizzazione e di verità a conferire grande *charme* alla sua pittura, impeccabile nel telaio prospettico, tenerissima nella luce, incline al romantico e al *troubadour*. Ma mai così innovativa e sfrontata (nella stesura, nei tagli, nella mancanza di figure e di eventi) come i frammenti ritagliati dal vero che allora dipingeva Granet.

Se queste valutazioni sono attendibili – e io credo lo siano a leggere la critica al *Salon* del 1806[6] – la tentazione è di attribuire una data precoce (nel primo tempo del periodo italiano) a molti bozzetti a olio su carta del Museo di Aix-en-Provence. Dove la sconcertante libertà di scrittura (sembrano calchi, sfocati e un po' magici, di una Roma incantata e silente), avrà un diverso risalto se proiettata nei primi anni del secolo. Perché incontestabile è la funzione di traino che viene ad avere in tal modo Granet per la generazione che sta fra Valenciennes e il primo viaggio in Italia di Corot.

L'affermazione non è affatto scontata perché anche al bel libro di Peter Galassi, illuminante su molti problemi, sembra sfuggire il ruolo di guida svolto da Granet nell'ambito della pittura di paesaggio.[7]

Di conseguenza, importante è accertare la cronologia.

Passando, a volo d'uccello, il fondo degli olî su carta che appartiene al Musée Granet, e limitandoci al materiale realizzato in Italia, si notano delle serie, identiche nel formato, che tradiscono una stessa destinazione o la provenienza da un medesimo album o da album affini tra loro.

Colpisce perché ricorrente un formato di 210x280 mm circa, sul quale Granet ha riversato alcune immagini tra le più suggestive. Il denominatore comune, costituito dall'identità del formato, si rispecchia più volte nella omogeneità dello stile: una pittura sgranata, materica, dall'effetto *frottage* (ottenuto ripassando la superficie dipinta con un cencio, il pennello o i raschietti); e tagli bassi, in orizzontale, i primi piani quasi sempre sfocati.

---

[5] Per Chauvin – che nel 1802 è documentato una prima volta a Roma, gomito a gomito con Granet nello stesso atelier del convento dei Cappuccini – segnalo i contributi recenti: M.M. AUBRUN, *Pierre-Athanase Chauvin 1774-1832*, in "Bulletin de la Société d'Histoire de l'Art français", n. 26, 1977, pp. 191-216; J. FOUCARD, in *De David à Delacroix*, Parigi 1974, pp.349-351; E. DI MAJO e S. SUSINNO, in *Bertel Thorvaldsen*, catalogo della mostra, Roma 1989, pp. 260-262.

[6] "C'est sous le ciel brûlant d'Italie que Granet a puisé ce ton vigoureux et chaud de ses tableaux, la vérité des sites et la sévérité du style" (Chaussard, "Salon de 1806", *Le Pausanias français*, citato in NÉTO-DAGUERRE e COUTAGNE, *Granet peintre de Rome*, cit., 1992, p.83).

[7] P. GALASSI, *Corot in Italy*, New Haven and London 1991.

Dunque una serie[8], che rivela compattezza di stile e di tempi e che, credo, si debba ancorare ai primi anni romani dell'attività di Granet, non oltre il 1809.

Sto forse azzardando, poiché a tutt'oggi non è stata varata un'ipotesi di evoluzione di questi bozzetti, né un tentativo di cronologia, tanto meno un catalogo ragionato.

C'è però un dettaglio non marginale: a questa serie che si può ricomporre appartengono le due vedute delle fabbriche del Quirinale (simile infatti è il formato, identica la preparazione in chiaro)[9], in relazione strettissima con le costruzioni cubiche e lineari che si stagliano nel *Ritratto di François-Marius Granet*, che Ingres dipingeva verso il 1809[10]. Uno sfondo romantico e byroniano nel quale si è voluto riconoscere l'intervento personale di Granet, tanto quel paesaggio rinvia, nello stile e nel taglio, ai suoi studi a olio dal vero[11]. O invece uno sfondo dove Ingres ha inteso tributare un omaggio all'amico del cuore, celebrandone i primi capolavori (il seduttivo Granet ostenta la cartella dei suoi studi di artista). Granet infatti aveva già colto alcuni successi, quando Ingres ancora lottava per una sua affermazione.

Paesaggio di Ingres *à la manière de Granet* o inserto di Granet nel dipinto di Ingres, secondo la soluzione a due mani adottata più tardi nel *Ritratto di Mr. Cordier*[12]? E secondo un'idea di contaminazione affettuo-

---

[8] Può darsi che a questo gruppo di paesaggi faccia riferimento Coutagne quando accenna a quaranta *paysages de la campagne romaine,* cui si avvicinerebbero una ventina di altri piccoli studi che raffigurano monumenti antichi (COUTAGNE, in *Granet peintre de Rome*, cit., 1992, p. 279). L'autore però indica un formato eccessivamente ridotto (cm 15x25; credo si tratti di un errore) e non azzarda riferimenti cronologici.

[9] I due studi, a olio su carta montata su tela, erano esposti alla mostra di Roma, *cit.*, 1996, nn. 17, 18. Misurano 216x288 mm (inv. 849.1.G.164) e 220x290 mm (inv. 849.1.G.172).

[10] La datazione del dipinto è induttiva, essendo soltanto firmato. Di recente, Terlay ha portato l'attenzione su una lettera di Ingres del 1850, indirizzata a M. Gibert, allora direttore del Museo di Aix. Secondo tale lettera, che ora appartiene al Museo, la data del *Ritratto di Granet* dovrebbe essere collocata intorno al 1809. Ingres scrive testualmente: *"Désirant avoir un souvenir de mon illustre ami M. Granet et pensant que le portrait que j'ai peint d'après lui à Rome vers 1809 fait partie de votre Musée..."* (B. TERLAY, *Les portraits de Granet*, in "Impressions du Musée Granet", 7, juin 1992, p.11). La datazione del ritratto al 1809 è accolta anche da Philip Conisbee in *Portraits by Ingres. Image of an Epoch*, catalogo della mostra, New York 1999, p. 119.

[11] La questione di un intervento di Granet nel fondale del *Ritratto di Granet* eseguito da Ingres, era stata sollevata da H. Toussaint nel 1986, sulla base di un documento relativo ad un altro ritratto di Ingres, quello di Charles-Joseph-Laurent Cordier, documento che provava in quel caso la collaborazione fra Ingres e Granet. Per questo complesso problema e la bibliografia relativa, cfr. E. MUNHALL, cit., 1988, pp.141-143.

Nel dipinto di Ingres, sono visibili due pentimenti lungo il margine sinistro del mantello e, a destra, sul colletto bianco rialzato. Se il dipinto fu eseguito a due mani, tali aggiustamenti riflettono la piena integrazione di un lavoro condotto in comune nell'*atelier.*

[12] Il dipinto, oggi al Louvre, è datato 1811. Quanto all'intervento di Granet, nel paesaggio, si veda alla nota precedente.

sa niente affatto impossibile, tenuto conto dell'amicizia e del grande risalto accordato nel dipinto all'ambientazione naturalistica, mai più così espansa nei ritratti di Ingres.

Comunque siano andate le cose (e io credo che siano andate nella direzione di un dipinto a due mani), il rapporto fra gli studi di paesaggio e il ritratto è un dato innegabile: quella apertura spettacolare sul Quirinale e, a sinistra, sulle fabbriche della Manica Lunga, non sono pensabili, nel ritratto di Ingres, senza gli studi a olio dal vero che dagli stessi soggetti aveva tratto Granet. Studi che vanno pertanto datati, come l'intera serie, non oltre il 1809 e che attestano che a quella data Granet aveva ormai acquisito il suo particolarissimo stile.

Sulla base di questi rilievi, è possibile introdurre qualche sbarramento nell'arco cronologico di oltre vent'anni e riconquistare a Granet un ruolo d'avanguardia e incisivo, sul piano dell'invenzione e delle ricerche formali. La citazione di Ingres (o lo spazio che Ingres ha concesso a Granet) non può d'altra parte essere stata inserita per caso. È probabile nasca dalla consapevolezza del ruolo innovativo di Granet paesista.

Gli studi en plein air e la loro incidenza

Se al problema della cronologia sono state date finora risposte parziali, a più riprese si è cercato di fare chiarezza sul tema della funzione degli studi dal vero[13].

Ma le conclusioni, pur ragionevoli, a me sembrano riduttive perché mancano il vero bersaglio che sta dietro all'esperienza, nuova e cruciale, del dipingere la natura *en plein air*.

È vero: i bozzetti sono tappe intermedie, propedeutiche al quadro finito; fasi legate all'apprendistato, senza pretese di autonomia. Schegge, che vanno rigorosamente saldate al quadro ultimo, conclusivo, il solo – si dice – ad avere un mercato.

E ancora. Dipingere *sur nature* non è di per sè sovversivo; il procedimento ha una matrice accademica, trasferisce all'esterno un esercizio collaudato sul nudo, la pratica antica del dipingere sul modello, dal vivo. (E già questo è un po' meno vero, perché il *cliché* della statua marmorea, che si avverte comunque dietro il modello in posa, condiziona l'artista assai più che uno scorcio stralciato dalla natura).

Su queste premesse, niente di meno politicamente corretto che rilevare un'antinomia fra abbozzo e quadro finito, o discettare sulla modernità dello stile miracolosamente "parlato" dei *tableautins* di Granet.

---

[13] Il rimando è ovviamente agli studi di Peter Galassi, Philip Conisbee, Vincent Pomarède, Denis Coutagne.

Ma questo schema d'interpretazione, che presuppone passaggi lineari e neutrali, è davvero uno schema impeccabile? O invece, smottando su piani diversi, l'esperienza fa interagire quei piani e innesca reazioni inattese?

In altre parole, lo studio dal vero (tavolozza, sgabello, scatola in legno per i colori e un frammento di Roma inquadrato in un'ora precisa) non è rivoluzionario in partenza. Assolve a un precetto da sempre inserito nel processo educativo del giovane artista. Ma negli anni fra Sette e Ottocento questa pratica, limitata fino ad allora al disegno, si fa sistematica, regolare e, come ha documentato la bella mostra di Washington[14], sceglie la tecnica dell'olio su carta.

Senza rinunciare alla fisicità del colore, questa tecnica sollecita un'esecuzione veloce, rivelando ben presto un potenziale di mutazione che il pittore non aveva fino in fondo previsto.

La consapevolezza che l'esercizio quotidiano *en plein air* (con i suoi nuovi ingredienti: olio su carta, piccolo formato, stesura veloce) funzioni come uno straordinario acceleratore del pensiero, trascinando l'artista più in là di quanto egli stesso avesse immaginato, è presente già a Thomas Jones. Che nei *Memoirs* ha piena coscienza di alterazioni comportamentali già in atto: nel ritmo, per cominciare, che – siamo nel 1778 – gli suggerisce il termine di *"flying sketches"* (ad indicare una dozzina di vedute eseguite "al volo", senza rallentare l'andatura di un gruppo di amici in cammino sulle strade di Napoli![15]) e soprattutto nel metodo, che da un lato introduce una visione di sintesi, e dall'altro tende a scalzare la supremazia del disegno.

Il disegno, intendiamoci, non è affatto abolito. Da Valenciennes a Granet le *études dessinées* sono sempre importanti; e c'è un fiorente mercato quando si tratti di disegni finiti: *"tu feras bien d'envoyer ici une vingtaine de dessins signés, tu en auras sûrement mille francs.... tu feras cela dans tes moments perdus"*, suggeriva Forbin a Granet[16].

Ma lungo la via al paesaggio moderno tracciata dai pittori francesi, da Valenciennes a Corot, il disegno viene a perdere progressivamente

---

[14] *In the Light of Italy. Corot and early open-air Painting,* catalogo a cura di Ph. Conisbee, S. Faunce, J. Strick, National Gallery of Art, Washington, New Haven and London 1996.

[15] A. P. Oppé, (a cura di), *Memoirs of Thomas Jones,* in "The Walpole Society", XXXII (1946-1948), London 1951, p. 79: "1778 October Thursday Ist.... during the last excursion we were amused with More's flying sketches as he call'd them – for tho' none of the Company waited a moment for him, he contrived to keep up with the party and brought back a dozen *Views* and these were to pass as *portraits* of the respective Scenes...".

[16] La lettera è datata da Parigi 22 maggio 1821 (I. Néto, *Granet et son entourage. Correspondance de 1804 à 1849,* in "Archives de l'Art français", t. XXXI, 1995, p. 69).

terreno. È uno strumento complementare, non lo strumento-base per il paesaggio dipinto. Non ha quella preminenza che invece mantiene fra i pittori del Nord (olandesi, danesi, tedeschi, che a Roma del resto non amavano dipingere sul motivo *en plein air*), dove proprio il disegno è l'elemento fondante che garantisce lunga vita al paesaggio prospettico, più legato alla tradizione.

Per tornare a Granet e a questi suoi capolavori su carta, la sfida pertanto è definire la loro funzione.

Volendo tentare un riepilogo: la destinazione dei piccoli fogli rimane confidenziale, privata. Costituiscono un archivio della memoria custodito nell'atelier, secondo un progetto di ricognizione a tappeto di cui si ha più volte notizia: "*Je crois que ce dernier* [Granet] *a tout Rome dans son portefeuille!*" scriveva il pittore Pierre Guérin a Gérard già nell'agosto del 1804[17]. E alla data 1808, in una lettera indirizzata a Granet: "*Vous me dites que vous avez fait un livre de vues de Rome.... mais ce que j'attends de vous, et que vous m'aviez promis de faire, était un livre de tous vos tableaux*"[18]. E Ingres, scrivendo da Firenze a Granet nell'agosto del 1820, ricordava una prassi da tempo abituale: "*Vous devez êtres en ermitage à Albano et en compagnie de votre ami M. de Forbin ... fort content de son voyage de Sicile, riche de matériaux pour construire... un bon ouvrage*"[19].

A quell'archivio assemblato dal suo istinto *flâneur*, l'artista attinge, rielaborando i motivi: per utilizzarli (di rado) nelle sue tele di grande formato o nelle prove ufficiali destinate al *Salon*; per portarli (più spesso) a una più alta definizione formale, compatibile con il mercato dei viaggiatori e degli *amateurs*.

Questi studi a olio su carta non sono affatto studi preparatori, nè documenti ad uso pedagogico; sono fotogrammi di una pittura di sentimenti che, grazie a Dio, non vuol dire sentimentale. Legata alla scoperta e alla liberazione della soggettività – tratto distintivo dell'individualità borghese dell'Ottocento – questa pittura sostituisce, nei confronti del mondo, un rapporto di tipo emotivo ed empatico all'ansia di conoscenza d'età illuminista. Sarebbe riduttivo tuttavia leggere questa pittura, emozionale e per frammenti, in termini di puro piacere del testo: "*en reconnaissant*

---

[17] La lettera è pubblicata da H. Gérard, *Lettres adressées au baron François Gérard, peintre d'histoire, par les artistes et les personnes célèbres de son temps*, 2ᵃ ed., Paris 1886, pp. 236-237.

[18] Mittente della lettera, datata 28 giugno 1808 e proveniente da Stoccarda, è Joseph-Balthazar Siméon (Néto, cit., 1995, p. 13).

[19] Néto, cit., 1995, p. 51.

chez Granet un certain bonheur de peindre et en partageant avec lui ce bonheur"[20].

Credo invece che il medium dell'olio sperimentato su carta e l'esercizio quotidiano *en plein air* abbiano una funzione per così dire scatenante, di detonatori della visione, i cui effetti collaterali rifluiscono nell'alveo della pittura ufficiale, a destinazione decisamente più larga. Per attenerci a quella prodotta dal *plein-airiste* Granet, essa ci appare spoglia, laconica, strutturata e geometrica (come aveva insegnato David in quell'*atelier* di Parigi dove Granet era entrato nel 1798), ma anche tenera, luminosa, stemperata e piena di estri perché, in contrappunto, rispecchia le audacie degli studi dal vero, da cui sembra prelevare qua e là dei campioni.

Si provi a ricomporre una sequenza complessa sul tema più volte trattato della *Chiesa dei Santi Giovanni e Paolo* vista dalla stradina che da via San Gregorio sale verso la sommità del Celio, lungo il tracciato dell'antico *clivus Scauri*: disegno, bozzetto, una tela lasciata interrotta, e 8-12 un dipinto più finito su carta, che io credo debba essere restituito a Granet e reintegrato alla serie[21].

Anche se la corrispondenza non è perfetta (alcuni tasselli sono mancanti: il disegno non raffigura la chiesa in questione, ma uno scorcio molto simile dell'abside medievale di San Pietro a Tuscania; nei dipinti, 7 l'abside della chiesa ad archetti romanico-lombardi è inquadrata da punti di vista non coincidenti), si leggono bene le diverse funzioni.

Il disegno individua la griglia geometrica entro cui si definisce l'immagine[22].

Lo studio a olio su carta cattura invece l'idea della luce, la mobilità delle nubi nel cielo, la pervasiva presenza della vegetazione, con una scrittura spregiudicata e corsiva, realizzata di solo colore[23]. Di Granet, David aveva detto, profetico: "*Il sent la couleur*"[24].

---

[20] D. COUTAGNE, in *Granet peintre de Rome*, cit., 1992, p. 279.

[21] Questa *Veduta della chiesa dei Santi Giovanni e Paolo* (olio su carta montata su tela, cm 27x41,5) è apparsa anonima alla vendita Sotheby's a Monaco, 19 giugno 1994, n. 496. La didascalia era molto generica: "École française vers 1800". Sul *verso* del supporto cartaceo, si legge una scritta a matita ripassata ad inchiostro: "*n. 24 St. Jean et Paul au mont Palatin, Rome*".

[22] Il disegno (penna, acquerello grigio e bruno, mm 133x161) è riquadrato e incollato sull'album 5, foglio 35, n. 136; porta la scritta "*Veduta di San Pietro a Toscanella*". Il Museo di Aix possiede tre studi a penna e acquerello di Granet, relativi alla chiesa dei Santi Giovanni e Paolo, ma nessuno di essi inquadra l'edificio dall'abside. Esiste invece un foglio di Jacques-Louis David che raffigura il medesimo scorcio (*Veduta della chiesa dei Santi Giovanni e Paolo*, Stoccolma, Nationalmuseum, matita, mm 154x203, inv. NM 83/1969).

[23] Nella serie, l'inquadratura di questo bozzetto non coincide con quella degli altri due dipinti. Ci aiuta a immaginare però, nella certezza che altre riprese esistevano, di quale na- 9 tura dovevano essere gli studi dal vero sui quali il pittore fondava il lavoro portato avanti nell'atelier.

[24] GRANET, *Mémoires*, cit., cap. III.

C'è poi la tela (mai completata) che lascia a nudo, perché non finita, l'impalcatura della composizione, la sua rigorosa scansione geometrica, retaggio della *clarté* davidiana. Questa tela, che alla morte del pittore fu ritrovata nell'*atelier* della sua residenza di Malvalat in Provenza, può essere letta come una radiografia del suo modo di lavorare: c'è un disegno tracciato a matita, nitido ed essenziale; poi la materia appena coprente individua il cielo e le masse; infine il colore lavorato a corpo definisce i ruderi e il verde nella sola zona – sul margine destro – quasi del tutto finita.

Partendo dal cielo fino ai primi piani[25], il pittore avrebbe poi continuato a operare, aggiungendo sostanza cromatica, così da stemperare via via nel colore la forte impronta razionalista.

8   Lo prova il dipinto più elaborato, ultimo anello della catena che inquadra, sulla sinistra, le arcate grandiose delle Terme di Settimio Severo al Palatino: una luce fredda di temporale, le architetture ambrate nei toni dell'ocra, i verde-salvia della vegetazione; e una gamma di bruni spalmati con gesto spavaldo a costruire il proscenio appena sfocato per effetto di un forte *close up*. Una libertà di scrittura piuttosto eclatante, conquistata nel segno dell'empirismo; frutto dell'esercizio di dipingere a olio dal vero, nei ritmi accelerati di Valenciennes: "*les études ne doivent être que des maquettes faites à la hâte, pour saisir la Nature sur le fait... il est impossible de rien détailler, car toute étude d'après nature doit être faite rigoureusement dans l'intervalle de deux heures au plus: et si c'est un effet du soleil levant ou couchant, il n'y faut pas mettre plus d'une demi-heure...*"[26].

Il lascito di Granet

Quali allora le responsabilità di Granet, il suo contributo in tema di paesaggio?

Per rispondere, sarebbe bene disporre di una documentazione più larga sul versante dei piccoli quadri finiti. La consistenza del lascito di Aix-en-Provence, in termini di disegni e di studi a olio su carta, lascia immaginare una produzione notevole di vedute elaborate sulla base degli studi dal vero, come *La chiesa dei Santi Giovanni e Paolo*.

---

[25] "*Commencer son étude par le ciel, qui donne le ton des fonds ... et venir progressivement jusques sur les devants, qui se trouvent en conséquence toujours d'accord avec le ciel qui a servi à créer le ton local*" (P.-H. VALENCIENNES, *Élements de perspective pratique à l'usage des artistes...*, Paris 1800, p. 407).

[26] P.-H. DE VALENCIENNES, *Élements de perspective pratique à l'usage des artistes...*, cit., 1800, pp. 404 e 407.

Qualche punto però si può tentare di fissarlo ugualmente.

Perché mescolando un tantino le carte, si è finito per interpretare certi tratti distintivi dei bozzetti di Granet come elementi di innovazione (la scansione, il rigore, le scelte minimaliste e antimonumentali, la cancellazione della figura), quando essi stanno a documentare semmai la sua intelligenza e la sua attitudine a cogliere le indicazioni più produttive fra quelle espresse dalla generazione di David e di Valenciennes.

Animata da una virile esigenza di leggi formali, quella generazione aveva condotto un lungo esercizio di purificazione, di semplificazione sopra il motivo, fino a restituire al linguaggio pittorico una sua depurata bellezza[27]

Lavorando ostinatamente dal vero, in sintonia con quei precedenti, Granet porta alle conseguenze estreme quel modo abbreviato di fare pittura, che Valenciennes aveva individuato d'istinto. E introduce per primo dissolvenze, una diversa percezione dei piani, e una liquidità fino a allora impensabile, così da risolvere in una pittura di luce la struttura ben salda della composizione.   14-15

È questo il traguardo di cui ha piena coscienza: salvare la nobiltà dell'immagine nella trascrizione corsiva del formato ridotto, grazie a una pittura che è di valori: "*des soins, de la transparence et, avec ces deux qualités, il n'y a pas de petits tableaux*"[28].

Si segua la faticata trasposizione in pittura dell'icona del Colosseo. Arrivando nell'estate del 1802, Granet aveva sùbito voluto ritrarlo con il corredo di mille dettagli, indigeribili anche a un palato fiammingo quale quello del pittore Simon Denis. "*Mon ami, vous avez mis dans votre travail de quoi faire quatre grands tableaux!*" risponde Denis cui Granet si era rivolto "come a un maestro"[29].

Granet fa tesoro della lezione. Scarta, riduce, elimina l'inessenziale, senza sacrificare la poesia, come si avverte da un passo troppe volte citato dei suoi *Mémoires*: "*Il Colosseo mi aveva colpito sia per la forma architettonica che per il verde che avvolgeva le rovine e produceva un effetto incantevole contro il cielo ....Si vedono crescervi sopra le viola-ciocche e l'acanto con quelle bellissime foglie angolate e il caprifoglio e le viole....*"[30].

---

[27] Sul ruolo essenziale di David nella definizione di un linguaggio elementare e geometrico che si propaga oltre il genere della pittura di storia, cfr. A. OTTANI CAVINA, *I paesaggi della ragione,* Torino 1994.

[28] Lettera a Léon Vinit, datata 22 ottobre 1836 (NÉTO, cit., 1995, p. 179).

[29] GRANET, *Mémoires,* cit., cap. V. Non è identificabile, oggi, lo studio dal vero cui si riferisce Granet.

[30] GRANET, *Mémoires,* cit., cap. V.

Di una tale visione, percepita nello splendore di un luogo non ancora bonificato dagli archeologi nè scarnificato dai diserbanti, Granet riversa nella pittura solo vibranti accensioni cromatiche, senza ridondanze nè lenticolari ossessioni. Libero sempre dagli stereotipi, in grado di rivelare la nuova fascinazione di un rudere "ovvio" come il Colosseo, attraverso l'originalità degli scorci, l'erosione della forma per via della luce e una scrittura emotiva, "*tachiste*".

L'immagine di Roma e della sua mitizzata *campagna* non è più forse ai nostri occhi la stessa, dopo l'incontro con questi dipinti e con la poesia minimale dei luoghi che ci ha rivelato Granet. Una poesia lirica e meditativa, che lo accompagna tutta la vita fino agli acquerelli degli ultimi anni, striati di verde e di viola e ispirati alla *Pièce d'eau des Suisses*, a Versailles.

A Granet è stato riconosciuto da sempre il merito di avere aperto sul genere religioso-romantico delle solitudini claustrali e monastiche, idealizzate in quegli anni da Chateaubriand (è del 1802 il *Génie du Christianisme*).

Ma a Granet si deve riconoscere anche un posto non lontano dai grandi, in tema di pittura di paesaggio: per la capacità di sottrarre un istante visivo e regalarci "istantanee" senza tempi di posa; per quel suo essere così intensamente pittore nello sfaldare la forma e il colore (gli ocra, i turchini, gli azzurri scialbati); per quella vena di malinconia già romantica indicata da Chateaubriand: "*Ces cousins de l'arc-en-ciel ...ont la tête remplie de déluges, de mers, de fleuves, de caractères, de tempêtes...*".[31]

Perché infine, illustrate a olio su carta come pagine di un "*livre de tableaux*", alcune inquadrature di Roma sono diventate "visibili" in virtù della trasposizione iconica che ci ha consegnato Granet.

Come accade per i paesaggi della Provenza, che un paradossale cartello issato ai bordi dell'autostrada del Sud – *Paysages de Cézanne* – avverte che a materializzarli è stato lo sguardo di un grande pittore.

---

[31] Il passo è all'interno di una pagina dedicata a Auguste de Forbin, che Chateaubriand aveva incontrato nel 1805 (*Mémoires d'Outre-Tombe*, ed. La Pléiade, Paris 1961, pp. 195-196).

1. Christoffer Wilhelm Eckersberg, *Cortile a Roma*. Ribe, Kunstmuseum. 393

2. Jean Joseph Xavier Bidauld, *Avezzano e il lago di Celano,* 1789. Parigi, Musée du Louvre.
3. Pierre-Athanase Chauvin, *I giardini di Villa Falconieri a Frascati*, 1810. Copenaghen, Thorvaldsens Museum.

4. François-Marius Granet, *Cortile di Palazzo Venezia a Roma*, 1802. Aix-en-Provence, Musée Granet.

5. François-Marius Granet, *La manica lunga del Quirinale*. Aix-en-Provence, Musée Granet.

6. Jean-Auguste Dominique Ingres, *Ritratto del pittore Granet*. Aix-en-Provence, Musée Granet.

7. François-Marius Granet, *La chiesa di San Pietro a Tuscania*. Aix-en-Provence, Musée
   Granet.
8. François-Marius Granet, *La chiesa dei Santi Giovanni e Paolo a Roma*. Collezione privata.

9. François-Marius Granet, *La chiesa dei Santi Giovanni e Paolo a Roma.* Aix-en-Provence, Musée Granet.

10. François-Marius Granet, *La chiesa dei Santi Giovanni e Paolo a Roma.* Aix-en-Provence, Musée Granet.

11.12. François-Marius Granet, *La chiesa dei Santi Giovanni e Paolo a Roma,* particolari. Aix-en-Provence, Musée Granet.

13. François-Marius Granet, *La chiesa di Santa Bibiana a Roma.* Aix-en-Provence, Musée Granet.
14. François-Marius Granet, *Monte Mario.* Aix-en-Provence, Musée Granet.
15. François-Marius Granet, *Campagna romana al tramonto.* Aix-en-Provence, Musée Granet.

SEZIONE III

CANOVA E PARIGI

GÉRARD HUBERT

CANOVA ET LA FRANCE

En rappelant les grandes étapes de la carrière du maître vénitien, nous tenterons d'actualiser la question complexe de ses rapports avec la France et les Français, clients, critiques et confrères, que nous avions abordée en 1964 dans *La sculpture dans l'Italie napoléonienne* et *Les sculpteurs italiens en France sous la Révolution, l'Empire et la Restauration 1790-1830*[1]. Les nombreuses publications qui ont suivi, notamment celles du professeur Giuseppe Pavanello et l'édition des *Scritti* dirigée par Hugh Honour, nous aideront à compléter une documentation déjà riche et à la corriger sur certains points.

"Surdoué", virtuose, Canova profita au mieux d'une formation accélérée. Il préparait ses statues par une foule de dessins, ce qui n'est pas toujours le cas chez les sculpteurs. La singularité de certaines de ses œuvres, peintures, dessins, *bozzetti*, bas-reliefs incite à se demander s'il n'est pas plus proche de diverses sensibilités anglaises que françaises.

S'il a bénéficié d'une clientèle européenne et même américaine considérable d'amateurs passionnés, une bonne part de sa célébrité lui vient de France et de l'occupation française de la majeure partie de son pays. Cette pression sévère a contribué à rendre plus complexes encore ses rapports avec le gouvernement français, c'est-à-dire Napoléon.

On distinguera facilement trois étapes majeures dans sa carrière:
I. Formation et épanouissement, 1773-1796
II. Exploitation d'un talent reconnu, période surtout française, 1797-1814
III. Evolution finale inachevée, 1815-1822.

---

[1] Paris, de Boccard, 1964.

Nous insisterons, bien entendu, sur la période plus spécialement "française".

I. Formation et épanouissement

Sans revenir sur la formation provinciale baroque de Canova, soutenu par le sénateur Giovanni Falier, auprès de Giuseppe Bernardi dit Torretti, à Venise dès novembre 1769, sur ses succès de 1776, sa réception à l'Académie en avril 1779, il faut retenir le brusque départ, le 9 octobre, de ce jeune talent déja affirmé pour Rome, où il va se fixer, après un bref séjour vénitien, nécessaire pour l'achèvement de travaux en cours. A Rome l'ambiance artistique est très différente. Canova s'en imprègne et subit de nouvelles influences notamment celles du peintre antiquaire écossais Gavin Hamilton. Si l'on s'incline devant les qualités techniques du groupe *Dédale et Icare*, les attitudes et les expressions des personnages déplaisent. Le "bozzetto" brutal *Thésée luttant avec le Minotaure* devient un *Thésée triomphant*, assis sur le torse du vaincu à terre, plus conforme aux théories néoclassiques, d'une sereine noblesse (1781-1783, Londres, Victoria and Albert Museum).

Il entre aussi en relation avec des Français. Le cardinal de Bernis, ambassadeur auprès du Pape, songe à lui pour un monument à Bayard à ériger en France. On lui a même attribué à tort le buste du *Cardinal* conservé à Versailles. Il fréquente les artistes français, notamment les pensionnaires de l'Académie, se lie avec Prud'hon, surtout en 1783 avec Quatremère de Quincy, sculpteur devenu critique, historien d'art et théoricien du beau, qui va s'efforcer toute sa vie de le maintenir dans la bonne voie antique.

Avec l'*Apollon se couronnant* destiné à don Abbondio Rezzonico, puis passé à Martial Daru, enfin vendu à Paris en 1951, commence l'ère des élégants nus virils un peu fades.

La série des grandes œuvres qui assurent sa renommée européenne s'ouvre avec le *Tombeau de Clément XIV* aux Saints-Apôtres (1783-1787), dont la *Tempérance* inspirera l'une des femmes des *Horaces* de Louis David, toile peinte à Rome ces années-là. Hugh Honour a relevé que David vit chez Canova la maquette du monument.

Le succès obtenu entraîne la commande du *Tombeau de Clément XIII* Rezzonico pour Saint-Pierre (1787-1792), dont le *Génie de la mort* sera si souvent imité.

Pour ses figures mythologiques, les Anglais sont ses meilleurs clients, mais en exportant leur révolution, les Français vont bientôt se substituer à eux. Campbell commande en 1787 le groupe de *Psyché ranimée par le baiser de l'Amour*. Au vu d'un dessin, Quatremère félicite Canova dans une lettre du 28 juillet 1788. Le marbre est achevé en 1793 mais ne peut être livré du fait de la guerre. Le général Murat, durant la courte période de la République romaine, l'acquiert à Canova. En 1800, Murat se réserve le groupe de l'*Amour et Psyché debout*, également prévu pour Campbell, qui n'obtiendra plus tard que des répétitions avec variantes.

II. *Période de maturité et de rapports étroits avec la France*

C'est le monument vénitien de l'*amiral Emo* (1795, Arsenal) qui offrit au général Bonaparte, toujours soucieux de mécénat et de culture, un prétexte pour entrer en relation officielle avec l'artiste. De Milan, le 6 août 1797, le «général en chef de l'armée d'Italie» lui écrivit:

«J'apprends, Monsieur, par un de vos amis, que vous êtes privé de la pension dont vous jouissiez à Venise. La République française fait un cas particulier des grands talents qui vous distinguent. Artiste célèbre, vous avez un droit particulier à la protection de l'armée d'Italie. Je viens de donner l'ordre que votre pension vous soit exactement payée et je vous prie de me faire savoir si cet ordre n'est point exécuté et de croire au plaisir que j'ai de faire quelque chose qui vous soit agréable».

Cette lettre flatteuse n'eut pratiquement pas d'effet puisque Venise fut cédée à l'Autriche après son occupation et la livraison à Paris des *Chevaux* antiques, du *Lion de Saint-Marc* et d'autres trésors.

Canova ressentit avec peine le malheureux destin de son pays spolié.

Le 15 février 1798, Rome fut à son tour envahie et transformée en république. Gallophobe résolu, le sculpteur demeure néanmoins modéré dans l'expression de ses sentiments intimes. Il quitte Rome, se rend à Vienne pour obtenir le versement de la pension promise. Sa requête est acceptée sous réserve qu'il réside six mois par an à Venise. Refusant de se plier à cette exigence, Canova revient à Rome où il retrouve à l'automne 1799 ses ateliers intacts, protégés par l'armée française.

Le commissaire Juliot représentant à Rome la République cisalpine, lui achète alors la *Madeleine*, destinée à Mgr. Priuli. Cette statue reviendra en Italie, à Gênes, après avoir figuré dans les collections Sommariva et Galliera. Vice-roi d'Italie, Eugène de Beauharnais en commandera une répétition, aujourd'hui à Saint-Petersbourg.

Dans ses *Mémoires*[2], le général Thiébault relate avec enthousiasme sa visite des ateliers canoviens, alors qu'il retraitait après la chute de la République Parthénopéenne, instituée à Naples par Championnet. Le 18 mai 1799, «en sortant de la Villa [Borghese], je menai Pauline [sa maî-

---

[2] Paris, Plon, II, p. 549.

tresse, la baronne Ricciuli] visiter l'atelier de Canova. Au nombre des statues qui [...] excitèrent le plus vivement notre extase, se trouva le groupe de l'*Amour et Psyché*! Que la *Psyché* est belle et qu'avec plus de hardiesse l'*Amour* eût été complètement éloquent [l'auteur ne précise pas de quel groupe il s'agit]. Nous nous désolâmes avec la *Madeleine pénitente*. Quel abattement dans son attitude; que ses larmes sont touchantes et quel remords est peint dans l'expression de sa physionomie! *Hébé*, dont la robe voltige au gré d'Eole, avec une légèreté que le marbre n'eut jamais auparavant, reçut de même nos hommages [...]. Enfin nous admirâmes la force surnaturelle d'*Hercule prêt à lancer Lichas*». Mais Thiébault affabule lorsqu'il prétend avoir fait une seconde visite, guidé par Canova lui-même, alors à Possagno. Bien informé néanmoins, il signale des applications de cire sur les chairs de certains marbres canoviens.

Canova n'est pourtant pas libéré par le départ des Français en 1799. Le 13 juin 1800, la victoire de Marengo leur rend le Milanais. Leur influence s'affirme grâce au Concordat négocié avec le Pape.

Les deux groupes de l'*Amour et Psyché* parviennent enfin à Murat vers la fin du 1801 ou au début de 1802. Il les expose dans une galerie spéciale de son château de Villiers-la-Garenne, près de Paris. Entre le 23 mars et le 6 avril 1802, il y donne une fête où paraissent le premier consul et son épouse Joséphine. Bonaparte projette aussitôt de se faire céder les groupes qu'il n'obtiendra qu'en 1808; Joséphine en souhaite des répliques ou variantes pour le château de Malmaison. Visconti sert d'intermédiaire. Ferdinand Boyer a précisé ces tractations d'après les papiers de l'archéologue romain[3]. Dans un premier temps, elle achète aussi une réplique de l'*Amour et Psyché debout*, libérée par Campbell, et une de l'*Hébé*: elle désire un autre groupe original. Ces œuvres ne parviendront à Malmaison qu'en 1808, après exposition au Salon, où elles suscitèrent de nombreux commentaires, parfois assez sévères.

2, 3

Cette visite consulaire à Villiers provoque l'invitation pressante à Canova de se rendre à Paris pour y modeler le buste de Bonaparte en vue d'une statue. Sommariva, alors président du gouvernement provisoire de la République cisalpine, avait déjà proposé le 25 mars 1801 à Canova de réaliser une statue du général destinée à orner un monument à la gloire des armées françaises sur le "Foro Bonaparte" de Milan, proposition restée sans suite.

---

[3] F. BOYER, *Le Monde des Arts en Italie et la France de la Révolution et de l'Empire*, Turin, 1970, p. 122-129; G. HUBERT, *La collection de sculptures "modernes" réunie par l'impératrice Joséphine*, dans *Rencontres de l'Ecole du Louvre*, avril 1986, *La sculpture du XIX⁰ siècle*, Paris, p. 69 et suiv.

Bourrienne, secrétaire du consul, et François Cacault, ministre de France auprès du Pape, se chargèrent de convaincre l'artiste réticent et de lui obtenir un congé. Collectionneur passionné, Cacault appréciait fort Canova qui lui offrit, à son retour de Paris, un petit tableau peint en 1793, représentant un *chevalier croisé*, portant au revers cette dédicace: «A Mon[r] Cacault, ministro di Francia presso la Sta Sede, in segno della più sincera stima, 30 ap.[le] 1803. Ant[o] Canova». De cette toile, conservée au Musée de Nantes, Stendhal, à juste titre, n'apprécia que la signature. Cacault reçut aussi plusieurs plâtres du maître[4].

Canova avait offert les moulages de son *Creugas* et du *Génie* du monument Rezzonico à l'Institut de France qui le nomma associé étranger puis l'agrégea à la nouvelle classe des Beaux Arts le 28 janvier 1803.

Au cours de son voyage, le sculpteur fut traité avec les plus grands égards; le 5 octobre 1802, il descendit à Paris chez le nonce Caprara. Il eut à Saint-Cloud cinq entretiens avec Napoléon, qu'il a résumés dans un essai biographique[5]. Dans ses *Mémoires*[6], Méneval, nouveau secrétaire du consul, évoque son séjour et ses suites: Canova... «vint s'établir à Saint-Cloud pour faire le buste de Napoléon, dont il s'occupa plusieurs jours avec une véritable prédilection. Le premier Consul allait déjeûner dans un grand salon qui précédait son appartement afin que le célèbre sculpteur put travailler plus à son aise pendant ce repas [...].

Je restais quelquefois avec Canova après la séance et je l'accompagnais dans les jardins. Il parlait avec amertume des statues qu'il rencontrait en me signalant la décadence du bon goût qu'il y remarquait [...]. Un reproche d'une autre nature pourrait être dirigé contre Canova lui-même. Il emporta en Italie le modèle du buste de Napoléon de la ressemblance la plus fidèle et la plus noble en même temps et qui, pour ce motif, avait été généralement admiré. Je ne sais pourquoi, renonçant à cette ressemblance, qui doit être le premier mérite d'un buste ou d'un portrait, il en a fait une tête idéale».

De fait, Canova est séduit par cette tête "antica". Quatremère le voit tous les jours et le pousse sûrement à en accentuer le caractère "romain". Comme Cacault, il préférerait une statue équestre, alors que l'artiste suggère un nu olympien. Bonaparte n'ose s'y opposer.

A Villiers, Quatremère engage le sculpteur à reprendre à la râpe les draperies de l'*Amour et Psyché* pour valoriser les chairs. S'il accepte le

---

[4] J. PEROT, *Canova et les diplomates français à Rome François Cacault et Alexis Artaud de Montor*, «Bulletin de la Société de l'histoire de l'art français», 1980, p. 219 et suiv.

[5] Publié par H. HONOUR, *Edizione Nazionale delle opere di Antonio Canova, Scritti*, I, Rome 1994, p. 315-318.

[6] Paris 1894, p. 203-204.

5 banquet offert par David en son honneur, d'être portraituré par Gérard et
Girodet, il refuse la place de directeur des Musées, proposée par Bonaparte. Moitte, Giraud, Chaudet s'empressent. Canova voit l'atelier du
vieil Houdon, qu'il admire au grand dépit de Quatremère.

Début décembre, il quitte Paris, emportant le moulage de son buste,
déjà très proche, sauf l'amorce de l'uniforme et la position de la tête, de
la future effigie en marbre. Cacault signale son arrivée à Rome le 29 décembre et la remise d'un moulage du buste, le 2 février 1803. D'autres
sont envoyés à Paris, puis des gravures de la statue, terminée en marbre
à la fin de 1806. Exposée dans l'atelier, l'œuvre est admirée, parfois cri-
tiquée avec plus ou moins de malice, mais reste bloquée en raison de la
difficulté du transport de ce colosse de onze pieds de hauteur.

A côté de créations personnelles majeures et de travaux divers, les
commandes des Napoléonides se multiplient. *Madame Letizia*, mère de
l'Empereur, désire sa statue assise, dans la pose de l'"Agrippine" du Capitole, réalisée de 1804 à 1806, donnée en 1808 à Napoléon qui n'accepte pas de la voir aux Tuileries. Sous la Restauration, elle passera en Angleterre, chez le duc de Devonshire, tandis que la réplique destinée à la
princesse Elisa Baciocchi, soeur de l'Empereur, aboutira à Compiègne
par la volonté de Napoléon III.

7-8   Pour sa *Pauline en Vénus victrix*, réalisée de 1804 à 1809, payée 6 000
écus, envoyée à Turin, puis exposée Villa Borghese, si souvent copiée,
Canova avait repris la composition d'un de ses tableaux antérieurs. Le
contraste entre la sensualité du corps et la froideur idéale du visage sur-
prend. Faut-il y voir un "érotisme glacé"? Sur le tard la jolie princesse,
soucieuse de pudeur, pria son mari de ne plus laisser admirer la statue.

Le cardinal Fesch, oncle de Napoléon, successeur de Cacault, se contenta de son *buste* en 1807.

Joseph Bonaparte, nouveau roi de Naples, commanda une statue équestre de son frère. Le cheval, terminé en 1814, sera monté par *Charles III*.

Lucien Bonaparte, prince de Canino, s'offrit une réplique de la *Vénus
italique* qu'il vendit bientôt. Il renonça à la statue de sa femme Alexandrine de Bleschamp en muse *Terpsychore*, qui devint une effigie idéale.
Le bon buste de *Lucien*, parfois attribué à Canova, est dû en fait à Jo-
seph-Charles Marin[7].

En 1813, Canova réalisa les bustes de *Murat*, roi de Naples, dont le
modèle en terre-cuite est de haute qualité, et de la *reine Caroline*, assez
souvent reproduit.

---

[7] G. HUBERT, *A propos d'un "ami" de Clodion: Marin en Italie*, dans *Clodion et la sculpture française de la fin du XVIIIe siècle*, Actes du colloque organisé au Musée du Louvre... les
20 et 21 mars 1992, Paris, La Documentation française, 1993, p. 105, fig. 10 p. 106.

Elisa, princesse de Lucques, obtint son buste, très idéalisé, mais renonça à sa statue en *Polymnie*; l'œuvre, dépersonnalisée, se trouve à Vienne depuis 1819.

Le vice-roi d'Italie, Eugène de Beauharnais, prit en charge le groupe de *Thésée vainqueur du Centaure*, commandé en 1804 par la République italienne. En utilisant un moulage sur nature, Canova s'efforça de traiter avec un certain réalisme le corps du Centaure. L'œuvre, achevée en 1819, fut offerte à François Ier d'Autriche (Vienne, Kunsthistoriches Museum).

Il désira aussi pour Milan un exemplaire en bronze de la *statue de Napoléon en Mars*, fondu à Rome par les Righetti entre 1807 et 1809, livré en 1812, érigé seulement en 1859 dans la cour du palais de Brera.

De son côté, l'impératrice Joséphine compléta sa collection canovienne. Vers 1806, elle veut la belle *Danseuse aux mains sur les hanches*, 10 sans que l'on connaisse les termes de la négociation, mais le modèle en plâtre de Possagno est daté décembre 1806, ce qui prouve une commande antérieure du marbre. Selon le préfet Tournon, celui-ci est terminé le 2 février 1810, mais ne parvient à Malmaison qu'en 1812. L'exposition au Salon, sans mention au catalogue, est autorisée. Le succès est prodigieux. D'après Quatremère, la *Danseuse* "affolle tout le monde" (Saint-Petersbourg, Ermitage).

Elle commande aussi le *Pâris*, modelé en 1807, dont le marbre, presque terminé en 1810 d'après Tournon, n'est livré qu'en 1812. Joséphine 9 l'apprécie tant qu'elle refuse de prêter la statue au Salon. Canova envoie à Quatremère un exemplaire de la tête, portant cette dédicace gravée: "Antno Quatremère / Amico optimo / Antonius Canova / dono dedit / F. Romae / An. MDCCCIX" (Art Institute de Chicago)[8].

Canova est touché par l'éloge enthousiaste de son ami parisien. Après la mort de l'Impératrice en 1814, le Kronprinz de Bavière chargea Denon de négocier l'achat du *Pâris*, mais le tsar Alexandre l'emporta; Louis de Bavière dut se contenter d'une répétition (Saint-Petersbourg, Ermitage – Munich, Glyptothek).

Le 13 juin 1812, Deschamps, "Secrétaire des Commandements", remercie Canova au nom de l'Impératrice, pour l'envoi des deux statues et ajoute: «Sa Majesté me charge de vous soumettre une idée qui pourrait, peut-être, vous offrir le sujet d'un ouvrage d'autant plus précieux qu'elle ne croit pas qu'il ait été traité par les anciens, si ce n'est en bas-reliefs, ni par aucun autre moderne que *Germain Pilon*. Ce sujet serait celui de trois Grâces.

---

[8] I. Wardropper-Th. F. Rowlands, *Antonio Canova and Quatremère de Quincy: The Gift of Friendship*, «The Art Institute of Chicago, Museum Studies», vol. 15, n° 1, août 1989, p. 38-46, notes p. 85-86.

S.M. pense que ce grouppe [sic] susceptible de présenter à la fois trois expressions différentes, et surtout traité par vous, ne pourrait qu'être infiniment agréable et avoir beaucoup de succès. Si vous en portez le même jugement, et si vous vous chargiez de l'exécuter, S.M. vous demande cet ouvrage pour Elle; et dans ce cas vous voudriez bien, avant de commencer, lui donner l'apperçu [sic] des frais [...]»

Dès le 24 juin, le sculpteur répond à Deschamps: «[...] Au sujet de la gracieuse commission, dont S.M. voudrait bien m'honorer, je vous prie, Monsieur, de lui témoigner les sentiments de ma profonde reconnaissance, et de lui marquer combien je trouve son idée intéressante et nouvelle [Variante, sur la minute de Bassano: «Combien je suis fier de cette éclatante preuve qu'elle veut bien me donner. Que ne fairai-je (sic) pour mériter la protection d'une princesse si vertueuse (?) et admirable! Daignez...»]. Mais elle est dans le même temps extrêmement délicate et épineuse; il me faut des réflexions et des méditations avant que de m'y livrer. Je m'en occuperai cependant et si jamais il en résultera quelque composition favorable, et qui parvienne à me satisfaire, je m'empresserai de la soumettre au jugement exquis et éclairé de S.M.»...

Ces lettres, publiées par le professeur Ranieri Varese[9], révèlent que Joséphine elle-même a bien suggéré à Canova le thème des *Grâces*, non pas le 9 novembre 1810, lors de la visite à sa fidèle admiratrice, comme nous le supposions, mais en juin 1812.

En 1813, Canova donna à une autre de ses admiratrices, la belle Juliette Récamier, dont il faisait le buste, le "bozzetto" en terre cuite des *Grâces*, aujourd'hui au musée de Lyon. Après la mort de Joséphine en 1814, son fils Eugène reprit à son compte cette œuvre majeure, inachevée. Il la reçut à Munich en 1816, d'où elle passa en Russie (Ermitage). Le professeur Varese a finement noté que la réplique commandée en 1815 par le duc de Bedford, entrée en 1994 à la Scotland National Gallery d'Edimbourg, conserve, avec sa colonnette accessoire, la signification originale de l'œuvre, un hymne à la beauté féminine et à l'affection mutuelle des trois soeurs, alors que le groupe original, pourvu d'un cippe funéraire, est devenu une sorte d'hommage à l'impératrice décédée, passionnée d'art au temps de sa splendeur.

Le maître vénitien n'en avait pas fini avec Napoléon. Epoux de la jeune Marie-Louise d'Autriche depuis avril 1810, l'Empereur voulut la voir statufiée par Canova lui-même. Les 14 et 22 août, Duroc, grand-maréchal, et Daru, intendant général de la Maison, lui envoient des lettres pressantes. De Florence le 2 septembre, dans un français un peu embarrassé, Canova répond à Duroc qu'il viendra à Paris. Il imagine déjà la

---

[9] R. VARESE, *Canova. Le tre Grazie*, Milano 1997.

statue qu'il va créer. Nul n'a encore vu en France l'effigie même de *Napoléon* nu en *Mars pacificateur*, qui attend encore à Rome un moyen de   6
transport.

Le 22 septembre, Canova part avec son demi-frère, qui lui sert de se-crétaire, porteur de diverses suppliques. Il est à Fontainebleau le 11 oc-tobre au soir. Cette fois, il note de son mieux ou dicte les entretiens pleins de bonhomie qu'il a avec Napoléon. Dès 1824 ils ont été publiés; il en existe deux versions. Le premier volume des *Scritti* donne les textes originaux d'après les manuscrits de Bassano[10].

Un passage sur le nu dans l'art mérite la citation: «[...] Nous parlâ-mes de l'habitude d'habiller les statues et je lui dis qu'avec des vête-ments à la française comme les siens, *Dieu* lui-même ne pourrait faire une belle œuvre, que le langage de la sculpture était le nu et le drapé con-venant à cet art [...]»

On parla ensuite de mes œuvres [...] de la statue équestre [celle de Napoléon pour Naples]. Il me demanda comment elle serait vêtue, je lui répondis "à l'héroïque".

Napoléon: «Pourquoi à l'héroïque, plutôt que nue avec une chlamyde?»

«Je répondis qu'un nu avec chlamyde à cheval ne convenait pas pour commander à une armée, que la tenue héroïque convenait à tous les tem-ps car c'était la tenue des généraux antiques et de *presque* tous les rois et généraux modernes représentés en bronze. Je le convainquis et mon idée de l'avoir montré s'avançant et invitant l'armée à le suivre lui plut».

Le 29 octobre, devant la terre du buste de Marie-Louise, Napoléon «fut satisfait, disant que cela allait bien, mais que je l'avais représentée un peu jeune, que mon portrait ne montrait pas 19 ans».

Canova refuse à nouveau de se fixer à Paris, de même qu'il a refusé la croix de la Légion d'honneur.

A Rome, il commence la statue de *Marie-Louise en Concorde*,   11
achevée après l'Empire et demeurée à Parme. La statue colossale de *Napoléon*, livrée enfin à Paris en mars 1811, n'est pas exposée. Le 15 avril,   6
le directeur des Musées Denon écrit à Canova: «J'ai l'honneur de vous prévenir, Monsieur et cher Collègue, que l'Empereur est venu voir votre statue. S.M. a vu avec intérêt la belle exécution de cet ouvrage et son aspect imposant, mais Elle pense que les formes en sont trop athlétiques, et que vous vous êtes un peu mépris sur le caractère qui la distingue émi-nemment, c'est-à-dire le calme de ses mouvements [...]. Les sculpteurs à qui je l'ai fait voir ont admiré la maîtrise avec laquelle elle est exécutée,

---

[10] Nous en avons publié une nouvelle traduction, avec Alain Pillepich, *Document. Napoléon et Canova. Leurs entretiens en 1810*, «Revue du Souvenir Napoléonien», n° 400, mars-avril 1995, p. 57-65.

ils ont donné les plus grands éloges au col et au bas de la tête, aux cuisses et au manteau, mais ils trouvent le torse un peu long et quelque chose à dire à l'attachement du bras qui porte la Victoire [...]»

La statue sera dissimulée au Louvre derrière des planches, la presse ne devra pas y faire allusion, mais des bustes, copiés à Carrare, sont vendus officiellement. Pour Méneval «le défaut de ressemblance de la tête et sa nudité ne plurent pas à l'empereur». Maigre compensation, Napoléon exigea que le "prix de sculpture héroïque" du concours décennal soit attribué à Canova plutôt qu'à Chaudet proposé par l'Institut. Ces prix ne furent d'ailleurs pas distribués.

Le peintre David fit mieux; le 25 juin, il écrivit au sculpteur: «Vous avez fait une belle figure représentant l'Empereur Napoléon. Vous avez fait pour la postérité tout ce qu'un mortel pouvait faire: la calomnie s'y accroche, cela ne vous regarde plus, laissez à la médiocrité sa petite consolation habituelle. L'ouvrage est là, il représente l'Empereur Napoléon, et c'est Canova qui l'a fait. C'est tout dire. Votre dévoué David». Canova le remercia le 8 août de façon dithyrambique: «[...] Votre louange a la valeur d'un triomphe»[11]. A Quatremère, Canova écrit le 18 août: «Votre dernière lettre m'apprend que Monsieur Giraud a fait des observations sur ma statue, ou pour mieux dire des critiques que vous estimez en grande partie justifiées [...]. J'ai reçu [...] infiniment de réconfort d'une lettre de l'immortel David [...]».

A Rome, devenu chef-lieu du département du Tibre, Canova est naturellement en contact avec des Français, artistes ou fonctionnaires, puisqu'il dirige les musées, les fouilles, etc. Il a même fait acte d'allégeance sinon prêté réellement serment. De son côté, Napoléon paie la *Vénus italique*, commandée par la régente d'Etrurie en 1804 pour remplacer à Florence la *Vénus de Médicis*, devenue parisienne, offre galamment à la reine de Bavière une réplique de la statue de *Psyché*.

A Gérando, chargé des arts au sein de l'administration française, Canova offre des moulages, signés et datés 1795, de ses bas-reliefs *La Charité qui instruit* et *La Charité qui distribue des aumônes* (Musée de Dijon).

En 1811, Martial Daru, intendant des biens de la Couronne, introduit son cousin Beyle, le futur Stendhal, chez Canova, d'où une bonne description de la technique du maître.

Le succès remporté par ses œuvres au Salon de 1812 efface un peu le camouflet du *Napoléon* invisible. On y voyait la *Danseuse aux mains sur les hanches* et une *Muse* commandée par Sommariva et baptisée *Terpsychore* (ex-portrait d'Alexandrine de Bleschamp, épouse de Lucien Bonaparte), alors que la *Danseuse* pourrait être nommée *Erato*, muse de la

---

[11] H. HONOUR, *Canova and David*, «Apollo», octobre 1972, p. 312-317.

danse amoureuse. Ces titres provoquent une discussion épistolaire avec Quatremère, toujours puriste; Canova se défend contre les reproches de son ami, notamment les épaules trop basses et la poitrine peu développée de la *Muse*.

Landon, critique influent des *Salons*, voit plus juste lorsqu'il écrit que Canova «s'est frayé une route nouvelle [...] La première des deux [muses] représente non la muse qui préside à la danse [...] mais une danseuse moderne».

III. Ebauche d'une évolution. Influence en France

Le troisième voyage de Canova en France n'offre pas un grand intérêt sur le plan artistique. En août 1815, il est officiellement chargé de récupérer les œuvres cédées par l'armistice de Bologne et le traité de Tolentino. Sa mission ne peut déplaire à Quatremère, dont il a fait réimprimer en Italie le pamphlet contre le déplacement des objets culturels. Les temps ont changé, la France est vaincue. Louis XVIII lui-même déplore la restitution d'œuvres cédées par traité. Canova trouve appui auprès de Wellington. Si Denon refuse de le recevoir, Quatremère le soutient toujours, lui propose même d'exécuter une *Descente de croix* pour l'autel majeur de l'église Saint-Sulpice, qui, après sa mort, deviendra celle du Temple de Possagno. 12

A la suite de cette mission, son voyage à Londres, où il devait expertiser les marbres du Parthénon proposés par lord Elgin au British Museum, importe bien d'avantage. Il y regrette l'absence de Quatremère et désormais Phidias sera au coeur de leur correspondance. Ses relations avec la France, qui ne l'a jamais vraiment attiré, s'amenuisent.

En 1817, il fera encore pour le duc de Blacas, ambassadeur à Rome, un charmant *Saint Jean-Baptiste enfant*, où certains ont voulu voir une évocation du petit roi de Rome!

Il tente en vain de racheter ou d'échanger son *Napoléon* colossal et sa *Madame Letizia* qui partiront en Angleterre dès 1816.

A Londres, il s'imagine avoir toujours suivi l'exemple et les modèles de Phidias. Le 9 décembre 1815, il écrit à Quatremère: «[...] Les œuvres de Phidias sont *una vera carne*, c'est-à-dire la belle nature comme le sont les autres célèbres sculptures antiques; chair est le *Mercure* du Belvédère, [...] et enfin une *Vénus* de ce Musée Royal est *carne verissima* [...]».

Canova ne révèle donc pas un sens critique accusé, confond volontiers périodes classique et hellénistique, copies et originaux.

Certes, on peut juger plus "charnues" ses dernières œuvres, le plus souvent réservées aux amateurs anglais, telles la *Nymphe dormant*, la *Naïade*, *Dircé*, *Endymion*.

L'évolution stylistique n'est pas évidente, demeure partielle. Nous retenons surtout chez lui la persistance d'une vision originale de l'antique, une attirance pour une sorte de maniérisme, une certaine joliesse, même dans les corps masculins, contrastant avec la froideur des visages de ses divinités, alors que ses portraits sont souvent excellents.

Ses essais dans la sculpture et la peinture religieuses, surtout ses reliefs pour le temple de Possagno, annoncent à la fois un retour au Quattrocento, notamment au style des Della Robbia, mais aussi un réalisme simplifié et un symbolisme neuf annonçant les Nazaréens. Jusqu'à la fin, Canova parvint donc à préserver la fécondité de son "invention".

*   *   *

En France, en dépit de quelques réticences, Canova est traité en maître incontestable, mais dangereux; son rival Thorvaldsen, malgré l'amitié d'Horace Vernet et l'estime de sculpteurs comme David d'Angers, ne l'emporte pas sur lui. Mais les Français, à l'exception d'un moulage du *Creugas*, n'ont vu de lui que des œuvres féminines gracieuses (*Psyché, Hébé, Madeleine, la Danseuse, Terpsychore*) et ne peuvent s'inspirer que de cet aspect de son talent.

Sans vouloir relever toutes les œuvres marquées par l'art canovien, on peut citer le *Cyparisse* et *l'Amour* de Chaudet, même la *Baigneuse* de Marin encore dans la mouvance de Clodion, surtout l'*Amour* de Bosio (1810), la *Suzanne au bain*, de Beauvallet, *Zéphyr et Psyché* de Rutxhiel, l'*Amour et Psyché* de Delaistre (1814), plus tard certaines statues de Pradier, la *Bacchante, Psyché, les Grâces*. Au fronton de l'église de la Madeleine, après 1830, Lemaire emprunte encore à Canova l'attitude de la *sainte patronne*.

Les peintres eux-mêmes ne lui échappent pas, notamment Gérard, avec sa *Psyché recevant le premier baiser de l'Amour* (1798), Guérin, avec *Aurore et Céphale* (1810) ou *Enée et Didon* (1813), et bien d'autres.

Cependant, malgré les conseils et exhortations de Quatremère, son meilleur partisan, qui ne parvint jamais à le subjuguer entièrement, Canova ne fut pas séduit par la conception française du néoclassicisme et de la "belle nature". Il ne doit guère à la France qu'un surcroît de prestige.

1. Antonio Canova, *Psyché ranimée par le baiser de l'Amour*, détail. Paris, Musée du Louvre (photo Mimmo Jodice). 417

2. Antonio Canova, *Amour et Psyché debout*. Saint-Pétersbourg, Ermitage (ancienne collection Joséphine).

3. Antonio Canova, *Hébé*. Saint-Pétersbourg, Ermitage (ancienne collection Joséphine).   419

4. Antonio Canova, *Creugas*. Rome, Musée Vatican.

5. François Gérard, *Portrait de Antonio Canova*. Paris, Musée du Louvre (depôt Palais de la Légion d'honneur).

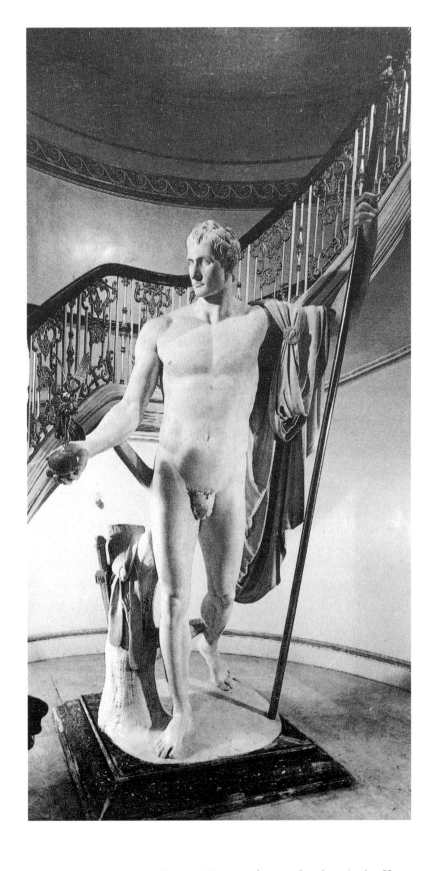

6. Antonio Canova, *Statue de Napoléon en Mars pacificateur*. Londres, Apsley House.

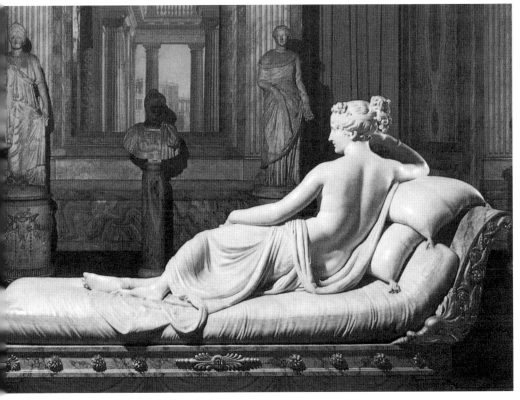

7. Antonio Canova, *Portrait de Pauline en Vénus victrix*. Rome, Galerie Borghese.
8. Antonio Canova, *Portrait de Pauline en Vénus victrix*. Rome, Galerie Borghese.

423

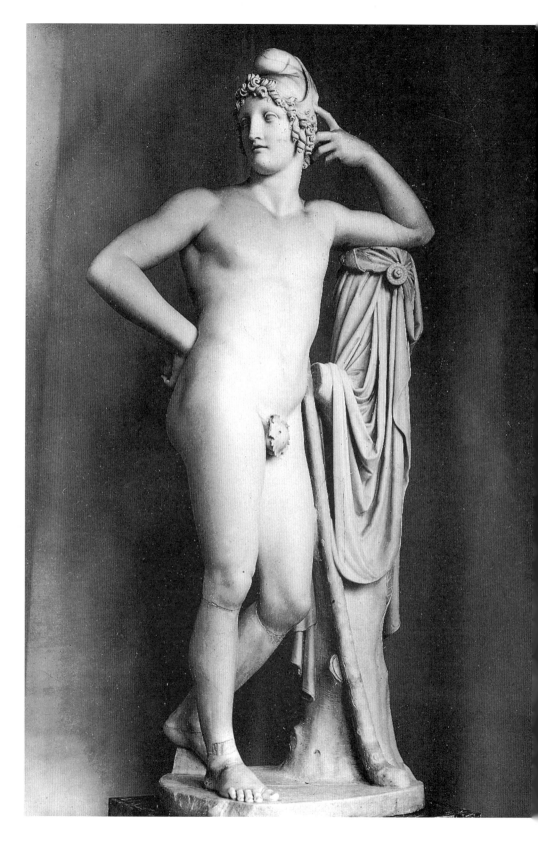

9. Antonio Canova, *Pâris*. Saint-Pétersbourg, Ermitage (ancienne collection Joséphine).

10. Antonio Canova, *Danceuse aux mains sur les hanches*. Saint-Pétersbourg, Ermitage
(ancienne collection Joséphine) (photo Mimmo Jodice).

11. Antonio Canova, *Statue de Marie-Louise en Concorde*. Parme, Galerie Nationale.

12. Antonio Canova, *Descente de Croix*, modèle, plâtre, détail. Possagno, Gipsoteca.

Daniel Rabreau

L'ARCHITECTURE DU XVIIIᵉ SIECLE ET LE MODELE ANTIQUE
OU
LE RENOUVEAU CLASSIQUE EN FRANCE
DE LA FIN DE L'ANCIEN REGIME A LA REVOLUTION

Ce bref essai évoque l'architecture française de la période comprise entre 1745-1800, qui correspond à la deuxième moitié du règne de Louis XV, à celui de Louis XVI et à la décennie révolutionnaire. Il invite à nuancer l'approche traditionnelle de ce qu'il est convenu d'appeler le *Néoclassicisme*. Devenue courante en histoire de l'art, depuis un peu moins d'un demi-siècle[1], cette dénomination demeure beaucoup trop imprécise, voire trompeuse dans l'idée d'un *style* uniforme, soumis à l'impérieuse *imitation* de l'Antiquité, dont elle semble reconnaître les qualités spécifiques après l'avoir traité de pastiche à la fin du XIXᵉ et au début du XXᵉ siècle. En réalité elle ne rend pas compte de l'extrême variété d'inspiration, de formes et de volonté expressive, que connut l'architecture en France, comme dans toute l'Europe, depuis les débuts du renouveau de l'influence classique au milieu du XVIIIᵉ siècle, jusqu'aux trois premières décennies du XIXᵉ siècle. Si une certaine uniformité stylistique de l'*antique revival* s'observe, entre 1790-1820 environ, dans le *palladianisme* international et l'émergence d'un style *grec revival* idéal, impérieusement soumis à l'archéologie scientifique naissante[2], l'influence de l'Antiquité à l'époque des Lumières s'observe avec une diversité stylistique, une évolution dialectique (l'Ancien et le Moderne) et des intentions symboliques très diversifiées, que l'adjectif *néoclassique* ne

---

[1] M. Praz-D. Rabreau, *Néoclassicisme*, dans *Encyclopaedia Universalis*, Paris 1985, XI, pp. 1052-1061.

[2] R. Middleton-D. Watkin, *Du néo-classicisme au néo-gothique. 1750-1870*, Paris 1983. F. Loyer, *Le siècle de l'industrie*, Genève-Paris 1983. C. Mignot, *L'architecture au XIXᵉ siècle*, Fribourg-Paris 1983.

peut qualifier. La Grèce demeure toujours mythique vers 1750. Pourtant
la fascination de l'Antique qui imprègne l'Europe entière, autour de
1800, et dont l'Ecole allemande, de Winckelmann à Goethe, peut à juste
titre revendiquer la théorisation la plus radicale, avec, pour l'architecture et l'archéologie, le prolongement encyclopédique qu'apporte leur ho-
mologue français Quatremère de Quincy[3], cette volonté d'*imitation* canonique n'aurait certainement pas eu une ampleur aussi considérable sur
la génération qui connut la Révolution et l'Empire, comme Canova, si
l'influence (ou l'inspiration) de l'Antiquité n'avait pas été profondément
engagée par les deux générations précédentes du XVIIIe siècle, dans
l'idée d'une *poétique instrumentale* aux intentions très libres et à l'objectif exploratoire.

Le mépris affiché par Quatremère de Quincy pour l'architecture de
fiction à la Piranèse, son dédain des inventions expressives les plus fortes de Ledoux et de ses émules[4], montrent une véritable opposition à
l'interprétation imaginative des architectes piranésiens français, ceux
qui construisaient abondamment à Paris à l'époque de sa propre formation dans l'atelier du sculpteur Coustou. Quatremère avait alors entre
dix-sept et vingt et un ans, et sa vocation d'artiste, praticien, se perdra
lors d'un premier séjour à Rome (1776-1780) où se trouvaient déjà le
peintre David et son ami l'architecte Crucy (cf. infra), pensionnaires à
l'Académie de France[5]. Ce n'est que durant la Révolution, où son rôle
dans la politique des arts est officiellement requis, et après l'Empire,
jusqu'à la Monarchie de Juillet, que Quatremère de Quincy apparaîtra
comme le théoricien le plus influent d'un classicisme archéologique
que les jeunes romantiques de l'Ecole des Beaux-arts exécreront[6]. Ces
remarques liminaires sont utiles car bien des historiens de l'architecture
expliquent encore le *Néoclassicisme*, globalement, en recourant aux
écrits les plus répandus de Quatremère, comme s'ils y trouvaient une
valeur normative quelconque, pour résumer l'art "à l'antique" qui avait
précédé leur publication[7].

---

[3] R. SCHNEIDER, *Quatremère de Quincy et son intervention dans les arts 1788-1830*, Paris 1910.

[4] Notamment dans de nombreux articles des volumes *Architecture* dans *Encyclopédie Méthodique* (éd. Panckoucke), rédigés par QUATREMÈRE DE QUINCY, Paris-Liège 1788-1825.

[5] Canova, qui a déjà exposé ses premières statues à Venise en 1776, n'arrive à Rome qu'en 1779. Et ce n'est que lors du second séjour de Quatremère de Quincy dans cette ville, en 1783, que Canova se liera d'amitié avec lui.

[6] *The Architecture of the Ecole des Beaux-Arts*, sous la direction d'A. Drexler, New York 1977. D. RABREAU, *Jappelli à l'Académie des Sciences. L'éclectisme à Paris autour de 1836*, in *Giuseppe Japelli e il suo tempo*, Padoue 1982, pp. 587-598.

[7] *Op. cit. supra* note 2.

En effet, c'est dès les années 1730-1750, qu'une nouvelle approche de l'histoire de l'Antiquité bouleverse le cours de l'inspiration artistique. Au passé connu par les textes, notamment l'épigraphie, et par les vestiges visibles de la Rome impériale, s'ajoutait désormais une nouvelle science des objets archéologiques analysés dans une perspective ethnographique et anthropologique. La découverte, suivie de fouilles, des sites enfouis d'Herculanum (1709-1738) et de Pompéi (1748), les relevés des ruines de Paestum, puis bientôt d'Athènes, de Sicile, d'Asie mineure ou de Provence, relativise la connaissance de la civilisation gréco-romaine et suscite de nouvelles interprétations des sources formelles d'inspiration. Rome, ses temples et son peuple de statues étaient à revisiter, et l'approche d'autres civilisations incita à relativiser et à diversifier l'exclusivité canonique du modèle occidental antique. Par exemple, l'architecte autrichien formé durant quinze ans à Rome, J.-B. Fischer von Erlach, écrit et illustre les *Fondements d'une histoire de l'architecture*, publiée en allemand et en français (Vienne, 1721), à partir de données comparatistes qui englobent l'Orient et l'Occident, la Chine, Rome, la Grèce, l'Empire Ottoman, l'Egypte antique et l'époque des mégalithes. Une nouvelle dramaturgie de l'histoire s'imposait donc.

Depuis le livre publié en 1682 à Paris par A. Desgodetz, à l'appui des réflexions qui occupaient alors l'Académie Royale d'Architecture, *Les Edifices antiques de Rome dessinés et mesurés très exactement*, le terrain semblait préparé pour une mise en ordre savante des idées sur l'art des Anciens. D'importants ouvrages ouvrirent ensuite la voie à l'archéologie et à l'histoire de l'art des civilisations. Parmi les premiers, A. Maffei fait paraître à Rome, en 1704, un recueil gravé des statues de l'ancienne Rome[8]; à Paris, B. de Montfaucon publie *L'Antiquité expliquée* (1719-1724) et le comte de Caylus son *Recueil d'antiquités* (1752-1767). De tels ouvrages préparaient la réception des travaux sur l'art grec de Winckelmann[9] tout en relativisant, dans le milieu intellectuel et artistique français, leur portée dogmatique. Celle-ci s'insinuera plus tardivement, je l'ai rappelé plus haut, à l'époque de Quatremère de Quincy, de David et de Canova, non sans susciter de nombreux débats contradictoires. Au XVIIIᵉ siècle, les ouvrages de Piranèse, puis les publications sur les rui-

---

[8] Cfr. F. HASKELL-N. PENNY, *Pour l'amour de l'antique. La statuaire gréco-romaine et le goût européen*, Paris 1988. A. SCHNAPP, *La conquête du passé. Aux origines de l'archéologie*, Paris 1993. *La fascination de l'antique 1700-1770. Rome découverte, Rome inventée*, sous la direction de J. Raspi Serra et F. de Polignac, Paris, 1998.

[9] J.-J. WINCKELMANN, *Réflexions sur l'imitation des artistes grecs*, Paris 1786 (éd. en allemand, Dresde 1756). *Winckelmann: la naissance de l'histoire de l'art à l'époque des Lumières*, actes des conférences du Louvre (1989-1990), sous la direction de E. Pommier, Paris 1991.

nes grecques doriques de G. Dumont, de J.-D. Le Roy, de J. Stuart et N. Revett, en attendant des ouvrages de voyages ou d'archéologie sur d'autres sites gréco-romains ou sur des collections d'objets de fouilles, innombrables[10], furent à l'origine d'un ressourcement de l'inspiration et de l'imaginaire "à l'antique".

En France où la tradition classique très forte, s'appuyait principalement sur la fameuse traduction de Perrault, commentée et superbement illustrée, du traité de Vitruve[11], l'admiration que suscitait la Colonnade du Louvre de Louis XIV soutenait un sentiment de nostalgie du Grand Siècle dont la politique des arts au service de la monarchie aurait pu se satisfaire. Tel était, entre autres, le point de vue du grand théoricien J.-F. Blondel dont l'autorité, comme professeur à l'Académie Royale d'Architecture, ne fut guère contestée avant son décès en 1774[12], date également de la mort de Louis XV. Or l'*anticomanie* fit dévier cette voie des réformes de l'art au moment de l'apogée du goût rocaille: ce sont les mécanismes conjoncturels, idéologiques, politiques et culturels de ce renouveau à l'antique qu'il faut essayer d'observer ou d'interpréter.

L'anticomanie, la mode et l'architecture des Lumières

L'appellation "goût à la grecque" est une formule qui remonte aux années 1750-1760[13]. Elle caractérise d'abord le résultat d'un changement formel radical dans l'ornementation des objets et du décor d'architecture, en opposition au "goût rocaille" de la première moitié du XVIIIe siècle. La référence qu'elle transmet indique la source archéologique de cette sorte de renouveau des formes géométriques antiques, ou naturelles stylisées, telles qu'on les découvrait alors sur les vases, les ustensiles en bronze, les fragments d'architecture ou de fresques, sortis des fouilles d'Herculanum, de Pompéi, de la villa d'Hadrien et de bien d'autres sites

---

[10] *La Fortuna di Paestum e la memoria moderna del Dorico 1750-1830*, sous la direction de J. Raspi Serra, Florence 1986. *Piranèse et les Français*, actes du colloque de la villa Médicis (Rome, mai 1976), sous la direction de G. Brunel, Rome 1978.

[11] A. PICON, *Claude Perrault ou la curiosité d'un classique*, Paris 1988.

[12] Dans ses souvenirs, l'architecte Mathurin Crucy, élève lauréat de Boullée en 1774, écrit: «Je crois qu'un grand changement dans le goût de l'architecture n'a été sensible en France qu'à l'époque de la mort de M. Blondel [...]. Lorsque je fus délivré de ce pédant de Blondel, je pris un essor plus étendu dans le projet des bains publics que je composais à l'Académie [...]», lettre à Baraguay, 1807, publiée dans C. COSNEAU, *Mathurin Crucy 1749-1826. Architecte nantais néoclassique*, Nantes 1986, p. 147.

[13] S. ERIKSEN, *Early Neo-classicism*, Londres 1974 et *Marigny and "le goût à la grec"*, dans "Burlington Magazine", mars 1962.

d'Italie centrale et du sud notamment. Collectionnés, dessinés, interprétés, copiés et largement diffusés dans les recueils d'estampes, ces nouveaux modèles suscitèrent, en marge de la création artistique, une véritable *mode* chez les beaux esprits et les coquettes, aussitôt moqués dans les chroniques, sur la scène des théâtres ou dans les mémoires; témoin, en 1764, cette phrase d'une comédie de N.-T. Barthe:

«La mode est pour le Grec; nos meubles, nos bijoux,
Etoffes, coiffures, équipage,
Tout est Grec, excepté nos âmes»[14].

Dans sa *Correspondance littéraire*, Grimm informe les cours d'Europe de cette nouvelle curiosité parisienne, en des termes similaires. Mieux, il raconte comment Carmontelle, artiste-écrivain mondain, très attaché au duc de Chartres, s'était amusé à inventer dans deux petites estampes des habits "à la grecque". Le sujet fut repris et développé en 1771 par l'architecte de la cour de Parme, E.-A. Petitot, l'un des meilleurs disciples de Soufflot, qui publia les célèbres costumes d'une *Mascarade à la grecque*[15]...

Ces facéties accompagnèrent ou suivirent l'apparition d'œuvres importantes, d'abord dans le domaine des arts décoratifs, puis dans celui de la peinture, avec la série des figures *athéniennes* et la très célèbre *Marchande de mode* que J.-M. Vien expose au Salon du Louvre au début des années 1760[16]. Avant d'apparaître en pierre sur les façades d'immeubles et dans les grilles de fer forgé, avant de structurer le décor des lambris, l'ornement à la grecque fut mis à contribution pour renouveler la conception plastique du mobilier. Dans l'ébénisterie, qu'accompagne avec raffinement les incrustations de matières précieuses et les appliques de bronze doré, les formes flexibles de la rocaille cédèrent la place à des motifs géométriques stables et même lourds, hypertrophiés. Sur un mode digne, s'énoncent des rinceaux réguliers, des frises symétriques, des lignes de poste, des cannelures, des pattes de lion, des bucrânes, des vases, des trépieds à l'athénienne, des guirlandes de chêne, des triglyphes, des gouttes, etc., tout un répertoire sensé évoquer la force du dorique. Le plus célèbre et un des tous premiers mobiliers "à la grecque" fut celui que Lalive de Jully fit exécuter, vers 1757, sur les dessins du peintre pi-

---

[14] N.-T. BARTHE, *L'Amateur*, comédie, Paris, 1764, cité dans S. ERIKSEN, *Early Neo-classicism*, cit., 1974, p. 50.

[15] *Feste, Fontane, Festoni a Parma nel Settecento. Progetti e decorazioni disegni e incisioni dell'architetto E. A. Petitot (1727-1801)*, sous la direction de P. Bedarida, Rome 1989.

[16] T. GAETGHENS-J. LUGAND, *Joseph-Marie Vien, 1716-1809*, Paris 1988.

ranésien L.-J. Le Lorrain[17]. Ce très riche amateur, collectionneur de tableaux flamands du XVIIᵉ siècle, devenus à la mode, et de jeunes peintres à la carrière assurée (Greuze, Fragonard, Chardin), était également en charge d'une position politique, comme introducteur des ambassadeurs auprès de la cour. Son portrait par Greuze, qui le peint en tenue d'intérieur, drapée, jouant de la harpe (instrument "à l'antique") assis sur un siège de son fameux mobilier, résume a lui tout seul le trait de mœurs inspiré par l'amour militant des arts régénérés!

La caricature, le ridicule et l'ironie, qui accompagnent ailleurs, on l'a vu, les abus du goût à la grecque dans la vie sociale ou domestique la plus anodine ou mondaine, ne doivent pas masquer d'autres conséquences de cet engouement jugé immodéré par certains pour cet art hellénique importé en Italie ou en Sicile, qu'on avait ignoré ou méconnu jusqu'alors. De l'ornement à la grande forme architecturale, en passant par la peinture, la sculpture et le décor, le goût à la grecque a été également l'expression d'une recherche esthétique nouvelle et d'un ressourcement spirituel et moral aux origines lointaines de la culture classique et, enfin, l'affirmation d'un style national *éclairé*, tendant toutefois à l'universel. L'Italie maniériste ou le siècle de Louis XIV n'avaient évidemment pas ignoré certains motifs dérivés du dorique dans l'art ornemental; mais l'usage frénétique et, en termes classiques, disproportionné, qu'en firent les sectateurs du goût à la grecque, était une réelle innovation.

Si l'on considère l'architecture de cette époque sous l'angle de l'histoire des idées, on constate qu'elle s'est trouvée naturellement soumise à l'intense volonté de réforme des philosophes (au sens d'intellectuels), puis des politiques et, enfin, des artistes eux-mêmes ou de théoriciens engagés dans l'idéologie de *progrès* caractéristique des Lumières largement diffusées par l'*Encyclopédie* ou la presse. L'émergence du *public*, par exemple, cette notion moderne et bourgeoise qui recouvre les relations entretenues entre l'art et la société urbaine, date de la première moitié du XVIIIᵉ siècle. Contrairement a ce qu'on en a dit trop souvent, il ne s'agit pas d'une période de *transition* (notion obsolète me semble-t-il), mais au contraire d'un moment charnière où s'articulent certaines transformations fondamentales du monde occidental, liées à la pensée relativiste, à la laïcité des comportements et à l'aspiration morale du monde capitaliste qui se superpose à la politique pragmatique des monarchies européennes, absolues ou despotiques.

L'Angleterre et la France les premières, pour ces raisons et car elles s'imposent dès le début du siècle comme les deux premières puissances

---

[17] *Piranèse et les Français*, catalogue de l'exposition (Rome, Dijon, Paris, 1976), Rome 1976.

d'Europe, n'ont pas connu de vrai développement de cet art monumental *rococo* qui, partout ailleurs, distingue le domaine de l'architecture de cour, d'église ou des puissantes communautés religieuses. Ennemies politiques et économiques, concurrentes dans le domaine des sciences et de la philosophie, Paris et Londres s'engagèrent les premières dans la voie du renouveau classique. La capitale britannique n'avait jamais abandonné l'influence antique, sensible dans son *palladianisme* idiomatique. La capitale française, malgré les fastes de l'*art rocaille*, n'avait pas non plus renoncé dans l'architecture monumentale aux préceptes classiques qui avaient fait la gloire de Versailles ou du Louvre de Louis XIV, sur laquelle l'Académie Royale d'Architecture entendait bien fonder son prestige. Mais la société exigeait de nouveaux critères d'adaptation des valeurs classiques, de nouveaux modèles d'inspiration et, surtout, l'établissement d'une esthétique rationnelle à des fins consensuelles. Toujours le rôle du public!

Est-ce déjà à l'intention de ce public que les commentateurs de la fameuse fête parisienne du mariage de la fille de Louis XV, Louise-Elisabeth avec l'infant d'Espagne (30 août 1739), décrivirent en ces termes le bâtiment éphémère dressé, par Servandoni, au-dessus de la Seine pour le feu d'artifice: «une sorte de temple *à la grecque* [je souligne], formé de quatre rangs de colonnes doriques (...)»[18]? L'expression est précoce dans ce contexte, mais à la même époque elle n'aurait pas déplu au sculpteur E. Bouchardon qui dessinait l'architecture et les sculptures de la fontaine de Grenelle (1739-1745), le premier monument édilitaire parisien réalisé sous Louis XV, dans une grâce placide et naturelle, toute athénienne[19]. Avec Bouchardon, avec Servandoni, dont la puissante façade à portiques superposés de l'église Saint-Sulpice (1735-1745) devait faire date dans le renouveau à l'antique, l'architecte G. Boffrand, sectateur de la rocaille dans les décors intérieurs de l'hôtel de Soubise, donnait à l'Hôpital des Enfants Trouvés (1746), face à la cathédrale Notre-Dame, une autre œuvre d'un classicisme monumental et épuré, inédit[20]. Le goût à la grecque n'arrivait donc pas tout à fait innocemment à Paris vers 1750. Son adoption, sinon sa formulation excessive pour certains, était prévisible grâce à ces grands exemples d'art nouveau à l'antique, qui ne devaient rien à la tradition académique ou au grand genre issu du XVIIe siècle[21].

---

[18] Cité in P. BRACCO, *Les feux d'artifice à Paris du XVIIe au XXe siècle*, Paris 1981, p. 33.

[19] D. RABREAU, *La fontaine des Quatre Saisons*, dans *Paris et ses fontaines, de la Renaissance à nos jours*, Paris 1995.

[20] *Germain Boffrand 1667-1754*, sous la direction de M. Gallet et J. Garms, Paris, 1986.

[21] A. BRAHAM, *L'architecture des Lumières de Soufflot à Ledoux*, Paris 1982. J. RYCKWERT, *Les premiers modernes. Les architectes du XVIIIe siècle*, Paris 1991.

L'autorité incontestable de leurs auteurs, le grand Boffrand en fin de carrière, considéré comme un des meilleurs créateur de son temps, Servandoni et Bouchardon, déjà célèbres, et dont la gloire allait encore s'accroître dans l'Europe entière, était une caution déjà bien employée par le
pouvoir. Qui oserait parler de hasard ou de changement de goût dans l'*air
du temps*, simplement?

Plus qu'une simple réaction contre le "goût rocaille" des trente premières années du règne de Louis XV, le renouveau classique "à la grecque" apparaît donc comme une rupture radicale avec plus d'un siècle de
tradition maniériste, puis baroque (au sens large qui englobe l'art ver-
saillais). Véhicule du rationalisme, relativiste et expérimental, comme
des élans moralisateurs ou civiques, illustrés par l'histoire et la pensée
philosophico-scientifique des Lumières, la recherche d'un nouveau style
s'oriente avant tout vers la clarté, la vérité structurelle, l'équilibre et la
simplicité des formes puisées dans la *nature* (nature physique pour les
formes géométriques pures et les effets pittoresques, nature humaine
pour l'expression métaphorique des sentiments et des caractères, eux-
mêmes souvent transposés, distanciés, dans le domaine poétique de la
mythologie gréco-latine). L'antique réappris, grâce à l'archéologie et à la
constitution de nouvelles collections diffusées par l'image commentée et
analysée, en était le meilleur *médium*, si l'on peut dire. Quant à la nature, elle apportait sa caution légitime à la volonté d'agir, de persuader par
le *langage*[22] formel.

Dès 1745, Boffrand lui-même militait pour un art de bâtir monumental qui s'inspirerait des préceptes de l'art poétique d'Horace, c'est-à-dire,
ni plus ni moins qu'un refus de se soumettre aveuglément aux doctrines
vitruviennes séculaires et à la rhétorique entretenue par l'Académie
Royale d'Architecture, depuis sa fondation (1671). L'architecture, écrit-
il, «quoiqu'il semble que son objet ne soit que l'emploi de ce qui est
matériel, est susceptible de différents *genres*[23] qui rendent ses parties,
pour ainsi dire, animées par les différents caractères qu'elle fait sentir.
Un édifice par sa composition exprime, comme sur un théâtre, que la
scène est pastorale ou tragique, que c'est un temple ou un palais, un édifice public destiné à un certains usages, ou une maison particulière. Ces
différents édifices, par la manière dont ils sont décorés, doivent annoncer

---

[22] D. RABREAU, *De l'embellissement. L'iconographie urbaine comme catharsis au XVIIIᵉ
siècle*, dans "Architecture et comportement", vol. 6, n° 1, 1990, pp. 39-62.

[23] Je souligne. Le terme *genres* renvoie ici à la théorie générale de la peinture qui classait
hiérarchiquement la production selon les sujets représentés: peinture d'histoire, portrait, paysage, nature morte, etc.

au spectateur leur destination; et s'ils ne le font pas, ils pêchent contre
l'expression, et ne sont pas ce qu'ils doivent être»[24].

Et pourquoi la civilisation gréco-romaine fascine-t-elle nos artistes,
nos écrivains, nos hommes politiques? C'est, déclare Boffrand, parce
qu'elle est une grande civilisation urbaine, dont les monuments n'ont pas
perdu leur signification: «Tous ces édifices capables de contenir un grand
concours de peuple, d'une construction magnifique et qui étonnent jusque dans leurs ruines, donnaient aux architectes de ces temps-là de
grandes et fréquentes occasions de déployer leurs talents, de cultiver et
de perfectionner tous les jours leur art, et d'en établir des principes qui
devenaient plus certains parmi un peuple libre, accoutumé à voir de su-
perbes et beaux bâtiments, et qui ne pouvaient souffrir le médiocre, que
chez les autres nations, où ces jeux, ces exercices et ces spectacles n'é-
taient pas en usage, où l'art de l'architecture n'était employé qu'à la construction des maisons de particuliers et pour les seuls besoins de la vie
(...)»[25]. Associée à la religion, la pratique grecque des sports et du théâtre, comme le suggère Boffrand, garantissait la spiritualité, le consensus
social et l'émulation dans les arts. L'exercice physique, proche de l'état
de nature, justifiait le culte du beau à travers le nu qu'adoptèrent les
sculpteurs; les proportions de l'architecture s'en inspirèrent, tandis que le
caractère des monuments ressortît à cette politique édilitaire inspirée par
l'activité communautaire des citadins. Précisant le contenu symbolique
du concept d'*imitation* des Anciens, les idées de Boffrand préfigurent les
théories les plus avancées du renouveau classique qui s'exprimera durant
la seconde moitié du XVIIIᵉ siècle,

Auparavant, le monde hyper-hiérarchisé de l'Ancien Régime s'était
reconnu dans un art monumental volontairement codifié, où les notions
de *bienséance* et de *convenance*[26], comme chez Vitruve, semblaient ga-
rantir, avec tout excès d'individualisme, le danger du *caprice* et l'absence de normes signifiantes et communicatives. La liberté créatrice,
l'exubérance aimable, le raffinement dans la création des motifs natura-
listes inédits et la marginalisation des ordres d'architecture, autant de
transgressions aux règles académiques de l'art de bâtir, définissent l'art
de la *rocaille* qui s'épanouit, entre 1715 et 1750, dans toutes les couches
de la société. Or on n'a pas assez remarqué que cette liberté d'invention,
ces comportements curieux de nouveaux modes d'expression, tant déte-
stés des classiques rigoureux, s'étaient profondément ancrés dans les

---

[24] G. BOFFRAND, *Livre d'architecture*, Paris 1745, p. 16.
[25] *Ibid.*, p. 3.
[26] W. SZAMBIEN, *Symétrie, Goût, Caractère. Théorie et terminologie de l'architecture à l'âge classique 1550-1800*, Paris 1986.

mentalités. Malgré bien des nostalgies exprimées, notamment sur la grandeur du Siècle de Louis XIV[27], malgré l'immoralité reprochée à la société de la Régence qui le suivit, comment imaginer que les esprits aient pu être prêts à renoncer à exprimer l'image du bonheur, dans une civilisation des loisirs sans cesse plus présente dans la vie urbaine? Les nécessités d'ordre et d'identité qui furent ressenties pour harmoniser cette dernière, dirigèrent à nouveau les artistes vers les valeurs sûres de la civilisation gréco-romaine revisitée. Mais l'esprit de liberté demeura, accompagné des caprices de la mode que l'on a évoqués plus haut, en poussant les artistes à innover dans l'*interprétation* de l'antique.

Après une vague de prises de positions théoriques sur l'art et l'esthétique architecturale, d'une vaste ampleur en France, entre 1700 et 1770 environ[28], plutôt que les beaux discours véhiculés dans la pierre par le truchement des édifices éditaires, religieux et royaux, dont les livres de J.-F. Blondel, *L'Architecture française* (1752-1756) et de P. Patte, *Les Monuments érigés en France à la gloire de Louis XV* (1765), marquent l'apogée, les architectes de la dernière génération du XVIIIe siècle vont préférer le dialogue avec le public, l'harmonisation de l'habitat et des fonctions urbaines et l'intégration de ces deux domaines du bâti dans une image concrète de l'*imaginaire paysager*[29], susceptible de provoquer des sentiments et de susciter des comportements bénéfiques. Le renouveau classique "prêche", en quelque sorte, les vertus morales, civiques, individuelles ou collectives, d'une grande civilisation urbaine qui prend conscience d'elle-même et aspire aux progrès, sans doute synonyme de bonheur. A ce titre, on peut vraiment parler d'une *architecture des Lumières*[30], dont les visées théoriques comme les applications s'inscrivent dans la droite ligne de la pensée progressiste des philosophes, des hommes de sciences, des penseurs politiques et, même, des journalistes de l'époque[31]. Cette trajectoire du style *à l'antique*, qui domine dans les années 1780-1800 et que la Révolution consolidera dans ses attendus idéologiques et politiques, n'eut pas été affirmée aussi péremptoirement si la génération précédante ne s'était livrée aux délices, non pas de l'*imitation* comme on va le voir, mais de l'*interprétation* imaginative d'une

---

[27] Lafont De Saint-Yenne, *L'Ombre du Grand Colbert*, Paris 1752.

[28] F. Fichet, *La théorie architecturale à l'âge classique. Essai d'anthologie critique*, Bruxelles 1979. B. Saint-Girons, *Esthétique du XVIIIe siècle. Le modèle français*, Paris 1990.

[29] M. Mosser-G. Teyssot, *Histoire des jardins de la Renaissance à nos jours*, Paris 1991.

[30] *Soufflot et l'architecture des Lumières*, Paris 1980.

[31] Parmi les grands architectes de l'époque, Ledoux, Bélanger, Lenoir, Poyet, De Wailly, n'hésiteront pas à rédiger des articles dans les gazettes. Aucune étude n'existe, à ma connaissance, sur cette question.

Antiquité que l'on reconstituait idéalement, à partir de modèles inédits, extrêmement *variés* ct très librement, sélectionnés.

On l'oublie trop souvent, la démarche des artistes anticomanes n'est pas seule en cause, et la mode, fut-elle caricaturale, nous le rappelle! Les commanditaires, mécènes et patrons, comme les collectionneurs et amateurs éclairés, adhérèrent évidemment à la démarche des artistes qui communiquaient avec le public; mieux, le goût et les convictions des *antiquaires*, à l'occasion critiques, souvent théoriciens et parfois modestes praticiens des arts, comme Caylus, entraînèrent les artistes à s'engager plus avant dans une démarche imitative, raisonnée[32]. Enfin, parmi les *décideurs* qui protégèrent l'architecture, tout en inscrivant son pouvoir d'expression à leur service, les pouvoirs publics, le roi en tout premier, étaient concernés par l'*anticomanie*. C'est sur ce point de la politique des arts que je voudrais insister ici.

Style Louis XV "à la grecque" et politique royale

Les questions se rapportant à la politique des monuments d'un règne dépendent toutes du rôle du roi dans les choix, les nominations, les décisions, depuis les arrêts pris en conseil, jusqu'aux lettres patentes enregistrées par les parlements[33]... Au sommet de la pyramide du pouvoir, le roi dispose également du soutien obligé, car réputé compétent et normatif, des institutions qui le représentent: les divers services de sa Maison, la direction générale des Bâtiments, et les académies royales (celle des Inscriptions et Belles-Lettres, pour l'historiographie, complètement imprégnée de culture gréco-latine, celle de Peinture et de Sculpture, celle d'Architecture, dont dépendent l'enseignement des arts à son plus haut niveau, enfin l'Académie de France à Rome). Or officieusement, mais sans s'en cacher, Louis XV délègue bien des choix ou des décisions à son entourage, à commencer par la Favorite, Mme de Pompadour. L'oncle de celle-ci, Lenormand de Tournehem, avait été directeur des Bâtiments du roi et de ses manufactures, haut responsable des académies, sorte d'équivalent à l'époque d'un ministre des beaux-arts d'aujourd'hui. Son neveu, frère de Mme de Pompadour, connu sous le titre de marquis de Marigny accéda ensuite à cette même charge dans laquelle il fit preuve d'un talent et d'une efficacité que ses contemporains comme l'histoire, après eux, ont reconnu à l'évidence. Or dans le contexte des Lumières, qui fit de Paris (et non pas de Versailles), pour un temps, la capitale de l'Europe, le

---

[32] Cf. *La fascination de l'antique...*, cit. *supra* note 8.
[33] M. ANTOINE, *Louis XV*, Paris 1989.

roi, surnommé aussi pour un temps, le Bien-Aimé, eut à compter avec un *public* exigent et frondeur[34].

Les querelles parlementaires et religieuses, l'esprit libertaire, progressiste et philosophique, avec les revirements économiques, diplomatiques et politiques, ont été des facteurs conjugués qui ont mis à mal l'image de la monarchie absolue. Jointe aux revendications politiques de l'aristocratie, autrefois muselée par Louis XIV, l'opposition au trône a obligé le roi à réagir en décidant des réformes, souvent mal engagées et mal comprises, mais aussi à relativiser l'*image symbolique* de son pouvoir. Alors soutenu par un puissant mécénat privé dans la haute noblesse et dans le monde des grands financiers (les fermiers généraux en particulier[35]), le rôle des arts, avec celui des monuments publics notamment, fut mis à profit et orienté vers un changement stylistique spectaculaire et radical, au tournant du règne, c'est-à-dire à la suite du moment de plus forte popularité de Louis XV, vainqueur à Fontenoy (1745), jusqu'à la désastreuse Paix de 1763, date également de l'inauguration de la statue équestre du roi, de Bouchardon, sur la toute nouvelle place Louis XV à Paris (actuelle place de la Concorde). Jamais Paris, auparavant, n'avait connu une telle abondance de chantiers, une telle frénésie de modernité et d'*embellissements* urbains[36]. Sous Louis XIV, ceux-ci auraient été confiés au Premier architecte, surintendant des Bâtiments, Jules Hardouin-Mansart et à son agence. Sous Louis XV, l'art de cour se doit de partager avec de nouvelles conceptions, royales certes, mais aussi *nationales*, civiques, bourgeoises et urbaines, dont les modèles ne relèvent plus exclusivement du "grand genre" à la manière du XVIIe siècle, comme on disait alors, parfois avec nostalgie[37], et comme J.-F. Blondel l'enseignait aux jeunes architectes dans un fameux *Cours d'architecture*, qu'il publia à la fin de sa vie[38].

Les modèles recherchés font apparaître un de ces paradoxes chers au siècle de Diderot! D'abord on les souhaite intemporels ou, plutôt, universels, puisés dans l'Antiquité idéale, mais sans cesse mieux connue, afin d'insuffler une légitimité nouvelle au "grand genre" que J.-A. Gabriel s'efforcera d'illustrer encore, par exemple dans les façades de la

---

[34] D. RABREAU, *Les arts régénérés en leur capitale ou la monarchie absolue face au public*, dans *Paris capitale des arts sous Louis XV*, dans "Annales du Centre Ledoux", t. I, Paris-Bordeaux 1997, pp. 15-44.

[35] Y. DURAND, *Les fermiers généraux au XVIIIe siècle*, Paris 1971.

[36] Cf. *supra* notes 22 et 34. J.-L. HAROUEL, *L'embellissement des villes. L'urbanisme français au XVIIIe siècle*, Paris 1793.

[37] Cf. *supra* notes 21 et 27.

[38] J.-F. BLONDEL, *Cours d'architecture*, terminé par P. PATTE, Paris 1771-1777.

place Louis XV imitées de celle du Louvre de Louis XIV[39]. Ensuite on les rattache à la nécessité de tirer de l'histoire de France et de ses origines médiévales, d'autres modèles qui confondent les fondements de la nation avec l'époque de Clovis (le premier roi chrétien de la dynastie des Mérovingiens), origine des dynasties régnantes successives. Rappelant qu'au XVIIIᵉ siècle il était toujours le premier des *chevaliers*, le roi de France, contesté dans son pouvoir absolu, mais résolu à affronter l'opposition, favorisa (ou laissa promouvoir?) une nouvelle symbolique très idéologique, des arts au service de la société et image de la légitimité de son pouvoir soudé par l'adhésion immémoriale de la nation.

Certes, bien des nuances seraient à apporter à cette interprétation de l'art mis au service de la politique, mais l'orientation des chantiers royaux, au moment du paroxysme de la mode "à la grecque" ne laisse pas de surprendre par la convergence des décisions, des nominations et des chantiers ouverts avec publicité. Par exemple, trois des plus grandes entreprises du règne, à Paris, la nouvelle place Louis XV, l'Ecole Royale Militaire et, surtout, la basilique Sainte-Geneviève (le Panthéon actuel), témoignent de cet attachement à des traditions françaises dont l'archaïsme même garantit, dans les apparences, la pérennité et la légitimité du pouvoir. Il n'est pas interdit d'y relever l'idée d'un hommage aux trois ordres de la nation: le tiers état, la noblesse et le clergé. Et l'on observe qu'au *château* de l'Ecole Militaire, l'énorme dôme "à la française"[40] qui le domine fait contraste avec la présence du vaisseau "à la grecque" de la chapelle et les colonnades de la cour d'honneur. Dans ce dispositif de masses dominantes, qui rappelait sciemment le Louvre et les Tuileries, Quatremère de Quincy voyait une image résiduelle des donjons de l'ancienne féodalité, qu'il exécrait[41]. Place Louis XV, des fossés délimitaient la plate-forme où se dressait la statue royale, souvenir d'un dispositif guerrier dont la noblesse entretenait encore le privilège. A Sainte-Geneviève, enfin, tant au plan structurel qu'au plan expressif de la construction, l'intention de Soufflot était bien d'harmoniser la tradition de l'*église gothique* et l'idéale beauté du *temple grec*[42] (cf. infra).

Louis XV, de par la grâce de Dieu, prince pacificateur et père de ses peuples, se devait donc d'illustrer les bienfaits de son règne, d'une manière mythique. Mais loin d'asseoir son image rayonnante sur l'héroïsme mythologique, comme son aïeul Louis XIV l'avait fait en créant Versail-

---

[39] *Les Gabriel*, sous la direction de Y. Bottineau et M. Gallet, Paris 1982.

[40] D. RABREAU, *Les nouveaux châteaux de la réaction nobiliaire et seigneuriale* [...], dans *Châteaux et révolutions*, actes du colloque de Flaran (1989), Flaran 1991, pp. 87-110.

[41] *Ibid.*, pp. 101-103.

[42] *Le Panthéon symbole des révolutions*, sous la direction de B. Bergdoll, Paris 1989.

les, et même si l'iconographie apollinienne du Roi-Soleil n'était pas
inactive durant le règne de son successeur (il existe des portrait de Louis
XV en Phoebus-Apollon et l'iconographie du dieu Soleil n'est pas rare
dans l'iconographie des monuments, des décors et des fêtes de son temps), l'image royale de l'époque des Lumières cherche à réunir le dogme
du modèle antique, idéal et universel, et le recours aux valeurs de l'histoire nationale. N'était l'épisode unique et chevaleresque de Fontenoy,
orchestré pour la postérité jusqu'à l'érection du colossal tombeau du
maréchal de Saxe[43], l'image du souverain chef des armées n'est plus héroïque: elle s'affirme clairement politique et morale.

   Il fallait des hommes, administrateurs, mécènes et artistes nouveaux
pour mettre en place cette politique volontaire des arts. Ce n'est pas à la
cour, ce n'est pas avec son Premier architecte A.-J. Gabriel (Louis XV
dessinait pourtant volontiers en privé avec lui, car il était sincèrement
épris d'architecture et discutait sérieusement les projets qui lui étaient
soumis), que le roi engagea la réforme stylistique du règne. C'est avec
l'institution ministérielle, la direction des Bâtiments, les manufactures,
les académies et, pour la province, les intendants des généralités, qu'il
mit en œuvre les grands chantiers du règne – en parallèle les ingénieurs
des Ponts et Chaussée s'occupaient de l'infrastructure technique et économique du pays[44]. Un second style Louis XV, durant les vingt dernières
années du règne (1754-1774), mérite donc d'être appelé "à la grecque":
épuré, varié, il accompagnera ensuite le règne de Louis XVI, avant de
connaître une seconde épuration, d'un atticisme raffiné, à la fin des
années 1780 et durant le Directoire, pour disparaître enfin avec l'Empire
dans un éclectisme plus voyant.

   A l'imitation du "Grand Tour" des Anglais[45] mais organisé très officiellement, un voyage français retient particulièrement l'attention par
son rayonnement *symbolique* et ses conséquences immédiates sur les arts
du royaume. C'est celui qu'effectua à Rome, en 1750, Marigny, appelé à
succéder à son oncle à la direction générale des Bâtiments du roi (il rem-
plira cette charge entre 1751 et 1774). Les architectes Soufflot et Dumont, avec le dessinateur et graveur C.-N. Cochin, ainsi que l'érudit
abbé Le Blanc, furent ses mentors éclairés[46]. Autour de ces derniers et

---

[43] Sculpté par J.-B. Pigalle et érigé dans le temple Saint-Thomas à Strasbourg (1753-
1770).
[44] A. Picon, *L'invention de l'ingénieur moderne. L'Ecole des Ponts et Chaussées 1747-
1851*, Paris 1992. A. Picon, *Architectes et ingénieurs au siècle des Lumières*, Paris 1988.
[45] *Grand Tour. The lure of Italy in the Eighteenth Century*, sous la direction de A. Wilton
et I. Bignamini, Londres 1996.
[46] C. Michel, *Charles-Nicolas Cochin et l'art des Lumières*, Rome 1993. D. Rabreau, *Autour du voyage d'Italie (1750). Soufflot, Cochin et M. de Marigny réformateurs de l'architecture théâtrale française*, dans "Bollettino C. I. S. A. Andrea Palladio", vol. XVII, 1975.

des célèbres *amateurs*, académiciens, antiquaires, collectionneurs et polygraphes, Caylus[47], Mariette, et l'architecte et archéologue J.-D. Le Roy, Paris devint le foyer principal d'une nouvelle production d'arts décoratifs inspirés des objets et des fragments de monument antiques récemment découverts et étudiés. Parmi les publications de gravures les plus diffusées en Europe, celles de F. de Neufforge (*Recueil élémentaire d'architecture*, 8 vol., 1757-1768) et de J.-C. Delafosse (*Nouvelle Iconologie historique*, 1767-1785), initièrent des architectes, des ornemanistes ou des maîtres maçons, de Bordeaux à Lille, de Bruxelles à Stockholm...

L'architecture que Marigny souhaitait favoriser au service de Louis XV allait être illustrée par J.-G. Soufflot et ses émules, ces jeunes piranésiens qui, dans les années 1745-1760, avaient été les lauréats de l'Académie Royale d'Architecture; cette politique résolument *moderne* fut poursuivie sous Louis XVI par le successeur de Marigny, le comte d'Angiviller, un ami de Turgot.

Le Premier architecte lui-même, A.-J. Gabriel, influencé (ou orienté?) dans ses dernières œuvres par N.-M. Potain, son chef d'agence, sacrifie avec mesure au goût "à la grecque": à Versailles dans les réalisations du Petit Trianon (1761-1770) et de l'Opéra (1768-1770), à Paris place Louis XV (1753-1777) et à la chapelle de l'Ecole Militaire (1751-1778)[48]. Dans le domaine de l'architecture religieuse, le plus important chantier du siècle fut celui de Soufflot à la basilique Sainte-Geneviève (1757-1790). Le grandiose édifice offert au clergé, à la suite d'un vœu personnel de Louis XV, était consacré à la sainte patronne de Paris et de la France: contemporaine de Clovis, de sainte Clothilde et de saint Rémi (dont le souvenir était attaché à Reims, la ville du sacre des rois), la sainte mérovingienne était l'objet d'une dévotion intense. Lieu de sa sépulture, la nouvelle basilique Sainte-Geneviève avait été conçue comme un monument royal et national, dédié à l'Eglise universelle, certes, mais également gallicane. Lors de la laïcisation de l'édifice, destiné à partir de 1791 à l'hommage que la Nation rendait à ses Grands Hommes, Quatremère de Quincy, qui fut chargé de donner un caractère civique au monument, attenta gravement aux conceptions esthétiques de Soufflot qui avait conçu un temple chrétien *lumineux*[49] et d'une grande légèreté structurelle, témoin d'une spiritualité recherchée. L'édifice à la grecque, identifié par son imposant portique libre à fronton, le déploiement de ses colonnades intérieures et le style de son ornementation sculptée, combinait un système de voûtes légères et d'ossature emprunté à la science des bâ-

---

[47] Cf. *supra* note 8.
[48] Cf. *supra* note 39.
[49] Cf. *supra* note 42.

tisseurs gothiques. Ce syncrétisme paradoxal, qui souleva de fameuses polémiques[50], fut défendu et justifié par les meilleurs théoriciens du renouveau classique, J.-D. Le Roy, l'auteur des *Ruines des plus beaux monuments de la Grèce* (1758) et le père M.-A. Laugier, dont les *Observations sur l'architecture* (1765), qui faisaient suite à son fameux *Essai sur l'architecture* (1753), étaient destinées à faire *sentir* au public et aux jeunes artistes les vertus de l'architecture moderne à la grecque.

Tous les autres chantiers publics importants du règnes, ou projets formulés sous Louis XV, qui s'achéveront ou se réaliseront peu après, sont confiés par Marigny à de jeunes architectes pressés de faire leurs preuves dans le nouveau style; anticomanes eux-mêmes, ils transfigurent l'imitation des modèles en exprimant des programmes modernes, souvent inédits, qui concrétisent dans la pierre certaines visions piranésiennes. La liberté de concevoir, dans le but de toucher le public, passait par une pratique du dessin, imaginative et poétique, dont on souhaitait développer l'influence sur la perception esthétiques, mais aussi morales, des monuments construits[51]. Tels sont entre 1763 et 1782, notamment, la Halle aux blés et son nouveau quartier, de N. Le Camus de Mézières, l'Hôtel de la Monnaie, de J.-D. Antoine, l'Ecole de Droit de Soufflot, le Collège de France de Chalgrin, la nouvelle Comédie française (théâtre de l'Odéon actuel et son quartier) de Peyre et De Wailly et, l'Ecole de Chirurgie (actuelle Ecole de Médecine) de J. Gondoin –rare édifice de son temps loué, pour son style, par Quatremère de Quincy qui y voyait "l'ouvrage le plus classique du dix-huitième siècle"[52].

Tandis qu'à la faveur de la Paix de 1763, les capitaux circulent à nouveau dans le royaume, une fièvre de construction privées favorise l'éclosion du nouveau style dans l'habitat noble et bourgeois: hôtels particuliers et, ce qui est neuf, immeubles de rapports, se parent du décor antiquisant. A leur retour de Rome, L.-F. Trouard, J.-F.-T. Chalgrin, P.-L. Moreau-Desproux, M.-J. Peyre, Ch. De Wailly, P.-A. Pâris, avec d'autres jeunes architectes appelés à une brillante carrière (mais sans être passés par Rome): C.-N. Ledoux, E.-L. Boullée, F.-J. Bélanger, J. Cellerier et A.-T. Brongniart, créent un répertoire formel inédit, où l'ordonnance libre de colonnes à l'antique s'allie à la sculpture monumentale, au jeu des

[50] *Ibid.* et M. MATHIEU, *Pierre Patte, sa vie et son œuvre*, Paris 1940.

[51] D. RABREAU, *El dibujo, utopia arquitectonica o imagen mediatica? A proposito de una polémica mantenida hacia 1800 en Francia*, in *Arquitecturas dibujadas*, Vitoria-Gasteiz 1994, pp. 93-108.

[52] A.-C. QUATREMÈRE DE QUINCY, *Histoire de la vie et des ouvrages des plus célèbres architectes* [...], Paris 1830, t. 2, p. 332. Cf. P.-L. LAGET, *Du collège Saint-Côme au temple d'Esculape: un monument royal dédié à l'art et science de chirurgie*, dans *Paris capitale des arts sous Louis XV*, cit. *supra* note 34, pp. 149-165.

bossages variés ou des parements à refends, et aux formes géométriques pures, dans des hôtels isolés comme des *temples* au cœur de jardins pittoresques (hôtel de Brunoy de Boullée, hôtel Thélusson de Ledoux, détruits au XIXᵉ s.)[53].

En introduisant la nature dans la ville, visiblement, le XVIIIᵉ siècle change la perception de celle-ci et, plus encore, des rapports entre l'agglomération urbaine, sa périphérie et la campagne. L'image du modèle antique, civilisateur, s'intègre désormais selon un point de vue paysager bien concret, mais conforme aux visions autrefois peintes par Poussin ou Claude Gellée, notamment. Depuis que le père Laugier avait réactualisé le mythe de la cabane rustique[54], origine de l'élaboration des ordres antiques selon Vitruve, le recours à l'architecture antique s'ancrait légitimement, et d'une manière tout à fait moderne par rapport à la science expérimentale et à la philosophie sensualiste[55], dans le vaste champ de la sensibilité *naturaliste* qui caractérise les Lumières.

La ville "à l'antique" et l'architecture révolutionnaire

La ville des Temps modernes, depuis la Renaissance, qui s'inspire des vues perspectives des tableaux, comme des monuments et des ruines léguées par la Rome antique, ressortit à l'histoire et au mythe. A l'histoire, elle doit la présence physique de l'architecture et de la sculpture antiques, observables *in situ* parmi les constructions et les espaces médiévaux qui la structurent encore au milieu du siècle; l'épigraphie, les médailles, avec la littérature gréco-latine, transmettent les *fastes* d'une civilisation des origines du monde occidental. Au mythe, qu'illustrent ses plaisirs dans les lettres, les arts et les spectacles, elle demande la pérennité pour sa survie et son développement. A la Renaissance, la Rome des papes, la Florence des Médicis ou la Venise des doges (cette dernière, avec Vérone, Padoue et Vicence, rayonne sur un pays conquis par le modèle *palladien*, franchement à l'antique), tentent de retrouver la splendeur urbaine du passé, à des fins de pouvoir, d'identité, d'expression et de bien être social. Au XVIIᵉ siècle, Londres et Paris, parmi bien d'autres capitales prospères suivront l'exemple, sans perdre pour autant leurs caractères idiomatiques. Il y a une *poétique* instrumentale de la ville moderne à l'antique qui s'orchestre à partir d'un imaginaire parfaitement

---

[53] M. GALLET, *Claude-Nicolas Ledoux 1736-1806*, Paris 1980. J.-M. PEROUSE DE MONTCLOS, *Etienne-Louis Boullée 1728-1799* [...], Paris 1969.

[54] J. RYCKWERT, *On Adam's House in Paradise*, New York 1972.

[55] CONDILLAC, *Traité des sensations*, Paris 1754.

épanoui, sur ce thème, dans la sculpture, la peinture, les arts appliqués, l'illustration, la littérature, la musique, le théâtre et même, d'une maniè-re cruciale durant le Directoire et l'Empire, dans la mode vestimentaire féminine généralisée.

Le thème: Paris, nouvelle Rome, marque déjà la Renaissance en France, de François Ier à Henri IV. Il est toujours à l'ordre du jour au XVIIIe siècle, même après que Louis XIV se soit détourné de sa capitale pour créer son propre espace mythologique aux champs: Versailles, le nouvel Olympe, séjour du Roi-Soleil.

A l'époque des Lumières, le thème de Paris, nouvelle Athènes, di-versifie, on l'a vu, le recours à un répertoire formel peu connu aupara-vant, issu directement de la Grèce, elle-même modèle des Romains. La pensée philosophique ouvre alors de nouveaux horizons politiques qui concernent l'espace, la fonction et l'image de la ville. En crise, bien avant 1789, la monarchie absolue ne se détournera pas du modèle civi-que athénien ou spartiate et des valeurs morales qu'il véhicule.

On sait comment la Révolution exaltera ce modèle et ces valeurs dans le bouleversement politique. Dès 1788, l'*Encyclopédie méthodique* résumait ainsi le dogme de l'imitation des Anciens: «Chez les Grecs et les Romains, les Arts tirèrent leur dénomination du premier et du plus grand de tous les biens, la liberté. Ils furent appelés libéraux parce qu'ils faisaient partie de l'éducation des seuls hommes libres»[56]. Dès lors les ar-chitectes ne cessèrent de réclamer la reconnaissance du statut d'art libé-ral de leur activité: l'art de construire, désormais conçue comme une fa-culté de *concevoir* les formes et les symboles de l'espace habité[57]. L'ima-ginaire piranésien qui, à partir du dessin et de la gravure à sujets imagi-naires (non constructibles), offre des fictions d'architecture à l'antique, rejoint l'imprégnation *naturaliste* des sujets traités par les peintres et les écrivains. Le grand architecte Ledoux écrivait, «vous qui voulez devenir architecte, commencez par être peintre»[58]. L'architecture, susceptible de transmettre des sentiments et des valeurs morales, s'incorpore à la sensi-bilité rousseauiste qui demande à la nature de guider les comportements et les affections individuelles et sociales. L'art des jardins, branche de l'architecture, avec la décoration des appartements dans un style pompéïen actualisé, s'accordent pour établir l'expression de nouvelles mœurs régénérées. L'amour de l'antique, sans le sentiment de la nature,

---

[56] *Encyclopédie méthodique* (éd. Panckoucke), volumes *Beaux-arts*, Paris-Liège 1788-1791, t. 1, Introduction: «Tableau des six arts ou langages libéraux».

[57] E.-L. BOULLÉE, *Architecture. Essai sur l'art*, texte présenté et annoté par J.-M. PEROUSE DE MONTCLOS, Paris 1968.

[58] C.-N. LEDOUX, *L'Architecture considérée sous le rapport de l'art, des mœurs et de la lé-gislation*, Paris 1804, p. 113

exacerbé, n'eut été qu'une mode passagère et non pas l'impulsion pé-
remptoire qu'exigeait alors l'art mis au service de la société, sous tous
ses aspects.

Hubert Robert et Clérisseau inventent des décors de paysages ou
d'arabesques qui ne le cèdent en rien au nouveau style anglais à la mode à Paris sous Louis XVI. Un chef-d'œuvre du genre symbolise l'art
des folies (ou petites maisons de plaisir) suburbaines: le pavillon de Ba-
gatelle, construit par Bélanger pour le frère du roi, le comte d'Artois, au
bois de Boulogne (1777). Jardins à l'anglaise, "anglo-chinois" ou pay-
sagers, ponctués de fabriques grecques, turques, chinoises ou égyptiennes (parcs du Désert de Retz, de Monceau, de Méréville, d'Ermenonvil-
le, du Petit Trianon avec son hameau rousseauiste), traduisent une nostalgie de l'Arcadie et un rêve d'évasion propices au cadre de l'imaginaire à l'antique ou exotique. La ville elle-même s'ouvre sur la nature
et les cours plantés d'ormeaux ou de tilleuls, les mails, les promenades
et les quais monumentaux, se substituent aux remparts devenus inutiles
ou aux berges boueuses. L'Homme des Lumières, amateur de *vedute* et
de *caprices architecturaux* qu'il collectionne et dont il décore ses appartements, découvre le paysage de sa propre cité. Il lui faut désormais,
à travers l'art de construire, reconnaître les lieux spécifiques qui ras-
semblent ou servent le public. Le dessin pittoresque entraîne les architectes à tester des solutions plastiques ou spatiales inédites et à captiver
le public. Ce rôle du dessin, lié à la traduction de vastes programmes
édilitaires, domine dans l'enseignement de l'Académie Royale d'Architecture, dont le prestige national et européen est incontestable. Des artistes de premier plan, comme M. Crucy ou L. Combes, respectivement 6, 7
premier Grand prix en 1774 et 1781, font carrière à leur retour de Rome
dans leur ville d'origine: Nantes et Bordeaux qui ressemblent alors à de
vastes chantiers.

Aux édifices publics du règne de Louis XV, mentionnés plus haut
dans le contexte parisien, il faudrait ajouter d'innombrables exemples
provinciaux, tous étroitement cautionnés par l'action des intendants ou
des gouverneurs, relais du pouvoir royal qui, depuis Paris, contrôle ou
tempère les initiatives des parlements, des municipalités, des sociétés de
capitalistes ou des communautés religieuses. Nombre d'architectes parisiens, influents à l'Académie royale, se voient chargés d'importants
chantiers dans les capitales de province, tandis que d'excellents architectes locaux s'efforcent de rivaliser avec eux dans la mise en œuvre du *progrès stylistiqu*e escompté. La Saline Royale d'Arc-et-Senans (1774- 4
1779) et le théâtre de Besançon (1776-1784) construits par C.-N. Ledoux
en Franche-Comté, l'Hôtel de l'Intendance de Besançon ou le Grand
Théâtre de Bordeaux (1773-1780) de Victor Louis, figurent parmi les
monuments phares de cette politique. De grandes villes portuaires, com-

me Bordeaux ou Nantes[59], qui voient leur population comme leur superficie doubler durant le siècle, subissent une complète mutation de leurs
tracés et de leurs espaces construits ou plantés, désormais ouverts sur
leur port.

Mathurin Crucy, élève de Boullée, qui séjourne à Rome en même temps que son ami le peintre J.-L. David[60], revient dans sa ville natale, Nantes, où il est nommé en 1780 pour plusieurs décennies architecte voyer,
puis architecte départemental. Dans un contexte exceptionnel d'expan-
sion, ses charges et son rôle dominant expliquent la magnifique uniformité à l'antique dont cette ville s'honore, du règne de Louis XVI à la Restauration[61]. Créant des quartiers neufs, aux immeubles à façades à programme, des cours et des quais plantés, des places aux formes géométriques variées, il dote la ville d'une infrastructure de bâtiments publics sim-
ples, mais élégants: le Théâtre Graslin dont le portique s'ouvre sur une
place scénographique exceptionnelle, la Bourse de commerce et les Bains
publics qui dominent le paysage du port, l'église Saint-Pierre, la Halle
aux blés avec une bibliothèque, la Halle aux toiles, la colonne Louis XVI...
Parfaitement intégrés à l'expression des tracés et des points de vue urbains qui convergent vers la Loire, ces monuments dignes d'une nouvelle Athènes symbolisent le fantasme culturel d'une société capitaliste, tout
récemment enrichie par le commerce avec les Antilles, la construction navale et le sinistre trafic des Africains vers l'Amérique. Notable dans ce
milieu auquel il appartenait également comme exploitant de chantier na-
val, Crucy exprimait ainsi sa passion d'anticomane: «C'est dans ces sentiments, dans ces principes, avec cette vénération réfléchie pour tous les
beaux restes de l'Antiquité, que chargé de donner à Nantes une salle de
spectacle, j'ai tâché d'y exprimer, autant qu'il a été en moi, toute la simplicité, la pureté et l'élégance de l'architecture grecque»[62].

A Paris, durant le dernier tiers du XVIIIe siècle, nombre d'étrangers
qui viennent s'y former connaîtront un bel avenir dans leur pays d'origine. Architecte de la nouvelle Comédie Française (1768-1782), professeur
recherché par les élèves russes, notamment, De Wailly est avec Peyre,
Chalgrin et Boullée un des académiciens les plus influents sur la formation des jeunes architectes et des plus persuasifs auprès du public. Ses

[59] *Le port des Lumières. Architecture et art urbain. Bordeaux 1780-1815*, sous la direction de J.-C. Lasserre et D. Rabreau, Bordeaux 1989. P. Lelièvre, *Nantes au XVIIIe siècle, urbanisme et architecture*, Paris 1988.
[60] C. Cosneau, *op. cit. supra* note 12.
[61] D. Rabreau, *L'œuvre de Mathurin Crucy à Nantes. Un modèle d'esthétique urbaine néoclassique 1780-1820*, dans "Storia della città", n° 4, 1976.
[62] Lettre de Crucy à Baraguey, 1807, dans C. Cosneau, cit. *supra* note 12, p. 147.

grands projets, durant la Révolution, font autorité (Théâtre des Arts, Palais d'Assemblée Nationale, Plan des Artistes pour les embellissements de Paris) et rappellent que cette période troublée s'est intéressée à l'architecture symbolique (témoin le fameux *Discours sur les monuments publics*, prononcé par le député A.-G. Kersaint, devant l'Assemblée Nationale, le 15 décembre 1791[63]). Une nouvelle vague d'architecture, qui se veut résolument *athénienne* d'inspiration, très épurée dans le choix de ses ornements (la palme y domine sur l'acanthe, le cygne apollinien sur le lion herculéen!), rejoint le goût *égyptomane* que favorise depuis quelques décennies l'idéologie maçonnique[64], et qui connaîtra les prolongements stylistiques et politiques que l'on sait du Directoire à l'Empire! Moins rare que l'historiographie ne l'a laissé entendre, l'activité constructrice des architectes durant la Révolution produisit à Paris entre 1791 et 1800, quelques chefs-d'œuvre d'élégance classique totalement inconnue auparavant, signés Legrand et Molinos (Théâtre Feydeau), Vestier (rue des Colonnes), Ledoux (maisons Hosten) Sobre et Happe (Cours Batave), ou à Bordeaux, Dufart (Théâtre Français) et bien d'autres artistes, notamment, dans l'architecture privée.

8

Généralement, le concept d'*architecture révolutionnaire* a été reconnu dans le caractère anti-classique de toute une production du dernier tiers du siècle[65]. A l'examen, ce jugement est peu pertinent, puisque l'usage des ordres antiques, que l'on peut qualifier de caractère premier du classicisme depuis la Renaissance, demeure très largement dominant. En revanche, la nouveauté tient au rôle *relatif* en effet assigné à la déclinaison de ces ordres, par rapport à d'autres valeurs plastiques, compositionnelles ou symboliques. Au XXᵉ siècle, l'essayiste E. Kaufmann a tenté de décrire les critères d'analyse de cette parité entre l'ordre classique et la liberté de concevoir des masses et des combinaisons autonomes dans l'architecture révolutionnaire; mais la dramaturgie politique contextuelle[66] comme les ambitions artistiques, qui accompagnèrent les expériences de ces architectes réformateurs, n'ont pas été saisies dans une perspective historique éclairante[67].

---

[63] Publié à Paris en 1792. Cf. *Aux Armes et aux arts. Les arts de la Révolution 1789-1799*, sous la direction de R. Michel et P. Bordes, Paris 1988.

[64] J. Baltrusaitis, *Essai sur la légende d'un mythe; la quête d'Isis: introduction à l'égyptomanie*, Paris 1967.

[65] E. Kaufmann, *L'architecture au siècle des Lumières*, Paris 1963.

[66] Cf. *supra* notes 34 et 53. E. Kaufmann, *Trois architectes révolutionnaires, Boullée, Ledoux, Lequeu*, introduction et notes de G. Teyssot et G. Erouart, Paris 1978.

[67] M. Mosser, *Situation d'Emil "K"*, in *De Ledoux à Le Corbusier. Origine de l'architecture moderne*, Arc-et-Senans-Paris 1987.

E.-L. Boullée et C.-N. Ledoux sont les maîtres de cette tendance qui illustre l'*utopie* de l'art au service de la société et la volonté de transformer celle-ci par l'usage répandu de l'art moralisateur et sentimental. Dans ses grands dessins de projets, eux-mêmes mégalomanes par le programme démesuré qu'ils traitent pour les foules assemblées, Boullée affirme la primauté de la nature, physique et humaine (sentiment), dans l'art de concevoir l'architecture. L'épuration géométrique, la force simple des ordonnances dressées devant d'immenses perspectives et le recours à la poésie des mythes, relèvent d'ailleurs de cette scénographie de la vie urbaine dont rêvaient les anticomanes et les piranésiens. Habituée des cortèges à l'antique, mis en scène dans la rue et sur les places par le peintre David lors des grandes fêtes civiques, la Révolution n'était-elle pas placée sous le signe de la démocratie et des républiques de Rome et d'Athènes[68]? Le cirque de la Fédération au Champs de Mars, comme bien d'autres décors ou dispositifs de rituels publics, à Paris et en province, rappelait cette aspiration à l'architecture vertueuse et morale.

Avec Ledoux, responsable de plusieurs chantiers aux caractères fonctionnels et formels déjà révolutionnaires sous l'Ancien Régime (Saline Royale d'Arc-et-Senans, hôtel Thélusson à Paris, pavillons d'octroi du mur des fermiers généraux à Paris, 1785-1789), l'art des contrastes puissants, la poésie des ombres soumises à l'agencement géométrique ou sculptural des masses, s'étaient concrétisés dans la pierre, notamment avec l'usage intensif des bossages variés, jusque sur le fût des colonnes[69]! Dans le livre qu'il publie deux ans avant sa mort, *L'Architecture considérée sous le rapport de l'art, des mœurs et de la législation* (1804), Ledoux offrait à la postérité un message qui, à l'évidence, ne fut pas compris en France au XIXe siècle[70].

Toutefois, dès le règne de Louis XVI, bien des élèves de l'Académie, certains confrères et, notamment, de grands artistes étrangers (eux-mêmes de tendance piranésienne) furent sensibles à l'exemple libertaire de Ledoux. Un J. Soane à Londres, G.-A. Selva en Vénétie, S. Perez en Espagne, participent à un nouveau courant international dont les réalisations les plus spectaculaires se trouvent dans les Pays scandinaves et en Russie. Disciple de Ch. De Wailly, L.-J. Desprez, au service de la cour de Suède, transpose au théâtre ses visions piranésiennes et historicistes d'architecture; élève de Ledoux, T. de Thomon dresse à Saint-Pétersbourg

---

[68] J. BOUINEAU, *Les Toges du Pouvoir ou la Révolution de Droit antique 1789-1799*, Toulouse 1986.

[69] M. GALLET, cit. *supra* note 53.

[70] D. RABREAU, *Claude-Nicolas Ledoux. L'Architecture et les Fastes du Temps*, dans "Annales du Centre Ledoux", t. III, Paris-Bordeaux 1999 (sous presse).

une Bourse de commerce solide comme un temple de Paestum. De Wailly, Ledoux, Clérisseau, envoient leurs propres dessins à Catherine II et à Paul Iᵉʳ, tandis que les nouveaux architectes russes, formés à Paris et à Rome, développent un art original, grandiose, très coloré, mais dont le lyrisme est tempéré par l'exemple du palladianisme italo-anglais, directement illustré à Saint-Pétersbourg par C. Cameron et G. Quarenghi. Les élèves russes de Chalgrin et de Ch. De Wailly, parmi d'autres, projetteront jusqu'au milieu du XIXᵉ siècle, l'image de l'architecture des Lumières sur les bords de la Néva: B.-J. Bajenov, J.-E. Starov, A.-D. Zakharov, font à leur tour figure de maîtres. Vers 1790-1800, l'Italie et l'Allemagne s'initient elles aussi au renouveau classique. Architecte révolutionnaire, très marqué par la France, F. Gilly devient le symbole d'une école germanique brillante où, sous l'influence de Winckelmann et de Goethe, un nationalisme néo-hellénique dominera l'art romantique du XIXe siècle. De C.-G. Langhans (Porte de Brandenburg à Berlin, 1789-1791), aux chefs-d'œuvre de F. Weinbrenner, K.-F. Shinkel et L. von Klenze, à Munich ou à Berlin, l'Allemagne diffuse ensuite, jusque vers la Grèce nouvellement libérée des Turcs, l'imitation de plus en plus archéologique de l'art des Anciens. Enfin, dominée par les courants italiens et français durant tout le XVIIIᵉ siècle, l'Espagne, farouchement baroque, s'initie plus tardivement au renouveau classique. L'Académie de San Fernando à Madrid, avec une ouverture théorique nouvelle qu'influence la présence du peintre R. Mengs, favorise en architecture la carrière exceptionnelle de J. de Villanueva, le créateur du Musée du Prado (1785-1819).

En France, autour de 1800, une vive réaction aux mœurs de l'Ancien Régime et aux "excès" qui suivirent durant la période révolutionnaire, orientèrent la production de l'architecture selon des choix stylistiques uniformes, toujours redevables de l'imitation de l'Antiquité, certes, mais avec de moins en moins de liberté d'invention, voire d'imagination. Des pamphlets, dénonçant la décadence de l'architecture au XVIIIᵉ siècle[71], aux manuels d'enseignement de l'influent J.-N.-L. Durand, professeur d'architecture de la nouvelle Ecole Polytechnique[72], en passant par le contrôle très rigoureux qu'exerçait le Conseil des Bâtiments civils[73] sur la totalité des projets de constructions publiques mis en œuvre par les architectes et les ingénieurs de l'Etat, l'orientation pragmatique et écono-

---

[71] C.-F. VIEL, *Décadence de l'architecture à la fin du XVIIIᵉ siècle*, Paris 1800.

[72] W. SZAMBIEN, *Jean-Nicolas-Louis Durand, 1760-1834. De l'imitation à la norme*, Paris 1984.

[73] Créé en 1795, sous l'administration du Ministère de l'Intérieur, à l'époque de la création des départements géographiques du territoire.

mique de l'art de bâtir s'observe dans tous les domaines de l'architecture édilitaire, religieuse ou privée. Toutefois, tandis que l'architecture urbaine, privée et publique, tout comme les maisons de campagne et l'architecture vernaculaire, affirment de plus en plus le modèle *palladien* international, l'art au service de la cour impériale recourt à l'éclectisme pour mieux éblouir. L'art à l'antique napoléonien respire la gloire augustéenne, mêle le motif égyptien déjà décliné au XVIIIᵉ siècle avec l'atticisme du Directoire, et alourdit le tout avec une solennité bourgeoise qui s'entiche de formules décoratives renaissance, italienne ou française.

A l'issue de l'Empire, le vieux Quatremère de Quincy, plus que jamais actif et influent dans la politique des arts de la Restauration, essayera en vain de canaliser ce goût pour l'éclectisme (le style *troubadour*, gothico-renaissance, fait son apparition), en brandissant l'anathème archéologique et ce remède éprouvé, croit-il, qu'est l'*imitation* des Grecs. Il est clair aujourd'hui que son attitude et sa doctrine, symptomatiques si l'on veut des grands courants *winckelmannien* et *palladien* (néoclassiques) que connurent l'Europe et l'Amérique entre 1790 et 1830 environ, ne sauraient résumer, ou faire comprendre, l'amour de l'antique, curieux, frondeur, passionné et désinvolte, de l'époque des Lumières.

1. *Vue de la façade de l'église Saint-Sulpice à Paris*, édifiée par Servandoni, 1735-1745
(la tour de gauche a été refaite par Chalgrin, 1776).

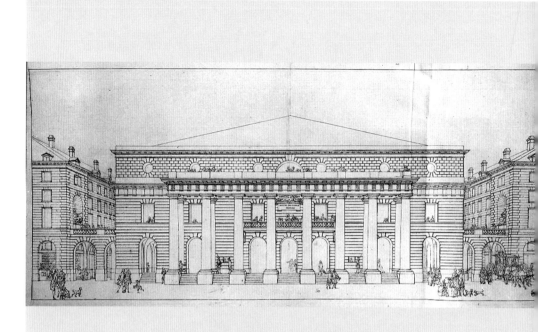

2. *Vue de la façade du nouveau Théâtre français à Paris* (Théâtre de l'Odéon actuel, construit par Peyre et De Wailly, 1768-1782), dessin à la plume pour la gravure du project de 1771 illustrant le *Supplément de l'Encyclopédie* (1777). Bibliothèque Historique de la Ville de Paris.

3. *Vue de la façade de l'amphithéâtre et de la cour des Ecole et Académie de Chirurgie à Paris* (Ecole de Médecine actuelle, construite par Gondoin, 1769-1775), eau-forte de Poulleau, 1780. Bibliothèque Historique de la Ville de Paris.

VUE PERSPECTIVE DE L'ENTRÉE DE LA MAISON DE MADAME DE THÉLUSSON.

4. *Vue de côté du portique et du pavillon d'entrée de la Saline royale d'Arc-et-Senans* (département du Doubs), construite par Ledoux, 1774-1779.

5. *Vue perspective de l'hôtel Thélusson à Paris* (construit par Ledoux, 1780, détruit au XIXe siècle), eau-forte de Sellier publiée dans *L'Architecture* [...], éd. posthume de 1847.

6. *Hôtel Aquart à Bordeaux*, construit par Louis Combes, 1788-1790 (détail de la façade: les tritons en atlantes du balcon, sculptés par Deschamps).

7. *Vue du Théâtre Graslin à Nantes*, construit par Mathurin Crucy, 1784-1787.

8. *Rue des Colonnes à Paris*, construite par Vestier, 1795, sur le côté ouest du Théâtre Feydeau de Legrand et Molinos, 1790 (détruit au XIXᵉ siècle), détail d'un chapiteau et d'une palme de l'ordre dorique des portiques du rez-de-chaussée des immeubles.

Edouard Pommier

QUATREMERE DE QUINCY ET LE PATRIMOINE

Sans prétendre présenter un exposé complet de la pensée de Qua- 1
tremère de Quincy sur les problèmes que nous appelons ceux du Patrimoine et qui se posent dans toute leur évidence pendant la crise révolutionnaire, mon intervention voudrait seulement évoquer quelques moments privilégiés de l'œuvre réalisée en ce domaine par cette éminente
personnalité.

Le sauvetage d'une fontaine

C'est une démarche sans précédent que fait Quatremère de Quincy,
lorsqu'il adresse, le 31 janvier 1787, au *Journal de Paris*, qui la publie
dans son numéro du 11 février, une lettre qui constitue sans doute le premier appel lancé à l'opinion publique, pour la sauvegarde d'un monument
parisien, en l'occurrence la Fontaine des Innocents de Jean Goujon, me- 2
nacée de démembrement par la politique d'urbanisme de la municipalité.

Mais de quelle autorité peut bien se réclamer Quatremère de Quincy
pour intervenir dans cette affaire? Est-ce comme un notable, si tant est
que la qualité de descendant d'une vieille famille de la bourgeoisie marchande parisienne qui vient d'accéder à la noblesse, lui permette de se
prévaloir de ce titre? Est-ce comme un "connaisseur" qui, après être passé par l'atelier de Guillaume II Coustou, s'est donné une véritable culture artistique comme on l'entendait à cette époque, en faisant deux séjours
de plusieurs années en Italie, complété par un voyage à Londres? Est-ce
comme un spécialiste, dont la science a été sanctionnée par le prix dé-
cerné à son mémoire sur l'architecture égyptienne par l'Académie des In-

scriptions et Belles-Lettres en 1785, et dont les compétences ont été requises par Panckouke qui vient de lui confier, pour *l'Encyclopédie méthodique* les volumes sur l'architecture, dont le premier va paraître en 1788?

Sans doute, tous ces éléments pourraient-ils se conjuguer pour expliquer et justifier une démarche dont aucune institution ne l'avait chargé. Mais au-delà de ces cautionnements, il faut considérer le caractère très personnel de l'initiative de Quatremère de Quincy: il n'engage que lui, il ne parle qu'en son nom. Sa démarche est celle d'un simple citoyen qui n'a d'autre appui que sa propre conviction de servir le bien commun. En ce sens, il s'agit d'une prise de parole, très caractéristique de l'esprit public de la deuxième moitié du XVIIIe siècle, et dont le premier et très illustre exemple avait peut-être été, dans le domaine des beaux-arts, les *Réflexions* que La Font de Saint-Yenne avait lancées en 1747 sur l'état de la peinture française pour revendiquer, avec une virulence critique, l'achévement du Louvre et la présentation permanente, dans la grande galerie, des chefs-d'œuvre de la collection royale. La Font de Saint-Yenne avait pris l'opinion à témoin d'une carence du gouvernement. Quatremère de Quincy prend l'opinion à témoin d'une menace que le pouvoir municipal fait peser sur l'intégrité d'un monument parisien: il s'agissait en effet de le détruire, après avoir détaché les précieux bas-reliefs de Jean Goujon, qui seraient conservés dans des conditions non précisées.

Sans doute s'agissait-il d'un monument dont la renommée était solidement établie, d'autant plus que Jean Goujon figurait en effet parmi les artistes français que le Bernin avait daigné honorer de son admiration, lors de son séjour à Paris en 1665. Dans son "journal", Fréart de Chantelou note, à la date du 1er juillet, la réponse qu'il donne à Colbert l'interrogeant sur l'emploi du temps de son hôte:

«Je lui dis que je lui avais d'abord fait voir la Fontaine des Innocents, qu'il avait considérée fort longuement et trouvée extrêmement belle. M. Colbert m'a dit à cela que c'était une petite chose. Je lui ai réparti qu'elle était petite, mais qu'en ce qu'elle contenait, elle avait du grand et était la plus belle chose de Paris».

Il est piquant de remarquer que Colbert, toujours soucieux de défendre l'art français, s'étonne du jugement laudatif du Bernin sur l'œuvre de Jean Goujon; mais que Chantelou, conforté par l'avis de son interlocuteur, met la fontaine de Jean Goujon au premier rang des chefs-d'œuvre parisiens...

Le jugement du Bernin, qui ne pouvait se transmettre, à cette époque, que par une tradition orale, est exploité par les guides de Paris, comme celui de Germain Brice (première édition en 1684) et celui de Claude M. Saugrain (première édition en 1718). Le premier écrit:

«Le cavalier Laurent Bernin, un des plus fameux architectes de ces derniers siècles, d'ailleurs fort avare de louanges, et qui affectait de rien estimer de tout ce qu'il y avait de beau en cette ville, ne put s'empêcher de sc récrier en examinant cet incomparable ouvrage et déclara qu'il n'avait rien remarqué de pareil en France».

Saugrain précise: «Le cavalier Bernin l'a estimé le plus beau morceau de France, tant pour la juste proportion entre l'architecture et les figures, chose fort rare, que pour la délicatesse qui règne partout».

Mais l'un et l'autre déplorent déjà l'état d'abandon dans lequel il est laissé par la "négligence criminelle" des administrateurs parisiens. Les guides du XVIIIe siècle, ces classiques de la littérature touristique comme la *Description historique de la ville de Paris*, de Piganiol de la Force, le *Voyage pittoresque de Paris* d'A.N. Dezallier d'Argenville, le *Guide des amateurs et des étrangers voyageurs à Paris*, de L.V. Thiery, laissent l'image d'un consensus autour de ce monument considéré comme un symbole de la renaissance de l'art français, sous l'influence de l'Antiquité. Dans ses *Vies des fameux sculpteurs*, paruses en 1787, A.N. Dezallier d'Argenville fait de Jean Goujon le "restaurateur de la sculpture", et de son chef-d'œuvre, la Fontaine des Innocents, «le premier modèle de la belle sculpture en France».

Au moment donc où Quatremère de Quincy lance son manifeste en faveur de la sauvegarde de la Fontaine des Innocents, l'œuvre de Jean Goujon et son auteur bénéficient d'une sorte de légitimité parisienne et nationale et d'un statut officiel dans l'évaluation qui est faite de l'art français: ils portent témoignage de la renaissance des arts en France, ils sont dignes de l'Antiquité, ils ont été canonisés par la parole magistrale du Bernin.

Quatremère de Quincy se place dans le cadre de la politique d'urbanisme de la municipalité, dont il s'attache à montrer les mérites: il approuve la destruction de "nos gothiques catacombes", la "proscription salutaire" du cimetière des Innocents, inspirées par un "siècle éclairé". Il veut seulement mettre en garde contre l'erreur qui pourrait sortir d'une application systématique de la vérité et contre l'excès qui pourrait résulter d'une juste mesure: en effet ce siècle éclairé pourrait «commettre contre lui-même un attentat digne de la barbarie des Goths dont il s'occupe à effacer les honteux vestiges». A la veille de la Révolution, cette phrase, qui résume fort bien le problème, prend une valeur prémonitoire: on y pressent cette hantise d'une rechute dans la barbarie, qui ne va pas cesser d'habiter la conscience révolutionnaire dès 1790, cette peur que la violence, légitime et nécessaire, ne passe les limites acceptables, cette crainte du retour des Goths auxquels bientôt se mêleront les Vandales, cet effroi devant la confusion possible entre les "honteux vestiges" et un "chef-d'œuvre".

Quatremère de Quincy veut apporter un ordre dans l'exécution des «projets dirigés par l'oeil bienfaisant qui veille au bien public». Il intervient en faveur «du chef-d'œuvre de la sculpture française», d'un «monument digne d'avoir place à côté des plus rares chefs-d'œuvre de l'Antiquité». On ne pouvait pas placer plus haut dans l'échelle des valeurs esthétiques et nationales cette Fontaine des Innocents qui, depuis un siècle environ, avait bénéficié d'une véritable promotion au premier rang des œuvres de l'art français.

C'est pourquoi Quatremère de Quincy se montre exigeant. Il sait, à la date où il écrit, qu'il n'est pas question de détruire purement et simplement le monument, mais d'en détacher la partie qui était unanimement consacrée comme la plus précieuse: les reliefs de Jean Goujon. Cette solution de compromis, il la rejette avec force, au nom d'une exigence de respect du monument dans son intégrité, même au prix d'un transfert, si «le bien public exige qu'on le déplace». Pour caractériser l'opération envisagée, il emploie des mots dont la dureté doit faire effet: démembrer, déplacer, dénaturer.

La Fontaine des Innocents n'est pas une architecture, plus une sculpture; une structure, plus un décor. C'est un ensemble dont les parties sont inséparables, si bien que «l'intérêt de l'une exige la conservation de l'autre». Par cette attitude, Quatremère de Quincy défend avec fermeté un fondement essentiel de la doctrine artistique de la tradition classique: celui de l'unité de tous les éléments qui s'ordonnent dans un tout.

Les reliefs de Goujon ont été faits pour et avec une architecture, dont ils sont indissociables. Avec beaucoup de sensibilité, l'auteur montre que les qualités qui leur sont reconnues ne sont pas des valeurs abstraites qui existeraient en elles-mêmes, indépendamment de leur situation et de leurs circonstances: ce sont des valeurs qui n'existent que par relation. Certes, il est juste d'user de certains qualificatifs en parlant de l'œuvre du sculpteur: légèreté, délicatesse, finesse, élégance; mais ce ne sont pas des absolus doués d'une existence abstraite; ce sont des valeurs situées; et si la situation change, elles seront dévaluées et deviendront longueur, maigreur, sécheresse, manière. Et si c'est l'architecture qui, considérée en elle-même, paraît frappée de maigreur, c'est parce qu'en fait elle doit former, avec les sculptures, "un contraste heureux pour elles". Les sculptures ont reçu de l'artiste une destination qu'on ne peut changer sans qu'elles ne perdent leur mérite. Il s'agit donc de respecter un "accord", terme auquel Quatremère de Quincy donne une acception particulièrement forte: audelà de l'intelligence de la disposition et du choix des parties, il se réfère à l'"identité de caractère", à l'"unité de style", qui sont le propre du monument, c'est-à-dire d'une œuvre dans laquelle on ne peut distinguer la part du sculpteur de celle de l'architecte.

Quatremère de Quincy aborde ainsi un thème fondamental de sa pensée: l'œuvre d'art par excellence, c'est le monument, qui est le lieu de la "réunion des arts" et dont le respect est un impératif absolu.

Enfin, il veut répondre, dans sa défense de l'intégrité du monument de Jean Goujon, à une critique de J.-F. Blondel qui lui reprochait de manquer du caractère propre à une fontaine, qui est d'être un monument d'ordre rustique et viril, jouant sur l'utilisation d'une masse d'eau. Au contraire, ne disposant que d'un mince filet d'eau, le sculpteur a eu le génie de renoncer à utiliser les ressources de "la nature et de la vérité", pour leur préférer celles de "l'art et de la poésie", c'est-à-dire de réaliser un temple des nymphes; autrement dit de suggérer le "caractère propre à un bâtiment aquatique" par le recours à l'allégorie. Quatremère de Quincy anticipe, en quelques mots, sur le système qu'il exposera en 1791 dans son projet de transformation de l'église Sainte-Geneviève en Panthéon: refusant de représenter la Révolution par des hommes et des évènements encore très proches, c'est-à-dire par la vérité de l'histoire, il préfère la rendre présente par les valeurs qu'elle incarne (la patrie, la justice, etc.), les vertus qui en constituent les fondations, et les activités humaines dont la floraison en accompagnera le triomphe (les arts, la poésie). Quatremère de Quincy défend l'intégrité de la fontaine des Innocents parce qu'elle incarne un art qui peut être quelque fois supérieur à la Nature, en empruntant, au lieu des moyens du réalisme, le langage de la poésie et de l'allégorie.

Enfin il recourt à un dernier argument, qui n'est pas une réfutation, mais un dépassement des critiques qui pouvaient être adressées à l'œuvre de Jean Goujon. Oui, cette œuvre pourrait avoir des "défauts". Mais ce jugement de valeur (qui n'est pas le sien) ne saurait être un jugement de proscription, assimilé par lui à un "exemple funeste", au nom d'une raison toute simple: «ce monument fait époque dans l'architecture française, il appartient à l'histoire des arts». Avec cette dernière expression, Quatremère de Quincy fait appel à une notion encore très hésitante à son époque: celle d'une histoire qui, par essence, se développe dans la continuité, qui s'écrit avec «les édifices dépositaires du génie de chaque siècle», qui ne se réduit pas à des chefs-d'œuvre parfaits, mais isolés, et qui prend en compte les droits du temps qui sont le contraire des «productions éphémères de la mode». Il semblerait ainsi vouloir dire qu'il ne faudrait pas se borner à garder du passé seulement ce qui conviendrait à notre goût et à nos normes, mais que chaque siècle a ses témoins dignes d'être conservés.

La décision de démonter et de remonter intégralement le monument à un autre emplacement, recommandée, le 9 juillet 1787, par une commission de peintres et de sculpteurs, fut-elle une conséquence directe de sont intervention? On a tout lieu de le penser. Il en était lui-même convaincu; c'est en effet la version qu'il donne de cette affaire à l'article "Jean Goujon", du deuxième volume, paru en 1820, de son *Dictionnaire d'architecture*. Il rappelle la décision qui aurait été prise, sans la publication de sa lettre dans le *Journal de Paris*: «On annonça dans le public que les sculptures de Jean Goujon étant la seule chose recommandable de ce monument, on les enlèverait pour les conserver, sans leur affecter aucune destination». Il était donc persuadé d'avoir empêché la destruction d'un élément du patrimoine parisien et de l'histoire de l'art français, «car décomposer, c'est détruire».

Le projet de 1791: du musée à l'Institut

Au moment où se déclenche la crise révolutionnaire, l'idée, poursuivie avec acharnement, dès 1776, par le dernier directeur des bâtiments de la monarchie, D'Angiviller, de transformer la grande galerie du palais du Louvre, en un magnifique musée, destiné à accueillir les tableaux de la collection royale et les œuvres commandées régulièrement aux peintres et aux sculpteurs de l'Académie, a fait l'objet d'une décision de principe prise par Louis XVI en 1788, et d'une préfiguration, avec la transformation, achevée en août 1789, du Salon carré.

Le projet s'est ensuite enlisé, aucun homme politique ne l'ayant pris en main pour l'intégrer au processus de transformation de l'organisation de la société française. Seuls des artistes ont constitué des groupes de pression qui demandent la création du musée, considérée comme un élément décisif dans la lutte qu'ils mènent pour éliminer la tutelle et les privilèges de l'Académie royale de peinture et de sculpture.

C'est au début de 1791 (un compte rendu est publié dans la *Chronique de Paris* du 26 janvier) que paraît, comme une sorte de contribution au débat sur la réforme de l'Académie, le premier traité sur les arts de l'époque révolutionnaire les *Considérations sur les arts du dessin, suivies d'un plan d'académie ou d'école publique et d'un système d'encouragements*. Quatremère de Quincy explique d'abord, en des pages qui sont presque une paraphrase de Winckelmann, les causes naturelles, morales, religieuses et politiques qui ont amené la floraison de l'art grec, dont il donne une vision teintée de nostalgie, car ce «concours extraordinaire de causes» ne pourra jamais se reproduire, malgré le règne de la liberté qui s'installe en France: le miracle grec ne se répète pas. Cependant une politique intelligente d'enseignement et d'encouragements pourrait favoriser un certain progrès des arts.

Pour ce qui est de l'enseignement, Quatremère de Quincy accorde naturellement une grande importance, conformément à la tradition académique, à l'étude des modèles de l'Antiquité. Il faut «offrir en grand, et avec prodigalité, le spectacle des monuments de l'Antiquité, et de ce qu'on appelle les figures antiques. C'est là que la nature semble avoir imprimé ses proportions immuables, et écrit en grands caractères tous les principes du beau, tous les éléments de la perfection». Quatremère de Quincy réclame donc la création d'«une galerie des statues, antiques originales, parce qu'il y a dans ces monuments originaux je ne sais quel caractère de beauté, je ne sais quel préjugé du respect, je ne sais quelle authenticité et quelle vivacité de leçons que jamais l'empreinte en plâtre de ces statues ne communique». Il pense que «par la réunion de tous les monuments dispersés et inconnus en France, [...] on pourrait compter dans cette galerie plus d'une centaine de statues antiques et originales». Le musée didactique serait complété par «une galerie de plâtres moulés sur les figures classiques de l'antiquité» et par une «collection d'ornements antiques, des plus beaux rinceaux, des chapiteaux, d'enroulements, de frises d'architecture, de vases, de candélabres et autres objets principalement relatifs aux décorateurs et à ceux qui étudient l'ornement».

Quant au musée des beaux-arts, l'auteur se montre très sceptique à l'égard de son éventuelle utilité pour la formation des artistes, et radicalement hostile à l'idée, qui était celle de D'Angiviller, d'en faire le lieu de destination des œuvres commandées par les pouvoirs publics. Il fait preuve d'une défiance dont il ne se départira plus, à l'égard d'une institution qu'il dévalue en la traitant de "magasin". Il exprime ses doutes sur l'efficacité, à l'égard de la formation des artistes, de «ce museum à perte de vue [...], cette cumulation de tant d'objets dans un même lieu». Mais c'est sans aucune hésitation qu'il repousse l'idée de faire du musée le lieu d'aboutissement des commandes nationales. Pensant en particulier aux effigies des grands hommes et aux représentations de l'histoire de France, il affirme qu'elles n'ont pas leur place parmi la collection des modèles: «Quel singulier rapprochement pourraient produire la statue de Pascal et une Vénus du Titien, l'effigie de Montesquieu et des caricatures de Calot!».

«Ces monuments faits pour prêcher l'amour de la vertu et de la gloire» ont une destination précise: c'est le lieu auquel sont attachés le personnage ou l'évènement qu'ils commémorent. «Renvoyons chacun de ces grands hommes dans le pays qui l'a vu naître»: La Fontaine à Château-Thierry, le tableau du siège de Calais à Calais, pour «soutenir ce patriotisme qui est le plus sûr rempart des Etats», et celui de l'affaire Calas à Toulouse, pour «faire expier à cette ville les égarements de la justice et lui faire détester les fureurs du fanatisme». Il propose même de demander à tous les départements le recueil de leurs grands hommes et de «tous les évènements remarquables qui s'y sont passés», pour en faire «le répertoire inépuisable des artistes», sous la sanction que «donnerait l'Assemblée nationale à ce choix intéressant».

Cette politique aurait pour avantage de «multiplier les ouvrages d'art», de «répandre partout le goût», car, en dehors de Paris, «le reste de ce pays est dans une nuit profonde sur les arts». Quatremère de Quincy pense que son plan rassemble «tous les bienfaits de la liberté et d'une égalité bien entendue», qu'il donnera aux œuvres d'art leur véritable signification patriotique et morale et qu'il développera l'intérêt pour les beaux-arts parmi l'ensemble de la population.

C'est ainsi que, pour la première fois depuis le déclenchement du processus révolutionnaire, une personnalité qualifiée par sa formation, son expérience internationale (les séjours en Italie et à Londres) et ses travaux proposait, sur le devenir de l'art dans la France régénérée, une réflexion cohérente, qui dépassait très largement le cadre des litanies triomphalistes sur l'inspiration commune du génie de la liberté et du génie des arts, et qui n'était pas obsédée par les problèmes de l'intégration ou du rejet de l'héritage artistique de l'Ancien Régime.

Quelques semaines plus tard Quatremère de Quincy apporte une nouvelle contribution au débat en publiant une *Seconde suite aux Considérations sur les arts du dessin, ou projet de règlement convenable à l'Institut national des sciences, lettres et arts*, dont on peut lire un compte-rendu dans la *Chronique de Paris* du 18 mai 1791.

Après avoir redit son refus de céder à l'illusion lyrique d'une possible résurrection de la Grèce antique («Toutes sortes de raisons s'opposent donc à ce que les arts redeviennent ce qu'ils ont été»; il reste fidèle à l'intuition de Winckelmann, relayée d'ailleurs par *l'Encyclopédie méthodique*), Quatremère de Quincy toujours obsédé par le problème de la légitimité et de l'utilité d'un enseignement des arts, pense le résoudre en proposant une grande ambition visionnaire. Il ne s'agit plus seulement de défendre l'idée d'une école unique des arts, mettant en évidence «leur liaison morale, leurs relations réciproques, leurs points de contact», mais de lancer «un projet plus grand encore»: «la liaison des sciences, des lettres et des arts, la nécessité d'un chef-lieu commun, d'un point central d'instruction pour toute la France, au milieu duquel s'élèverait cet arbre méthodique de la science qui jusqu'à présent n'a existé que dans les livres».

Il s'agit maintenant du "temple de la science". Et toujours soucieux de se montrer précis et concret, Quatremère de Quincy incarne ce temple dans un édifice: le Louvre peut devenir ce "lycée universel". Il esquisse un programme d'installation: au rez-de-chaussée, les locaux d'enseignement (et il répète: pour les sciences, les lettres et les arts); au premier étage, les collections conçues comme instruments de l'enseignement («le cabinet d'histoire naturelle, de physique, de mécanique, et de machines; la bibliothèque du roi; les galeries de tableaux, de dessins, médailles, antiquités, etc.»); au second étage, les logements du personnel de conservation; enfin la grande galerie serait affectée au "museum national", composé des "ouvrages de l'école française" ce qui était une façon de s'engager dans un discours sur l'histoire des écoles de peinture; quant à la cour, elle serait occupée par les statues des "hommes célèbres" de la capitale.

Quatremère de Quincy prévoit une objection d'ordre politique: «le Louvre est un palais royal, et non une propriété de la nation. Mais il est certain que le roi se contenterait, comme résidence, du palais des Tuileries, et qu'il accepterait d'abandonner ses droits sur le Louvre, pour que ce monument de l'inconstance humaine», qui est aussi l' «édifice le plus grand, le plus solide, et le plus magnifique qu'ait élevé la France», devienne l'«institut national des sciences, lettres et arts».

C'est sur cette prophétie que s'achève la première construction théorique sur les arts que la Révolution ait suscitée. Inspiré par un grand souci de cohérence et de réalisme, Quatremère de Quincy est en quête d'un équilibre à restaurer, qu'il s'agisse des rapports de la société avec la nature, ou de l'école avec le génie. C'est ainsi que la France pourrait se rapprocher de la Grèce, tout en renonçant à l'espoir fallacieux de l'impossible résurrection. La réponse au défi de la régénération tient en quelques formules. Les arts ont un lieu, mais ce lieu, ils le partagent avec les lettres et les sciences; leur enseignement ne peut se concevoir que s'ils sont intégrés dans l'ensemble d'une culture dont tous les éléments sont solidaires; l'idée débouche sur la création de l'Institut national, regroupant au Louvre le musée, la bibliothèque nationale, les académies, les laboratoires de la science: une encyclopédie matérialisée. Les arts ont un espace: c'est celui de la nation tout entière; Quatremère de Quincy insiste beaucoup sur le caractère national d'une politique artistique; la prise en compte du territoire n'est pas seulement affaire de justice et application du principe de l'égalité, c'est aussi une réponse à l'intuition que l'œuvre d'art n'a d'existence que dans un contexte et dans une histoire.

Les propositions tout à fait novatrices de l'auteur de la *Seconde suite* avaient un aspect politique évident: Louis XVI accepterait-il de mettre à la disposition de cette institution véritablement "révolutionnaire" le palais du Louvre, encore considéré comme une "propriété royale"?

La réponse devait être donnée quelques jours plus tard, et de la manière la plus officielle, dans un décret voté le 26 mai par l'Assemblée nationale, et dont l'article premier a la teneur suivante: «Le Louvre et les Tuileries réunis seront le Palais national, destiné à l'habitation du roi et à la réunion de tous les monuments des sciences et des arts, et aux principaux établissements de l'instruction publique».

Des propositions de Quatremère de Quincy, publiées donc avant le 18 mai, à la décision du pouvoir politique, en passant par le relais de la *Chronique de Paris*, la filiation paraît évidente. On pourrait s'étonner d'une décision aussi rapide sur un objet aussi important et aussi nouveau; en fait, elle fut prise dans le cadre d'un problème tout à fait différent qui avait été posé dès le mois de juin 1790 et qui avait fait l'objet de longues tractations: celui de la fixation de la liste civile du roi et celui du choix des propriétés de la couronne, devenues nationales, qui seraient à la disposition du souverain pour son usage personnel. C'est finalement le 26 mai 1791 que Barère présente son rapport, au nom des comités des domaines, de féodalité, des pensions et des finances, au moment où un accord était acquis sur la nomenclature des domaines à réserver au roi. Barère étudie en premier lieu le cas du Louvre et des Tuileries, «monument de grandeur et d'indigence [...], monument digne de Rome et d'Athènes». Et il tranche exactement dans le sens souhaité par Quatremère de Quincy et la *Chronique de Paris*, en soumettant un texte qui deviendra, mot pour mot, celui de l'article premier, voté en fin de séance. Il le présente habilement comme une suggestion du roi: «Ne croyez pas que le roi vous ait demandé le Louvre habitation, mais le Louvre palais des arts et asile des sciences». En fait, Louis XVI avait parlé de "demeure", et de rien d'autre. Barère fait comme si le roi avait repris à son compte le projet d'"institut national" présenté par Quatremère de Quincy et relayé par la presse: «Votre projet, dit-il à l'Assemblée, conforme au désir du roi, sera d'élever le palais des sciences et des arts à côté du palais de la royauté, et vous aurez ainsi placé dans la même enceinte les bienfaits de la civilisation et l'institution qui en est la gardienne». Il précise même que la Bibliothèque nationale sera intégrée à cet ensemble.

Exploitant avec promptitude la conjoncture politique, Barère se faisait ainsi l'exécuteur de la pensée novatrice de Quatremère de Quincy. Dans l'immédiat, il s'agissait, comme il le précise, de reprendre et de mener à bien le projet de d'Angiviller d'installer le musée dans la grande galerie du Louvre; mais au-delà de cette mesure, il s'agissait aussi de mettre en œuvre le programme de l'«institut national des sciences, lettres et arts», en l'unissant, symboliquement, dans l'enceinte d'un même monument, à la demeure du roi, et en marquant ainsi que la culture serait au service de la nation, dont le roi est le premier représentant.

Le décret du 26 mai 1791 peut donc être lu comme un discours sur la conservation de l'héritage artistique (avec la constitution du musée, composé des collections de la Couronne, dont l'inventaire est prescrit par un décret du même jour; c'est une suite logique du décret du 13 novembre 1790 sur l'inventaire des «monuments des sciences et des arts» nationalisés avec les biens de l'Eglise), et aussi comme un discours sur la "réunion" des arts, des sciences et des lettres sous la tutelle du pouvoir qui devient le garant de leur régénération. Mais c'est aussi un discours sur les monuments des arts comme lieu de mémoire historique de la nation. Le roi avait demandé à conserver la disposition du château de Pau, non pour convenance personnelle, mais à titre symbolique, comme lieu de naissance de Henri IV. Barère appuie la démarche de Louis XVI, pour garder «cette propriété que l'amour des Français a rendu sacrée»; c'est donc pour déférer à un vœu qui est, en fait, celui de tous les Français et pour rendre hommage à la mémoire de Henri IV au nom de la nation que l'article 8 du décret excepte de l'aliénation le château de Pau. Un monument devient ainsi le symbole des compromis que la Révolution croit encore possible de passer avec la monarchie traditionnelle.

Comment ne pas être impressionné par la cohérence profonde entre le discours de 1787 sur la sauvegarde de l'intégrité de la Fontaine des Innocents et le discours de 1791, cette utopie de l'intégration des arts et des collections dans un vaste organisme, tout à la fois de conservation, d'enseignement, de recherche et de mémoire? Sans doute, Quatremère de Quincy a-t-il sauvé la Fontaine des Innocents. Les évènements dramatiques de la Révolution ont maintenu les propositions du printemps de 1791 à l'état d'ébauche d'un programme grandiose, dont la création de l'Institut National par la Convention en 1795 ne sera qu'un héritage relativement modeste. Si l'accélération du temps révolutionnaire (Boissy d'Anglas déclare, au cours de l'été de 1795, en soumettant à la Convention le texte de la constitution de l'an III: «Nous avons consommé six siècles en six ans») emporte dans son cours tumultueux le rêve de Quatremère de Quincy, elle lui donne aussi l'occasion d'exprimer, en l'an IV, sa théorie du contexte avec une rigueur, une conviction et une clarté qui lui assurent une actualité permanente.

Rome et l'invention du patrimoine

Entre février et juin 1794, on avait assisté à l'élaboration d'une toute nouvelle idéologie artistique qui allait permettre à la Révolution portée par une dynamique irrésistible de victoires et de conquêtes, d'annexer au patrimoine national toutes les œuvres d'art des pays étrangers qu'elle jugerait nécessaires au développement de la collection du musée du Louvre. Exprimée d'abord dans les milieux d'artistes, avant d'être adoptée par les responsables politiques, cette doctrine repose sur un raisonnement très simple, articulé en trois postulats: l'identification du génie de la liberté et du génie des arts; l'occultation des chefs-d'œuvre de l'art par le despotisme; leur libération par la France révolutionnaire qui devient leur destinée, leur patrie, leur dernier domicile. Appliquée pour la première fois, selon des instructions très officielles, lors de la campagne victorieuse des Flandres et de Hollande en 1794-1795, la théorie des saisies est résumée en une formule saisissante par le lieutenant Barbier, venu annoncer à la Convention, le 20 septembre 1794, l'arrivée à Paris des chefs-d'œuvre de Rubens saisis à Bruxelles et à Anvers: «Les fruits du génie sont le patrimoine de la liberté». L'idéologie entrait en conflit avec l'histoire.

Cette étrange et fascinante théologie de la liberté reçoit une ampleur et une résonnance extraordinaires, avec l'entrée en campagne, le 11 avril 1796, de l'armée d'Italie commandée par Bonaparte. Il s'agit maintenant, selon les instructions du Directoire, de faire entrer dans le "patrimoine de la Liberté", les collections d'antiques de Rome et les chefs-d'œuvre de la Renaissance italienne, considérés comme un bien commun de la culture européenne et devenus tout à coup l'héritage légitime de la Révolution. Contre toute attente, l'arrivée à Paris des nouvelles des premières saisies, exécutées à Parme et à Modène, provoque, à partir du début de juin 1796, une polémique de presse, à la faveur de laquelle la politique du gouvernement est vivement attaquée dans certains journaux qui dénoncent l'imposture de la théorie révolutionnaire, car elle aboutit en fait à une grossière violation des principes du droit et au mépris des sentiments du peuple italien: les œuvres d'art sont "les richesses nationales", la "propriété de toute l'Italie", qui éprouve pour elles le même attachement que les Français pour l'arbre de la liberté. On n'aurait jamais pu exprimer plus parfaitement l'opposition radicale entre la conception historique et la conception idéologique du patrimoine. Les saisies sont définies comme une véritable spoliation.

C'est dans ce contexte que se situe la nouvelle intervention de Quatremère, avec la publication dans les derniers jours de juillet 1796 des *Lettres sur le préjudice qu'occasionnaient aux arts et à la science le déplacement des monuments de l'art de l'Italie, le démembrement de ses écoles et la spoliation de ses collections, galeries, musées*, etc., plus connues sous le titre de *Lettres à Miranda*, du nom de l'ami anonyme auquel elles sont adressées et dont Quatremère de Quincy a révélé beaucoup plus tard la véritable identité. L'auteur se trouvait alors sous le coup d'une procédure pénale. Attaché aux idées libérales incarnées par la Déclaration des droits de 1789 et la Constitution de 1791, solidaire des principes qui marquent la première phase de la Révolution, hostile au courant de radicalisation qui se manifeste en 1793, il était entré dans une semi-clandestinité; découvert et arrêté en mars 1794, libéré après le 9 Thermidor, demeuré partisan de la monarchie constitutionnelle, il joue un rôle actif dans l'insurrection royaliste du 13 vendémiaire an IV (5 octobre 1795); décrété d'arrestation, condamné à mort par contumace, il se cache à partir d'octobre 1795 jusqu'au 22 Thermidor an IV (9 août 1796) jour où il se présente devant le tribunal qui l'acquitte.

Avec la publication des *Lettres à Miranda*, Quatremère de Quincy fait une rentrée éclatante dans le débat de la Révolution sur les beaux-arts, sous le coup d'une émotion certainement sincère qui multiplie les formules brillantes et les images convaincantes. Dans un élan passionné, l'auteur veut prouver que le "rapatriement", justifié par l'idéologie, n'est qu'une "conquête", réprouvée par la liberté, funeste à l'Italie, dangereuse pour la France, et contraire au progrès des arts, des sciences et de la culture.

D'une manière provocante, Quatremère de Quincy commence son plaidoyer en opposant au droit de la nation celui de cette entité qu'on peut appeler, sans forcer sa pensée, la communauté culturelle européenne: «Vous le savez, les arts et les sciences forment depuis longtemps en Europe une république, dont les membres, liés entre eux par l'amour et la recherche du beau, qui sont leur vrai pacte social, tendent beaucoup moins à s'isoler de leurs patries respectives qu'à en rapprocher les intérêts sur le point de vue si précieux d'une fraternité universelle».

C'est au progrès des Lumières qu'il attribue la formation, entre toutes les contrées de l'Europe, d'une «communauté d'instruction et de connaissances, une égalité de goût, de savoir et d'industrie. [...] C'est que, par une heureuse révolution, les arts et les sciences appartiennent à toute l'Europe et ne sont plus la propriété exclusive d'une nation».

On ne pouvait trouver négation plus insolente de l'idéologie de la liberté, de l'équation du génie de la liberté et du génie des arts, du «patrimoine de la liberté». Quatremère de Quincy se situe exactement à l'opposé de la doctrine quasi théologique forgée par la Révolution, et qui faisait de la culture l'apanage de la liberté et de la France l'héritière légitime de la civilisation occidentale et le point d'aboutissement de l'histoire. Il faut relever le terme qu'il utilise pour caractériser la situation créée par les Lumières: c'est une "heureuse révolution", qui est donc l'antinomie de la "Révolution". C'était dire, implicitement, mais très clairement, que la Révolution n'était pas la conséquence des Lumières et du progrès des arts et de la philosophie, mais une rupture totale avec l'époque et l'esprit des Lumières: c'est la "mauvaise Révolution" opposée à l'"heureuse révolution".

Il résume cette pensée dans une formule percutante: «Les richesses des sciences et des arts ne sont telles que parce qu'elles appartiennent à tout l'univers».

Quatremère de Quincy rejette ainsi radicalement toute l'élaboration doctrinale, esquissée dès 1791, achevée en l'an II et appliquée par le Directoire, selon laquelle la liberté donnait des droit nouveaux à la France: la Révolution ne donne pas plus de droits que la victoire militaire. La politique des saisies pratiquées en Italie par la République n'est qu'une variante du droit de conquête, pratiqué par les Romains.

Il développe ensuite l'idée qu'il existe un symbole privilégié de la communauté culturelle européenne: l'Antiquité.

«Je ne crois pas me tromper en prédisant que de toutes les causes de révolution ou de régénération qui peuvent influer sur les arts, la plus active, la plus capable d'y produire des effets d'un ordre tout nouveau, c'est cette résurrection générale *de ce peuple de statues*, de ce monde d'antiques dont la population s'augmente tous les jours. Ce monde que n'ont vu ni Léonard de Vinci, ni Michel-Ange, ni Raphaël, ou dont ils n'ont vu que le berceau, doit exercer une extraordinaire influence sur l'étude des arts et le génie de l'Europe. Je ne doute pas que le goût du beau, du simple et du vrai, qu'une nouvelle méthode dans l'imitation de la nature, que l'amélioration d'une foule d'arts qui se lient à ces grandes idées de perfection, ne soient bientôt l'effet sensible et immédiat de cette masse imposante de leçons et d'exemples que Rome a multipliés dans ce siècle et rassemblés pour l'instruction de l'Europe».

Ce rôle essentiel de l'Antiquité ne concerne pas seulement le progrès des arts, mais celui de toute la civilisation: «Ces monuments ont des rapports bien plus variés, bien plus étendus et d'une plus haute importance. L'histoire de l'esprit humain, et de ses découvertes, de ses erreurs, de ses préjugés, des sources d'où sont venues toutes nos connaissance, [...] les moyens de redresser l'histoire, de la vérifier, de l'interpréter, d'en accorder les incohérences, d'en remplir les lacunes, d'en éclaircir les obscurités, trouvent dans les monuments des arts de l'Antiquité plus de ressources encore que les arts d'imitation».

L'Antiquité est donc la référence fondamentale de la culture, conçue dans sa totalité: «On ferait voir comment les monuments de l'art de l'Antiquité sont le fanal commun des artistes et des savants; comment l'érudition, les recherches profondes ou curieuses, et la révélation de toutes les connaissances enfouies par la barbarie, ont, avec l'étude du beau naturel ou idéal, un intérêt égal à ne pas laisser détruire ce faisceau de lumières et de doctrine, dont la réunion fait la force».

Pour l'étude, si essentielle à notre culture, de l'Antiquité, c'est le "savant Winckelmann" qui a montré la voie: «le premier qui se soit avisé de décomposer l'Antiquité, d'analyser les temps, les peuples, les écoles, les styles, les nuances de style; il est le premier qui ait percé les routes et placé les jalons sur cette terre inconnue... Revenu enfin de l'analyse à la synthèse, il est parvenu à faire un corps de ce qui n'était qu'un amas de débris». Mais cette étude, et l'exemple de Winckelmann, si remarquablement analysé par Quatremère de Quincy, le prouve bien, ne peut avoir lieu qu'à Rome, ce lieu privilégié où s'incarne l'Antiquité. C'est le troisième thème, le thème central des *Lettres à Miranda*: la vocation irremplaçable et intouchable de Rome. Plusieurs images illustrent le rôle de Rome. Celle du livre: «Qu'est-ce que l'antique à Rome, sinon *un grand livre* dont le temps a détruit et dispersé les pages, et dont les recherches modernes remplissent chaque jour les vides et réparent les lacunes?».

De l'image du livre, Quatremère de Quincy passe à celle du *museum*, qui se réfère non à l'un des musées de la ville, mais à Rome dans son ensemble, formant un musée total, «placé là par l'ordre même de la nature, qui veut qu'il ne puisse exister que là: le pays fait lui-même partie du museum»; comme il est total, ce musée n'est pas transportable. «Il est inamovible dans sa totalité. C'est un colosse dont on peut briser quelques membres pour en emporter des fragments, mais dont la masse, comme celle du grand Sphynx de Memphis, est adhérente au sol».

Le musée de Rome est fait de l'harmonie que l'histoire a établie peu à peu entre les monuments et leur environnement: «Quel artiste n'a pas éprouvé en Italie cette vertu harmonique entre tous les objets des arts et le ciel qui les éclaire; et le pays qui leur sert comme de fonds; cette espèce de charme que se communiquent les belles choses, ce reflet naturel que se procurent tous les modèles des différents arts mis en regard les uns avec les autres dans leur pays natal? [...] Pour l'étude des arts du dessin, c'est encore avec plus de vérité qu'on pourrait dire que le pays lui-même fait partie du museum de Rome. Que dis-je, en faire partie? Le pays est lui-même le museum».

En opposant radicalement le musée total, fait de monuments enracinés dans un sol et témoignant pour une histoire, au musée spécialement créé par une décision du pouvoir, et qui ne sera jamais constitué que de «grands emmagasinements des modèles de l'art, [...] compilations de tableaux», Quatremère de Quincy dépasse de beaucoup la contestation politique à laquelle s'était livrée la presse, des saisies françaises en Italie: il montre l'inanité d'une entreprise qui est, à ses yeux, une négation de l'histoire, l'histoire de la civilisation, c'est-à-dire l'histoire de l'art et celle des œuvres d'art.

Il est ainsi conduit très logiquement à présenter son quatrième thème: *le rejet radical* de toutes les mesures qui aboutiraient à démembrer et à disperser le musée total dont Rome et l'Italie sont le siège. Quatremère de Quincy se réfère d'abord à une raison morale, plusieurs fois alléguée dans les polémiques de presse: le respect des droits du peuple romain, héritier légitime de la Rome antique, sur «cette propriété, la plus nationale, la plus sacrée, la plus inviolable de toutes». Mais il appuie son plaidoyer surtout sur les exigences de la science:

«*Diviser, c'est détruire*. Vous ne voulez pas qu'on vous prouve que le véritable principe de la destruction, c'est la décomposition, vous êtes trop instruit pour douter que disperser les éléments et les matériaux d'une science ne soit le véritable moyen de détruire et de tuer la science. Si cela est, la décomposition du museum de Rome serait la mort de toutes les connaissances dont son unité est le principe». Et il ajoute comme une conclusion menaçante: «Tout projet de démembrement du museum de Rome est un attentat contre la science, un crime de lèse-instruction publique».

La démonstration de Quatremère de Quincy aboutit à une remise en cause de la notion de chef-d'œuvre: le chef-d'œuvre n'est tel que par rapport à un contexte historique et naturel: l'*Apollon du Belvédère*, transporté à Paris ne sera plus qu'un "meuble". Ce discours, il l'applique aussi aux écoles de peinture: il faut éviter «d'en atténuer la vertu par de nouveaux démembrements».

Ce qui est une nouvelle occasion de développer, dans une envolée passionnée, sa théorie du contexte que les écoles forment ensemble et avec le pays: «*Vous amènera-t-on* ce qui fait qu'elles sont les écoles, c'est-à-dire tous les moyens d'apprendre inhérents au pays, à l'ensemble, à la réunion qui en fait le prix et la valeur? *Vous amènera-t-on* tous ces degrés de comparaison, tous ces rapports variés, tous ces éléments d'étude, sans lesquels les modèles de l'art ne sont souvent que des objets de curiosité? *Vous amènera-t-on*, avec des morceaux détachés de chaque école, les raisons physiques et morales des différentes manières de dessin et de couleur qui distinguent chaque école? *Vous amènera-t-on* l'harmonie de chacune de ces manières avec le pays, le climat, les physionomies, la couleur locale, les formes de la nature? *Vous amènera-t-on* cette puissance qu'exerce sur les sens le spectacle grand et général d'un goût national, et cette force d'habitude qui, comme l'air environnant, vous pénètre de toute part, et cette vertu instructive que les étudiants reçoivent, sans s'en apercevoir, de tous les objets qui les entourent?».

Les écoles ne peuvent se comprendre que *par rapport aux circonstances* de temps et de lieu qui les ont vu se former et se développer. *Elles ne peuvent s'apprécier que toutes ensemble.*

Et chaque école ne se peut apprécier que dans sa totalité et dans la continuité de son développement, c'est-à-dire dans sa perspective historique. Quatremère de Quincy apparaît ainsi, après Vasari et après Winckelmann, comme le troisième fondateur d'une science nouvelle, cette histoire de l'art qui ne peut s'écrire en s'appuyant seulement sur "ces extraits d'école" qu'on trouve dans les musées. Mais il va encore plus loin: le transfert à Paris, en arrachant le chef-d'œuvre de son environnement pour l'enfermer dans la solitude des grandes collections, l'expose à deux dangers solidaires: recevoir le statut d'une "relique" ou celui d'une marchandise. Il prévoit ainsi l'évolution qui aboutit à la sacralisation et à la commercialisation de l'art.

L'auteur des *Lettres à Miranda* va bien au-delà d'une défense des droits moraux du peuple italien sur son héritage artistique: sa condamnation de la politique du Directoire est absolue, parce qu'elle se place sur le terrain des conceptions culturelles: c'est l'incompatibilité entre une conception idéologique du patrimoine, fondée sur la notion d'une liberté créatrice d'une ère nouvelle, et une conception historique, fondée sur le respect de la continuité et du contexte. Le "dernier domicile" des chefs-d'œuvre est celui que l'histoire leur a donné, et non celui que leur propose la liberté (ou le droit du vainqueur). Le débat déclenché par les saisies en Italie est devenu, grâce à Quatremère de Quincy, un débat de civilisation; avec une lucidité impitoyable il montre que la guerre de conquête et les saisies, le musée et le nationalisme sont les mêmes produits d'une idéologie de la liberté dominatrice.

*   *   *

De la défense de l'intégrité de la Fontaine des Innocents, en 1787, au plaidoyer passionné pour le respect de l'héritage de Rome, en 1796, en passant par ses observations critiques de 1791 sur le projet du musée national, justifié seulement par son intégration dans un "Institut" national, Quatremère de Quincy développe une idée fondamentale, celle du respect de l'histoire et du contexte des œuvres d'art, avec une cohérence, une clarté et une conviction qui donnent à son propos une valeur fondatrice de notre notion de patrimoine. Les textes écrits sous le Premier Empire constituent des variations autour de ce thème central. On peut citer, à cet égard, les rapports au Conseil général de Paris, du 3 août 1800 et du 5 avril 1801, sur le Musée des monuments français d'Alexandre Lenoir; ils constituent une reprise de l'offensive contre l'institution qui incarne à ses yeux la négation de l'histoire: le Musée. Il l'accable par les comparaisons les plus féroces: «véritable cimetière des arts», "sérail de monuments", "réceptacle de ruines factices", "dépôts d'ignorance et de barbarie", "catacombes", "extraits mortuaires"... Toutes ces images, couronnées par l'allusion sinistre aux "tombeaux que la mort n'anime plus", évoquent l'entassement et le désordre, l'artifice, la ruine et la mort. Les *Considérations morales sur la destination des ouvrages de l'art*, publiées à la fin de 1815, après avoir fait l'objet de trois lectures devant la classe des beaux-arts de l'Institut Impérial, en mars-avril 1806, constituent l'épilogue de cet engagement esthétique et philosophique, littéraire et politique de Quatremère de Quincy. Leur seule nouveauté est peut-être d'opposer au musée, aboutissement fatal de toutes les négations dont les saisies révolutionnaires en Italie avaient été le point culminant, le monument qui offre aux œuvres d'art la signification d'un contexte, au contact duquel le spectateur, qu'il soit connaisseur ou simple curieux, peut trouver non seulement l'enseignement historique, mais aussi les émotions qui ne devraient jamais être séparées de la contemplation des créations de l'homme. Pour donner un exemple concret, il cite le cas du cycle de la *Vie de Saint Bruno* de Le Sueur, sauvé, en 1776, de la dégradation irrémédiable à laquelle il était exposé dans le cloître des Chartreux de Paris, par son transfert dans la collection royale, décidé par D'Angiviller dans le cadre de sa politique d'enrichissement et de sauvegarde du patrimoine français. S'adressant au "divin Le Sueur", Quatremère de Quincy pose une question fondamentale, c'est-à-dire une question destinée à rester sans réponse:

«Quel prestige pourrait redonner à vos tableaux cette atmosphère mystérieuse qui les environnait, cette influence harmonieuse du recueillement de l'air religieux qu'ils respiraient? Comment leur rendre ce concert de silence, cet accompagnement de solitude au milieu du désert de la pénitence?»

Ecoutons le, une dernière fois, s'épancher sur le triste sort de la *Madeleine*, peinte par Charles Le Brun pour une chapelle des Carmelites de la rue Saint-Jacques, et à laquelle il accordait une valeur d'autant plus grande qu'il croyait, tout à fait à tort, qu'elle avait été commandée par Louise de la Vallière, entrée dans ce couvent en 1674. Transplanté au musée de l'école française de Versailles, à la suite des lois sur la vente des biens de l'Eglise, le tableau de Le Brun, arraché à son contexte, a perdu son sens:

«Ces murs ont disparu, et avec eux s'est évanoui ce cortège enchanteur d'idées et d'illusions qui embellissaient l'ouvrage du pinceau. Cette peinture décolorée, exposée, dans de pompeuses galeries, à la vaine curiosité d'une froide critique, n'a plus paru qu'une pâle copie d'elle-même».

BIBLIOGRAPHIE

Œuvres de Quatremère de Quincy

1) *Editions originales*
A. QUATREMÈRE DE QUINCY, *Considerations sur les arts du dessin en France, suivies d'un pian d'académie, ou d'école publique, et d'un système d'encouragements*, Paris 1791.
ID., *Suite aux considérations sur les arts du dessin en France, ou réflexions critiques sur le projet de status et règlements de la majorité de l'Académie de peinture et de sculpture*, Paris 1791.
ID., *Seconde suite aux Considérations sur les arts du dessin, ou projet de règlement convenable à l'Institut national des sciences, lettres et arts*, Paris 1791.
ID., *Lettres sur le préjudice qu'occasionneraient aux arts et à la science le déplacement des monuments de l'art de l'Italie, le démembrement de ses écoles et la spoliation de ses collections, galeries, musées, etc.*, Paris, an IV (1796).
ID., *Considérations morales sur la destination des ouvrages de l'art*, Paris 1815.

2) *Editions modernes*
A.C. QUATREMÈRE DE QUINCY, *Lettres à Miranda sur le déplacement des monuments de l'art de l'Italie*, Introduction et notes par E. Pommier, Paris 1996.
ID., *Considérations morales sur la destination des ouvrages de l'art*, suivi de *Lettre sur l'enlèvement des ouvrages de l'art antique à Athènes et à Rome*, Ed. J.L. Déotte, Paris 1989.
M. SCOLARO (dir.), *Lo studio delle arti e il genio dell'Europa*, Bologna 1989.

3) *Travaux sur Quatremère de Quincy*
S. LAVIN, *Quatremère de Quincy and the invention of a modern language of architecture*, Cambridge (US) 1992.
Y. LUKE, *The Politics of Participation: Quatremère de Quincy and The Theory and Practice of «concours public in Revolutionary France, 1791-1795»*, dans "The Oxford Art Journal", X, 1987, 1, pp. 15-43.
A. PINELLI, *Storia dell'arte e cultura della tutela. Les Lettres à Miranda di Quatremère de Quincy*, dans "Ricerche di storia dell'arte", 8, 1975-1976, pp. 43-62.

E. Pommier, *Une intervention de Quatremère de Quincy*, dans le Catalogue de l'exposition *Le cimetière des Saints-Innocents*, Paris, Mairie du Ier arrondissement, 1990, pp. 145-157.

Id., *Quatremère de Quincy et la destination des ouvrages de l'art*, dans R. Demoris (dir.), *Les fins de la penture*, Paris 1990, pp. 31.

Id., *La fête de Thermidor an VI*, dans le catalogue de l'exposition *Fête et Révolution*, Dijon, Musée des Beaux-Arts, Paris, Mairie du XVIe arrondissement, Paris 1989-1990, pp. 178-215.

R. Schneider, *Quatremère de Quincy et son intervention dans les arts, (1778-1830)*, Paris 1910.

A. Vidler, *From the hut to the temple. Quatrèmere de Quincy and the idea of type*, dans *The writing of the walls. Architectural theory in the late enlightment*, Princeton 1986.

QUATREMÈRE

Deputé du Dep.t de la Seine au Conseil des Cinq-cents.

A Paris rue St. Jacques, N.° 195.

1. F. Bonneville, *Portrait de Antoine Chrisostome Quatremère de Quincy*, gravure.

2. Jacques Androuet du Cerceau, *La Fontaine des Innocents*, gravure.

Jean-Michel Leniaud

CANOVA ET LA QUESTION DES SPOLIATIONS D'ŒUVRES D'ART

On ne trouve pas le nom d'Antonio Canova dans les index des deux ouvrages en langue française les plus récents sur les théories et la politique patrimoniales issues de la Révolution[1]. Chacun sait pourtant la part qu'il a prise en 1815 comme ambassadeur des États italiens dans la désignation des œuvres à restituer aux Alliés vainqueurs de l'Empire et qu'il fallait désormais arracher, au grand dam du directeur des musées, Vivant Denon, aux cimaises du Louvre. À vrai dire, l'historiographie française occulte le rôle de Canova: il suffit, pour s'en convaincre, de se référer à la seule étude qui fasse autorité sur le "Ministre des arts de Napoléon"[2]. Son auteur, Pierre Lelièvre, y "expédie" l'évènement en six lignes, raille le sculpteur en rappelant le sobriquet d'"emballeur" dont les Français l'affublèrent alors et se loue du dédain qu'il aurait témoigné à l'égard des "Primitifs" italiens – ce qui a valu au Louvre de les conserver. L'étude des causes d'un tel parti-pris mériterait, à elle seule, de longs développements: manifestation d'anticléricalisme à l'encontre du gouvernement pontifical en qui les Français se plaisent à voir une dupe des "habiletés" de leurs ancêtres, alors qu'il avait choisi de faire preuve d'indulgence et de générosité; blessures d'amour-propre chauvin encore sensible deux siècles après la défaite de 1815; relents d'intégrisme muséographique, parent de celui qui pousse les conservateurs du Louvre d'aujourd'hui à

---

[1] E. POMMIER, *L'Art de la liberté. Doctrines et débats de la Révolution française*, Paris 1991, p. 505 et D. POULOT, *Musée, nation, patrimoine. 1789-1815*, Paris 1997.
[2] P. LELIÈVRE, *Vivant Denon. L'homme des Lumières, "ministre des arts de Napoléon"*, Paris 1992, p. 223.

considérer l'État comme le propriétaire des œuvres non revendiquées par
les ayant-droit des personnes spoliées durant la dernière guerre mondia-
le. Mais ce n'est pas de cela dont il s'agit ici.

Revenons à la question des spoliations d'œuvres d'art pendant la Révolution et l'Empire et, plus généralement, à celle du transfert des biens
culturels au cours de la période. À côté de Canova elle fait intervenir des
personnalités telles que l'abbé Grégoire, le conventionnel François Boissy
d'Anglas, Quatremère de Quincy, Vivant Denon. Toutes se connaissent,
se contredisent mutuellement, n'hésitent pas, selon les circonstances, à se
déjuger. Plusieurs points de vue s'affrontent: le nationalisme révolutionnaire qui, voulant faire de Paris la capitale des Lumières, prétend y construire le musée encyclopédique; le point de vue politique selon lequel les
œuvres doivent rester dans les lieux qui les ont vu naître parce qu'elles
sont utiles aux sociétés qui les ont produites; le jugement sur les sculptures de Phidias et leur transfert à Londres à l'initiative d'Elgin. Au milieu
de cette partition complexe, sinon confuse, au sein de cette tragédie que
vivent alors les œuvres d'art, ballotées qu'elles sont d'une capitale à l'autre, un homme assure l'unité d'action: Canova, chargé d'une mission diplomatique en 1815 à Paris pour la restitution des œuvres spoliées par les
armées révolutionnaires et impériales, et expert bénévole, l'année suivante, des marbres de Phidias apportés à Londres par Elgin.

L'abbé Grégoire

Henri Grégoire (1750-1831), évêque du Loir-et-Cher et membre de
la Convention, puis du conseil des Cinq-Cents, fut le premier à définir au
sein des assemblées révolutionnaires une politique tendant à l'inventaire
et à la sauvegarde du patrimoine. Une tradition constante, quoique mino-
ritaire, a vu dans sa lutte contre le vandalisme l'expression d'un combat
contre les Montagnards après Thermidor: une façon en quelque sorte de
"tirer sur l'ambulance", puisque leur chef, Robespierre, avait été éliminé.
On s'est fait l'écho récemment encore de cette thèse[3]: elle est infondée,
puisque la dénonciation des exactions sous le terme de "vandalisme"
commence bien avant cette date[4]. Il est clair, cependant, que l'attitude et

---

[3] A. BURGUIÈRE, «Comment 1789 inventa la notion de patrimoine. La Révolution, conser-
vatrice en chef», dans *Le Nouvel Observateur*, 3-9 avril 1997, p. 46. L'article rend compte de
l'ouvrage de Dominique Poulot cité plus haut.

[4] Le rapport du 22 nivose an II sur les inscriptions des monuments publics emploie explicitement le terme "vandalisme". Le texte en est publié dans: B. DELOCHE et J.-M. LENIAUD,
La Culture des Sans-culottes. Le premier dossier du patrimoine. 1789-1798, Paris-Montpellier
1989, pp. 135-142.

les discours que Grégoire a adoptés pendant la Révolution ont évolué passablement de la Convention au Directoire.

Il n'est que de lire, en effet, le passage des *Mémoires* que l'auteur a consacré à sa "vie littéraire"[5]: il y raille la manie centralisatrice des institutions culturelles de la période révolutionnaire, dénonce le Museum central des arts comme un hypertrophique "amoncellement de chefs d'œuvre" et affirme avoir mécontenté les Parisiens qui seraient prêts à dévaliser la province elle-même: «S'il était en leur pouvoir, ils feraient venir ici le Pont du Gard, la Maison carrée et les Arènes de Nîmes».

Le même, pourtant, deux ans plut tôt, tenait un tout autre discours devant la Convention[6]. S'agit-il de justifier la situation du moment? Nullement: Grégoire se projette dans l'avenir, imagina victorieuses les armées de la Convention, les voit prélevant leur tribut. Auraient-elles le droit d'enlever l'Apollon du Belvédère et l'Hercule Farnèse? Oui, répond-il sans hésiter: il ne suffit pas qu'en Italie, le peuple soit habitué à respecter les monuments, il faut encore que les plus belles des œuvres d'art que la Grèce, alors terre de liberté, ait conçues soient conservées dans le pays même de la liberté. Une formule brillante et outrancière résume sa pensée: «Les chefs d'œuvre des républiques grecques doivent-ils décorer le pays des esclaves? La République française devrait être leur dernier domicile». On connaît la suite: les rapines opérées par les armées du Directoire; les caricatures anglaises sanctionnant cruellement les exactions des soudards.

François-Antoine Boissy d'Anglas

Les contradictions de l'abbé Grégoire, pourtant l'un des plus fervents partisans de la sauvegarde du patrimoine, font comprendre combien les mentalités françaises sont alors favorables aux transferts. François-Antoine Boissy d'Anglas (1756-1826), son collègue à la Convention, confirme cette impression dans ses prises de position devant l'assemblée révolutionnaire[7]: Paris est destiné à remplir le rôle de capitale des arts – «Où le génie établirait-il donc le chef-lieu de son empire, si ce n'est dans

---

[5] J'ai publié une réédition des *Mémoires des Grégoire, ancien évêque de Blois, député à l'Assemblée constituante et à la Convention Nationale, sénateur, membre de l'Institut, suivie de la Notice historique sur Grégoire d'Hippolyte Carnot*, Paris 1989, 1re éd. 1840.

[6] *Premier Rapport sur le vandalisme*, 14 fructidor an II [31 août 1794], B. DELOCHE, J.-M. LENIAUD, *La Culture* cit., p. 293.

[7] *Quelques idées sur les arts*, 31 février 1784, B. DELOCHE, J.M. LENIAUD, *La Culture*, cit., p. 161.

cet endroit même?». C'est en ce lieu que doivent être rassemblés tous les monuments qui pourraient servir à sa gloire, qu'ils se trouvent en province ou à l'étranger. Dans ce projet, il ne faut pas regarde à la dépense: qu'importe la quantité d'or, pourvu qu'on arrache «à leur ignorance ou à leur avarice» de quoi constituer les "archives du globe".

Après Thermidor, pourtant, Boissy d'Anglas fréquente un cercle passablement éloigné de ces déclarations: celui du général Miranda, un temps l'amant de Delphine de Custine – Boissy d'Anglas connaît quelque temps tard semblable bonne fortune auprès d'elle[8]. Le Général, libéré en 1795 après un emprisonnement sous la Terreur, n'est autre que le destinataire des célèbres *Lettres sur le préjudice qu'occasionnaient aux arts et à la science le déplacement des monuments de l'art de l'Italie, le démembrement de ses écoles et la spoliation de ses collections, galeries, musées, etc.*[9]. L'auteur s'expose sous de transparentes initiales selon la mode du temps: A.Q., Antoine Quatremère de Quincy, bien sur, pour stigmatiser les rapines opérées en Italie. Comme Grégoire, donc, Boissy d'Anglas opère sa volte-face.

Quatremère de Quincy

Antoine Chrysostome Quatremère de Quincy (1755-1849) apparaît, en fait, avec Canova lui-même, comme l'un de deux principaux héros de cette histoire[10]. C'est une personalité puissante: Grégoire, Stendhal et bien d'autres l'admirent; les Romantiques de 1830 en font leur bête noire. En 1791 déjà, il exprime l'idée que chaque monument possède une "destination exclusive"[11]; en 1796, il en déduit que les œuvres d'art sont assujetties aux sociétés pour lesquelles elles ont été faites et que les déplacer reviendrait, dès lors, à trahir les intentions premières. Ce point de vue qu'il développe dans les *Lettres au général Miranda* est repris encore quelque temps plus tard, vers 1806, semble-t-il, dans des communications présentées devant la classe des Beaux-Arts de l'Institut de France. Leur auteur les publie en 1815 sous le titre suivant, long comme le sont ceux des traités des Idéologues, ses amis: *Considérations morales sur la*

---

[8] C. PARRA-PEREZ, *Miranda et Madame de Custine*, Paris 1950, 365 p.

[9] Publiées tout d'abord en 1796, les *Lettres* ont été rééditées en 1836, puis par E. POMMIER, Paris 1989.

[10] R. SCHNEIDER, *Quatremère de Quincy et son intervention dans les arts (1788-1830)*, Paris 1910, 442 p.

[11] *Extrait du premier rapport présenté au Directoire, dans le mois de mai 1791, sur les mesures propres à transformer l'Église dite de Sainte-Geneviève, en Panthéon français, par Ant. Quatremère*, Paris 1792.

destination des ouvrages de l'art ou de l'influence de leur emploi sur le génie et le goût de ceux qui les produisent ou qui les jugent, et sur le sentiment de ceux qui en jouissent et en reçoivent les impressions[12]. L'opuscule paraît quelques mois avant l'ordonnance royale qui supprime le musée des monuments français et confie à son initiateur même, Alexandre Lenoir, le soin de rapporter à Saint-Denis la majeure partie de ses collections. En fait, l'idée était dans l'air depuis bientôt dix ans: Vivant Denon en était le père. Néanmoins, l'historiographie romantique s'est tellement complue à dénoncer cette décision comme l'expression de la réaction artistique au retour des Bourbons, qu'on s'est habitué à l'idée que Quatremère de Quincy en était l'inspirateur. Ce n'était probablement pas le cas, mais nul doute qu'il ne l'eût pas réprouvée.

Car le futur théoricien du Beau idéal et de l'Imitation déteste cette invention culturelle toute récente qu'est le musée. Il y voit la marque de la mort[13]: «Déplacer tous les monuments, en recueillir ainsi les fragments décomposés, en classer méthodiquement les débris, et faire d'une telle réunion un cours pratique de chronologie moderne; c'est pour une nation existante, se constituer en état de nation morte; c'est de son vivant assister à ses funérailles; c'est tuer l'Art pour en faire l'histoire; ce n'est point en faire l'histoire, mais l'épitaphe». Et pour condamner de façon plus éloquente encore ces innovations de la Révolution, qu'il s'agisse du Museum central du Louvre, du musée d'Alexandre Lenoir aux Petits-Augustins ou de celui du château de Versailles, les *Considérations morales* s'achèvent sur l'évocation de la peinture sur laquelle on voyait Madame de La Vallière «en nouvelle Madeleine offrir à l'Éternel le sacrifice de son cœur». La toile se trouvait au Carmel même où l'illustre repentante avait trouvé refuge, jusqu'au moment où la destruction du couvent, opérée en conséquence de l'institution du nouvel ordre des choses, la conduisit, par une sorte de trahison du sort, à Versailles, dans ces lieux où, précisément, «l'illustre et trop sensible amante du plus grand de nos rois» avait abjuré «l'erreur qui fut le charme de sa vie». C'est en ce lieu que Quatremère de Quincy revit cette toile désormais profanée: «Je l'ai vue, cette image, rendue parjure, orner les lambris dorés de ce même palais, le seul lieu du monde qui ne devait jamais la recevoir... Je l'ai vue... et j'ai détourné les yeux». Par cette image, à la fois grave et sensible, le lecteur est averti: le déplacement des œuvres d'art, leur présentation aux cimaises des musées dénature la destination des œuvres d'art, trahit les intentions des créateurs, trompent les spectacteurs ou, pour reprendre le titre même de l'ouvrage de Quatremère, «le sentiment de ceux qui en jouissent et en reçoivent des impressions».

---

[12] Paris 1815.
[13] *Ibid.*, p. 56.

Vivant Denon

Il va de soi qu'entre l'esthéticien doctrinaire à la manière des Idéologues et du "post-janséniste" Pierre-Paul Royer-Collard (1763-1845) et ce vieux libertin qu'est Vivant Denon (1747-1825), le courant ne passe guère. Ils se connaissent depuis longtemps: en 1784, Quatremère s'était rendu en Sicile avec des lettres de recommandation de Denon, alors secrétaire d'ambassade à Naples, mais tout les sépare: pas seulement le fait que le second porte, sous l'Empire, le titre de directeur général des musées, alors que le premier n'a pas de sentences trop abruptes contre ce type d'institution; ni que le second, encore, se passe, en tant que directeur de la Monnaie des Médailles, de l'avis de la commission consultative à laquelle appartient, justement, Quatremère. L'un et l'autre ont reçu une formation artistique: l'émule français de Winckelmann tient pour le Beau idéal et, sculpteur à ses débuts, voue une admiration sans bornes pour Canova. Quant au Denon graveur, il aime le pittoresque, le bric à brac, l'orientalisme et jusqu'au Moyen Âge, que méprise son contemporain. Stendhal rapporte avec indignation que "cet aimable Français", ainsi qu'il le désigne non sans perfidie, déclara à maintes reprises que Canova ne savait pas dessiner[14]: Canova, que Stendhal compare rien moins qu'à Michel-Ange... C'est dire quel fossé sépare Quatremère et Denon.

Tout commence, en somme, en 1796[15]: en juin de cette année là, Bonaparte occupe Bologne et les Légations pontificales, puis renonce à marcher sur Rome moyennant le versement par le Pape d'un tribut composé pour partie d'œuvres d'art et de manuscrits. À cette date, Quatremère publie ses *Lettres à Miranda*. Or, Denon, dans le même temps, signe une pétition d'artistes adressée au Directoire pour demander que rien ne soit déplacé de Rome sans que n'ait été mise en place une commission d'artistes composée *ad hoc*. Est-ce à dire que Denon et ses collègues demandent qu'on ne procède pas au pillage de Rome? Rien n'est moins certain: personne, après tout, n'a protesté contre les exactions commises à Saint-Bavon d'Anvers, d'où les armées révolutionnaires ont retiré, au profit du Louvre, la *Descente de croix* de Rubens, ainsi qu'à Aix-la-Chapelle où les mêmes ont enlevé quarante colonnes antiques. Ce n'est pas aux pillages qu'ils s'opposent: c'est au fait de n'être pas consultés!

La nomination du 28 brumaire an XI (19 novembre 1811) comme directeur général des musées sanctionne cette prétention. Voici Denon à la tête d'un Louvre immense, composé pour partie de sequestres et de rapi-

---

[14] STENDHAL, *Rome, Naples et Florence*, 1re éd. 1826, Paris 1987, p. 85.
[15] P. LELIÈVRE, *Vivant Denon* cit., p. 64 et suiv.

nes; le voici encore, en 1806, après Iéna, en route vers Berlin et Postdam, afin d'y choisir de quoi l'accroître; et, en 1810, s'installant à Gènes pour faire empaqueter les Primitifs italiens que ses prédécesseurs avaient négligés en 1796. L'année suivante, le «déménageur de l'Europe» repart pour l'Italie afin de choisir parmi les quelque 4000 peintures provenant des couvents supprimés par la législation française de quoi mieux garnir encore son musée. Il se trouve à Florence en train de choisir le *Couronnement de la Vierge* de Fra Angelico et la *Visitation* de Ghirlandaio lorsque l'ordre lui est donné d'opérer à Rome. Jusqu'alors, la Ville éternelle a été épargnée par son zèle: Pierre Lelièvre, biographe savant, mais zélé, de Denon, avance qu'il a voulu ainsi témoigner de la déférence pour Canova alors chargé par l'Empereur de hautes fonctions sur les musées, les fouilles et les monuments publics romain. Toujours est-il que, probablement parce que Canova avait exigé du gouvernement impérial qu'aucune œuvre d'art ne quittât Rome, Denon quitta lui-même la capitale du département du Tibre sans avoir rien pu faire qui accrût son Louvre. Ses prélèvements se pousuivirent dans le reste de l'Italie jusqu'à son retour à Paris. Le 23 janvier 1812, furieux, sans doute, que Rome ait échappé à ses prélèvements, il se répand en propos vindicatifs contre l'ancien gouvernement pontifical qu'il accuse d'avoir détruit la Rome antique.

1815. Le décor a changé: cette fois, c'est Canova qui se trouve à Paris, muni des pouvoirs du Pape Pie VII «pour réclamer, comme l'écrit Quatremère[16], de concert avec les envoyés ou délégués de toutes les autres puissances de l'Europe, les propriétés inaliénables qu'une tyrannie jusqu'alors inconnue avait enlevées de Rome».

Antonio Canova

Sur Canova (1757-1822) et l'affaire des spoliations d'œuvres d'art, quoi de plus légitime que de consulter la biographie qu'en a publiée Quatremère lui-même en 1834. Ce dernier, qui selon certains témoignages, n'aimait point paraître bon, ce célibataire mysogine que seules les idées passionnaient, éprouva pour Canova une rare amitié, une amitié grave et abstraite, nous dit son meilleur biographe, René Schneider; et une admiration sans borne pour son talent qui, selon lui, approchait au plus près le Beau idéal. Les deux hommes se connaissaient depuis longtemps: lors de son voyage en Italie au cours des années 1783-1784, le Français était en-

---

[16] A.C. QUATREMÈRE DE QUINCY, *Canova et ses ouvrages ou Mémoires historiques sur la vie et les travaux de ce célèbre artiste*, Paris 1834, p. 280.

tré en contact avec le sculpteur: «En deux mots, cet entretien développa de sa part, comme de la mienne, une sympathie de vues, de principes et de doctrines, qui ne s'est plus démentie à toutes les époques, et qu'une correspondance continue perpétua entre lui et moi, jusqu'à sa mort»[17].

En 1815 donc, Canova représente à Paris le gouvernement pontifical. On pourrait s'en étonner: ne l'a-t-on pas vu en 1812 chargé à Rome de hautes fonctions par l'administration impériale? Avait-il "collaboré" avec les Français? C'est ce que n'est pas loin de penser Pierre Lelièvre... En fait, Quatremère donne l'explication: le sculpteur n'a accepté cette mission déshonorante pour ses sentiments italiens qu'à la condition que Rome ne soit dépouillé d'aucune de ses œuvres d'art. «Rome, écrit-il, étoit devenue la capitale d'une petite province française, Canova ne pouvait voir, sans un dépit mêlé de honte, cet avilissement du nom italien. Il refusa toutes les propositions qu'on lui fit d'emplois politiques. Désirant encore se démettre de la direction des Musées, il donna et sollicita avec ardeur sa démission. Enfin, il ne consentit à la retirer, que sur la promesse solennelle qui lui fut faite, que, dorénavant, il ne seroit rien enlevé des collections d'ouvrage d'art. Mais il refusa toute espèce de traitement»[18].

Dans ce concert de puissances européennes attachées comme une meute furieuse aux basques de l'armée impériale défaite et cherchant âprement à se faire rembourser de leurs dépenses et restituer leurs trésors confisqués, les réclamations romaines prenaient un tour singulier. Que pouvaient, en effet, les États pontificaux dépourvus de tout moyen militaire? Quel crédit avaient-ils auprès de la Prusse protestante et de la Russie orthodoxe? Ne risquaient-ils pas d'être encore la victime de partages brutaux? Mais la situation ne se résumait pas à ce constat de faiblesse. Lisons encore Quatremère: il insiste sur la situation particulière de Rome et de son patrimoine artistique, propriété collective de toute l'Europe, quoique pour ainsi dire attachée à perpétuelle demeure au contexte qui l'a vu naître[19]. Capitale du monde chrétien et mère des arts, la Ville éternelle mérite donc respect. À quoi s'ajoute le choix que Pie VII a fait de Canova, l'artiste le plus prestigieux d'Europe: quel meilleur ambassadeur possible?

---

[17] *Ibid.*, p. 33.

[18] *Ibid.*, p. 186.

[19] «Les réclamations de Rome surtout, indépendamment de tout sentiment de justice, intéressoient toutes les puissances de l'Europe. Rome, en effet, soit comme centre du monde chrétien, soit comme légataire et légitime héritière d'un infinité de trésors d'histoire, d'art et d'antiquité, inhérens au sol même, et qu'aucun pouvoir n'en sauroit enlever, est, si l'on peut dire, une ville commune à toute l'Europe. Ses richesses d'art tirent donc une partie de leur valeur du lieu même où elles sont, des rapports nécessaires qu'ont entre elles les statues qui ornoient les édifices, avec le genre et le goût de l'architecture des monumens. Il existe à cet égard des traditions d'harmonie locale qu'on ne sauroit transférer ailleurs», *ibid.*, p. 279.

Pourtant, la mission n'est pas facile. Dans sa relation, Quatremère insiste sur les protestations de Vivant Denon, qu'il désigne cruellement sans le nommer: «Les mêmes hommes qui avoient applaudi aux spoliations de puissances imbelligérantes [le Saint-Siège, en effet, n'avait pas fait la guerre à la France], prétendoient refuser au plus fort le droit de reprende ce qui lui avoit été pris lorsqu'il étoit le plus foible»[20]. Au point que les rôles risquent de s'inverser: «L'envoyé de Rome passoit pour être le spoliateur de ce dont Rome avoit été dépouillée»[21]. Devant la mauvaise volonté du gouvernement français, le sculpteur est conduit à réquisitionner la force militaire, tellement «l'esprit du moment, écrit Quatremère, [était] faussé par une [si] longue habitude de prendre que l'idée de rendre n'était plus comprise». Néanmoins, son habileté fait merveille, d'autant que Pie VII lui a donné des consignes de modération: le cabinet des médailles de la Bibliothèque royale en est bénéficiaire, mais aussi le Louvre auquel sont abandonnées des œuvres célèbres, les *Noces de Cana* de Véronèse entre autres.

Cette mission achevée, Canova profite de l'occasion pour se rendre à Londres et juger par lui-même de la qualité, alors sujet de controverses, des métopes du Parthénon qu'Elgin propose à la vente pour le British Museum. Cette fois encore, on rencontre le sculpteur et Quatremère: ils doivent partir ensemble à Londres, mais diverses circonstances contraignent le Français à différer son voyage jusqu'à l'année 1818. Il avait promis à son ami de lui donner son propre avis: il en résulta les *Lettres écrites de Londres à Rome et adressées à M. Canova sur les marbres d'Elgin ou les sculptures du temple de Minerve à Athènes*, publiées en 1836 avec la réédition des *Lettres au général Miranda* sous le titre: *Lettres sur l'enlèvement des ouvrages de l'art antique à Athènes et à Rome*[22]. De la part de deux opposants déclarés au transfert des œuvres d'art, cet intérêt pour les sculptures de Phidias arrachées au Parthénon avec l'assentiment de la Porte a de quoi surprendre. Quatremère conçoit l'objection et tente dans l'avant-propos de la réédition de 1836 de résoudre la contradiction: comment concilier son opposition romaine au transfert avec son acceptation londonnienne?

Quatre arguments sont invoqués. Le premier, d'ordre juridique: le déplacement des métopes ne résulte pas de la violence, mais d'un accord diplomatique. Le deuxième, d'ordre politique: à Rome, les vestiges antiques sont protégés par une administration et une réglementation; ce n'est pas le cas à Athènes. Le troisième, d'ordre touristique: au Parthé-

---

[20] *Ibid.*, p. 280.
[21] *Ibid.*, p. 281.
[22] Paris 1836.

non (mais faute de s'y être rendu, Quatremère n'a pas pu juger par lui-même), les sculptures se voyaient difficilement, trop loin qu'elles étaient situées de la vue des voyageurs et des savants; à Londres, en revanche, elles peuvent être facilement approchées. Le quatrième argument, enfin, touche les conditions matérielles de conservation: «Au milieu d'un dépérissement toujours croissant des monumens de l'Acropole d'Athènes, ses sculptures, perdues pour le reste du monde, se trouvoient menacées de disparoître complètement»[23].

On imagine le parti que Vivant Denon aurait tiré d'un tel argumentaire pour justifier les transferts révolutionnaires et impériaux et on se trouve un peu attristé pour Quatremère, mais aussi pour Canova, de sa faiblesse. Curieusement, le moyen le plus fort, le plus inconstable parce qu'inhérent à la doctrine même de notre auteur, n'est pas explicitement invoqué: sans doute parce que c'est autour de lui que s'organise l'ouvrage tout entier. Jamais sculpteur, expose Quatremère, n'a été plus proche de l'idéal que Phidias: son œuvre incarne au plus haut point la théorie de l'imitation que le continuateur de Winckelmann développe dans un ouvrage en 1823. Ce constat, joint à celui que l'architecture d'Ictinos constitue, elle aussi, un parfait exemple de cette même théorie, aurait dû conduire Quatremère, s'il l'avait formulé, à prononcer l'indissociabilité absolue de l'idéal en sculpture comme en architecture et récuser le démembrement opéré par Elgin. Mais, faute d'avoir apprécié le Parthénon autrement que par des gravures, il doit se contenter de l'examen des sculptures au sein du musée et, victime à son tour d'une institution contre les effets pervers de laquelle il avait tant de fois mis en garde ses contemporains, les apprécie hors de tout contexte. Pour admettre tacitement, en définitive, que le principe de la destination des œuvres s'incline devant celui de l'imitation idéale et ce que celle-ci véhicule d'universalité.

De Grégoire à Canova, en passant par Boissy d'Anglas, Quatremère de Quincy et Vivant Denon, au cours de ces vingt années pendant lesquelles l'Europe n'a jamais été aussi troublée ni si féconde, le mystère de l'œuvre d'art est posé en ce qu'il a de contradictoire: intéresse-t-elle davantage l'homme local ou l'homme universel? Est-ce au berceau qui l'a vu naître ou dans des lieux spécialisés que sa mise en valeur est la mieux assurée? Où commencent respectivement spoliation et opération de sauvegarde? Les réponses à ces questions ont-elles valeur relative ou absolue? On peut regretter que les œuvres d'art aient constitué alors des enjeux aussi brutaux dans la politique des États. C'était probablement la marque d'une révérence nouvelle que leur accordait la société européenne, tiraillée désormais par deux sentiments contradictoires: se savoir culturellement une en même temps que politiquement plurielle.

---

[23] *Ibid.*, p. xi.

FRANÇOISE MARDRUS

LA NAISSANCE DU MUSEE DU LOUVRE

Quelle relation peut – il y avoir entre le sculpteur Canova et le musée du Louvre? Certains penseront qu'il joua un rôle dans la création du musée Napoléon, tant il s'offrit à exalter la gloire héroïque du nouvel empereur. Il semble avoir refusé la direction du plus grand musée d'Europe, tout comme son contemporain, le peintre David. Mais tandis que ce dernier poussa jusqu'à l'exil l'attachement au nouvel Octave – Auguste, Canova se garda de sacrifier son art au politique. Le Premier consul n'était pas sans savoir que les artistes furent les premiers à se mobiliser lorsqu'il s'est agi de créer un museum dans le palais des rois de France. Il lui fallait recruter un homme sûr, capable d'anticiper ses désirs en matière artistique et surtout, qu'il soit peintre ou sculpteur, il devait posséder ce septième sens propre à exalter par les moyens plastiques qui seraient les siens la glorification exceptionnelle du régime qui allait se mettre en place. La geste napoléonienne non seulement fut représentée par les meilleurs artistes mais encore son programme dépassait la simple galerie exaltant de hauts – faits d'armes. Le projet de Bonaparte était politique. La force unique de cette ambition, qui dut paraître utopique à bon nombre, était d'être portée par un seul homme aidé de quelques exégètes compétents. Napoléon – Bonaparte réussit à lui donner corps au-delà de toute expression. En effet, les récits des visiteurs du Louvre dans les années qui suivirent l'ouverture du musée Napoléon suffisent à témoigner de l'ampleur de l'entreprise et du but recherché. Les archives font défaut pour retrouver la preuve exacte de la proposition faite par Bonaparte à David puis à Canova, en 1802. J. Chatelain[1]

---

[1] J. CHATELAIN, *Vivant Denon et le Louvre de Napoléon*, Paris 1973, p. 360, note 37 du chapitre III.

et P. Lelièvre[2], les biographes de Dominique – Vivant Denon mentionnent les faits. C'est en effet Denon qui eut la préférence, après avoir lui – même présenté Canova à l'empereur. C'est à lui que fut confié le soin d'orchestrer le faste impérial du musée Napoléon. Tâche difficile si l'on songe que la naissance effective du museum remontait à l'année 1793 et qu'elle n'avait cessé de susciter les débats les plus vifs, repoussant régulièrement la date de son ouverture au public faute de ne pas avoir décidé de faire les travaux nécessaires. Denon et Canova, s'ils s'estimaient réciproquement, n'eurent pas l'occasion de travailler ensemble, pas au Louvre en tout cas. Pourtant Canova revint une ultime fois au musée, mais cette fois – ci en position de force pour exiger de Denon l'exécution du traité de 1815 et la restitution des oeuvres d'art saisies en Italie par la France. Entre ces deux dates – clé pour l'histoire du Louvre, 1802 et 1815, le musée entra dans une période que l'on pourrait qualifier de "période de maturité". Le travail de l'équipe de Vivant Denon opérera une véritable métamorphose du vieux palais des rois, aidé en cela par le duo exemplaire formé par les architectes Pierre François Fontaine et Charles Percier.

Les débats théoriques et idéologiques, qui préludèrent à la création de l'institution muséale, naquirent sous l'Ancien Régime et se prolongèrent sous la Révolution. Ils aboutirent tout d'abord à la publication du décret du 10 août 1793 qui consacra la création du museum au palais du Louvre. Si le choix du bâtiment ne fut jamais remis en cause il n'en alla pas de même pour les aménagements intérieurs nécessaires à la transformation d'une partie du palais en des salles ouvertes au public, et qui devaient aussi compter des ateliers de restaurations et des réserves. De nombreux atermoiements obligèrent les autorités politiques à renoncer à lancer des opérations de trop grandes ampleurs tant que les statuts de l'institution ne seraient pas mis en place de façon durable. Il est vrai que les événements révolutionnaires ne garantissaient aucune sécurité dans la continuité des gouvernements tout au moins jusqu'à Thermidor. Le parcours à accomplir pour sauvegarder ce qui allait donner naissance à la notion de patrimoine en France n'en était qu'à ses débuts.

Le rappel des principales étapes qui fixèrent la création du musée du Louvre nous paraît indispensable pour bien comprendre la politique des responsables du musée sur le déploiement des collections. Le musée n'est pas une création récente en Europe. La France à cet égard n'est pas une pionnière. Elle tire son inspiration en grande partie des "leçons ita-

---

[2] P. LELIÈVRE, *Vivant Denon. Homme des Lumières, "Ministre des arts" de Napoléon*, Paris 1993, p. 107. Se reporter aussi au tout récent catalogue de l'exposition du musée du Louvre, *Dominique-Vivant Denon - l'œil de Napoléon*, Paris 1999, paru après la rédaction de cette communication.

liennes" comme l'a dit si justement K. Pomian[3]. D'autres exemples en
Europe seraient à prendre en considération comme Düsseldorf ou Vienne, mais le modèle italien reste comme dans beaucoup d'autres domaines
artistiques incontournable. A plus d'un titre, l'Italie servit de miroir aux
ambitions françaises. A commencer par la notion même de *musée* dont
l'origine en France remonte au milieu du XVIIIe siècle. L'Italie utilise
déjà le terme au début du siècle à Rome, notamment, avec la création
en1734 du *Museo Capitolino* suivi par celle des musées qui composeront
à partir de 1773 le *museo Pio – Clementino*. En Italie, la notion de collections ouvertes au public (à un certain public s'entend) existe déjà depuis près de deux siècles. Les grandes galeries princières, comme celles
des grand – ducs de Toscane, des Farnese reçoivent des visiteurs. Les
Bourbons à Naples réunirent les collections des Farnese et les leurs au
palais de Capodimonte qui s'ouvrit au public en 1758. La même année,
le *Museum Herculanum* fut créé à Portici, à l'initiative du roi, pour exposer les produits des fouilles d'Herculanum et de Pompeï. Selon K. Pomian[4] on constate que l'évolution du terme *musée* passe d'abord par
l'idée de la collection d'oeuvres d'art et/ou de curiosités qui compose le
cabinet de l'amateur. On passe en fait du particulier au collectif, de la
sphère privée de l'amateur à une notion plus large, qui donne à voir la
collection à certaines catégories de la société. Une évolution dont
l'exemple en France atteint un petit nombre d'hommes de lettres vers
1745. Les pamphlets édités à cette époque attestent de la virulence des
propos qui sont de deux ordres. Ceux qui réclament l'ouverture des collections du roi au public et ceux qui s'inquiètent du sort malheureux du
palais du Louvre, demeure des rois de France. De Voltaire à Etienne La
Font de Saint Yenne, la postérité ayant surtout retenu ces deux noms, la
critique se montra sévère à l'encontre de la cour de Versailles et au dédain marqué de celle-ci pour le Louvre, pour Paris et son peuple.

Certes, La Font de Saint Yenne[5] cherche à piquer l'orgueil de la cour
en citant les exemples d'autres cours d'Europe, non pas italiennes car il
ne s'est pas rendu dans la Péninsule, mais allemandes comme Munich,
dont les collections étaient accessibles au public[6]. Mais son exemple le

---

[3] K. POMIAN, *Leçons italiennes: les musées vus par les voyageurs français au XVIIIè siècle*. Actes du colloque *Les musées en Europe à la veille de l'ouverture du Louvre*, sous la direction d'E. Pommier, Paris 1993, pp. 337-361.

[4] *Ibidem*, p. 338.

[5] E. LA FONT DE SAINT YENNE, *L'Ombre du Grand Colbert. Dialogue entre le Louvre et la
Ville de Paris*, s.l., 1752, suivi des *Réflexions sur quelques causes de l'état présent de la peinture en France et sur les Beaux-Arts*, La Haye, [1747], p. 229 et 304-305.

[6] K. POMIAN, *Leçon italiennes* cit., 1993, p. 342.

plus fameux reste la galerie du Palais – Royal à Paris constituée par le Régent pour devenir la seule grande collection de tableaux, visible à qui en faisait la demande et disposant d'un catalogue. La Font de Saint Yenne oppose cet exemple au sort malheureux des collections royales enfouies à Versailles dans des cabinets où personne ne les voit. L'idée de mettre à la disposition d'un plus grand nombre d'individus des collections jusque là réservées à l'entourage de leur propriétaire n'effleurait pas les consciences. L'enjeu national que pourrait provoquer le retour des collections à Paris n'est pas encore au cœur du débat. Les directeurs des bâtiments sous Louis XV, Le Normand de Tournehem, oncle de la marquise de Pompadour et le frère de celle-ci, le marquis de Marigny, auront raison des critiques qui contesteront l'inefficacité des mesures prises. Chacune de leurs tentatives sera interprétée comme autant de réponses insuffisantes face à une nécessité devenue de plus en plus pressante. Mais le roi n'en mesure pas encore l'impact politique. Parmi ces tentatives, il en est une qui modifia plus sensiblement le cours des réflexions. Il s'agit de la décision prise par Lenormand de Tournehem d'exposer une partie des tableaux du roi au palais du Luxembourg[7]. Décision fondamentale puisqu'elle permet de rapatrier de Versailles à Paris les chefs d'oeuvres de la collection. Un catalogue est rédigé par le garde des tableaux, Jacques Bailly. L'ouverture au public est prévue deux journées par semaines. La réussite de cette exposition qui perdura de 1750 à 1770 répondait pourtant par la négative au débat de fond. Le roi mettait seulement à la disposition des artistes et des amateurs quelques chefs d'oeuvre de sa collection. Il n'était pas question de mettre à la disposition de la nation la collection royale. Le pas restait à franchir. Il n'est pas impossible de voir dans cette première initiative une référence au modèle italien des galeries princières que le jeune Marigny venait de visiter et dont il souffla l'inspiration à son oncle. La cour, elle – même, ne pouvait pas rester longtemps insensible à l'émergence d'un courant de pensées tournées vers le progrès social de l'individu. Une avancée notable se dessina de la part des directeurs des bâtiments du roi qui se concrétisera avec la nomination du comte d 'Angiviller à la tête de cette charge, en 1775, au lendemain de l'avènement de Louis XVI sur le trône de France.

Avec d 'Angiviller, la priorité sera donnée à la politique artistique de l'Académie. Sa reprise en main se fera d'autant plus sentir qu'il hérite des critiques faites à l'encontre de l'affadissement de l'école française de peinture. Il reçoit l'acquiescement d'hommes comme La Font de Saint

---

[7] J. CONNELLY, *Forerunner of the Louvre*, dans "*Apollo*", XCV, 1972, pp. 382-. A. MC CLELLAN, *Inventing the Louvre. Art, Politics and the Origins of the Modern Museum in Eighteenth-Century Paris*, Cambridge, 1994, pp. 13-48.

Yenne, pour lesquels l'Académie doit être le lieu privilégié de l'enseignement d'après l'antique. C'est ainsi que le débat engagé quelques années plus tôt sur le regroupement des collections royales à Paris pour servir de modèle aux artistes renaît dans toute sa vigueur. Le nouveau directeur reprend à son compte le projet lancé par ses prédécesseurs qui consistait à présenter dans la Grande Galerie du Louvre les tableaux du roi dans leur totalité. L'idée avait déjà été soulevée en 1765 dans l'article "Louvre" de l'Encyclopédie puis développée dans l'*Essai sur les moeurs* de Reboul, paru en 1768.

«L'achévement de ce majestueux édifices, exécuté dans la plus grande magnificence, reste toujours à désirer. On souhaiterait, par exemple, que tous les rez-de-chaussée de ce bâtiment fussent nettoyés et rétablis en portiques. Ils serviront, ces portiques, à ranger les plus belles statues du royaume, à rassembler ces sortes d'ouvrages précieux, épars dans les jardins où on ne se promène plus, et où l'air, le temps et les saisons, les perdent et les ruinent. Dans la partie située au midi, on pourrait placer tous les tableaux du roi, qui sont présentement entassés et confondus ensemble dans les garde-meubles où personne n'en jouit. On mettrait au nord la galerie des plans, s'il ne s'y trouvait aucun obstacle. On transporterait aussi dans d'autres endroits de ce palais, les cabinets d'histoire naturelle, et celui des médailles»[8].

D'Angiviller avait en tête d'ouvrir le nouveau musée à un large public. A. Mc Clellan a bien su montrer ce qui chez le surintendant ressortait, d'une part, du projet politique et d'autre part, de la vision utopique de la société. Vouloir faire du museum un "monument unique en Europe" par la qualité des oeuvres exposées mais aussi édifier l'opinion publique en lui inculquant les mêmes principes de vertu morale qu'il imposait aux futurs académiciens dans le choix de leurs sujets[9]. Le projet de d'Angiviller est celui d'un musée "national" dont l'ampleur devra refléter l'ambition patriotique. C'est là sans doute que réside la faiblesse du projet et annonce son échec. D'Angiviller fut rattrapé par le temps et par les événements. On comprend pourquoi le directeur des bâtiments du roi souhaitait disposer au Louvre d'une galerie, unique en son genre, adaptée à la présentation des oeuvres d'art. Son objectif demeurait celui d'ouvrir au public la collection royale tout en lui conservant son statut privé. Pourtant il va plus loin que ses prédécesseurs au Luxembourg. Il

---

[8] *L'Encyclopédie* ou *Dictionnaire raisonné des Sciences, des Arts et des Métiers*, t. IX, 1765, pp. 706-707.

[9] A. Mc Clellan, *Inventing the Louvre* cit., pp. 53-54. Sur la politique artistique de d'Angiviller voir aussi T. Crow, *Painters and Public Life in Eighteenth century Paris*, New Haven & Londres 1985, pp. 186-209.

inscrit durablement les collections royales dans le palais des rois de France et les met au contact directe de l'Académie. Il souhaite réaliser au Louvre cette fusion pédagogique idéale que Colbert et Le Brun avaient appelée de leurs voeux mais qu'ils n'avaient pu concrétiser. Cette fois-ci, d'Angiviller est confronté au mouvement des élèves de l'Académie qui s'opposent avec une virulence croissante à son programme de commandes officielles. Ils réclament une plus grande autonomie dans le choix des sujets et condamnent la suprématie de la peinture d'histoire réduite à une série d'imageries patriotiques.

L'idée principale du surintendant reposait sur la confrontation des jeunes artistes avec les maîtres anciens conservés dans la collection royale. Ainsi, il avait engagé une importante campagne d'acquisitions orchestrée par Jean – Baptiste Marie Pierre, premier peintre du roi, pour compléter les points faibles de la collection. La chasse aux tableaux est organisée par des marchands et des experts (Paillet, Rémy, Le Brun). Deux cent peintures entreront dans le cabinet du roi, l'accent étant mis sur les écoles du nord[10] peu ou mal représentées et sur l'école française du XVIIe siècle, avec *La forge* de Louis Le Nain et les cycles d' Eustache Lesueur sur la *Vie de saint Bruno* et le *cabinet de l'Amour* de l'hôtel Lambert.

D'Angiviller ne disposera ni du temps ni des moyens nécessaires pour entreprendre une transformation profonde des espaces du palais en salles d'exposition. Il se concentrera sur les espaces du premier étage, le Salon Carré et la Grande Galerie. Son but sera d'y présenter non seulement la collection des tableaux du roi mais aussi le programme ambitieux de commande aux artistes de l'Académie au premier rang duquel se trouvait la série des statues des hommes illustres[11]. L'aménagement de la Grande Galerie reste au cœur des débats sur l'ouverture du musée[12]. Conçu sous Henri IV pour créer une jonction architecturale entre le vieux Louvre et le nouveau palais des Tuileries, ce couloir de plus de 400 mètres de long sur 9 mètres de large, percé de fenêtres de chaque côté, abritait en partie la collection des plans et reliefs depuis un siècle. La partie occidentale qui jouxte les Tuileries menaçait ruine, tandis que la partie orientale abritait depuis 1699 le salon des artistes de l'Académie un mois

---

[10] *Portrait de Charles Ier* de Van Dyck acquis en 1775, *Adoration des mages* de Rubens acquise en 1777, *Portrait d'Hendrickje Stoffels* de Rembrandt acquis en 1784 entre autres exemples.

[11] F.H. DOWLEY, *D'Angiviller's Grands hommes and the significant Moment*, dans "The Art Bulletin", XXXIX, dec. 1957, pp. 259-277.

[12] Sur les aménagements voir M.C. SAHUT, *Le Louvre de Hubert Robert*, Paris, 1979 et E. POMMIER, *Le problème du musée à la veille de la révolution*, dans "Cahier du musée Girodet", 1, 1989, pp. 20-27.

par an. Le décor inachevé de la voûte, unique exemple d'une commande royale passée à Nicolas Poussin par Richelieu en 1641, contribuait à donner de la galerie une image peu engageante. D'Angiviller s'entoura d'une commission compétente pour étudier les travaux à mener afin de rendre cette galerie visitable. Il fit appel à cinq architectes dont Germain Soufflot et Richard Mique, aux peintres Hubert Robert et Jean – Baptiste Marie Pierre ainsi qu'au sculpteur Augustin Pajou.

Les mesures à prendre sont de cinq ordres: décider de supprimer le décor de Poussin puisque seules les oeuvres d'art qui seront exposées devront retenir l'attention; remplacer la charpente par une voûte en pierre pour prévenir les risques d'incendie; renforcer les planchers pour y installer les statues des hommes illustres et des vases de Sèvres ; créer un escalier d'accès au Salon Carré pour les expositions des salons; étudier un éclairage qui s'adapte à la présentation des peintures. En somme, un programme de travaux de longue haleine pour lesquels d'Angiviller avait vu juste. Sans aucun doute le projet le plus difficile à réaliser était celui de l'éclairage de la grande galerie. C'est aussi celui sur lequel la commission sera la plus longue à statuer. Les contraintes s'avérèrent double. Il s'agissait de trouver le principe architectural qui offre un éclairage satisfaisant des tableaux, tout en dégageant un nombre suffisant de cimaises pour accrocher. Le souhait de d'Angiviller consistait donc à concilier deux démarches opposées dans un espace, la galerie, conçue pour être à l'origine un lieu de passage et non comme une véritable galerie de tableaux. Le modèle qui venait immédiatement à l'esprit était celui de la galerie du Palais – Royal organisée par le Régent vers 1720. Certaines pièces des appartements, comme le cabinet en lanterne, ont été conçues par Gilles Marie Oppenord pour recevoir des tableaux et être visitées[13]. Les jours étaient tirés au niveau d'un attique et non pas du plafond. En 1785, le marchand J.-B. Pierre Le Brun fit adapter une verrière zénithale au-dessus de sa galerie dans son nouvel hôtel particulier construit par l'architecte Raymond. Le principe se généralisa par la suite en Europe.

Que l'on ait pu critiquer la lenteur de d'Angiviller à mettre en oeuvre ses projets se conçoit sans difficulté. Toutefois, on sent le besoin de lui restituer la paternité de la création du musée du Louvre. La France s'était engagée dans une réflexion essentielle pour l'avenir de son patrimoine et elle avait pris conscience de l'existence durable d'une telle notion. En 1778, l'Ancien Régime vivait ses dernières années. La reprise en main de la politique de la direction des bâtiments par d'Angiviller annonçait

---

[13] F. MARDRUS, *A propos du voyage de Sir James Thornill en France*, dans les Actes du colloque *Nicolas Poussin*, Paris 1996, tome II, pp. 811-833, fig. 7 qui reproduit la coupe du cabinet en lanterne dessinée par Thornhill.

un brillant redémarrage des arts au service des valeurs morales dont l'Académie se devait d'assurer la transmission. Le projet de museum s'inscrivit donc dans cette dynamique pour devenir le fer de lance du surintendant contre les critiques passées, présentes et à venir. Il concentra ses efforts sur une période qui va de 1776 à 1789. Son énergie s'observe dans des domaines qui touchent de près ou de loin au musée. En 1779 par exemple, le sujet du concours du grand prix d'architecture est "un édifice destiné à former un museum". Aucun sujet n'est laissé au hasard, et porté à la connaissance de tous, artistes, architectes, y compris le roi qui donna son approbation au rapport de d'Angiviller sur la transformation de la Grande Galerie en musée, le 31 mars 1788. La commission avait fini par statuer, en 1786, sur la difficile question de l'éclairage de la Grande Galerie. La solution s'avère être un compromis qui conserve les fenêtres latérales situées de part et d'autre de la galerie pour ne pas casser l'architecture tandis que des ouvertures seraient pratiquées dans la voûte pour l'éclairage des tableaux. Compromis qui ne satisfait qu'à moitié Soufflot et d'Angiviller, désireux d'accroître la surface d'exposition en occultant un certain nombre de fenêtres et en créant un attique pour avoir un jour venant du haut. Deux ans plus tard, d'Angiviller demanda à ce que l'on fit un essai dans le Salon Carré. Il souhaitait convaincre de la nécessité de créer un éclairage zénithal afin de combattre le contre-jour provoqué par les fenêtres situées au sud, côté Seine. Il obtint que les travaux soient faits dans cette salle pour le salon d'août 1789. Le succès de l'opération ne pouvait que le conforter dans ses convictions. Mais les événements de 1789 freineront les décisions. La contestation au sein de l'Académie prendra un tour de plus en plus agressif à l'encontre du directeur lui ôtant une bonne partie de son crédit. D'Angiviller ne disposait plus d'alliés assez sûrs pour le soutenir dans un projet qui, pour lui, n'avait de sens que s'il était traité dans son ensemble. Pourtant les Etats généraux adopteront le 27 juin 1789, l'idée de musée au Louvre.

En dépit de la démission forcée de d'Angiviller en 1791, le projet de création du museum ne sera pas écarté des débats de l'Assemblée nationale. Bien au contraire, des groupes de pression se constituent à l'instigation de certains artistes de l'Académie qui revendiquent la direction du museum. David fit partie de l'un d'eux qui s'intitulait *la commune des arts qui ont le dessin pour base*. Il mettait en avant le but pédagogique du musée, son rôle utilitaire. Il reprenait l'idée de d'Angiviller qui appelait, lui aussi, de ses voeux, la fusion entre l'enseignement et les collections. En revanche, le débat entre amateurs et artistes pour revendiquer la légitimité du poste de directeur reste dominant pendant la période révolutionnaire. La fusion idéale des deux institutions, l'une en devenir et l'autre déjà vieille de plus d'un siècle, constituait un enjeu exceptionnel dont la réussite consacrerait celui qui en prendrait la tête. Dans cette perspective, on comprend mieux la difficulté de l'Assemblée à trouver une solution rapide. Les travaux étaient constamment repoussés faute de n'avoir personne pour les diriger. D'un autre côté, la fonction de directeur était à créer ainsi que les composantes de cette nouvelle institution muséale. Personne ne possédait, en France en tout cas, l'expérience nécessaire pour assumer ce poste. Les artistes comme David et Jean – Bernard Restout avaient une vision assez univoque de leur rôle au sein du museum. En dehors des élèves de l'Académie et des futurs aspirants à la discipline des arts, les membres de *la commune des arts* faisaient peu de place à d'autres catégories de visiteurs, bien qu'ils n' excluaient pas la prise en compte d'un public diversifié.

Ils réclamèrent explicitement "la formation du museum national". En fait de nation, ils restaient attachés à la république des arts et à ses plus fidèles serviteurs. Le 26 mai 1791, sur rapport de Barère, l'Assemblée constituante décréta: «Le Louvre et les Tuileries réunis seront le palais national destiné à l'habitation du roi et à la réunion de tous les monuments des sciences et des arts, et aux principaux établissements de l'instruction publique». Ce décret faisait écho aux propos de Louis Antoine Quatremère de Quincy qui revendiquait pour l'instruction du peuple français un lieu unique dans lequel seraient concentrés l'enseignement des sciences et des arts et les collections afférentes exposées en regard[14]. La théorie de Quatremère sur l'enseignement artistique et le privilège du modèle antique n'est pas sans rejoindre la conception qu'en avait d'Angiviller. Cependant, Quatremère développe moins la veine patriotique que ne le fit le directeur des bâtiments. Le choix du palais du Louvre pour abriter le museum est exemplaire de la démarche du gouvernement révolutionnaire avant qu'il ne vote la mort du roi. La cohabitation des deux entités, le musée en devenir et le palais séculaire, symbole d'un pouvoir honni, devront faire bon ménage pour le bien de la nation. Le roi pourra continuer à y résider, il sera en quelque sorte le garant de la monarchie mais l'otage d'une institution dont le fondement repose sur des principes d'égalité. La mise à disposition de la nation des oeuvres d'art provenant des collections saisies chez les émigrés à partir de 1791 allait modifier sensiblement le projet initial. La collection royale n'est plus seule en jeu. Le nombre d'oeuvres d'art à exposer devient très important et par voie de conséquence, le projet du surintendant est insuffisant. Faute de trouver le bon interlocuteur, le gouvernement tergiversera avec les uns et les autres sans aboutir à une refonte du projet. Néanmoins, le ministre de l'intérieur Jean – Ma-

---

[14] A.L. Quatremère de Quincy, *Considérations sur les arts du dessin en France*, Paris 1791. Sur l'ensemble des débats voir l'ouvrage de référence d'E. Pommier, *L'art de la liberté. Doctrines et débats de la Révolution française*, Paris 1989.

rie Roland répondra directement à David, alors député à la Convention nationale, le 17 octobre 1792:

«Il est question de faire un Museum aux galeries du Louvre, il est décrété, et comme ministre de l'Intérieur, j'en suis l'ordonnateur et le surveillant. J'en dois compte à la nation: tel est l'esprit de la loi, c'en est aussi la lettre. Ce museum doit être le développement des grandes richesses que possède la nation en dessins, peintures, sculptures et autres monuments de l'art, ainsi que je le conçois il doit attirer les étrangers et fixer leur attention, il doit nourrir le goût des beaux – arts, recréer les amateurs et servir d'école aux artistes; il doit être ouvert à tout le monde, et chacun doit pouvoir placer son chevalet devant tel tableau ou telle statue...».

Roland confère au musée une vocation politique et universelle qui refuse le particularisme prôné par David et ses amis. De là, naîtra l'ambiguïté fondamentale sur ce que doivent être les missions d'un tel établissement. Roland avait une vision pragmatique des choses. Il souhaitait aller vite car il savait que son pouvoir ne serait pas éternel. Il nomma donc une commission du Museum composée de six membres dont cinq artistes et un amateur, l'abbé Charles Bossut, mathématicien. La commission va devoir veiller aux travaux d'aménagement pour l'ouverture du musée et diriger la présentation des oeuvres que possède la Nation (dessins, peintures, sculptures et "autres monuments de l'art"). Le travail de la commission se heurtera très vite aux attaques des opposants à Roland. Au premier rang desquels se trouvait le marchand – expert Jean-Baptiste Pierre Le Brun. Il publia ses *Réflexions sur le Museum national*[15] où il revendique sa compétence à organiser la présentation des collections. Il propose de privilégier le classement par écoles de peintures et à l'intérieur de chaque école, par ordre chronologique. En faisant cela, Le Brun souhaite démontrer la prépondérance de l'historien d'art. Sa démarche est celle d'un connaisseur, dont l'oeil exercé sait reconnaître sur une oeuvre le bon grain de l'ivraie. Il revendique à la fois la connaissance pratique et la façon de transmettre le savoir au public. Roland ne partage pas ce point de vue. Ni lui ni son successeur, D.J. Garat, ne soutiendront la thèse de Le Brun. Leur crainte, que le museum ne soit la transcription idéale d'une réflexion élitiste ne concernant qu'une petite partie du public à atteindre, c'est à dire, les artistes et les connaisseurs. Pour eux, ce serait signer là un échec, celui de n'avoir pas su s'adresser à la nation dans son ensemble par excès de dogmatisme. Le message du ministre de l'Intérieur ne cache pas le souci immédiat qui prévaut à la réussite du projet, celui de séduire les premiers visiteurs par la richesse incompara-

---

[15] J-B. P. LE BRUN, *Réflexions sur le Museum national.14 janvier 1793*, Paris 1992, pp. 58-60.

ble de ce que l'état met d'un seul coup à leur disposition. Il n'est pas question non plus de mettre "des entraves aux études des jeunes élèves"[16] comme le souligne Garat en réponse à Le Brun. La présentation des collections devra exciter l'esprit des étudiants par le jeu des comparaisons et non pas leur donner à voir un classement historique et formel. On est ainsi beaucoup plus proche de l'accrochage de la galerie du Luxembourg où prévalait la confrontation des chefs d'oeuvre d'une même époque et le mélange des écoles.

Une première tentative d'ouverture du museum eut lieu le 10 août 1793. Les travaux prévus dans la Grande Galerie n'avaient pu être terminés pour les fêtes révolutionnaires. Seule, la partie orientale de la Grande Galerie et le Salon Carré servirent à l'exposition des oeuvres. Cinq cent trente sept tableaux sont exposés dont la majeure partie appartiennent aux collections royales. Grâce à la politique d'acquisitions de d'Angiviller les peintures des écoles du nord, au nombre de cent quatre vingt dix, tiennent une place plus importante que chacune des écoles française et italienne. Si l'on a tenu compte du goût des amateurs pour les écoles du nord, on constate que la nature des collections privilégie la peinture d'histoire. Le nombre des sculptures est bien inférieur puisqu'il n'y avait que quarante cinq numéros provenant du dépôt des Petits Augustins et cent vingt quatre objets d'art provenant pour certains d'entre eux des Petits Augustins aussi, mais surtout du versement du Trésor de Saint Denis tout au moins pour les pièces qui ne furent pas envoyées à la Monnaie pour fonte[17]. On peut comprendre l'impact d'un tel ensemble, certes encore fort mal présenté, mal éclairé et trop à l'étroit, sur les premiers visiteurs qui eurent la chance d'accéder à ce saint des saints. Les fêtes du 10 août, orchestrées en grande pompe par David, firent du Louvre le lieu de mémoire par excellence de cette commémoration. Du jour au lendemain, les collections changèrent de propriétaire. C'est le peuple tout entier qui vint admirer ses oeuvres. Pour ceux qui de près ou de loin participèrent aux débats sur la création du museum, les David, Restout, H. Robert, Pajou, Le Brun, académiciens ou connaisseurs, qui attendaient ce moment avec exaltation, l'ouverture ne fut pas à la hauteur de leurs espérances. Le travail de la Commission fut mis en cause. David présenta un rapport devant la Convention le 16 janvier 1794 par lequel il demandait la création d'un conservatoire de dix membres répartis en

---

[16] Avertissement du *Catalogue des objets contenus dans la galerie du Museum français*, Paris 1793 (Bibliothèque centrale des musées nationaux).

[17] D. GABORIT-CHOPIN, *Le trésor pendant la Révolution*, catalogue de l'exposition du Louvre *Trésor de saint Denis*, Paris 1991, pp. 345-350. Nous ne discuterons pas ici du Musée des Monuments français créé par A. Lenoir à partir du dépôt des Petits-Augustins. Nous renvoyons aux ouvrages d'E. Pommier et de D. Poulot sur ce sujet.

quatre sections: peinture, sculpture, architecture, antiquités. David, engagé politiquement aux côtés des Jacobins, entraîna dans son sillage tous
ceux qui pouvaient encore exprimer quelques réticences, comme Le
Brun. Les polémiques soulevées par Le Brun n'étaient pas antinomiques
de celles de David. La rivalité des deux hommes n'était pas à placer sur
le même terrain que la création du museum. Les idées étaient les mêmes,
l'objectif pour les réaliser pouvait il est vrai différer, mais chacun oeu-
vrait pour ce qu'il pensait être une définition exemplaire de l'idée de musée. Les missions de ce premier conservatoire dont David et Le Brun ne
firent pas partis, se résument à six grands points: protéger les immortels
chefs d'oeuvre des mauvais restaurateurs, sélectionner les oeuvres en
écartant le mauvais goût, exposer les chefs d'oeuvre cachés, ouvrir le
museum à tous, établir un catalogue raisonné, mettre un sceau à tout le
museum. Le premier point répond à une préoccupation majeure des artistes et de Le Brun, celle de la conservation des oeuvres dont le museum
aura la charge. Le rôle du restaurateur est donc prépondérant puisque
c'est de lui dont dépend l'intégrité de l'oeuvre. J.M. Picault, restaurateur
de tableaux, fit parti de ce conservatoire[18]. Il demande la création d'un
concours de recrutement pour les restaurateurs du nouveau museum afin
que les techniques de restauration appliquées sur les chefs d'oeuvre de
l'art soient rigoureusement définies. Enfin, les deux derniers points éta-
blissent les véritables missions de ceux qui auront la charge du museum,
les gardiens des oeuvres de la nation, que l'on appelle pas encore les conservateurs, inventorier les collections devenues inaliénables, et les porter
à la connaissance de tous.

Pendant ce temps le museum avait refermé ses portes pendant plusieurs semaines. Les travaux n'étaient pas commandés. Au lendemain du
9 thermidor (28 juillet 1794), David est éliminé de la scène politique. Le
museum se retrouve sous la tutelle de l'Instruction publique. Ordre lui
est donné de retirer de tous les dépôts les oeuvres nécessaires à son complément. Le conservatoire réduit à cinq membres réclame de nouveaux
espaces pour accueillir les collections qui se sont accrues des saisies
opérées par l'armée de l'An II dans les Flandres (grands retables de Rubens de la cathédrale d'Anvers...). Il propose d'affecter au musée les
espaces attribués à l'Académie, c'est à dire la galerie d'Apollon et les
salles adjacentes du premier étage, pour permettre d'y installer les ateliers de restaurations et les réserves. L'Institut occupe, depuis 1795, le
salon d'Apollon et la salle des Cariatides au rez de chaussée. Mais surtout, le conservatoire réclame la totalité de la Grande Galerie pour l'exposition des peintures, des sculptures et des objets d'art. Parvenu à ce

[18] E. POMMIER, cit., 1989, p. 190 et A. MC CLELLAN, *Inventing the Louvre*, cit., pp. 108-114.

stade, il paraît impossible de revenir en arrière et de ne pas poursuivre l'impulsion donnée par David. De nouveau, le gouvernement se heurte à l'incapacité du conservatoire à administrer le museum. De nouveau, Le Brun reprend sa plume et lance cette fois-ci une critique plus constructive, non dénuée d'ambition personnelle. Ses *Quelques idées sur l'arrangement du museum national*[19] deviennent une proposition pour l'organisation du museum dans laquelle Le Brun reprend l'ensemble des problèmes inhérent au bâtiment. Cela va de la répartition administrative des collections en neuf sections à la transformation de la Grande Galerie pour l'exposition des tableaux. Le Brun semble avoir touché son but, les décisions vont suivre. Le musée est de nouveau fermé pour travaux en avril 1796.

L'avènement du Directoire marque une nouvelle étape dans l'organisation du musée. Dès le 20 janvier 1797, le ministre de l'Intérieur transforme le musée national en Musée central des arts et fixe les règles de fonctionnement de l'administration[20]. Pour la première fois le poste d'administrateur est créé et confié à l'architecte Léon Dufourny; il est assisté d'un adjoint, Bernard Jacques Foubert et d'un secrétaire, Athanase Lavallée. Le rôle de commissaire – expert est créé sur mesure pour J.-B. Pierre Le Brun. Il aura en charge l'évaluation des oeuvre, leur classement et leur exposition. C'est donc à lui que revient la lourde tâche de préparer le nouvel accrochage des oeuvres dans la Grande Galerie et de mener à bien les travaux. Les missions du Musée central des arts devront répondre à une vision plus élargie que ne l'était celle du museum de 1793. Le Louvre devient le musée encyclopédique par excellence, celui où se trouveront exposées les gloires artistiques conquises par la nation française. Il faut comprendre par là non seulement l'héritage des collections de l'Ancien Régime mais aussi l'apport des oeuvres des nations vaincues. Il est clair que l'afflux d'oeuvres d'art en provenance des dépôts et de l'étranger fera très vite prendre conscience du fait que le Louvre ne peut abriter l'ensemble de ces richesses artistiques et que des mesures seront à prendre pour répartir ces collections dans d'autres institutions nationales. A partir de ce constat, la décision sera prise de créer un Musée spécial de l'école française dans les grands appartements du château de Versailles[21]. Les chefs d'oeuvre les plus représentatifs de l'art français resteront au Louvre; les *Batailles d'Alexandre* de Le Brun, *la*

---

[19] J-B. P. LE BRUN, *Quelques idées sur la disposition, l'arrangement et la décoration du Museum national*, s.l., an III (Bibliothèque centrale des Musées nationaux).

[20] Y. CANTAREL-BESSON, *Musée du Louvre (janvier 1797-juin 1798). Procès-verbaux du Conseil d'administration du "Musée central des Arts"*, "Notes et documents n° 24", Paris 1992, pp. 13-15.

[21] *Ibidem*, pp. 18-19.

Manne de Poussin, les toiles de l'hôtel Lambert de Le Sueur, *la Raie* de Chardin, l'*Embarquement pour Cythère* de Watteau. La vocation du musée central est de montrer non seulement le "beau panorama" invoqué par Garat en 1792, mais surtout d'offrir aux visiteurs une sélection qui permette un développement didactique de l'histoire de l'art. Le Brun travaillera dans ce sens. Une autre décision, d'une plus grande importance encore, consistera à envisager le dépôt d'une partie des collections dans certaines grandes villes de province. Le décret ne prendra effet qu'en 1801 sous l'impulsion de Chaptal, alors ministre de l'Intérieur. Mais déjà, Le Brun préconisait la création de musées départementaux à condition qu'ils soient bien composés et en petit nombre[22]. Une véritable politique des musées est en train de se mettre en place sous le Directoire. La réflexion autour du développement du musée central a pour corollaire l'extension à l'échelon national de l'idée de musée en France.

L'administration de Dufourny reprend à son compte les missions du fameux conservatoire de David et plus particulièrement celles qui concernaient la conservation des collections, la restauration et l'inventaire des oeuvres. Des prescriptions seront imposées au personnel chargé de ces tâches dont le déroulement ne pourra se faire sans l'avis d'une commission spéciale. Le rôle de Léon Dufourny au Louvre mériterait une étude particulière tant les archives et les sources publiées font peu de place à cette partie de sa carrière. Membre de l'Institut, section architecture, antiquaire par goût, Dufourny puise son inspiration dans les modèles de l'Antiquité. Le dessin est pour lui le jalon essentiel de la culture artistique des jeunes artistes. Il poursuit ainsi l'élan du conservatoire en organisant la première exposition de dessins dans la Galerie d'Apollon, libérée par l'Académie[23]. Il confie à Louis Joseph Morel d'Arleux, garde des dessins et des planches gravées, le soin de sélectionner quatre cent soixante dix – sept dessins choisis en grande partie dans le fonds du cabinet royal. Il s'agit de proposer au public une démonstration non exempte de pédagogie puisque l'on prend le soin de montrer des dessins et des cartons des différentes écoles, avec un classement par artistes ou par grands ensembles décoratifs. Mais il y a aussi la volonté du Directoire de voir exposer au plus tôt les collections entrées au musée et dont personne ne mesure le contenu. Il devient urgent de dévoiler à la nation ce patrimoine dont le Louvre n'est que le dépositaire. Pourtant, Le Brun n'aura pas la tâche facile. Les campagnes victorieuses du général Bonaparte vont bouleverser les projets de Dufourny et obliger le musée à ac-

---

[22] J-B. P. LE BRUN, an III, p. 26.

[23] L. PROPECK, texte du catalogue *L'An V. Dessins des grands maîtres*. 92ème exposition du cabinet des dessins du musée du Louvre, Paris 1988, pp. 7-22.

cueillir les oeuvres saisies en Italie entre 1796 et 1800. Les premiers convois d'oeuvres d'art provenant de Lombardie arrivent à Paris en juillet 1797. Entre temps, Bonaparte a signé le traité de Tolentino qui consacre à ses yeux la politique de "rapatriement" des oeuvres d'art "à leur dernier domicile"[24]. "Rapatriement", c'est à dire retour à la patrie d'origine. Dans l'esprit des commissaires envoyés par le Directoire pour choisir sur place les oeuvres d'art, la France est la seule nation à s'être libérée du joug de la monarchie absolue et du despotisme. A ce titre, elle se considère porteuse d'un idéal de liberté qui l'autorise à prélever dans les pays conquis les chefs d'oeuvre universels de l'art de l'Antiquité et de la Renaissance. Ces chefs d'œuvre qui firent de Rome la capitale artistique de l'Europe moderne. En juillet 1796, Antoine Quatremère de Quincy publie ses *Lettres à Miranda* dans lesquelles il souhaite démontrer que «l'esprit de conquête dans une république est entièrement subversif de l'esprit de liberté»[25]. Il annonce en quelque sorte la domination absolue de Bonaparte vainqueur. Quatremère défend la notion de "république des lettres", héritage des Lumières, où les arts et les sciences sont l'objet d'un réseau de membres, répartis à travers l'Europe dans son entier et qui communiquent leurs intérêts «sous le point de vue d'une fraternité universelle»[26]. Il conteste l'emprise du politique sur les arts poussée à son paroxysme avec la spoliation pure et simple des oeuvres d'art, considérées comme des butins de guerre. Fervent admirateur de l'Antiquité et du modèle antique, Quatremère s'érige violemment contre les saisies de Rome. Il oppose à cela sa vision de la capitale romaine devenue un véritable musée par la richesse des collections qui y furent réunies. La notion de ville – musée a fasciné les hommes des Lumières et même bien avant eux, François Ier, Louis XIV, ont rêvé de reproduire en France à l'échelle plus modeste de Fontainebleau ou de Versailles, la politique artistique des empereurs de l'antiquité et des souverains pontifes de la Renaissance. L'image était flatteuse, le modèle inégalable par cette spécificité de l'Italie toute entière et pas seulement Rome à être considéré comme un musée idéal. Le soin apporté par les collectionneurs italiens quels qu'ils fussent à la constitution d'un patrimoine individuel, à l'échelle d'une famille ou d'une municipalité, remontait suffisamment loin pour ancrer de manière irréversible le processus. Que Bonaparte ait été fasciné

---

[24] E. POMMIER, cit., 1989, pp. 227-228. La notion de "rapatriement" des oeuvres d'art est proposée par E. Pommier pour caractériser la pensée de l'abbé Grégoire, fervent défenseur des principes de 1789. Dans son rapport sur le vandalisme du 31 août 1794, il préconise l'enlèvement des antiques de Rome, et leur transfert en France, véritable "patrie des arts".

[25] A. QUATREMÈRE DE QUINCY, *Lettres à Miranda sur le déplacement des monuments de l'Art de l'Italie (1796),* présenté par E. Pommier, Paris 1989, p. 87.

[26] *Ibidem*, p. 88.

à son tour par le mythe romain ne trompe personne. En revanche, bien peu purent se vanter d'imaginer que le rêve deviendrait réalité. Sans doute, les fidèles qui participèrent aux premières victoires et ceux qui décidèrent de l'accompagner dans l'expédition d'Egypte en 1798 savaient la chose possible. Certes, le général victorieux poursuivit dans un premier temps l'élan révolutionnaire de 1794, porté par l'esprit de liberté dont parle Quatremère. Dès 1797, la systématisation des saisies annonce une politique d'une toute autre ampleur. L'idéal bonapartien glisse insensiblement de la pensée révolutionnaire à un mode de gouvernement autoritaire et autocratique.

Symbole incontesté d'un renouveau politique, la capitale de la France fera l'objet d'une rénovation urbaine sans précédent. Même si un grand nombre de travaux ne vit pas le jour et resta sous la forme de projets, le Premier consul eut l'ambition de concevoir un urbanisme à l'image de la capitale antique. En revanche, le déplacement des oeuvres d'art de leur contexte de création reste sans précédent et contestable. Or, la politique des saisies reposait sur la légitimité du transfert des oeuvres vers la France. L'expert Le Brun conscient d'avoir en charge le devenir de ces collections publie en janvier 1798 un *Examen historique et critique des tableaux exposés provisoirement venant des premier et second envois*[27], en réponse au plaidoyer de Quatremère. Il y justifie la compétence du musée central des arts et de son personnel en matière de conservation des oeuvres. Il oppose ainsi au jugement de Quatremère la primauté d'une centralisation des arts au Louvre. «Des peintures fameuses étaient enfouies sous la crasse et les huiles dont les recouvraient d'ignorans (sic) charlatans; elles eussent péri dans leurs mains; la France leur donnera une nouvelle vie. (...) Rivalisons avec Athènes et Rome, et que le Museum efface tout ce que l'antiquité offrit aux regards des siècles passés»[28]. Le discours de Le Brun relaie celui de Bonaparte et des commissaires du Directoire dans l'espoir aussi d'obtenir les fonds nécessaires pour les travaux du musée. Il demande qu'on libère les salles de l'Institut, qu'on aménage la totalité de la Grande Galerie afin que le public puisse sortir par les Tuileries. L'avenir immédiat donnera raison à Le Brun puisque le 27 juillet 1798 les envois de Rome, Venise, Vérone arrivaient à Paris pour les fêtes de l'an VI. Le défilé triomphal des chefs d'oeuvres eut lieu sur le Champs de Mars, là même où quelques années plus tôt se déroulèrent les fêtes du 10 août 1792. La référence explicite

---

[27] J-B. P. LE BRUN, *Examen historique et critique des tableaux exposés provisoirement, venant des premier et second envois de Milan, Crémone, Parme, Plaisance, Modène, Cento & Bologne*, Paris, an VI (Bibliothèque centrale des musées nationaux).

[28] *Ibidem*, p. 2 et p. 4.

aux défilés romains où les trophées de guerre étaient exhibés comme autant de reliques victorieuses n'échappa à personne. La pompe de la célébration sera pérennisée par un grand nombre de documents graphiques jouant il faut bien le dire le rôle d'une campagne de propagande exemplaire. Mais il y a loin entre la mise en scène éphémère du défilé et la présence des oeuvres stockées par centaines, tant bien que mal, à proximité du Louvre ou dans le palais en attendant des salles dignes de les recevoir. L'accélération du rythme des saisies renvoie aux responsables du musée l'image d'un palais en mauvais état, envahi par des locataires indésirables, dont le manque de moyens paralyse totalement la réalisation du grand projet initial. Seule, une impulsion politique forte pouvait relancer le projet. Dufourny et Le Brun en étaient certes conscients, mais allaient – ils être à la hauteur des ambitions de Bonaparte?

Pendant la préparation de l'exposition des dessins dans la Galerie d'Apollon, Dufourny entreprend une réflexion sur la présentation des antiques. Le 24 novembre 1797, l'architecte Saint-Hubert présente au conseil du musée un plan d'aménagement des salles du rez-de-chaussée de la Petite Galerie, dans les appartements d'Anne d'Autriche[29]. Le projet prévoyait d'utiliser la rotonde d'accès aux appartements comme le vestibule de la nouvelle entrée du musée. De cette manière, le visiteur aurait en entrant une vision prégnante sur l'enfilade des treize salles qui composeraient le musée des antiques. Saint-Hubert dégageait la perspective en supprimant les cloisons des appartements et en les remplaçant par des colonnes. L'ambition du projet nécessitait de mener une réflexion approfondie sur la réunion du fonds des collections royales avec l'apport inespéré des étalons les plus célèbres de la statuaire antique. Mais l'équipe du musée ne compte pas en son sein un véritable spécialiste de la sculpture antique. Les autorités du musée et sans doute, Bonaparte luimême, prendront conscience du problème avec l'arrivée des saisies en juillet 1798. En effet, peu après le coup d'état du 18 brumaire le général Bonaparte devenu Premier consul envisage une ouverture rapide du musée car il souhaite que l'on montre au public les chefs d'oeuvres entreposés à Paris depuis un an et demi. Bonaparte nomme Ennio Quirino Visconti, jusqu'alors conservateur du musée du Capitole, responsable du musée des antiques[30]. Visconti avait participé activement à la naissance de la république romaine, ce qui lui avait valu le titre temporaire de ministre de l'Intérieur. En novembre 1798, les Napolitains entrent dans Ro-

8

---

[29] C. AULANIER, *Histoire du palais et du musée du Louvre*, 10 vol., Paris 1947-68, 5, p. 65 et ss.

[30] D. GALLO, *Les Visconti de Rome*, catalogue de l'exposition *Louis Visconti. 1791-1853*, Paris 1991, pp. 48-51.

me avec Ferdinand de Bourbon et Visconti doit fuir. Il s'embarque pour la France où il est accueilli par le gouvernement. A son arrivée, Bonaparte lui fit transmettre sa nomination de conservateur des antiques. Visconti, âgé de quarante sept ans, avait déjà effectué une bonne partie de sa carrière et sa compétence était reconnue. Son père, Giovanni Battista, fut choisi par Winckelmann pour lui succéder au poste de préfet aux antiquités de la ville de Rome, lorsque celui-ci retourna en Allemagne en 1768. C'est ce même Giovanni Battista qui prit l'initiative de convaincre le pape Clément XIV de créer le futur *Museo Clementino* pour abriter les antiques découverts dans les innombrables fouilles de la capitale. Il en devint directeur en 1770. Son fils reçut une éducation à la hauteur des ambitions paternelles. Giovanni Battista le chargea de rédiger le premier volume du catalogue du musée Pio-Clementino. A la mort de son père, Ennio Quirino lui succéda au poste de directeur des musées du Capitole. Sa connaissance exceptionnelle des antiquités de Rome en fit l'interlocuteur privilégié des collectionneurs et des érudits qui souhaitaient un avis éclairé. Le réseau de ses relations était donc très vaste. Les noms de Dufourny, Denon ou Quatremère de Quincy ne lui étaient pas inconnus.

9   Décidé à ouvrir le musée des antiques du Louvre pour l'anniversaire du coup d'état du 18 brumaire (9 novembre 1800), le conseil du Musée central des Arts demande à Visconti de reprendre le projet de Saint-Hubert, remplacé entre temps par l'architecte Raymond. Les travaux de suppression des cloisons des appartements d'Anne d'Autriche eurent lieu avec leur remplacement par des colonnes en granit gris. La perspective sur l'enfilade des salles dont le nombre fut réduit à sept au lieu de treize, devait être rendue par la création d'une niche en lieu et place du petit cabinet sur l'eau, pour y présenter la statue du *Laocoon*. Visconti rédigea le catalogue de ce premier musée en 1801 en collaboration avec son collègue Emeric-David. Cent treize oeuvres étaient exposées. Le fonds comprenait aussi bien les antiques en provenance d'Italie que ceux du fonds royale, de l'Académie, de la collection Richelieu. De Rome, les commissaires de la République envoyèrent à Paris le fonds d'antiques le plus important de toutes les saisies. Outre les oeuvres aussi emblématiques que *l'Apollon du Belvédère* et le *Laocoon*, il faudrait citer venant aussi du Vatican, l'*Antinoüs*, l'*Ariane endormie*, la *Vénus accroupie* et le *Torse du Belvédère*; du Capitole, la *Vénus*, le *Gladiateur mourant* et le *Tireur d'épine* tant de fois convoité notamment par François Ier qui s'en fit offrir une réplique. D'autres envois suivirent comme celui très attendu par Napoléon de la *Vénus Médicis* ou de la *Pallas de Velletri* qui n'arrivèrent à Paris qu'en 1803.

      Le rôle de Visconti fut primordial pour asseoir la crédibilité du musée aux yeux de ceux qui critiquèrent plus ou moins ouvertement la politique du général à l'extérieur des frontières. Pur produit romain, exilé du fait des circonstances mais en même temps enthousiaste à embrasser la cause française, Visconti sut se faire apprécier des milieux antiquaires parisiens et son avis devint incontournable dans toute l'Europe. Il sera consulté en 1814 pour expertiser les marbres du Parthénon acquis en 1810 par Lord Elgin. Canova sera contacté à son tour un an plus tard. Visconti très pris dans l'élaboration des nombreux ouvrages qui lui furent confiés en même temps que l'aménagement des antiques n'était pas homme à éparpiller ses compétences. F. Haskell a rendu hommage au travail de Visconti dans son ouvrage *Pour l'amour de l'antique*[31]. Il y met en évidence le "compromis" trouvé par Visconti dans sa définition de l'original antique. Celui-ci considérait que les statues les plus parfaites comme l'*Apollon du Belvédère* étaient les "imitations perfectionnées" d'originaux grecs. La rédaction du catalogue du musée des antiques l'amena à la conclusion que «les artistes travaillant pendant les quatre siècles qui suivirent la mort d'Alexandre avaient égalé et parfois surpassé les grands maîtres anciens dont ils suivaient la trace»[32]. Comme le rappelle F. Haskell l'attitude de Visconti allait dans le sens de ce que souhaitèrent les français. Il n'était pas question de rabaisser la qualité des oeuvres présentées dans le nouveau musée. Le *Laocoon*, l'*Apollon* demeurèrent encore longtemps les références des artistes et des collectionneurs. Winckelmann, lui-même, fit l'éloge du sublime dans sa description de l'*Apollon*. Grâce à l'historien allemand, l'analyse stylistique de la statuaire gréco-romaine deviendra "la clef pour la compréhension d'une esthétique"[33]. Bien que Winckelmann ait ouvert la voie d'une approche scientifique de l'archéologie antique en générale et grecque en particulier, Paris suivit avec quelques résistances ce nouveau credo.

Le musée était parvenu à un tournant historique et politique. Inscrit au coeur des événements récents qui consacrèrent la prise de pouvoir de Bonaparte tant redoutée par Quatremère, le musée redevenait propriété d'un souverain qui comptait bien régner dans ce palais tant de fois renié par ses prédécesseurs. L'administration du Musée central des Arts devenait insuffisante pour remplir sa mission. Trop de lenteur dans la réalisation des travaux, le manque de compréhension des pouvoirs publics à l'égard du projet de réorganisation, tout cela ne pouvait convenir à la nouvelle identité du Louvre, résidence d'un pouvoir fort et universel dont le musée devait être une des principales sources d'expression.

L'absence d'une institution artistique comparable à ce qu'était la su-

---

[31] F. HASKELL et N. PENNY, *Pour l'amour de l'antique. La statuaire gréco-romaine et le goût européen (1500-1900)*, éd. fr., Paris 1988, pp. 126-127.
[32] *Ibidem*, p. 127.
[33] A. SCHNAPP, *La conquête du passé. Aux origines de l'archéologie*, Paris 1998, p. 313.

rintendance des bâtiments sous l'Ancien Régime se faisait durement res-
sentir sous la tutelle du ministre de l'Intérieur. L'arrêté du 28 brumaire an
XI (19 novembre 1802) porta création d'une direction du Musée central
des Arts. Le nouveau directeur sera placé sous les ordres du premier consul. «Il y aura un directeur général du Musée central des Arts. Il aura
sous sa direction immédiate, le Museum du Louvre; le Musée des Monuments français, le Musée spécial de l'Ecole française à Versailles, les
galeries des palais du Gouvernement, la Monnaie des Médailles, les ateliers de la Chalcographie, de gravures sur pierres fines et de mosaïque,
enfin l'acquisition et le transport des objets d'art»[34]. Comme on le voit
les pouvoirs du directeur couvrent l'ensemble de la politique muséographique française. Le poste a été conçu pour renforcer autour du Premier consul les organes d'une politique artistique ambitieuse souhaitée
unique en son genre. A l'évidence, la fonction semble avoir été créée sur
mesure pour un personnage puissant, proche de Bonaparte et excellent
connaisseur. Ce même arrêté de 1802 nous donne le nom de l'élu: «Le citoyen Denon est nommé Directeur général du Musée Central des arts».
Nous avons rappelé en introduction le peu de chose que l'on sait sur les
préliminaires de ce choix. Qui de David ou de Canova fut sollicité en
premier? Peu importe, car seul compte le résultat. Bonaparte ne s'était
pas trompé en se rabattant sur Denon. Dominique – Vivant Denon ne
possédait pas le génie artistique des deux autres; il restait un excellent
amateur pour le dessin et la gravure. Ses qualités, Bonaparte les avaient
jugées en Egypte, lorsque Denon relevait inlassablement les édifices au
mépris d'actions militaires périlleuses. Il admira le talent de Denon à
poursuivre des entreprises de longue haleine. Cette même année 1802,
Denon publiait son "Voyage dans la Haute et la Basse Egypte". On choi-
sit donc une personnalité compétente mais dont le caractère ne se heur-
terait pas à celui du futur empereur. Denon a bien compris l'enjeu de sa
nomination. Il commence par proposer au Premier consul de transformer
l'appellation du musée central en *musée Napoléon* afin d'ôter toute ambiguïté pour l'avenir immédiat de l'institution. Denon se donne pour premier objectif d'ouvrir le musée dans les conditions suivantes: accrochage des tableaux dans une Grande Galerie rénovée et dotée d'un éclairage
zénithal. Denon n'est pas seul à réfléchir sur ce sujet. Il doit compter
avec l'architecte des bâtiments de l'Empereur, Pierre – François Fontaine qui, assisté de Charles Percier, décide de faire alterner les fenêtres
avec des jours venant d'en haut. Néanmoins, les travaux sont presque
achevés le 8 avril 1809 et prêt à servir de cadre aux cérémonies du ma-
10   riage de l'empereur avec Marie – Louise d'Autriche en 1810.

---

[34] *Le Moniteur*, janvier 1803.

Denon se prépare donc activement à l'accrochage des peintures dans la Grande Galerie qui commémorera la gloire napoléonienne. Les saisies continuent d'affluer. Après l'Italie, ce sera au tour de l'Allemagne du nord (1806-1807), de l'Autriche (1809) puis de l'Espagne (1813). Les saisies firent l'objet de huit expositions temporaires faute de disposer de la Grande Galerie rénovée. En 1810, Denon présentera l'ensemble des collections, qu'il s'agisse du fonds royal, de celui des émigrés auxquels s'ajouteront les saisies. Le parti adopté sera un parti chronologique au sein de chaque école. Les Maîtres les plus importants figurent ainsi en comparaison les uns avec les autres à l'intérieur d'une école ou d'une école à l'autre. C'est donc le parti recherché par Le Brun qui est retenu par Denon. Celui d'une histoire de la peinture, depuis les périodes les plus anciennes connues. Nous sommes loin du parti retenu pour l'ouverture du museum sous la Convention, "un parterre fleuri" jouant sur le mélange des écoles et des genres. Un parti qui était encore redevable à l'esprit des Lumières. La valeur incontestable de l'accrochage de la Grande galerie en 1810 réside dans cette approche didactique envisagée dés le début par Denon et qu'il ne cessera de renforcer jusqu' en 1814. Le reproche d'un élitisme trop poussé n'est plus de mise. L'Europe entière viendra s'émerveiller de découvrir en un même lieu une telle concentration de chefs d'oeuvre connus jusque là par la gravure. Un autre mérite de Denon est d'avoir su donner une cohésion entre les différentes entités du musée; à savoir les antiques au rez-de-chaussée reliés aux peintures par un escalier monumental qui conduit au Salon Carré, à la Grande Galerie et à la Galerie d'Apollon où se trouvent les objets d'arts et quelques sculptures célèbres comme les esclaves de Michel – Ange. De cet escalier, il ne reste aujourd'hui qu'un pâle reflet au travers des salles *Percier et Fontaine*, dont les noms rappellent la mémoire des deux architectes qui le bâtirent. Ce témoignage suffit à imaginer la splendeur du musée impérial. Percier et Fontaine parvinrent à donner une unité architecturale à un ensemble fort peu homogène au départ. Au rez-de-chaussée, les aménagements de Raymond servaient d'écrin aux collections antiques mais ils venaient se superposer au décor baroque des plafonds peints par Romanelli, dont les thèmes vertueux n'étaient pourtant pas en contradiction avec le nouveau style des salles. Le traitement minéral des sols et des murs renforcé par la présentation linéaire des statues assurait un équilibre entre deux registres, celui du musée et celui du palais. Le départ de l'Institut en 1806 permit au musée de conquérir la salle des Cariatides, située au rez-de-chaussée de l'aile de Pierre Lescot. Percier et Fontaine intervinrent avec sobriété dans le décor Renaissance. Ils supprimèrent la tribune royale pour mettre à niveau l'ensemble de la salle et la rendre apte à présenter la collection Borghese, achetée en 1807 par Napoléon à son beau-frère Camillo Borghese[35]. Les fenêtres latéra-les, de part et d'autre de la salle distribuaient un éclairage est – ouest dont bénéficièrent les marbres de la collection. L'occupation de cette salle par les collections marque une avancée notoire dans la conquête des espaces du palais. L'architecture de la salle des Cariatides symboli-sait l'appropriation définitive par le musée d'un espace autrefois orga-ne essentiel de la vie politique des Valois. Mais le projet de Raymond, à l'origine, prévoyait une extension autrement conséquente des anti-ques. Il avait envisagé d'aménager les anciens appartements d'hiver de la reine, dans l'aile sud de la Cour Carrée, en deux galeries parallèles, dans le prolongement du premier musée des antiques. La réalisation des travaux, menée par Percier et Fontaine, s'achévera sous la Restau-ration. Napoléon Bonaparte et Denon ne purent les inaugurer.

Les travaux de Percier et Fontaine consacrèrent la transformation en musée de la partie la plus ancienne du palais séculaire. Transformation irréversible qui ancre définitivement l'avenir du Louvre dans le dix-neu-vième siècle. Une page se tourne, celle qui retenait encore la leçon des Lumières et qui vit naître l'idée de musée en Europe. En 1810, le musée du Louvre a atteint sa maturité. La direction de Denon et le travail des membres de son équipe, Visconti, Dufourny, Morel d'Arleux, Athanase Lavallée, ont donné au Louvre les bases solides sur lesquelles l'essor du musée et sa renommée ne cesseront de grandir. La naissance, comme on l'a vu, fut difficile.

L'accession de l'individu au statut de citoyen, en exceptant toute di-stinction par le sang ou par la fortune, permet du même coup l'accession à la propriété publique des oeuvres d'art. C'est dans ce sens qu'il faut ju-ger la création du musée du Louvre comme un évènement exemplaire qu'aucun autre pays, pas même l'Italie, n'osa anticiper. Fait plus intéres-sant encore, la maturité qui caractérisa la période de la fin du Directoire permit de dépasser les querelles de personnes, la nomination de Dufourny puis celle de Denon imposant une hiérarchie administrative qui ne fut plus contestée par la suite. L'institution se développa au sein d'une administration qui prenait en compte une politique des musées à l'échelon national. Le Louvre, seul, ne pouvait contenir l'ensemble des oeuvres mises à la disposition de la nation. Le Musée central des Arts mit en application le décret de 1801 en opérant une campagne de grande am-pleur, destinée à constituer les fonds de quinze grands musées de provin-ce (Lille, Lyon, Rennes, Caen, Dijon, Marseille...). Les envois de l'état en province ne sont pas une chose nouvelle. E. Pommier a excellemment

---

[35] F. Boyer, *Le monde des arts en Italie et la France de la Révolution et de l'Empire*, Paris 1970, pp. 197-202.

analysé les prémices des collections de province et montré que les dépôts ont bien eut lieu dès 1792 sous la pression de certains édiles locaux[36]. Cependant, l'opération était suffisamment complexe pour requérir les compétences nécessaires ce qui ne fut possible qu'avec la venue de Denon. Il lui fallait avoir une vision d'ensemble des collections afin de déterminer celles qui resteraient au Louvre et celles qui partiraient. Or les saisies continuèrent à arriver jusqu'à la chute de l'Empire. Les mouvements d'oeuvres étaient perpétuels et Denon lui-même dut se rendre en Allemagne et en Italie pour sélectionner les oeuvres en fonction de ses critères. La politique raisonnée et déterminée mise au point par Denon pour enrichir les collections du Louvre ne devait pas faire oublier que l'abondance des chefs d'oeuvre avait sa contrepartie; une présentation très (trop) dense qui pouvait nuire à l'intention didactique de Denon. L'exceptionnel développement chronologique des écoles de peintures dans la Grande Galerie se voulait une encyclopédie visuelle immédiatement perceptible par le visiteur. On sait l'avenir que les recueils gravés réservèrent à la présentation de Denon[37]. Aujourd'hui, ils demeurent le seul témoignage de cette réunion exceptionnelle de chefs d'oeuvre.

La restitution de ces même chefs d'oeuvre en 1815 ne sonna pas le glas du musée. Au contraire, un nouvel essor lui sera donné sous la Restauration grâce à une politique d'enrichissement de grande qualité. Le départ des saisies de leur capitale d'adoption et leur réinsertion dans leurs lieux d'origine ne se fit pas sans mal, notamment à Rome. L'exemple du musée Napoléon, chargé de symboles, ne laissa pas le pape indifférent[38]. Il préféra regrouper dans sa nouvelle pinacothèque du Vatican les précieux chefs d'oeuvre rapportés par Canova. Le temps des musées est enfin venu.

---

[36] E. POMMIER, *Naissance des musées de province*, dans *Les lieux de mémoire*, II, *La Nation*, Paris 1986.

[37] Notamment celui de J. GRIFFITH et M. COSWAY, *Collection de gravures à l'eau-forte des principaux tableaux... dans le musée Napoléon,* Paris 1806.

[38] A. MC CLELLAN, cit., 1994, p. 201.

1. Joseph-Siffred Duplessis, *Portrait du comte d'Angiviller*. Versailles, Musée national du château.

2. Nicolas van Blarenberghe, *Tabatière avec le duc de Choiseul visitant les plans en relief des villes de France dans la Grande Galerie vers 1770*. Collection particulière.

3. Charles de Wailly, *Projet d'aménagement du Salon Carré du Louvre en 1789*. Paris, Musée Carnavalet.

4. Jean-Baptiste-Pierre Lebrun, *Autoportrait* (vers 1795-1797). Collection particulière.

CATALOGUE

DES

OBJETS CONTENUS

DANS LA GALERIE

D U

MUSÉUM FRANÇAIS,

Décrété par la convention nationale, le 27 juillet 1793 l'an second de la République Française.

De l'Imprimerie de C.-F. PATRIS,
Imprimeur du Muséum national.

AVERTISSEMENT.

LE Muséum que la République française érige en ce moment à la gloire e au progrès des arts, rassemble déjà e ce genre la plus belle et la plus rich collection qui existe dans toute l'Europe

Plusieurs raisons, trop longues à de duire ici, ont empêché qu'on ne cla sât les tableaux par *Ecoles*. On a c devoir les *mélanger*, parce que ce systèm paraît le plus propre à développer génie des élèves, et à former leur go d'une manière sûre et rapide, en le présentant sous un même point de v des chefs - d'œuvres en divers genr D'ailleurs, cette disposition facilite a amateurs la comparaison des objets. ne parle pas de quelques placemens

A 2

5. *Catalogue des objets contenus dans la Galerie du Muséum français en 1793.* Paris, Bibliothèque centrale des Musées Nationaux.
6. Constantin Bourgeois, *Exposition des dessins de l'an V.* Paris, Musée du Louvre, Département des Arts graphiques.

7. Hubert Robert, *La Grande Galerie entre 1794 et 1796*. Paris, Musée du Louvre.
8. Tirsi Capitini, *Portrait de Ennio Quirino Visconti*, gravure de L. Rados.

9. Hubert Robert, *Vue du musée des Antiques au Louvre, salle des Empereurs*. Paris, Musée du Louvre.

10. Benjamin Zix, *Mariage de Napoléon 1er avec Marie-Louise dans la Grande Galerie du Louvre*. Paris, Musée du Louvre, Département des Arts graphiques.

11. Louis-Charles-Auguste Couderc, *Percier et Fontaine présentent à Napoléon le plan de l'escalier du Musée, en présence de Denon*. Versailles, Musée national du château.

Monica Preti Hamard

COLLECTIONS ET COLLECTIONNEURS EN ITALIE
A L'EPOQUE NAPOLEONIENNE

De grands bouleversements politiques et sociaux, un monde en ébullition où les jaillissements d'idées nouvelles se mêlent aux résurgences de traditions anciennes, d'immenses fortunes mobilières ou immobilières changeant brusquement de mains, l'émergence de nouvelles conceptions en matière de patrimoine artistique et national: tous ces éléments devaient dessiner durant l'époque napoléonienne une conjoncture particulièrement propice aux collectionneurs et à leurs activités. Au cours du siècle qui s'achève, le patrimoine artistique italien était encore, pour sa plus grande part, propriété des souverains, de l'église et des familles aristocratiques. Dans ses localisations géographiques, il demeurait relativement stable. On avait assisté cependant, dans une évolution qui se précise tout au long du XVIIIᵉ siècle, à la lente transformation des collections privées en musées publics. Progressivement, le contexte des Lumières avait favorisé la prise en compte des droits des citoyens: l'ouverture au public des collections privées et dynastiques avait commencé d'être envisagée comme un devoir par les propriétaires eux mêmes. En outre, les considérations d'ordre scientifique et didactique, gagnant en importance, avaient aussi joué leur rôle dans cette évolution. C'est ainsi qu'on assiste à la constitution des premiers musées publics: le Musée Maffeiano à Vérone, les Offices à Florence, le Capitolino et le Pio-Clementino à Rome. Mais l'arrivée des troupes françaises en 1796 va déterminer un changement radical qui concerne le patrimoine artistique italien, tant public que privé. Nous nous proposons d'évoquer ces transformations avant d'aborder la question des collectionneurs et de leurs activités dans ce nouveau contexte, à travers l'étude d'un cas particulier, celui de Ferdinando Marescalchi, citoyen de Bologne. Il convient de rappeler la physionomie

toute de contrastes de l'Italie pré-unitaire. La situation varie sensiblement selon les lieux. Dans la seconde moitié du XVIIIe siècle, les Ha-
sbourg au nord, à Modène et en Toscane, le Saint-Siège au centre, les
Bourbons au Sud (Naples et Parme) et la maison de Savoie en Piémont
et en Sardaigne, se partageaient la Péninsule. La stratégie militaire et la
politique expansionniste de Napoléon réussirent en l'espace d'une vingtaine d'années, entre 1796 et 1815, à étendre la domination française sur
tout le territoire en balayant les vielles dynasties: cette domination
s'exerça par l'annexion directe ou par la création d'états satellites subor-
donnés à la France. Les changements les plus importants eurent lieu dans
l'Italie du nord où l'on voit s'amorcer un processus d'unification qui
conduira à la création d'un nouvel Etat qui, de République Cisalpine et
Italienne deviendra le Royaume d'Italie (en 1805) et englobera progressivement l'Emilie et la Romagne, la Lombardie, la Vénétie et les Mar-
ches. C'est là que Napoléon recrutera, au sein de l'aristocratie la plus
progressiste et de la bourgeoisie montante, une classe dirigeante modérée
placée sous le contrôle direct de la France dans la personne de Napoléon,
président de la République italienne puis roi du Royaume d'Italie, la vi-
ce royauté étant confiée à son beau-fils Eugène de Beauharnais. C'est justement parmi ces 'hommes nouveaux', dont la collaboration avec la
France ne fut jamais dépourvue d'ambiguïté, que l'on compte de nombreux collectionneurs. Quant à Bologne, ville qui va nous occuper plus
particulièrement, elle faisait partie des possessions pontificales, dans une
région ou la pénétration du despotisme éclairé fut de moindre importance. Traditionnellement, les élites municipales y jouissaient d'une relative
autonomie culturelle face au pouvoir de l'Etat Pontifical dont elles servaient la politique. Leur ralliement au pouvoir napoléonien fut facilité
par cette double tradition.

1. Le patrimoine artistique italien à l'époque napoléonienne

La Révolution française et le régime napoléonien interrompent
brusquement les processus déjà amorcés par la culture italienne la plus
avancée. La lente évolution qui avait orienté la gestion du patrimoine
privé dans le sens d'une plus large ouverture au public se trouve bru-
talement accélérée par la volonté étatique et entérinée par la loi. Pour
la première fois, on voit s'affirmer le caractère totalement public du
patrimoine historico-artistique confié à l'administration de l'Etat. Ce
qui était une concession progressive à l'esprit civique se trouvait soudain être imposé d'en haut par la force des armes. Les suppressions
des ordres et des corporations religieuses opérées par l'administration
française, mettent sur le marché un grand nombre d'oeuvres d'art sou-

straites à leur contexte d'origine. Seule une petite partie d'entre elles confluent vers les nouvelles institutions muséales comme les Pinacothèques de Milan, Bologne et Venise ou de Vérone. D'autre part, la politique des confiscations, a pour effet de concentrer l'attention sur les oeuvres d'art et sur la nécessité de leur conservation et de leur tutelle. Des préoccupations analogues avaient conduit de nombreuses villes italiennes à promulguer, dès le seizième siècle, des règles relatives à la tutelle du patrimoine artistique. Ce n'est cependant qu'au début du dix-neuvième siècle que se généralise l'idée encore embryonnaire d'un patrimoine artistique "national" à conserver et à sauvegarder. C'est l'époque où les poètes comme Alfieri, Monti, Foscolo et Leopardi chantent l'"italianité" et où se constituent les premières iconographies nationales. Les oeuvres d'art deviennent le symbole d'une identité culturelle. Les statues de Canova, placées sur les piédestaux laissés vides après les confiscations – comme celles de l'*Apollon du Belvédère* et de la *Vénus des Médicis* à Florence remplacés par le *Persée* du Vatican et la *Venus Italica* – sont autant de gestes patriotiques. Pour prendre un autre exemple illustrant la haute valeur civique conférée aux oeuvres d'art à cette époque, on peut évoquer la cas du *Mariage de la Vierge* de Raphaël offert par la municipalité de Città di Castello, au nom du peuple souverain, au général Giuseppe Lechi, commandant de la légion Italique, "libérateur" et "père de la patrie". Cette oeuvre rejoindra en 1806 la pinacothèque de Brera, peu après sa constitution.

Les réquisitions des oeuvres d'art causèrent de nombreuses réactions parmi les intellectuels. La prise de position la plus lucide et la plus courageuse fut celle de Quatremère de Quincy, historien d'art français et grand admirateur de Canova. Ses *Lettres à Miranda*, publiées en 1796 revendiquaient la nature profondément historique de l'oeuvre d'art qui acquiert sa valeur propre en vertu de son rapport avec la culture qui l'a produite. Les réquisitions, brisant le lien indissoluble qui existe entre l'art italien et son contexte historico-géographique, appauvrissent sa substance en détruisant irrémédiablement les suggestions, les correspondances mentales et les capacités d'association qui constituent la composante essentielle de la joie et du plaisir esthétiques. Quatremère de Quincy opposait la patrie historique et géographique à la patrie idéologique. L'art comme contexte et l'histoire de l'art comme science de ce contexte trouve ainsi une première consonance profonde dans l'oeuvre de Luigi Lanzi qui dans son *Storia pittorica della Italia*, dont l'édition définitive sortira en 1809, avait identifié l'histoire picturale de la nation avec celle des écoles régionales. Entités culturelles, géographiques et historiques qui à ce moment précis étaient en train de se désagréger de façon irrémédiable.

2. Collections et collectionneurs

Les confiscations n'avaient pas touché les collections des citoyens privés, à des rares exceptions près à Rome et à Vérone. De fait cependant, la décadence économique et politique des familles aristocratiques qui avait déjà débuté à la fin du dix-huitième siècle, entraîne la dispersion de nombreuses collections, alors qu'on assiste au même moment à une crise du modèle même de collectionnisme aristocratique traditionnel: héréditaire, de prestige et de représentation. D'autre part, la grande disponibilité des oeuvres d'art sur le marché et l'apparition de fortunes nouvelles favorisent la constitution de grandes collections privées (où l'enrichissement de celles déjà existantes), en particulier au sein de la nouvelle classe dirigeante napoléonienne qui, conjointement au pouvoir politique, détenait d'importantes richesses. Les bénéficiaires ne furent pas seulement les dignitaires français et les membres de la famille impériale installés en Italie (citons le cardinal Joseph Fesch, Lucien Bonaparte, François Cacault, le général Miollis, Eugène de Beauharnais..), mais aussi de nombreux représentants de la nouvelle classe dirigeante italienne.

Parmi ces derniers on peut citer Francesco Melzi d'Eril (1753-1816), noble milanais qui sera vice-président de la république italienne puis grand chancelier du Royaume d'Italie et Duc de Lodi, l'un des plus ardents défenseurs de l'indépendance italienne. C'est avec quelques achats choisis qu'il enrichit l'importante collection familiale constituée par son oncle Giacomo Melzi d'Eril. Ses acquisitions respectèrent le goût de son prédécesseur pour la grande tradition de la Renaissance lombarde, mais il valorisa cette collection en la transférant dans sa résidence officielle aménagée selon le nouveau goût néoclassique. Proche de la Pinacothèque de Brera, cette résidence devint un complément des itinéraires artistiques de la métropole Lombarde. La défense de la tradition, le sens civique ainsi que l'affirmation du droit de la propriété privée sont les principes qui guidèrent Francesco Melzi d'Eril tant pour son activité politique que pour son activité de collectionneur. L'engagement civique qui guide ses choix artistiques est révélé par certaines commandes à des artistes contemporains. Melzi D'Eril commanda par exemple à Giuseppe Bossi en 1807 un tableau représentant la *Paix de Constance* (dont le carton seul fut réalisé et se conserve aujourd'hui à la Galleria Civica d'Arte Moderna de Milan), sujet à la gloire de Milan aux temps des communes libres dans lequel ont peut voir une polémique patriotique ouverte contre les français.

C'est un type de collectionnisme différent qui est pratiqué par un autre lombard, Giovan Battista Sommariva (1760-1826), exemple de "bourgeois mécène", ainsi que l'a définit Fernando Mazzoca dans la belle étude qu'il lui a consacré à la suite de Francis Haskell. Ex apprenti coiffeur et ex avocat, il a tiré sa fortune de la Révolution et du régime napoléonien. Des spéculations hardies, un trafic de bons du trésor et la vente des biens publics avaient fait sa fortune au temps de la seconde République Cisalpine, mais son manque de scrupules trop visible entrava sa carrière politique: au moment de la proclamation de la République italienne en 1802, c'est son adversaire politique Francesco Melzi d'Eril que Napoléon lui préféra comme vice-président. Sommariva s'installa alors à Paris dans un magnifique hôtel particulier dans la rue Basse des Remparts, où il acquit une nouvelle renommée de mécène et de collectionneur. Il commissionna des oeuvres et apporta sa protection aux meilleurs artistes de l'époque tant français qu'italiens comme Canova, Appiani, Prud'hon, Guérin, Gérard, David et Girodet, manifestant une prédilection pour les thèmes érotico-mythologiques. On retrouve aujourd'hui quelques unes de ses commandes dans les musées français, comme les deux tableaux de Pierre Paul Prud'hon, la *Psyché enlevée par les zéphyrs* (1808) au Louvre et le *Jeune Zéphyr* (1814) au musée de Dijon ou l'*Aurore et Céphale* de Guérin également au Louvre. Grâce à la renommée qu'il su habilement se constituer à travers les expositions publiques des oeuvres de sa collection lors des Salons, il réussit à faire oublier ses origines obscures, ses malversations et se vit traiter d'égal à égal dans les milieux sociaux les plus élevés. Sommariva cultiva plus particulièrement son image de mécène et de collectionneur d'oeuvres d'artistes contemporains comme le montre l'iconographie qu'il voulu laisser de lui-même à travers par exemple son célèbre portrait réalisé par Pierre Paul Prud'hon, aujourd'hui à Brera, et sur lequel il apparaît entre le *Palamède* et la *Terpsichore* de Canova. Toutefois, une passion confinant à la manie le conduisait toujours à des achats nouveaux, notamment de pièces anciennes. Mais, dans ce domaine, son goût ne s'avère pas toujours sûr comme le démontre la présence dans sa collection d'oeuvres d'attribution incertaine. Une des particularités de Sommariva était de faire reproduire les oeuvres de ses collections en miniature, en gravure ou sur camées (la collection presque complète de ces miniatures étant aujourd'hui réunie à la Galerie d'art moderne de Milan). La préoccupation commune à d'autres collectionneurs de son époque, à savoir la conservation du patrimoine artistique de la patrie ne semble pas préoccuper Sommariva: il installe ses collections à son domicile parisien ainsi qu'à Villa Carlotta sur les bords du lac de Côme. Mais c'est Paris qui constitua la prestigieuse vitrine de ses collections. Paris était pour lui «la grande capitale ou se trouve la réunion de tous les genres d'artistes et de connoisseurs» (lettre de G. B. S. à Canova datée 9 novembre 1806, publiée par Mazzocca, 1981, p. 235) et c'est à Paris qu'a lieu, après sa mort, la vente aux enchéres de ses collections en 1839. Dans le catalogue de cette vente le commissaire-expert Charles Paillet, louant les activités du dé-

funt en faveur des arts écrivait à son propos: «Quoique étranger d'origine, cet amateur distingué appartint longtemps à la France par son goût
comme par ses affections».

A propos d'un autre italien, le bolonais Ferdinando Marescalchi
(1754-1816), ministre à Paris sous Napoléon et lui aussi collectionneur,
Valéry écrivait: «il resta entièrement italien au milieu de cette cour européenne». Nous évoquerons plus loin en détail ses activités de collectionneur, il suffit de noter ici l'attachement profond qu'il démontrait à la
culture italienne et ses motivations patriotiques ou plus précisément municipales, jamais reniées malgré son adhésion au régime mis en place par
les français, et qui le conduiront à constituer ses collections pour les envoyer à Bologne, sa ville natale bien avant d'y retourner lui-même. Ce
type de motivation était partagé par d'autres collectionneurs bien qu'in-
tervenant dans des contextes différents et en suivant leur propre goût: il
s'agit d'un type de collectionnisme qui intervient, pourrait on dire, comme une forme indirecte de tutelle du patrimoine. Il suffit d'évoquer les
noms de Teodoro Correr à Venise et de Giovan Battista Costabili Containi à Ferrare.

Le noble vénitien Teodoro Correr (1750-1830) qui par inclination resta en marge de la vie politique, consacra son existence à collectionner
tout les objets ayant un lien avec l'histoire de Venise: livres, manuscrits,
gravures, monnaies, bronzes et –bien entendu – tableaux. Les objets
avaient pour lui, au delà de leurs qualités esthétiques, une valeur en tant
que reliques de l'histoire de sa patrie. A sa mort, en 1830, il fit don de ses
collections à la ville de Venise, cas unique en son temps qui le distingue
des autres collectionneurs de son époque.

Le ferrarais Giovan Battista Costabili Containi (1756-1841), Intendant général des biens de la Couronne d'Italie de 1805, était un protégé
du Prince Eugène de Beauharnais. C'est justement à l'époque napoléonienne que Costabili Containi réunit une importante collection de tableaux de Maîtres, en concentrant son intérêt sur ceux provenant de sa
ville natale. Sur les six cent vingt quatre toiles composant sa collection,
trois cent quatre vingt cinq étaient des tableaux ferrarais. Il su donc
constituer une collection peu commune pour son temps en réunissant de
manière organique, à côté des témoignages les plus prestigieux de l'art
italien, des peintures issues d'une école régionale alors peu appréciée
en en récapitulant l'histoire depuis ses origines. Au moment de la dispersion de sa collection, durant la seconde moitié du dix-neuvième siècle, le goût pour les primitifs et pour l'école de Ferrare s'étant affirmé,
de nombreux tableaux furent acquis par les grands collectionneurs européens (Charles Eastlake, Austin Henry Layard, Guggenheim....) et
rejoignèrent d'importants musées publics comme la National Gallery de
Londres (oeuvres de Pisanello, Cosmé Tura et Cossa).

La richesse des documents d'archives concernant en particulier Ferdinando Marescalchi, nous permet d'étudier motivations, méthodes et temps de formations de ses collections. Nous nous limiterons ici à l'évocation de sa collection de peintures en en retraçant l'histoire à grands traits.

3. Un collectionneur exemplaire d'époque napoléonienne: Ferdinando Marescalchi

Ferdinando Marescalchi, aristocrate et sénateur de la Bologne papale, adhéra dès l'arrivée des Français aux idées nouvelles; et se fit l'un des principaux promoteurs du régime napoléonien. De 1802 à 1814, il réside à Paris en qualité de ministre des relations extérieures de la République et du Royaume d'Italie. Il meurt en 1816, après avoir été pendant deux ans gouverneur du duché de Parme et Plaisance, puis ministre plénipotentiaire de l'Empereur d'Autriche à Modène. Plusieurs tableaux célèbres de l'époque nous ont conservé son image. L'imposante toile de Nicolas-André Monsiau représentant *La Consulte cisalpine réunie aux Comices de Lyon, le 26 janvier 1802* au musée de Versailles, le représente sur l'estrade aux côtés de Talleyrand à sa droite et de Napoléon occupant la place d'honneur. 1-2

De plus, Marescalchi a été inscrit sur la liste des personnalités qui devaient figurer dans la grande toile du *Sacre* de David (Paris, Musée du Louvre). Ce fut en sa qualité de ministre de la République italienne et parmi les représentants étrangers (à droite de l'autel). Nous disposons aussi d'un portrait officiel exécuté par Ludwig Guttenbrunn en deux versions dont l'une est conservée au musée de Versailles et dont l'autre, 3 demeurée aux descendants, alla décorer la première salle des portraits de la remarquable collection de tableaux que Ferdinando Marescalchi avait destinée à son palais bolonais, de même que la bibliothèque, riche de nombreux ouvrages bien classés, et qu'une collection de coquillages. Francesco Rosaspina, son conseiller artistique, lui avait suggéré cette disposition afin qu'aparaisse «à l'entrée de la galerie l'effigie du fondateur de cet établissement si noble et si utile» (lettre datée de Bologne, 8 août 1814). Mais c'est sa collection de tableaux qui, par sa richesse et son caractère cosmopolite, se distingua et fut admirée par les étrangers de passage comme Lord Byron, Shelley et Stendhal qui la qualifia de collection exemplaire. Auprès de ses contemporains bolonais, Mareschalchi mérita le titre de "bienfaiteur de la patrie" pour avoir constitué ses collections.

La collection de tableaux n'a pas survécu, mais nous disposons de nombreux documents qui s'y rapportent: outre les catalogues, c'est surtout la riche correspondance de Ferdinando Mareschalchi avec différents personnages comme les artistes Francesco Rosaspina, Pelagio Palagi et Antonio Canova, l'érudit cardinal Giuseppe Mezzofanti ou l'historien d'art Leopoldo Cicognara, qui est parvenue jusqu'à nous. Ces documents nous permettent d'étudier la vie de cette collection, ses différentes étapes constitutives ainsi que les goûts et les motivations qui présidèrent à sa constitution. On peut en outre à travers eux mesurer le rôle et l'importance du conseiller artistique pour le collectionneur, c'est en particulier le cas de Francesco Rosaspina, artiste graveur, professeur de l'Académie de Bologne, et personnage clé de la vie artistique italienne des premières années du dix-neuvième siècle. Sa correspondance avec Ferdinando Marescalchi, de 1796 à 1816, s'avère essentielle pour l'étude de la collection de ce dernier.

La reproduction gravée des fresques du palais Marescalchi à Bologne

C'est à Rosaspina que Marescalchi adresse ses premières commandes artistiques. Elles ne furent pas liées à l'acquisition de tableaux, mais à la reproduction gravée des fresques du palais de famille de Bologne. Il est significatif que, avant même de concevoir l'idée d'une collection de peintures, Marescalchi se soit préoccupé de mettre en valeur des témoignages représentatifs d'une tradition picturale, se révélant ainsi sensible à ces problèmes de sauvegarde et de conservation du patrimoine artistique national qui se posèrent avec une particulière urgence en Italie après l'invasion française. La décoration en clair-obscur peinte par Francesco Brizio dans l'entrée et dans la cour (en grande partie détruite), les cheminées de Pellegrino Tibaldi représentant *Medée rajeunissant Eson* – attribuée aujourd'hui à Lorenzo Sabatini – et *Les trois Grâces* (perdues elles aussi),

4   celle de Guido Reni *L'Air et le Feu* et les deux représentations allégoriques de *La Vigilance* et de *L'Honneur* par Louis Carrache étaient autant de précieux témoignages picturaux qui avaient valu au palais Marescalchi de figurer dans l'ouvrage *Le Pitture di Bologna* (1686) du célèbre écrivain d'art bolonais Malvasia et dans les principaux guides de la ville. Arrêtons nous un instant sur une gravure reproduisant la fresque de *L'Air et le Feu* de Guido Reni, gravure réalisée par Paolo Bernardi d'après le dessin de Giuseppe Guizzardi qui remporta le prix Curlandese de Bolo-

5   gne en 1798. Celle ci s'avère particulièrement significative de la fonction politique que remplirent alors certaines oeuvres d'art: le thème de l'original s'est transformé en une allégorie jacobine par la substitution du bonnet frigien et du compas aux attributs de l'air et du feu.

A partir de 1807 un programme systématique de copie est mis en oeuvre, confié pour sa plus grand part à Ludovico Asioli, l'élève préféré de Rosaspina. On lui doit les gravures de *La Vigilance* de Louis Carrache (1807), *L'Honneur* du même artiste (1809), les *Grâces* de Pellegrino Tibaldi et la *Medée* alors attribuée au même auteur (1811-1812). Dans ses longues lettres à Rosaspina Marescalchi témoigne d'un intérêt constant et éclairé pour ces travaux de reproduction qu'il souhaite les plus fidèles possible et encourage avec impatience, se déclarant soucieux d'assurer à ses fresques "une vie plus longue". Les gravures commandées à Rosaspina et a ses élèves auraient du servir d'illustration à un petit catalogue dont Marescalchi conçu le projet dès 1809 et qui, écrivait-il à l'artiste, «contribuerait à la gloire de la Patrie, à votre mérite et à ma réputation». 6, 7   8, 9

Premières acquisitions

Les mêmes motifs – le sens civique, le soutien aux Arts et le souci de sa notoriété – incitèrent finalement Marescalchi à acquérir ses premières toiles. Il est d'ailleurs probable que les activités du comte bolonais dans ce domaine eurent pour lui une valeur compensatrice suite à son déclin politique consécutif à la nomination, en 1805, au Secrétariat d'état de son concitoyen Antonio Aldini (1755-1826). Avocat, Aldini est issu de cette bourgeoisie montante affranchie des habitudes et préjugés anciens tant du point de vue économique (ce dont témoigne la constitution d'un véritable empire terrien à partir d'une modeste parcelle) que politique; cette bourgeoisie pour laquelle Napoléon manifeste sa préférence parce qu'il l'estime la plus capable d'unir son destin à celui du nouveau régime. Ce contraste entre les deux hommes se reflète dans la diversité de leurs pratiques culturelles, ce qu'atteste la différence des rôles qu'ils assurèrent l'un et l'autre dans le domaine artistique. Aldini, contrairement à Marescalchi, ne manifesta aucun intérêt pour les Maîtres anciens (il n'ambitionnait pas restaurer le passé), mais il se signala plus particulièrement par ses commandes aux artistes vivants pour l'embellissement de ses résidences à Bologne et en France.

Déjà en 1809 Marescalchi avait ressemblé une vingtaine de toiles dans sa demeure parisienne de l'avenue des Champs Elysées (l'hôtel Massa, transporté depuis lors de Champs Elysées au Jardin de l'Observatoire et qui est aujourd'hui le siège de la Société des Gens de Lettres). On y trouve, entre autre, un *Mariage de sainte Catherine* d'Innocenzo da Imola, des oeuvres attribuées à Bassano, Willem Heusch, Teniers, Velasquez, Murillo, Corrège, Holbein, Lucas de Leyde, Titien, Carlo Maratta, Solimena, Augustin Carrache, Bartolomeo Manfredi. Ces premières acquisitions ne semblent pas correspondre à des choix esthétiques déterminés, elles dépendaient plutôt de l'occasion et répondaient à la volonté 10 de recueillir tout ce qui avait échappé aux Français «... il faut se résigner, et se borner à recueillir quelques fois ici même, quelques débris encore subsistant, ou qui, on ne sait comment, ont glissé des mains de ces cannibales à leur insu.» (lettre de Marescalchi à Rosaspina, Paris, 3 septembre 1809). Marescalchi ne conçoit pas encore clairement le projet d'une collection, mais il manifeste l'intention de restituer aux "Patri Lari" (les "Lares de la Patrie") les oeuvres dont il faisait l'acquisition pour éviter qu'elles ne demeurent en terre étrangère et aussi dans l'intention de remédier au préjudice que constitue pour Bologne la perte de certaines collections prestigieuses.

L'"affaire" Sampieri

En particulier la vente de la collection familiale à laquelle le marquis Francesco Sampieri du se résoudre pour des raisons financières, fut une affaire fameuse qui le toucha profondément. La collection Sampieri était une de plus illustres collections nobiliaires de la Bologne du XVIIIᵉ siècle. La collection, en tant qu'institution privée, avait été épargnée au temps des confiscations napoléoniennes, mais en 1811 Eugène de Beauharnais, vice-roi d'Italie, en acquit la totalité, en partie pour son usage personnel et en partie pour le musée de Brera. L'histoire est connue: les peintures qui échurent au musée Brera sont *Les Saints Pierre et* 11 *Paul* de Guido Reni, *La Danse des amours* de Francesco Albani, *Agar chassée* du Guerchin, l'*Adultère* d'Augustin Carrache, la *Samaritaine* d'Annibal Carrache et la *Cananée* de Louis Carrache. Modèle indiscuté du classicisme académique du siècle précédent, ces chefs d'oeuvre entrèrent au musée le 25 février 1811. La *Pietà* de Giovanni Bellini, acquise par le Vice-roi, fut par la suite offerte à la Brera le 21 août 1811. Cette vente suscita un grand émoi à Bologne où on voulait que les oeuvres restassent à la Pinacothèque de cette Académie et où Rosaspina s'em- 12 ployait justement à reproduire l'oeuvre d'Albani. On permit au graveur d'achever son travail à Milan, mais, en même temps, on le chargea de superviser l'expédition de la collection Sampieri. Dès le début Marescalchi suit depuis Paris les négociations de vente de cette collection, cherchant d'abord des solutions pour l'empêcher, puis, une fois la vente réalisée, écrivant résigné à son ami Rosaspina: «Pour l'amour du ciel, ne parlons plus de cette galerie Sampieri et de cette mésaventure catastrophique qui me fait souffrir. Il ne nous reste plus qu'à faire tous les efforts possibles pour la réparer et pour cicatriser s'il se peut les plaies si nombreuses qui déchirent cette malheureuse Patrie» (lettre datée de Paris, 7 janvier 1811). La présence dans la collection Marescalchi de copies de deux des toiles les plus fameuses de la collection Sampieri, atteste de cette attachement nostalgique: il s'agit de la *Danse des amours* de Francesco Albani dont Marescalchi avait acquis une copie à l'aquarelle par Mauro Gandolfi, utilisée depuis par Rosaspina pour sa gravure, et les *Saints Pierre et Paul* de Guido Reni, dont il possédait une miniature réalisée par le chanoine Nicoli, bolonais lui aussi, amateur de Beaux-Arts et collectionneur de dessins (il avait proposé de vendre sa collection à Ferdinando Marescalchi et ensuite à Eugène de Beauharnais pour la pinacothèque de Brera).

Quelques années auparavant, en 1806, Napoléon avait fait l'acquisition du Palais Caprara de Bologne avec sa riche collection de tableaux. L'affaire Sampieri constituait donc un second cas, alarmant, de vente massive d'une importante collection municipale à un étranger, d'autant plus grave, qu'elle fut suivie de son transfert immédiat à Milan. Dès lors Ferdinando Marescalchi, entreprend une politique d'acquisition systématique dans l'intention de constituer pour Bologne une nouvelle collection de peintures dont le prestige et la valeur puissent égaler celle que l'on venait de disperser.

Une collection pour Bologne

La collection comptait déjà 265 oeuvres en 1813 – quand fut rédigé peut-être par Marescalchi lui-même son inventaire manuscrit. A peine trois ans plus tard l'inventaire après décès dénombre 701 oeuvres dont 408 tableaux destinés à la galerie proprement dite, située à l'étage noble du palais. En 1824 fut publié un catalogue à l'occasion de la vente de la collection, dont la dispersion avait d'ailleurs commencé avec la cession de certaines pièces en vente de gré à gré. En effet la collection Marescalchi connaît le destin de tant d'autres collections contemporaines réunies en un temps assez bref et démembrées tout aussi rapidement.

Les catalogues peuvent nous donner une idée de l'importance quantitative et de la qualité de cette ensemble que Ferdinando Marescalchi réussit à constituer en un peu plus d'une décennie. Son objectif était double. Il s'agissait d'abord, comme nous l'avons dit, de restaurer un monde de valeurs et de formes menacées de dispersion, mais il s'agissait encore «d'expédier à Bologne des choses nouvelles pour la promotion et l'accroissement des idées» (lettre à Rosaspina datée de Paris 17 février 1812). Aussi sa collection correspond-t-elle essentiellement au goût en vigueur parmi les collectionneurs dans la Bologne du XVIIIe, avec une préférence pour l'école locale et en particulier celle du XVIIe, tout en manifestant quelques curiosités plus originales. Les goûts cosmopolites du comte bolonais se reflètent dans le grand nombre d'oeuvres étrangères présent dans sa collection. On remarque en particulier le nombre considérable de peintures de l'école hollandaise et flamande qui constitue un tiers de l'ensemble et dont Marescalchi s'était procuré la majeure partie à Paris. Les autres écoles étrangères représentées sont l'espagnole, avec des oeuvres attribuées à Ribera, Velasquez et Murillo; l'allemande avec dix oeuvres parmi lesquelles deux portraits d'Hans Holbein le Jeune, enfin l'école française avec une vingtaine de tableaux attribués a Callot, Vouet, Eustache Le Sueur, Charles Le Brun, Charles de La Fosse, Pierre Mignard, Sébastien Bourdon, Gaspard Dughet, Jean Marc Nattier, Greuze, datés pour la plus part d'entre eux de XVIIe et XVIIIe siècles. Marescalchi en réalité ne manifeste pas un intérêt très marqué pour la peinture française. Les acquisitions d'oeuvres françaises ne commencent qu'à partir du 1813 et peut être dès lors en prévision du retour du ministre en Italie, afin de procurer à sa galerie quelques échantillons de cette école. Pour l'Italie la peinture émilienne est la mieux représentée avec 83 tableaux dont les deux joyaux de la collection, tout deux attribués au Corrège: la toile capitale représentant *Les quatre Saints* du Metropolitan 13, 14 Museum de New York et *Le Christ en gloire* de la pinacothèque Vaticane qui n'est plus désormais attribué au maître. Les grands noms du XVIIe siècle bolonais ne sont pas absent: l'Albane, les Carraches, Domeniquin, Guido Reni. Les modernes constituent un petit noyau, comprenant des oeuvres de Gaetano et Mauro Gandolfi, Gaetano Tambroni, Vincenzo Martinelli, Pelagio Palagi. Outre l'émilienne, toutes les autres écoles italiennes sont représentées avec un soin particulier pour la toscane et la vénitienne. A l'école toscane se rattachent une vingtaine d'oeuvres attribuées à Cosimo Rosselli, Andrea del Sarto, Pontormo, Rosso Fiorentino, Bronzino, Vasari, Cigoli, Allori, Carlo Dolci, appartenant pour la grande part aux XVIe et XVIIe siècles. Si l'intérêt de Marescalchi pour l'art toscan est stimulé par le voyage qu'il fit dans cette région durant l'été de 1812, l'occasion d'en acquérir les oeuvres lui fut procurée par la vente de la collection Dubois, ex commissaire général de police en Toscane, laquelle eut lieu à Paris en mars 1813. Le noyau vénitien de la collection comprend 34 tableaux dont certains remarquables attribués à Giorgione (le fameux *Jugement de Salomon* actuellement à Kingston Lacy et aujourd'hui attribué à Sebastiano del Piombo), Tiziano, Veronese, Tintoretto et les deux Bassano. Sans aucun doute les peintres du XVIe sont les mieux représentés, mais la présence de quelques oeuvres plus anciennes n'en est pas moins significative. Celles ci sont attribuées à Mantegna, à Cima da Conegliano et à Giovanni Bellini. Le XVIIIe est représenté quant à lui par des oeuvres de Canaletto et Piazzetta. L'intérêt ainsi manifesté pour l'école vénitienne est sans doute motivé par les liens de famille que Marescalchi entretenait avec la Vénétie par sa femme, une Grimani, et de part son amitié avec Leopoldo Cicognara, directeur de l'Académie vénitienne.

Quant aux sujets, les oeuvres à caractères religieux représentent un tiers du total. Viennent ensuite les peintures de genre proprement dites, ainsi que de nombreux paysages, quelques batailles et un bon nombre de portraits. Le sujets historico-mythologiques et allégoriques sont eux aussi nombreux.

La collection témoigne en somme d'un goût "conventionnel", attaché aux valeurs sûres avec une préférence marqué pour le XVIᵉ et le XVIIᵉ siècles. L'intérêt manifesté pour les 'primitifs' demeure marginal, ainsi que l'espace consacré à la production contemporaine. Rares en effet furent les commandes passées par Marescalchi aux artistes de son temps. Depuis 1807 il a placé sous sa protection le jeune anversois Jean Baptiste Berré (1777-1838), peintre animalier auquel il commande plusieurs oeuvres. Il commande quelques vues de sa propriété comtale au paysagiste Gaetano Tambroni, ainsi qu'à Pelagio Palagi en 1809 la toile historique de *Marius à Minturne* (perdue), dont le carton préparatoire a été récemment retrouvé. Dans l'intention de faire connaître à Paris ces deux compatriotes Marescalchi présente leurs oeuvres au Salon inauguré en novembre 1810. Il y reçoivent, l'un et l'autre, un accueil favorable et le *Marius à Minturne*, quoique mal exposé, obtient la médaille d'or. Le Salon de 1810-1811 fut la seule exposition publique à laquelle Marescalchi participa. En fait le caractère public et 'publicitaire' de ce genre de manifestations ne l'intéressait pas au point qu'à Paris il avait géré sa collection presque en secret, sans doute aussi pour en faciliter le transfert en Italie. Si la décision contingente de transférer les toiles à Bologne à partir de l'année 1812, dépend probablement de circonstances déterminées de la vie publique et privée de Marescalchi, le collectionneur l'avait mûri au contact des artistes et des amis qui partageaient sa préoccupation du patrimoine artistique italien: Rosaspina bien sûr, le cercle des collectionneurs bolonais (Sampieri, Salina, M. Gini...), Giuseppe Tambroni, consul à Rome et directeur de l'Académie d'Italie, et Antonio Canova. Canova se trouvait justement en 1810 pour la seconde fois à Paris. Il s'y était rendu pour modeler le buste de l'Impératrice Marie Louise. Marescalchi avait été son hôte et le sculpteur, s'entretenant avec Napoléon à Fontainebleau, exprimait les mêmes préoccupations que son compatriote. Par ailleurs Canova connaissait bien la collection de Mareschalchi et il la tenait en grande estime, il approuvait en particulier la décision de la reconduire en Italie. Giuseppe Tambroni, qui comptait parmi les intimes de Canova à Rome, rapportait les considérations du sculpteur: «Il applaudit à votre courage et à votre amour pour la patrie, et vous prie de ne pas fléchir. Nous avons passé en revue toutes les oeuvres que vous avez acquises et comme moi il vous en félicite sincèrement et vous prie de vous en tenir à des chefs d'oeuvre similaires à ceux déjà acquis» (lettre de Rome, février 1812). Dans le but de magnifier le palais destiné à ac-

cueillir ses collections Mareschalchi avait commandé à Felice Giani la
décoration de cinq salles de l'étage noble, choisissant des sujets mythologiques et littéraires.

Transfert des tableaux à Bologne: les lettres descriptives de Marescalchi

La décoration du palais à peine achevée, les premiers envois réguliers de tableaux en provenance de Paris se firent au début de l'année.
Marescalchi les accompagnait de lettres descriptives détaillées, envoyées pour la plupart à Francesco Rosaspina et à ses amis bolonais.
Ces lettres constituent des "descriptions historiques" fournissant des
informations sur la provenance des toiles, et sur les circonstances de
leurs acquisitions. A une époque où l'importance des attributions des
oeuvres d'art influait de plus en plus sur leur valeur marchande, il se
soucie en particulier de ce problème et cherche à réunir toutes les
informations qui s'y rattachent. Il mène des recherches personnelles sur
la provenance de ses toiles, étudiant les fonds et allant même jusqu'à
solliciter l'avis des experts (les "intendenti"). Ces enquêtes sont souvent l'occasion de réels soucis, surtout quand il s'agit d'oeuvres particulièrement prisées. Tel est le cas des deux retables du Corrège, *Les
Quatre Saints* du Metropolitan Museum de New York et *Le Christ en
gloire* de la Vaticane dont Marescalchi fit l'acquisition auprès d'un
marchand notoire, Giovanni Antonio Armano, en août 1811, non sans
avoir consulté au préalable son conseiller Rosaspina et demandé une
estimation au professeur Pungileoni, auteur d'une monographie du
peintre à laquelle il travaillait alors et qui sera publiée quelques années
plus tard (*Memorie istoriche di Antonio Allegri detto il Correggio*, 3 v.,
Modène, 1817-1821). De même l'acquisition en 1811 d'une *Sainte Cécile* attribuée au Dominiquin, effectuée par l'entremise de Rosaspina
(oeuvre non identifiée dont nous connaissons une gravure réalisée par
Giuseppe Asioli en 1817), avait valu diverses préoccupations à Mare-
16 scalchi qui avait découvert au Musée Napoléon une toile au sujet ana-
logue et du même auteur (la *Sainte Cécile jouant de la viole* du musée
du Louvre).

Les connaissances artistiques du collectionneur et sa sagacité en
matière d'attribution sont attestées par l'acquisition d'un autre joyau
de la collection, l'*Ecce Homo* alors attribué à Léonard et qu'il resti-
tua au peintre milanais Andrea Solario (gravé par Gaetano Guadagnini
17 en 1826). Cette oeuvre dont la provenance est douteuse avait été
achetée par Marescalchi en 1812 au Prince Belmonte Pignatelli de Naples que les difficultés financières contraignaient à vendre sur le marché parisien.

Modalité des acquisitions

Ferdinando Marescalchi se procura les oeuvres de sa collection tant à Paris qu'en Italie et selon des modalités diverses. A Paris il achéte en personne fréquentant les nombreuses ventes aux enchéres qui se tenaient dans la capitale française, mais aussi, parfois, au hasard de ses découvertes chez les brocanteurs – tel un cousin Pons avant la lettre – comme ce fut le cas pour le *Portrait de Pierre le Grand* de Carel Moor (esquisse sur papier d'une toile conservée à Leningrad) qu'il rapporte avoir découvert chez le brocanteur Le Grand dans le nouveau Passage du Panorama et qui provenait de la collection du Roi de France. En Italie il bénéficiait en revanche d'un réseau d'intermédiaires: Francesco Rosaspina à Bologne, Giuseppe Tambroni, Pelagi Palagi et Antonio Canova à Rome, Giuseppe Rangone, Leopoldo Cicognara et le marchand Luigi Celotti à Venise. Sur le marché italien, à la différence de celui de Paris, la vente de gré à gré est de règle, même si le nombre des personnes intéressées ne fait que croître: marchands, artistes, collectionneurs, intermédiaires d'occasion ou professionnels. Un bon exemple de ce genre de transactions nous est fourni par l'acquisition que fit Marescalchi d'un ensemble de toiles de l'école vénitienne qui lui furent signalées sur le marché vénitien en 1812. Pour ce type d'informations et pour d'autres de même nature, Marescalchi disposait à Venise de Giuseppe Rangone, homme politique retiré de la vie publique en 1805 et qui s'adonnait en dilettante à l'étude des lettres et des arts. Il fut l'ami de Marescalchi, comme de Cicognara, Monti et Foscolo. Ainsi on le voit transmettre au collectionneur une liste d'oeuvres en vente chez un certain avocat Galeazzi de Venise, "toutes bien conservées" comme il le précise «et le Giorgione représentant le Jugement de Salomon serait inappréciable, tant il est sublime, si le propriétaire, qui a la manie de nettoyer les toiles, ne l'avait gâché, à mon goût, en récurant sa surface» (lettre de Oriago, 30 septembre 1812). Il s'agit du tableau déjà mentionné, aujourd'hui attribué à Sebastiano del Piombo, de la collection Bankes à Kingston Lacy). Le Ministre transmet la note de Rangone à Leopoldo Cicognara, l'historien de la sculpture italienne et Président de l'Académie de Venise pour avoir l'avis du 'connaisseur'. Cicognara répondait le 1er décembre 1812: «Mon premier souci a été d'examiner les choses qui vous sont proposées pour la splendeur de votre précieux cabinet....et j'ai le délicat devoir de vous dire que dans tout ce qui figure dans la note que vous m'avez soumise rien n'est digne de vous sinon le Jugement de Salomon. Monsieur Galeazzi en revanche possède un magnifique portrait du Titien, singulier pour la grandeur et la beauté du personnage, un Tintoret classique et un Cima da Conegliano superbe. Si vous parvenez à acquérir ces trois tableaux

avec le Giorgione je pense que vous serez en position d'avoir un des
choix le plus brillant de l'école vénitienne et que celui-ci serait difficile à égaler.»

Une tractation compliquée allait aboutir à l'acquisition des quatre
oeuvres en question: le *Jugement de Salomon*, dejà cité, le *Portrait de*
19 *Francesco Savorgnan* du Titien, actuellement conservé à Kingston
Lacy comme l'oeuvre précédente, le *Saint Marc avec les magistrats*
21 *vénitiens* du Tintoret et la *Vierge à l'Enfant, avec les saints Pierre,*
Romuald, Benoît et Paul de Giovan Battista Cima da Conegliano. Les
22 deux derniers tableaux se trouvent aujourd'hui au musée de Berlin.
Ces toiles majeures arrivèrent sans encombre à Bologne et Cicognara
pouvait manifester sa satisfaction: «Désormais aucune collection
privée n'offrira un Giorgione historié, où la figure féminine de face
semble, par Dieu, de la main de Timante. Et quelque portrait de Titien
que tu puisse voir, il ne sera que néant en regard du tien, qui se pourrait exposer sur n'importe quel mur. Un tel Tintoret, entre les plus
beaux parmi les tableaux publics, ne se pourrait voir en aucune galerie
privée, et en aucun lieu une pièce comme celle de Cima, si une main
diligente et amicale sait remédier à ses petites imperfections. C'est ici
que ma délectation commence, puisque tout est désormais en lieu sûr.»
(lettre de Venise, le 13 janvier 1813). Dans le même temps le Président de l'Académie vénitienne proposait à Marescalchi d'autres oeuvres, en particulier de Giorgione et de Titien. Mais la *Venus Omnia*
20 *Vanitas* attribué alors à Titien qu'il devait acquérir pour le compte du
ministre son ami lors de la vente de la noble famille Widmann, lui
échappa au profit du marchand Luigi Celotti, abbé vénitien, marchand
et collectionneur d'art renommé qui la revendit à son tour au bolonais
en mars 1813. Le même Celotti proposant ses services à Marescalchi,
avait manifesté l'intention de «faire triompher avec éclat l'école vénitienne en cette ville [de Bologne], où elle est si mal représentée». Une
motivation qui ne devait pas non plus être étrangère à Leopoldo Cicognara lequel s'employait en sa qualité de Président de l'Académie de
Venise, à promouvoir l'étude et l'illustration de l'école vénitienne. Les
toile vénitiennes furent encore parmi les premières oeuvres à être ven-
dues, annonçant, dès la seconde décennie du XIXe siècle, la dispersion
de la galerie Marescalchi. Un voyageur d'exception, Lord Byron, de
passage à Bologne en 1820, avait admiré le *Jugement de Salomon* attribué à Giorgione. Il en avait conseillé l'acquisition au collectionneur
sir William Bankes son ami, qui obtint encore, de la collection Marescalchi, le *Portrait* et la *Venus Omnia Vanitas* de Titien, oeuvres qui
appartiennent aujourd'hui encore à la collection Bankes.

Aménagement de la galerie

Pour finir, il convient de consacrer quelques mots à l'aménagement de la galerie Marescalchi. Dans son palais bolonais, les salles consacrées à l'exposition étaient réservées à l'étage noble. Les dix premières pièces, communiquant entre elles, se présentaient comme une suite continue, et constituaient le parcours principal. Dès l'origine tout agencement méthodique et systématique par époque, genre ou école fut exclu. Seules exceptions la première salle des portraits et celle consacrée aux oeuvres de l'école française, réunies afin "qu'en un coup d'oeil on puisse comparer leurs mérites". L'accent est donc mis sur le caractère personnel d'une collection destinée à une habitation privée et non à un musée. Toutefois, à l'intention d'un public choisi convié à la fréquentation des lieux, un parcours propice à la participation du spectateur et à son apprentissage esthétique avait été conçu. Le visiteur devait être séduit par la vision de ces beautés diverses et incité à poursuivre du fait que la galerie, gagnait progressivement en qualité, les plus belles oeuvres étant réservées aux dernières salles. Et ce, à partir de la "Huitième Chambre ou Chapelle" dédiée au Corrège. Trois oeuvres attribuées au maître s'y trouvaient en effet: les *Quatre Saints*, le *Christ en gloire* déjà mentionnés, ainsi que *Trois puttini* (non identifiés). D'autres oeuvres au sujet religieux la complétaient, parmi lesquelles un *Christ porte-croix* attribué à Mantegna, un *Saint Jean* et un *Christ* attribués à Andrea del Sarto et le précieux *Ecce Homo* d'Andrea Solario. Il s'agit probablement de la "salle des chefs-d'oeuvre" ou Stendhal dans son journal de voyage en Italie raconte avoir assisté à la leçon de peinture d'un soi-disant professeur danois, mais qui est en fait le résumé de ses propres goûts artistiques, exprimés tout au long de son *Histoire de la Peinture* (Paris, 1817). La Galerie du palais Marescalchi se poursuit avec la "Neuvième Chambre" où se trouvent d'autres oeuvres maîtresses parmi les quelles la *Circoncision* attribuée à Palma le Vieux, la *Venus* de Titien dont nous parlions tout à l'heure, un *Double Portrait* de Jacopo Ligozzi (aujourd'hui en collection privée) et la *Samaritaine au puits de Jacob* d'Annibale Carrache. La "Dixième Chambre" achevait le parcours avec les oeuvres d'école française et deux pièces singulières, décrites dans l'inventaire comme un Prie-Dieu ayant appartenu à l'évêque de Liège, décoré par Jan Van Eyck et Hans Holbein, et un Clavecin ayant appartenu aux deux reines de France Autrichiennes, Anne et Marie Thérèse, peint par Adam Van der Meulen.

Les questions liées à l'aménagement ainsi qu'à la publicité de sa collection, en vue de laquelle il avait aussi conçu le projet d'un catalogue illustré qui ne fut cependant jamais réalisé, occupèrent les dernières années de Ferdinando Marescalchi. En effet, après qu'il fut rentré en Italie et malgré son retour aux affaires, l'ex ministre ne disposait plus de moyens financiers suffisants pour travailler à l'enrichissement d'une collection qu'il considérait désormais comme achevée. Son seul regret fut de n'avoir pu se permette d'acquérir les *Trois Grâces* de Canova qui, à la mort de Joséphine de Beauharnais, étaient restées sans destinataire. Le 6 juillet 1814, Marescalchi écrivait de Parme au sculpteur: «Que deviendront vos Trois Grâces maintenant que la pauvre Joséphine n'est plus? Elles se lamenteront et nous avec elles, qu'une si belle oeuvre demeure imparfaite. Mais non, je veux le croire, elles ne resteront pas sans amateurs qui se les disputent et je voudrais en être, mais les forces me manquent. Aussi me contenterai-je d'envier qui les possédera surtout s'il n'est pas italien.». L'ensemble fut complété à la demande d'Eugène de Beauharnais qui le destina à son palais de Munich (elles sont aujourd'hui à l'Ermitage).

Ferdinando Marescalchi apparait donc comme un cas très représentatif de ce qu' étaient les collectionneurs à cette époque, tant par sa situation sociale que par ses motivations. Comme celle de Marescalchi, la plupart des collections constituées à cette époque grâce à des fortunes rapides, furent dispersées tout aussi rapidement à la mort de leur propriétaire. Dans une Italie en proie aux bouleversements de son processus d'unification et ne disposant pas encore d'institutions muséales centralisées, la mise en vente de ces collections se fit au profit des collectionneurs et des grands musées publics européens.

BIBIOGRAPHIE INDICATIVE

La partie concernant la collection de Ferdinando Marescalchi, se base notamment sur mon article publié dans les "Atti e Memorie dell'Accademia Clementina" (cit. *infra*) auquel je renvoie pour les références précises aux archives et la bibliographie spécifique, ainsi que pour les citations en langue originale.

Le patrimoine artistique italien à l'époque napoléonienne:

F. Bologna, *La coscienza storica dell'arte italiana*, Turin 1982

A. Emiliani, *Leggi, bandi e provvedimenti per la tutela dei beni artistici e culturali negli antichi stati italiani 1571-1860,* Bologne 1978

A. Emiliani- A. Pinelli- M. Scolaro, *Studio delle arti e il genio dell'Europa*, Bologne 1989

F. Haskell, *La dispersione e la conservazione del patrimonio artistico*, dans *Storia dell'arte italiana*, IIIᵉ Partie, volume 3, Turin 1981, p. 5-35

Pio VI Braschi e Pio VII Chiaramonti: Due Pontefici cesenati nel bicentenario della campagna d'Italia, actes du congrès internationale (Cesena, mai 1997), Bologna 1998

S. Pinto, *La promozione delle arti negli Stati italiani dall'età delle riforme all'Unità,* dans *Storia dell'arte italiana*, IIᵉ Partie, volume 2, Turin 1982, p. 791-939

A. C. Quatremère de Quincy, *Lettres sur le préjudice qu'occasionneraient aux arts et à la science le déplacement des monuments de l'art de l'Italie, le démembrement de ses collections, galeries, musées, etc.* (dites *Lettres à Miranda*, 1796), éd. E. Pommier, Paris 1989

S. Sicoli, *La politica di tutela in Lombardia nel periodo napoleonico. La formazione della Pinacoteca di Brera: il ruolo di Andrea Appiani e Giuseppe Bossi*, dans "Ricerche di Storia dell'Arte", 38 (1989), p. 71-90

S. Sicoli, *La Regia Pinacoteca di Brera dal 1809 al 1815: criteri di formazione e problemi di gestione. La tutela mancata*, dans "Ricerche di Storia dell'Arte", 46 (1992), p. 61-81

Les collections et les collectionneurs:

J. Anderson, *The Rediscovery of Ferrarese Renaissance Painting in the Risorgimento*, dans "The Burlington Magazine", v. 135, n. 1085 (1993), p. 539-549

L. Benini, *Descrizione della Quadreria Costabili*, dans "Musei Ferraresi", 7 (1977), p. 79-96

C. De Benedictis, *Per la storia del collezionismo italiano. Fonti e documenti*, Florence 1998²

F. Haskell, *Rediscoveries in* Art, London 1976, 1980² (plus particulièrement le chapitre 2: "Revolution and reaction")

F. Haskell, *An Italian patron of French Neo-classic Art*, The Zaharoff Lecture for 1972, Oxford 1972 (trad. it. *Arte e Linguaggio della Politica*, Florence 1978, p. 103-122)

F. Haskell, *More about Sommariva*, dans "The Burlington Magazine", octobre 1972

S. Laveissière, *Prud'hon ou le rêve du bonheur*, catalogue d'exposition, Paris 1998 (pour les commandes de Giovan Battista Sommariva)

F. Lechi, *I quadri della collezione Lechi in Brescia. Storia e documenti*, Florence 1968

E. Mattaliano, *La Collezione Costabili*, Venise 1998

F. Mazzocca, *G. B. Sommariva o il borghese mecenate: il "cabinet" neoclassico di Parigi, la galleria romantica di Tremezzo*, "Itinerari"/II, Florence 1981, p. 145-293

F. Mazzocca, *Villa Carlotta*, Milan 1983

G. Melzi D'Eril, *La galleria Melzi e il collezionismo milanese del tardo Settecento*, Milan 1973

A. Ugolini, *Rivedendo la collezione Costabili di Ferrara*, dans "Paragone", v. XLI, n. 489 (1990), p. 50-76.

Una Città e il suo museo. Un secolo e mezzo di collezioni civiche veneziane, catalogue d'exposition, Venise, Museo Correr, 1988 (notamment la Ière section consacrée aux collections de Teodoro Correr)

Ferdinando Marescalchi, collectionneur exemplaire d'époque napoléonienne:

A. Bernucci-P. G. Pasini, *Francesco Rosaspina "incisor celebre",* Cinisello Balsamo 1995

Byron's Letters and Journal, éd. L. A. Marchand, 12 v., London 1973-1981, VII, p. 45

A. Canova *Scritti*, I, par les soins de H. Honour, Rome 1994, p. 337, 369, 371

A. Ottani Cavina, *Arte per i Semidei. Felice Giani a palazzo Marescalchi,* dans *Nove secoli d'arte a Bologna*, Torino 1987, p. 117-141.

A. Ottani Cavina, *La residenza neoclassica, l'élite filo-francese: un episodio a Bologna,* dans "Antologia di Belle Arti", n. 33-34 (1988), p. 24-32

Pelagio Palagi pittore. Dipinti dalle raccolte del Comune di Bologna, catalogue d'exposition, par les soins de C. Poppi, Milan 1996 (pour les commandes de Antonio Aldini et de Ferdinando Marescalchi)

M. Preti Hamard, *La quadreria di Ferdinando Marescalchi (1754-1816) attraverso il suo carteggio inedito con Francesco Rosaspina*, dans "Atti e Memorie dell'Accademia Clementina", n. 33-34 (1995), p. 177-196

M. Proni, *Per la ricostruzione della quadreria di Ferdinando Marescalchi (1754-1816)*, dans "Antologia di Belle Arti", n. 33-34 (1988), p. 33-41

Stendhal, *Voyages en Italie*, éd. V. Del Litto, Paris 1973, p. 86-88, 390

The Letters of Percy Bysshe Shelley, éd. Roger Ingpen, 2 v., 1909, II, p. 636-637

A.-C. P. Valery, *Voyages historiques et littéraires en Italie pendant les années 1826, 1827 et 1828; ou l'indicateur italien,* Paris 1831-1833; 1838², II, p. 43.

1. Nicolas-André Monsiau, *La Consulte cisalpine réunie aux Comices de Lyon, le 26 janvier 1802*. Versailles, Musée national du château.
2. Nicolas-André Monsiau, *La Consulte cisalpine réunie aux Comices de Lyon, le 26 janvier 1802*, détail. Versailles, Musée national du château.

543

3. Ludwig Guttenbrunn, *Portrait de Ferdinando Marescalchi*. Versailles, Musée national du château.

LA LIBERTÀ, E L'EGUAGLIANZA

*Dall' Originale di Guido Reni preſso il Cittad Ferd: Marescalchi
diſegnato da G. Guizzardi, e inciſo da Paolo Bernardi
Ha ottenuto il Premio Curlandeſe l'Anno VI Rep. [1798 V.]*

4. Guido Reni, *L'Air et le Feu*. Bologne, palais Marescalchi.
5. Paolo Bernardi (dessin de Giuseppe Guizzardi), *L'Air et le Feu* (*"La Libertà, e l'Eguaglianza"*), eau-forte et burin, d'après la fresque de Guido Reni.

545

LA VIGILANZA

L'ONORE

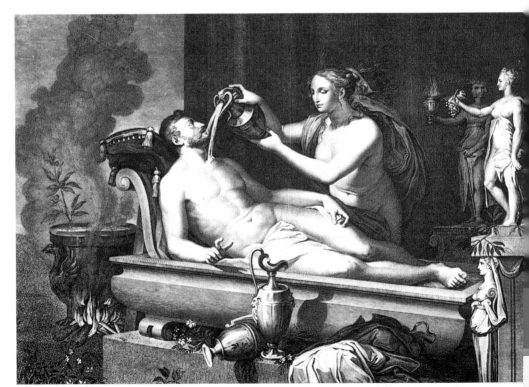

6. Giuseppe Asioli (dessin de G. B. Frulli), *La Vigilance*, eau-forte et burin, d'après la fresque de L. Carrache au palais Marescalchi. Reggio Emilia, Bibliothèque Panizzi.

7. Giuseppe Asioli, *L'Honneur*, eau-forte et burin, d'après une fresque perdue de L. Carrache. Reggio Emilia, Bibliothèque Panizzi.

8. Giuseppe Asioli, *Medée rajeunissant Eson*, eau-forte et burin, d'après la fresque de P. Tibaldi au palais Marescalchi. Reggio Emilia, Bibliothèque Panizzi.

9. Giuseppe Asioli, *Les trois Grâces*, eau-forte et burin, d'après une fresque perdue de P. Tibaldi. Reggio Emilia, Bibliothèque Panizzi.

10. Antonio Gajani (dessin de Giuseppe Guizzardi), *Le mariage de sainte Catherine*, eau-forte et burin, d'après un tableau d'Innocenzo da Imola. Reggio Emilia, Bibliothèque Panizzi.

11. Corrège, *Les Quatre Saints*. New York, The Metropolitan Museum of Art.

12. Corrège, copie d'après, *Le Christ en gloire*. Rome, Musée Vatican, pinacothèque.

13. Francesco Albani, *La Danse des amours*, autrefois à Bologne, collection Sampieri. Milan, Pinacoteca di Brera.

14. Francesco Rosaspina, *La Danse des amours*, eau-forte, d'après le tableau de Francesco Albani. Forlì, Bibliothèque communale "A. Saffi".

S. CECILIA

15. Pelagio Palagi, *Marius à Minturne*, carton préparatoire. Bologne, Bibliothèque communale de l'Archiginnasio.

16. Giuseppe Asioli, *Sainte Cécile*, gravure d'après un tableau du Dominiquin. Reggio Emilia, Bibliothèque Panizzi.

17. Gaetano Guadagnini, *Ecce Homo*, gravure d'après un tableau d'Andrea Solario. Bologne, Académie des Beaux Arts.

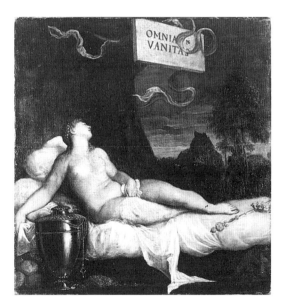

18. Sebastiano del Piombo, *Jugement de Salomon*. Kingston Lacy, The National Trust, collection Bankes.

19. Titien, *Portrait (Francesco Savorgnan della Torre?)*. Kingston Lacy, The National Trust, collection Bankes.

20. Titien, école de, *Venus Omnia Vanitas*. Kingston Lacy, The National Trust, collection Bankes.

21. Tintoret, *Saint Marc avec les magistrats vénitiens*. Berlin, Staatliche Museen, Gemäldegalerie.

22. Cima da Conegliano, *Vierge à l'Enfant avec les saints Pierre, Romuald, Benoît et Paul*. Berlin, Staatliche Museen, Gemäldegalerie.

INDICE DEI NOMI

Stampato dalla Tipografia "La Garangola" di Padova